国家出版基金项目

湖北省社会科学基金重点项目
湖北省学术著作出版专项资金项目
湖北传承发展优秀传统文化重点项目
湖北省荆楚文化研究中心重点支持

荆楚文化史

明清卷

湖北省荆楚文化研究会组织编写

总主编：刘玉堂
本卷主编：任　放

长江出版传媒　湖北教育出版社

图书在版编目（CIP）数据

荆楚文化史. 明清卷 / 刘玉堂主编 ; 任放本卷主编.
-- 武汉 : 湖北教育出版社, 2022.1(2025.2重印)
ISBN 978-7-5564-4467-0

Ⅰ. ①荆… Ⅱ. ①刘… ②任… Ⅲ. ①文化史—湖北—明清时代 Ⅳ. ①K296.3

中国版本图书馆CIP数据核字(2021)第273500号

荆楚文化史.明清卷　JINGCHU WENHUASHI.MINGQING JUAN

出品人	方　平	策　划	刘　艺
责任编辑	刘　宁	责任校对	李庆华
封面设计	李　枫　何亦明	责任督印	刘牧原

出版发行	长江出版传媒	430070　武汉市雄楚大道 268 号
	湖北教育出版社	430070　武汉市雄楚大道 268 号
经　销	新　华　书　店	
网　址	http://www.hbedup.com	
印　刷	武汉中远印务有限公司	
地　址	武汉市黄陂区横店街货场路粮库院内	
开　本	710mm×1000mm　1/16	
印　张	32.75	
字　数	490 千字	
版　次	2022 年 1 月第 1 版	
印　次	2025 年 2 月第 2 次印刷	
书　号	ISBN 978-7-5564-4467-0	
定　价	156.00 元	

《荆楚文化史》编纂委员会

主　任：王生铁

副主任：武清海　李佑才

委　员（按姓氏笔画为序）：

王树华　尹弘兵　叶　植　任　放　刘玉堂　安向荣　杜建国

李德华　吴成国　邱久钦　张　武　张　硕　张继才　陈昆满

罗运环　胡嘉猷　柳菊兴　姚伟钧　袁北星　夏日新

主　编：刘玉堂

副主编：李德华　陈昆满　杜建国

总　序

刘玉堂

“地利西通蜀，天文北照秦。风烟含越鸟，舟楫控吴人。”诗圣杜甫笔下的荆楚大地，令多少人为之心驰神往！而这方神奇土地孕育的荆楚文化，又令多少人为之梦萦魂牵！

荆楚文化的空间范围大致与今湖北行政区划相当，时间范围从远古到当代。之所以称荆楚文化，是因为其源头和主干楚文化是以湖北为中心发展壮大的，而且荆、楚又往往互称并举。荆楚文化史研究的主要范畴是湖北文化诞生、发展和演变的历史。至于本书称《荆楚文化史》而不称《湖北文化史》，主要由于“湖北”的概念是宋代才有的，始于北宋初年以洞庭湖为界分荆湖南、北二路，其中荆湖北路即指湖北。“荆楚”的概念则始于先秦，有族类名和地域名之分，前者如《诗·商颂·殷武》：“维女（汝）荆楚，居国南乡。”后者如《楚辞·大招》：“自恣荆楚，安以定只。”无论是族类名还是地域名，其对应的空间范围虽略有出入，但基本上都是以今湖北为中心，鉴于本书的时间跨度为远古至当下，故名之为《荆楚文化史》更为切近。

《荆楚文化史》的编撰兹事体大，因而对相关问题的说明尤为必要。

一是荆楚文化的时间界限。当代人治国别史或地域史，一般止于晚清或民国，而本书则上起远古，下至当下，突破了史学界心照不宣的“当代人不治当代史”的传统。本书如是考量，无意于标新立异，只是想把荆楚文化的最新面貌展示出来，以增强现实感，突出时代性，进而坚定文化自信。

二是荆楚文化的空间界定。本书的空间范围固然是以今湖北行政区划为主，但现今的湖北省境，基本上是明清以来逐步规范形成的，在此前的数千年中，湖北与周边诸省之间的行政归属变动不居。因此，本书虽然明确强调研究的空间范围原则上不超出当今湖北行政区划，但如涉及思想影响、文化交流、人物迁徙、商旅流通乃至政治背景和经济状况等问题，尤其是牵涉到湖北局势发展的重要事象时，有关叙述或分析会越出今湖北省界的范围。

三是荆楚文化的内容定位。一般文化史研究，视角有宏观和微观之分，也即通常所谓广义文化与狭义文化之别，前者包括物质文明成果和精神文明成果的总和，后者仅限于精神文明成果。如采取宏观视角，难免失之于宽泛，而且极易与《湖北通史》一类著述雷同；如采取微观视角，则未免失之于狭窄，以致某些重要的文化内容不能得到应有的反映。有鉴于此，本书采取了介于宏观与微观之间的“中观”视角，即除重点考察微观层面的思想、学术、文学、艺术、教育、科技、宗教、民俗之外，还涉及时代变迁的社会背景和生态、移民、城建、商旅、交通等文化事象。当然，由于各个时代的文化状貌不尽相同，故允许各卷在保持基本内容一致的前提下合理取舍。

概而言之，《荆楚文化史》旨在经由多维度和全方位的考察，梳理出荆楚文化发生、成长和演变的线索，揭示出荆楚文化的基本特征、分衍状态和流迁趋势，勾勒出荆楚文化与其他区域文化乃至外域文化间多向的碰撞、交流和融合的轨迹，进而客观地评价荆楚文化在中华文化发展过程中所起的强大而持久的作用与影响。

一、荆楚的自然环境与民族氛围

在人类生存的地球上，有一条神奇的纬线——北纬30°线。它既是旧大陆古代文明的中轴线，又是长江流域的中轴线。中国的荆楚地区，埃及的古都孟菲斯，号为“神之门”的巴比伦，波斯帝国极盛时期的首都苏萨，以及南亚最早的两座古城之一哈拉巴，都无一例外地聚集在这一纬线附近。

从自然环境来看，荆楚正好处在东西之中、南北之间。说荆楚处在东西之中，这是因为中国的地势从西到东由高变低，呈三级阶梯之状：青藏高原为第一阶梯，南起云贵高原、中经四川盆地和黄土高原、北至内蒙古高原为第二阶梯，华中迤东的丘陵和平原为第三阶梯。荆楚正好处在第二阶梯与第三阶梯交接地带：鄂西在第二阶梯的东部，鄂中迤东在第三阶梯的西部。说荆楚处在南北之间，这是因为鄂北连接着秦岭、大巴山、桐柏山和大别山，鄂中迤南则为江汉平原和江南低山丘陵。荆楚整个地貌呈箕形：中部的江汉平原既平又低，西部、北部、东部是山地，只有南部向洞庭湖敞开。山环水绕的自然环境，温暖湿润的气候特征，不仅使荆楚的山郁郁葱葱，而且在境内形成不同流量的河流，汇入横穿其腹地的中国第一大河长江，众多水系如银练飘舞在广袤的荆楚大地上，构成纵横交错的水网，古云梦泽淤积遗留的大小湖泊，似明镜镶嵌于辽阔的江汉平原，调节着长江中游的旱涝。得中独厚的自然环境，不能不说是天赐荆楚。

就民族氛围而言，荆楚也恰好位居东西南北之中。汉藏语系的四大语族，最迟在周代已具雏形。汉语族的先民在北，壮侗语族的先民在东，苗瑶语族的先民在南，藏缅语族的先民在西。四个语族相互接触、彼此交错的中心，就在荆楚。北来的姬、姜等姓和殷人的遗民是汉语族的先民，东部的扬越属于壮侗语族的先民，南方的楚蛮多数应是苗瑶语族的先民，西部的巴人属于藏缅语族的先民。正是在这壮丽的民族景观中，蕴含着盎然勃兴的历史机缘。

荆楚独特的自然环境和民族氛围，既有利于接纳来自四面八方的文化信息，又能保持强大的定力，外求诸人以博采众长，内求诸己而独创一格，从而在某种程度上形成了大同小异的风气，其主体居民沉浮与共、休戚攸关，桀骜多于驯顺，狂放多于拘谨，独创多于固守，喜游心于天人之际，驰骋于艺文之间，不乏苦志慧心和奇思丽想。

二、荆楚文化的演进轨迹

居东南西北之中，当四通八达之会，荆楚历史波谲云诡，荆楚文化异彩纷呈，令人兴“大江东去，浪淘尽，千古风流人物”之叹。

属于“人猿相揖别”的旧石器时代遗址，在今湖北郧阳、郧西、丹江口、长阳、五峰、宜都、枝江、建始、大冶等县市区及荆州、神农架、襄阳、咸宁、武汉等地共发现200多处，涵盖了旧石器早、中、晚三个不同的发展阶段，其中最有代表性的是建始直立人和江陵鸡公山遗址。建始直立人距今215万年至195万年，早于元谋人、蓝田人、北京人，填补了中国人类发展史上从猿到人进化史中“直立人”这一关键环节的空白，对于探索人类的起源与演化具有重要价值。江陵鸡公山遗址下层的上限为距今5万年，其上层的下限为距今1万年。先前所发现的旧石器文化遗址大多在洞穴内，江陵鸡公山旧石器文化遗址却处于弥迤平原和汪茫水乡中。我们可以确信，江陵鸡公山旧石器文化的主人，只要没有因遭遇特别严重的天灾人祸而灭绝，应该属于后世荆楚人的远祖之列。

在“只几个石头磨过”的新石器时代，荆楚地区的文化遗址近3000处，更重要的是文化谱系相对完整：年代最早的是距今8000年的城背溪文化，继之大溪文化兴起，其后是屈家岭文化和石家河文化相继勃兴。屈家岭遗址是我国长江中游地区发现最早、最具代表性的大型新石器时代聚落遗址，也是长江中游地区第一个以遗址发现地命名的新石器文化。比屈家岭稍晚的石家河文化，不仅出现了初具规模的城址，而且发现了冶金的遗迹，代表了长江中游地区史前文化的最高水平，成为探索中华文明起源的一个重要标本。据《战国策·魏策》记载：“三苗之居，左彭蠡之波，右洞庭之水，文山在其南，而衡山在其北。”尽管关于文山和衡山的地望古今学者多所稽考而莫衷一是，但对于荆楚地区曾为三苗部落的腹地，则是学术界比较一致的见解。因此，荆楚地区先后诞生的大溪文化、屈家岭文化和石家河文化，庶几可以视作三苗部落的文化遗迹。

夏禹执政前后，一度效法尧舜对三苗实行的怀柔政策，却未能产生预期效果，三苗仍不愿服从夏王朝的统治，一场征伐三苗的战争不可避免，而双方实力的悬殊早已注定了三苗失败的结局。禹在征服三苗后，同样采取了尧舜流徙三苗之君的方式，迁徙三苗上层统治集团于西北边陲的“三危”，历经变服从俗，很可能成为后世羌族的祖先。对于三苗故地的遗部，禹则委派夏族人前往统治，意在对其实行严密的监控，达到巩固夏王朝统治地位的目的。涉及夏代荆楚地区经济社会状况的文献寥若晨星，仅有《尚书》《墨子》《世本》《帝王世纪》的相关零星记载，使我们依稀获得以上并非完整的信息。

殷商之世，以荆楚为中心的长江中游一带被殷人称作“南土”或“南乡”，前者见之于《左传·昭公九年》，后者见之于《诗·商颂·殷武》。从商汤起，经太甲到太戊的三代六王，是商王朝的巩固时期，统治者致力于内政，对方国部落则以羁縻为主，局势相对平静，荆楚地区也未见重大战争发生。从商王中丁开始，内患频生，中丁被迫迁都于隞。可能是荆人趁商都新迁而发难，也可能是中丁出于长治久安的考虑，总之在中丁都隞不久，荆楚东部的今武汉北部黄陂出现了商朝移民，继而建立了长江流域已知最早也是最大的早商城邑——盘龙城。盘龙城的建立，促进了中原商文化与荆楚文化的交流与融合，考古发现的江陵荆南寺遗址和沙市周梁玉桥遗址的商代文化层，就是以土著文化为主体并吸收中原商文化及其周边地区同时期文化因素而形成。尽管后来商王武丁曾大举征伐荆楚，商王朝与荆楚地区的文化交流则未曾中断，早熟的中原青铜文化南下，激活了荆楚固有的文化因子，促进了荆楚地区铜的采冶和铸造，以及城邑设置和农业区域经济中心的萌芽。

跌宕起伏的周代，从周初楚人嫡祖季连后裔鬻熊因辅佐周文王有功被徙“居丹阳”，至公元前278年秦将白起拔郢止，今荆楚地区一直是楚国的腹地。虽说春秋早期以前荆楚地区也曾诸国林立，其中不乏殷商遗民建立的权国和周王的同姓姬姓随国（曾国）这类颇有影响的封国，以及罗、卢、鄢、邓、谷、庸、麇（微）、鄂、唐、厉、绞等国，但权国春秋早期已被楚灭国改设为县，随国约春秋中期已成为楚国的附庸，其他国家要么亡于楚国，要么望风归附。从某种程度上说，周代荆楚地区的文化即楚文化。楚人在八百年的漫长岁月中，创造了震古烁今的文化，不啻与中原文化并肩而立，甚至与西方的古希腊文化难分轩轾。东西方文化各自从不同的方向出发，分别登上了人类文明轴心时代的巅峰，楚文化对中华文明乃至世界文明的贡献，足以令世人称奇。如果将中华文明比作浩瀚无垠的宇宙，那么，作为荆楚文化源头和主干的楚文化，就是宇宙中一条璀璨夺目的星河，澎湃于其中的"筚路蓝缕"的进取精神、"大象无形"的开放气度、"一鸣惊人"的创新意识、"上善若水"的和谐理念、"九死未悔"的爱国情怀和"一诺千金"的诚信品格，以其巨大的能量，穿越时空，生生不已！

"秦王扫六合，虎视何雄哉！"在秦王朝的统治下，荆楚文化惨遭洗劫，创巨痛深。先前济济多士，此时流失殆尽，自由活泼的文化气氛，被秦朝的坚甲利兵和严刑峻法扫荡一空。幸有云梦睡虎地秦简出土，才使人们得以了解秦代荆楚文化的些许信息。这批秦简包括《语书》《为吏之道》《秦律十八种》《效律》《秦律杂抄》《法律答问》《封诊式》《日书》《编年记》，尽管内容涉及秦朝政治、经济、法律、文化诸方面，仍然留下了荆楚文化的烙印。其中《为吏之道》作为一部官吏指南，吸收了源于荆楚的道家思想，如"强良不得"，与马王堆帛书《老子》甲本"强良者不得其死"如出一辙。从艺术风格来看，《为吏之道》与荀子"成相辞"毫无二致，而荀子曾任楚兰陵县令，其著作当受楚文化浸润，从《荀子·成相》到《为吏之道》，似可寻绎楚地民歌的传承脉络。通过秦简《编年记》，我们得以掌握秦始皇南巡经过故楚地安陆的确切时间和路线。秦简《日书》中的"秦楚月名对照表"，表明秦代荆楚地区因国家强制官方不得不使用秦历，但民间仍习惯沿用楚国旧历。从秦简展示的秦代隶书原貌观察，其"蚕头燕尾""一波三折"的特征，显然受到战国中期荆门包山楚简书法艺术的渗透。

文化多承楚制的汉代，伴随着经济社会的恢复发展，荆楚文化也逐渐复苏，在思想与学术、文学与艺术、科技与教育等领域都获得长足的进步。西汉时荆楚地区的经学如“离离原上草”，虽荣枯无常，却绵延不绝，至东汉时马融任南郡太守，荆州的经学已蔚然成风。东汉末年刘表任荆州刺史期间，养士抚民，推崇学术，遍注群经，广求遗书，荆州成为全国最大的学术中心，官府藏书甲于天下。汉代是“铺采摛文”的文学体裁——赋的鼎盛时期，荆楚虽少见汉赋名家，但汉赋的名篇佳作无不同荆楚有千丝万缕的联系。它们或搁笔于荆楚，或从内容和形式上“拓宇于楚辞”，或直接以描绘荆楚山川之美和人文之胜为题材，此即《文心雕龙·辨骚》所谓“枚、贾追风以入丽，马、扬沿波而得奇”。汉代乐舞广纳博采，荆楚地区独领风骚，崔骃《七依》描绘的“振飞縠以舞长袖，袅细腰以务抑扬”，分明是楚舞“长袖纽腰”的再现。当阳汉墓的画像石和老河口汉墓的画像砖，其雕刻技艺相较于南阳画像石毫不逊色。在当阳、襄阳、云梦等地东汉墓中发现的陶楼，展示了汉代官僚豪族风格各异的庭院式建筑。汉代荆楚学校教育“庠序盈门”，科技尤其是数学和医学成果丰硕，江陵张家山汉墓出土竹简《算数书》是比《九章算术》更早的数学专著，而《脉书》和《引书》则堪称汉代荆楚医学的上乘之作。

魏晋南北朝是中国历史上一个战乱频仍、朝代迭更的特殊历史时期，荆楚地区先后处于孙吴、东晋和南朝宋、齐、梁、陈的统治之下，其文化冲突中有交融，碰撞中有演进。东汉末年至三国时期最著名的三大战役，就有两大战役即赤壁之战和夷陵之战都发生于荆楚；西晋灭吴的战略谋划，也是在荆州襄阳形成。真可谓“一部三国史，半部荆州书”。释道安襄阳弘法、习凿齿撰《汉晋春秋》和盛弘之《荆州记》的编撰，象征着荆楚学术于乱世中别开生面。与之相映生辉，“清新庾开府”“俊逸鲍参军”均为荆楚文学奉献出扛鼎之作，前者《哀江南赋》把骈赋创作推向了巅峰，后者《登黄鹤矶》开创了山水诗派峻厉奇矫的新风。被称为“清商曲辞”的西曲歌《石城乐》《襄阳乐》《江陵乐》，成为乐府诗中最能撞击人们心扉的歌曲。艺苑的盛事，不啻是儿童及女子歌舞“襄阳白铜鞮”舞动京华，更有宗炳的画论独步一时。南朝荆楚画家宗炳是著名的山水画家兼理论家，不仅创立了“应会感神，神超理得”的绘画美学理论，而且在技艺上提出了“竖划三寸”“横墨数尺”的山水画透视学原理。至于庾亮在武昌建立学舍和设置学官，无疑是东晋时期荆楚教育的一抹亮色。

隋唐是我国文化发展的黄金岁月，统一且相对稳定的政治格局，使社会经济得到了空前发展，政治中心的东移与经济中心的南移相互交织，共同演奏出波澜壮阔的盛世华章，混同南北的隋唐文化因之具有朝气蓬勃、兼容并收的恢宏气象。凭借独特的区位优势，荆楚大地成为南北、东西文化碰撞与融合的重要平台。在道教被视为国教的唐代，江陵已成为南北道教文化交流的中心。隋代智颢于当阳创建玉泉寺，其佛学理论也成熟于斯；分别以慧能和神秀为代表的禅学南北两宗，分流于荆楚蕲黄的东山，是隋唐时期荆楚文化的突出成就。在哲学和美学上，禅宗虽说未必超越道家，但常有突兀冷峻的奇想妙得，甚至使儒家瞠乎其后。如果说，段成式《酉阳杂俎》、余知古《渚宫旧事》、皮日休《皮子文薮》和孙光宪《北梦琐言》代表着荆楚博大精深的学术，那么“冲淡之中有壮逸之气”的孟浩然、“语奇体峻”的岑参、“不雕自饰”的张继和“酒隐安陆，蹉跎十年”的李白等人的诗篇，则交织出荆楚文学的万丈锦绣。唐代民间歌舞盛行，荆楚百姓在努力创造物质财富的同时，也尽情享受着“竹枝歌”、“郢中田歌”和“起舞激楚”的“采莲”舞带来的精神愉悦。“书中仙手”李邕和“落笔洒篆文，崩云使人惊”的李阳冰，则分别以其行书、篆书神品，成为书坛“示来者以轨则”的树立法度之人。荆楚唐代官学可考的有荆州州县学和襄阳州学，培养出的进士刘洎、岑文本、张柬之均官至相位。唐代竟陵陆羽撰写的世界第一部茶学专著《茶经》，不仅使饮茶成为朝野风尚，而且使得东西方“俱受其惠”。

宋元时期中国由南北分裂至天下一统，荆楚地区社会经济一直在曲折中前行。与之相应，学术包容、文学开新、书艺立宗、教育振兴、科技精进，无不浸染时代气息。经学上“学《易》醇深”的朱震、补程颐之缺失的项安世、传理学于北方的“隐君”赵复和“江汉同调”的砚弥坚等，营造了荆楚思想学术界云蒸霞蔚的景象。文学上张景力主文学革新、安陆“二宋”（宋庠、宋祁）为文“无一点尘气”，尤其是苏轼谪居黄州“驰骋翰墨，其文一变”，荆楚文坛新风劲吹；“江西诗派”中坚潘大临、北宋词人魏玩和僧仲殊以及南宋词人王质、杨冠卿等，在宋代词苑各擅风流；“填词不减宋人之工”的滕斌，使“渐于衰”的元词为之一振。艺术上，武昌湖泗窑把白瓷和青瓷分别向南北推移，在中国陶瓷发展史上的地位尤为重要。米芾书法如“天马脱衔，追风逐电”，米氏父子绘画“不取工细，善用水墨”，创造了被世人称之为“米氏云山”的独特表现手法。宋代荆楚官学的稳定发展和书院功能的演变，构成了荆楚教育的双璧。科技上庞安时“尤精于伤寒，妙得长沙（即张仲景）遗旨”，其《伤寒总病论》补张仲景《伤寒杂病论》之缺失。英山毕昇发明的活字印刷术，标志着印刷史上一项重大变革的完成，对中国乃至世界文化的影响既深且巨。

明清两朝，看上去似乎政治中心再度向北转移，经济中心继续向东倾斜，但荆楚地区毕竟处于绾毂中华的地位，仍不乏荦荦可观者。以学术观之，则有“嘉鱼二李”（李承芳、李承箕）和“黄安（或天台）三耿”（耿定向、耿定理、耿定力）傲然而立；特立独行的“异端”思想家李贽，在大别山麓的黄安、麻城写下了惊世骇俗的《藏书》。经学名宿则有“穷经巨擘”郝敬、“不为泛滥卮言”的陈士元和首倡“学统”的熊赐履，以及“根柢于诸经”的胡承诺。刘子壮的经世实学、熊伯龙的无神论和程大中、秦笃辉的“汉宋兼治”皆名重一时。史学方面也有章学诚的方志学和杨守敬的历史地理学风靡史林。以文学而论，不仅有“独抒性灵、不拘格套”的“公安派”和力倡“尖新幽冷”的“竟陵派”，而且有“触物感兴，陶写自如”的明初诗人魏观、王廷陈、吴国伦等人掀起的文学复古思潮。清代词曲盛行，荆楚虽未见自成一统的流派，但仍有杜濬、顾景星、徐石麟等感时伤怀的词人。就艺术而言，以画家吴伟为领袖的“江夏画派”名动天下，张裕钊和杨守敬的书法饮誉东瀛，而最突出者莫过于汉调同徽班进京促成了京剧的诞生。在教育领域，传统官学教育和私学教育两个体系已臻定型，义学的推行和宗学的发端也并行不悖。科技领域最突出的成就在医药学，李时珍呕心沥血撰成的《本草纲目》，无疑是荆楚对中国乃至世界医药学的杰出贡献。

近代伊始，长江中游地区经历了惨烈的战祸，南皮之学乘势而起。导致清朝覆灭的辛亥首义，爆发于湖北武昌。五四运动前后，荆楚大地成为新旧文化博弈的主要战场之一，恽代英创办的利群书社、董必武创立的武汉中学、中华大学主办的《光华学报》、华中大学开设的时政讲堂，已然成为传播新文化的重要阵地。此后南军北伐，先取长江中游，继取长江下游，荆楚始终得风气之先。以“朴诚勇毅”著称的荆楚子民，始终冲锋在新民主主义革命前沿：江岸铁路的风雷、汀泗桥头的硝烟、农讲所里的火种、“八七”会议的宣言，无一不是惊天动地的壮举；在红安七里坪、洪湖瞿家湾、阳新龙港、大悟宣化店……无不展现出荆楚儿女气壮山河的风范。抗日战争爆发，武汉一度成为全国的文化中心；解放战争的帷幕，在大别山南麓的鄂北拉开。无数事实证明，近代以来中国几乎所有重大变革的起点都在荆楚。一个有辉煌历史传统的省份，一个有深厚文化蓄积的地域，在革故鼎新之际，必有出类拔萃的思想学术和文学艺术。清代末年和民国期间的荆楚，就处在这么一个龙从云、虎从风的历史转折阶段，其文化呈两极发育的趋向：一极是政治与哲学思想的际会风云，其代表是张之洞的《劝学篇》和熊十力的《新唯识论》；一极是文学与艺术的异峰突起，其代表是闻一多的《红烛》和曹禺的《雷雨》。二者都是一流的水准，分别伫立于所处时代的高峰。近代荆楚的教育、科技，也在战火纷飞中勉力赓续，甚至出现了一些意想不到的成果。

自中华人民共和国成立至2018年，荆楚文化焕发出新的生命活力。坚持科学理论导航，以马克思主义为指导的哲学社会科学竞辉齐光：李达的马克思主义哲学研究、周鲠生和韩德培的国际法研究、黄焯的语言文字研究、唐长孺的中国历史研究、吴于廑的世界历史研究、张舜徽的中国历史文献研究和皮高品的图书馆学研究，以及《汉语大字典》的编纂、两届“荆楚社科名家”的学术成果，无不是站立在所在学科的前沿。紧扣时代脉搏，社会主义文艺园地鲜花怒放：依文学创作而论，小说有姚雪垠的《李自成》、报告文学有徐迟的《哥德巴赫猜想》、散文有碧野的《情满青山》、诗歌有曾卓的《悬崖边的树》，还有数位茅盾文学奖和鲁迅文学奖得主的作品，充分展示了文学鄂军的雄厚实力；就艺术创作而言，以高百岁为开山的京剧、以陈伯华为领军的汉剧、以沈云陔为旗手的楚剧、以王玉珍等主演的《洪湖赤卫队》为标志的歌剧和以夏雨田为代表的曲艺，以及以“杂技皇后”夏菊花为灵魂人物的汉派杂技和以中国画变革“三面旗帜”之一的周韶华为表率的荆楚绘画等，赢得了荆楚艺苑的满园春色。进入 21 世纪，荆楚文化在全国的影响力与日俱增：第八届中国艺术节、第六届中国京剧节、第二届中国歌剧节和第八届中国舞蹈大赛等大型文化活动相继在湖北举办，荆楚已然成为神州大地的一方文化高地。发挥资源优势，深入挖掘和大力整合荆楚文化资源，加强荆楚文化的保护与传承，《荆楚文库》这一迄今湖北规模最大的文献整理研究出版工程正顺利实施。与此同时，荆楚文化“走出去”的步伐铿锵有力，足迹遍及全球。立足创新驱动，致力于荆楚优秀传统文化的创造性转化和创新性发展，推动文化事业和文化产业快速前行，为实现全省经济社会发展提供思想保障、智力支持和道德滋养，让生生不息的荆楚优秀传统文化的文脉延续到文化创造中、血脉激活在生命智慧里、根脉滋长于社会生活间，为更加坚定文化自信、不断铸就中华文化新辉煌做出荆楚新贡献。

三、荆楚文化的主要特征

探讨荆楚文化的主要特征，离不开对楚文化特质的把握。由张正明先生率先提出并经众多学者不断完善的楚文化的“六大支柱”和“五种精神”，堪称楚文化特质的精练概括，前者即炉火纯青的青铜冶铸、绚丽精美的丝织刺绣、巧夺天工的木竹漆器、义理精深的老庄哲学、惊采绝艳的屈骚文学、恢诡谲怪的美术乐舞，后者即筚路蓝缕的艰苦创业精神、追新逐奇的开拓进取精神、兼收并蓄的开放融会精神、崇武卫疆的强军爱国精神、重诺贵和的诚信和谐精神。正是这“六大支柱”和“五种精神”，对荆楚文化特征的形成产生了重大而深远的影响。

在楚文化的根基上发展而来的荆楚文化，其鲜明特征最突出者有如下数端。

一是尊天重人。“天即自然”，尊天，即尊崇和顺应自然，这是源于楚地的道家思想的精髓，老子就力主“道法自然”，其名言就是“人法地，地法天，天法道，道法自然”。庄子也强调“毋以人灭天”，追求一种“天地与我并生，万物与我为一”的境界。荆门郭店出土楚简中有一部道家佚籍《太一生水》，比今本《老子》更为系统地表达了道家的宇宙生成论和生态文明观，主张“圣人无为，故无败……是以成辅万物之自然而弗敢为”，极力强调尊崇和顺应自然。重人，即尊重人的天性和重视民生。早期生息于湖北随州一带的炎帝神农为改善民生“播种五谷”“身亲耕，妻亲织”，为解除民疫“遍尝百草”“一日遇七十余毒”。早在春秋初期，随国大夫季梁就提出“民为神主”的观点：“夫民，神之主也。是以圣王先成民，而后致力于神”，“所谓道，忠于民而信于神也”。季梁的这一观点，比孟子的“民贵君轻”早300多年，虽誉之以石破天惊亦不为过。

二是尚和贵诚。《老子》极力推崇的“上善若水”的理念，既是老子万物“冲气以为和”的智慧结晶，又是荆楚文化崇尚和谐的绝妙象征。尚和的终极目标，在于实现社会和谐与人类和平。楚相孙叔敖断然中止造成市场混乱的“以小改大”的钱币的流行、撤销劳民伤财的“升高车厢”的政令，堪称力促社会和谐、维护国家稳定的明智之举。如果说，楚庄王大力倡导的“止戈为武”“禁暴戢兵”，代表了古代战争与和平关系的最先进的思想观念，那么，楚共王奉行的“抚有蛮夷，以属诸夏”，则是这种思想观念的有效践行，而为汉匈睦邻“和亲”异域的王昭君，更是致力于民族团结和人类和平的光辉典范。贵诚，以诚信为安身立命之本，这也是荆楚文化的一个优良传统。伯牙、子期“高山流水”的琴台知音典故，将人世间的诚信演绎到极致；在楚国边境昭关偷渡伍子胥的渔夫为解除其疑虑而投身江流，用血肉之躯见证了诚信至高无上的价值；楚人后裔季布“一诺千金”的故事，已成为中华民族诚信品格的经典表达；“中国考古学之父”李济对前辈学者学术观点的大胆质疑，充分显示出荆楚学人诚信处世、严谨治学的精神风范。

三是狂放达观。荆楚雄奇的高山峡谷、浩渺的江水湖光是狂放达观特征产生的地理因素，而崇尚个性的价值取向和狂野梦幻的原始巫风则是狂放达观的人文因素。如果说，狂放在楚狂接舆和伟大爱国主义诗人屈原以及闻一多身上体现得淋漓尽致，那么，达观则通过庄子“鼓盆而歌”和六祖慧能的偈语“本来无一物，何处惹尘埃”已见端倪。无论是释道安和习凿齿的襄阳晤对“弥天释道安”和“四海习凿齿”，还是以“醉吟先生”自号的皮日休的诗歌和呈“风樯阵马”之势的米芾的书法，乃至历代流寓荆楚的文坛巨擘笔下的诗词如以“我本楚狂人”自诩的李白的《七绝·黄鹤楼送孟浩然之广陵》、“老夫聊发少年狂”的苏轼的《念奴娇·赤壁怀古》，无不展露出狂放的天性和达观的襟怀。自许“楚人”的张之洞为奥略楼所题楹联“昔贤整顿乾坤，缔造多从江汉起；今日交通文轨，登临不觉亚欧遥”，则于欣慰中透出自信，达观中尽显超迈。

四是兼容并蓄。荆楚居神州之中，可谓“九省通衢”，人口交流的频率和规模远在其他地区之上，从而表现出多元混融的价值取向。夏商之际楚国的公族从中原南下“南土”，与江汉地区土著先民三苗遗裔融合，形成了具有独创精神的楚人。魏晋南北朝时期，大量北方移民夹杂着西域胡人以侨州郡县的形式居于荆襄之地，催生出胡音汉韵的西曲歌。元末明初和明末清初的先后两次“江西填湖广”和“湖广填四川”

大移民，更是激发了荆楚文化的活力，汉口镇因之从“天下四聚”之一一跃成为“驾乎津门，直逼沪上”的长江中上游地区最大都市。正是由于荆楚文化具有兼收并蓄的特质，所以，在晚清以来中西文化的激烈碰撞中，荆楚文化对西方文化显示出较强的兼容性，从而在中国近代文化转型中勇立潮头。

五是守正图新。守正指不忘初心、坚守信念、秉持正义、追求真理。秦将白起拔郢之时，屈原毅然纵身汨罗，以生命诠释其爱国恤民的赤胆忠心。楚国将亡之际，楚人南公发出惊天誓言：“楚虽三户，亡秦必楚。”言犹在耳，楚人陈胜、吴广揭竿而起，刘邦、项羽奋力亡秦。荆楚文化中这种坚守信念、不忘初心的基因，个性鲜明，薪尽火传。辛亥革命爆发前一周年，楚人后裔冯特民在《汉声》杂志上发出振聋发聩的呐喊：“我坚信，推翻封建帝制，只有推翻秦朝的楚人来完成！”一年后的辛亥武昌首义，验证了这位先哲的预言，这并非偶然的巧合，而是历史的必然。图新，指善开风气、敢为人先、开拓创新、追求卓越。荆楚文化凭借其区位优势和创新主体所特有的精神，在不同历史阶段的不同领域都不乏创新之举。春秋初年楚武王首创县制，是制度层面的重大创举；春秋五霸之一楚庄王“始为军政”，是军事体制的重大革新；禅学南北两宗在荆楚黄梅东山形成并分流，是学术文化领域的重大创造；被达尔文誉为“东方医药巨典”的《本草纲目》，属于科技文化领域内的重大创获；晚清张之洞督鄂期间大力实施的“办实业、兴教育、练新军、修铁路、通商贸”的“湖北新政”，更是一种全方位的创新。

四、荆楚文化在中华文明发展史上的地位与影响

习近平总书记 2018 年 4 月 27 日参观湖北省博物馆精品文物展时指出，“荆楚文化是悠久的中华文明的重要组成部分，在中华文明发展史上地位举足轻重”。这是对荆楚文化的精辟阐释和高度评价，是我们继承和弘扬荆楚优秀文化乃至中华优秀传统文化，促进其创造性转化和创

新性发展的自信之基、立足之本和动力之源。

荆楚文化在中华文明史上的地位与影响，在政治与伦理、思想与学术、文学与艺术、科学与技术等诸多领域都有突出表现。

首先看政治与伦理。

屈原风骨对中华民族精神锻造所起的巨大而深远的作用，是荆楚文化对中华文明最显著的贡献。楚国伟大的政治家、思想家、文学家屈原，堪称跨越时空而体现中华民族精神的光辉典范。他“志洁行廉”的政治品格、“九死未悔”的爱国精神、“上下求索”的创新意识、“哀民多艰”的民生情怀，在不同的时代、不同的社会、不同的国度，都具有异乎寻常的感染力和影响力。正是因为如此，1953 年世界和平理事会所倡议纪念的“世界四大文化名人”中，屈原赫然在列，是中国也是亚洲唯一的入选者，这是中华民族的荣光，也是荆楚儿女的骄傲！

楚国首创县制对中国行政建制设置的发凡起例作用，是荆楚文化对中华文明的重要赋能。春秋早期，楚武王熊通在灭掉位于江汉平原西部的权国后，在其基础上设立了权县，这是中国历史上第一次将县作为一级行政单位设置。自秦王朝统一以来，作为地方行政机构的州、郡、府、县等时有变易，唯有县一直保存至今（州之名虽存，但其政区意义已变，即仅用作少数民族地级行政区名称），成为中国行政建制中一个最关键的环节和最具标志性意义的文化符号，而其发明者正是极具开创精神的楚人。

“湖北新政”对中国近代社会转型的促进，是荆楚文化对中华文明的重大影响。在晚清“新政”中，湖广总督张之洞的“湖北新政”独树一帜，其内容主要有办实业、兴教育、练新军、修铁路，无一不是开中国近代社会转型风气之先，真可谓“缔造多从江汉起”。尤其是他组建的汉冶萍公司，是当时亚洲第一家大型钢铁联合企业，曾经得到毛泽东主席的高度评价：提起中国民族工业、重工业，不能忘记张之洞。“湖北新政”对中国近代社会转型影响之大由此不难想见。

被誉为“此复神州第一功”的辛亥武昌首义对中国制度变革的推

动，是荆楚文化对中华文明做出的一个十分突出的成就。辛亥革命推翻了中国两千多年的君主专制制度，以巨大的震撼力和深刻的影响力推动了近代中国社会变革。首义后颁布的第一个近代宪法性质的文件《鄂州约法》，在我国法制史上第一次公开承认人民民主权利，开启了民主共和建设的大门。这一破一立所体现的中国政体变革，对中国政治的影响十分深远，是中华民族伟大复兴征程中一座巍然屹立的丰碑。

荆楚文化对中华伦理的浸润，从荆楚“五孝”已足可寻绎。孝老爱亲是中华民族的传统美德，由此形成的孝亲文化是中华传统文化的重要组成部分。在我国广为流传的“二十四孝”中，就有“五孝”同荆楚密切相关，即老莱子“彩衣娱亲”、丁兰“刻木事亲”、董永“卖身葬父”、黄香“温衾凉席”和孟宗“哭竹生笋”。故老相传，老莱子是春秋晚期今湖北荆门人，丁兰是汉代今湖北南漳人，董永虽为汉代今山东人，但其卖身葬父则事发今湖北孝感。据文献记载，黄香是东汉时期今湖北云梦人，孟宗是三国时期今湖北孝昌人。毫无疑问，荆楚是中华孝文化典型最集中、底蕴最深厚、影响最深远的地区之一。

其次看思想与学术。

季梁“民为神主”学说和楚庄王“止戈为武”的理念，分别代表着荆楚文化在中国古代民本意识和人类和平思想形成过程中无可替代的地位。

季梁是春秋早期位于今湖北随州一带的随国的一位思想家、政治家和军事家。据《左传·桓公六年》所记，季梁的学说以“民为神主”为中心：“夫民，神之主也……故务其三时，修其五教，亲其九族，以致其禋祀，于是乎民和而神降之福，故动则有成。”“上思利民，忠也；祝史正辞，信也。”根据此前的认知，是神为民之主，民须忠于君而信于神。而按照季梁的理论，则是民为神之主，君须忠于民而信于神。这种意识出现在春秋早期，可谓空谷足音！战国中期孟子著名的“民贵君轻”的理论，很可能受到了季梁的启发。

如果说“民为神主”是民本意识的先声，那么，楚人“止戈为武”

的理念，则是人类和平思想的前导。“止戈为武”，是春秋五霸之一楚庄王的名言。“止”，即停止；“戈”，即干戈，指兵器，象征战争。“止戈为武”的字面意思是说“武”这个字由“止”和“戈”两个字构成，实际上是指使用武力的目的是停止战争，换言之，战争的目的不是挑起更大的战争，而是为了实现和平。楚庄王对战争与和平关系的认识，堪称人类和平思想的经典表达，不仅代表了中国古代战争与和平观念的最高认知水准，即使在当下乃至未来，仍然具有十分重要的世界性的理论意义和实践价值。

荆楚文化对中华学术的贡献，突出体现在茶文化和佛道文化两个方面。

虽说神农氏已发明茶饮，但将饮茶上升到学术层面则始于唐代竟陵人陆羽。陆羽醉心茶事，遍访神州，写下了世界上第一部茶学专著——《茶经》。其内容从茶的起源到种茶、制茶、烹茶之法，从饮茶器具到名茶产地和品茗之道，条分缕析，广博精深，标志着中华茶文化的形成，陆羽也因之被世人称为“茶圣”。《茶经》还被译成英、法、俄、日等多种文字出版，打开了中华茶文化海外传播的门户。19 世纪前后，以蒲圻（今赤壁）羊楼洞砖茶为标志的湖北茶叶开始输往俄、英等国，中外“茶叶之路”正式开通，全国最大的茶叶贸易市场汉口也被称为“东方茶港”。

禅宗唐代初期正式形成于今湖北黄梅东山，因而又称“东山法门”。其始于四祖道信，兴于五祖弘忍，成于六祖慧能。唐玄宗时，慧能的弟子神会入洛阳大行禅法，禅宗因而成为中国佛教最大的宗派，以至有“天下禅林，皆出东山法门”之说，其影响及于宋明理学。武当山位于今湖北十堰市，自唐太宗李世民敕建五龙祠始，历代帝王极力推崇武当真武神。明成祖朱棣更是奉真武为护国之神，依“皇室家庙”的规格和法式广建宫观，武当山由此以“治世玄岳”的崇高地位成为全国道教中心。

再次看文学与艺术。

楚辞和“优孟衣冠”“汉调进京”，分别代表着荆楚文化对中国文学和艺术巨大而深远的影响。

以屈原、宋玉为代表的楚国作家群体所创作的楚辞，既是同《诗经》并峙的中国文学的两大高峰之一，又是中国文学的两大源泉之一。相比于《诗经》，楚辞的节奏韵律更善于变化，状物写景更富于想象，表情达意更趋于委婉。历代第一流的人文学者，几乎没有不受楚辞浸润的，用刘勰《文心雕龙·辨骚》的话说，是“气往轹古，辞来切今，惊采绝艳，难与并能”，“其衣被词人，非一代也！”

春秋时期，楚国乐人优孟以善于模仿人物声形表演而闻名于世，“优孟衣冠”因之成为中国戏曲表演艺术的代名词。清代乾隆时期，荆楚“汉调”偕徽班进京，京城流传的京剧“班曰徽班，调曰汉调”，正是指的京剧唱腔主要承袭汉调皮黄腔即西皮、二黄而来。京剧界享有盛誉的“荆楚三杰”，即崇阳米应先、罗田余三胜和江夏谭鑫培，对京剧的成熟和发展做出了举世公认的成就。不仅如此，与京剧、越剧、评剧、豫剧并称为中国五大剧种的黄梅戏，也因清代中晚期发源于鄂皖赣交界处的黄梅多云山而得名。荆楚文化对中国戏曲艺术的贡献由此可见一斑。

最后看科学与技术。

荆楚文化对中华科学与技术的贡献，集中体现在农耕、青铜、活字印刷术和医药几个方面。

炎帝神农氏是与黄帝轩辕氏并称于世的两位中华民族人文始祖之一，是海内外中华儿女景仰的我国原始社会氏族部落的杰出首领。众多文献记载表明，湖北随州是炎帝神农部落的发祥地，该部落正是以随州为中心，沿汉水向长江流域和黄河流域南北拓展的。相传炎帝神农有八大功绩，其中最重要的是制造生产工具和种植五谷，不愧为中华农耕文明的开创者，为中华民族和中华文明的绵延壮大做出了卓越的贡献。

湖北大冶铜绿山古铜矿上起商末，下至汉初，是我国迄今发现的开采时间最长、矿石品位最高、采冶技术最先进、炼炉保存最完整、青铜产量最大的古铜矿遗址。青铜是上古时期的头等经济资源和战略资源，大冶铜绿山古铜矿的开发，对楚国的迅速崛起和保障周王朝以及中原地区的用铜需求，尤其是古代中国青铜文明的繁荣发展，乃至近代汉冶萍公司的组建等，都发挥了十分关键的作用，在中华青铜文明发展史上的地位至关重要。

宋代今湖北英山人毕昇发明的活字印刷术，标志着印刷史上重大变革的完成，极大地促进了文化传播的速度。这一重大技术还相继传到日本、朝鲜和欧洲各国，对世界印刷业发展和文化传播与交流都产生了难以估量的影响，马克思称其变成科学复兴的手段，变成精神发展创造的必要前提和最强大的推动力。

明代荆楚蕲州（今蕲春）人李时珍穷尽毕生心血撰写的《本草纲目》，在海内外影响巨大，被达尔文誉为“中国古代百科全书”和“东方医学巨典”。宋代荆楚蕲水（今浠水）人庞安时所著《伤寒总病论》、明代荆楚罗田人“医圣”万全所著《万密斋医学全书》、清代荆楚广济（今武穴）人杨济泰所著《医学述要》等，无一不是中国医药史上的杰作，对中国医药学的贡献令世人瞩目。

五、结语

从某种意义上说，荆楚地域是南方的“中原”，早在春秋战国时期，就有作为长江文明表率的楚文化横空出世，不仅与中原诸夏文化竞相媲美，而且与西方古希腊文化争奇斗艳。秦汉以后，这里仍有丰厚的文化积淀、宽松的文化环境和应时的文化机缘，因而得以成为道家的摇篮、禅宗的温床、南学的中心和新学的重镇，在科技领域和艺文园地也不乏奇思妙想和佳构鸿篇。

体大思精、源远流长的荆楚文化，生于钟灵毓秀之地，长于人文荟萃之乡，成于风云际会之域，沐风栉雨，傲雪凌霜，含英咀华，明丽天然。其和以直，旷以逸，文而质，博而精，浩瀚若海，厚重如山，大而弥新，久而弥坚，傲然卓立于中国地域文化之林，摇曳多姿，纷华照眼！

人以文化，文以人兴。荆楚的灵山秀水、世风民情和人文氛围，塑造了荆楚历史上奇特的人才景观，所谓“惟楚有材”，就是对荆楚人才盛况的艳羡！拭净岁月的铅华，打开绚丽多姿的中华文明长卷，荆楚大地风华绝代的英雄豪杰、贤哲逸士、墨客骚人接踵摩肩：中华民族人文始祖之一炎帝神农氏，伟大的爱国诗人屈原，汉赋鼻祖宋玉，音乐家钟仪、钟子期，和平使者王昭君，政治家熊绎、熊通、季梁、孙叔敖、刘秀、张居正、杨涟，军事家熊侣、孟珙、熊廷弼、徐海东、王树声，边塞诗人岑参、山水田园诗人孟浩然和忧国恤民诗人皮日休，茶圣陆羽，著名宗教人物道信、弘忍、神会和胡紫阳、张君房，书画双绝的米芾和“江夏画派”开山吴伟，活字印刷术发明者毕昇，医圣李时珍，文学家“安陆二宋”“公安三袁”“竟陵钟谭”，历史地理学家杨守敬、曹廷杰，民主斗士闻一多，哲学大师熊十力、汤用彤，经济学家王亚南，语言文字学家黄侃，散文家兼书法家张裕钊，作家废名、聂绀弩、张光年、欧阳山，文艺理论家胡风，剧作家曹禺，思想家鬻熊、环渊、鹖冠子、朱震、赵复、徐复观、殷海光，历史学家习凿齿、宗懔、段成式，方志学家王葆心，考古学家李济、黄文弼，天文学家甘德，数学家李潢，地质学家李四光，气象学家涂长望和无产阶级革命家陈潭秋、李汉俊、董必武、李先念……荆楚的山水因他们而增色，荆楚的文化因他们而生辉，荆楚的历史因他们而丰满！

九万里风鹏正举，三千年楚风腾飞。试看今日之荆楚文化，正如庄子笔下的大鹏，乘天地之正，御六气之辩，“水击三千里，抟扶摇而上者九万里”，“绝云气，负青天”，雄姿英发，气冲河汉！

目　　录

绪　论

一部中国文化史，堪称波澜壮阔、荡气回肠。其渊源也早，其流变也长，其内涵也深，放眼世界，罕见其匹。千百年来，中国、中国人、中国文化一直是人类文明社会的主体之一，扮演着极为重要的角色。在漫长的历史年代，中国一直居于世界文化发展的舞台中心。从历史变迁的角度讲，离开了中国、中国人、中国文化，人类社会必将黯然失色。曾几何时，西方超越东方，中国被欧美列强的坚船利炮轰开国门，西方文化长驱直入，中国文化面临"三千年未有之变局"（李鸿章语）。近百多年来，时势无常，国运沉浮，中西交会，新旧杂糅，社会处于急剧变动之状态。在此过程中，中国文化一直纠缠于传统与现代的历史语境不得脱身，其间之矛盾与困惑莫可名状。国人的自觉"现代化"与更多时候的"被现代"难分彼此，强大的文化保守主义从未停止鼓噪之声。

站在现代的立场审视明清，五味杂陈。一方面，在时间的序列上，明清较之秦汉、唐宋更贴近今人之生活；另一方面，在文化传承上，明清时期形成、扩展或强化的事物，在今天的社会构架中多有呈现。学界对明清的评判，往往形成两极对峙：批判者指责明清中国的僵化与腐朽，将近代中国"落后就要挨打"的罪责推到明清身上；赞扬者发掘明清中国的近代性或近代因子，将中国的近代转型或现代化的动力回溯到明清。"冲击回应论"和"中国中心观"的争锋，就是这两种极端之见的显现。[①] 应该说，这两种对立的观点虽然针对近代中国之际遇，但其逻辑出发点却在明清。这表明，将明清与近代贯通起来，是考察中国现

① 参见（美）柯文著、林同奇译：《在中国发现历史——中国中心观在美国的兴起》（增订本），北京：中华书局，2002 年。

代变迁的宏大视野，不能割裂两者的关联性。恰恰相反，应该剖析明清与近代之间的历史脉络，将诸种人物及现象置于复杂的情境之中，不要急于给出肯定或否定的评语。与之同时，拆除明清与近代的时间界标，并不意味着在相关研究中必须每一事项都从明代说起、延及近代。较为可取的研究路径，是暂且将“明清”作为一个研究时段，尤其是在某些议题上突破1840年的时点，将触角伸展到1840年之后的清代历史之中。再回到“冲击回应论”和“中国中心观”的纷争上来。表面上看，这两种观点的分歧在于如何看待中国历史变迁的动力，是来自西方力量，还是源于中国自身？实际上，它们的分歧不限于此，其更深的分歧是关于近代之前明清中国的定性。“冲击回应论”为人诟病的地方，是其本身醒目的西方中心论色彩，是先于东方迈入“近代”或“现代”的西方学者根深蒂固的傲慢与偏见。力图在中国发现历史的“中国中心观”，矫枉过正，不恰当地突显了明清中国的内在活力，一味抹掉西方世界的外来影响，失之片面和武断。不过，上述两种分析模式尽管因为偏激而成为偏见，但也并非一无是处。客观而论，“冲击回应论”虽然夸大了外部因素的作用，却提醒人们注意人类社会的任何单元（国家、民族、文化）都不是孤立存在的。在某些时刻的“孤立”状态也是暂时的，不可能长久。人与自然、历史、社会之间的文化联结是无法否认的，是合理的、多元的、可持续的，甚至是跨越时空的。具体到历史研究领域，在探讨一个国家的历史走向时，除了分析内在的各种因素，还要考察外在的各种影响。对中国明清以降的历史变迁而言，内在的因素是第一位的，外在的因素是第二位，两者相互作用，不可或缺。“中国中心观”的可取之处，是强调社会变迁的内在机制。但是，它为了强调这一机制的唯一性，刻意否定外部力量的冲击力，有悖于历史真实。历史的智慧充满辩证法，研究中国文化问题尤其需要注重相关性，在内在与外在、继承与创新、发展与不发展等环节下一番考察的功夫。

关于明清文化在中国文化史坐标上的定位，应该有这样的认知：在西方学者眼中，秦始皇一统天下后的中国，是一个专制君主统驭下的疆域庞大、人口众多、文化传承不辍的帝国，尽管其间存在分裂和战乱。如果说秦汉时期是帝国文化的形成期或早期，明清时期则是帝国文化的晚期。以大历史观审视，明至清中叶中国社会与文化无疑具有阶段性的总汇性质，它更多的是积聚而非迸发，是回溯而非突进，是修饰而非更新。明清两代，中央集权制发展到极致，社会结构不曾形成突破性的变化，传统的思想、学术、风俗、心态趋于烂熟，致思、内向、非竞争性的国民性格完全定型，阔大、精巧与空疏、呆滞逐渐衍化成为某种带有普遍性的氛围。于是，明清时期的文化便具有了不同于以往的特色，它没有创新的冲动，却显示了系统、缜密的风格。它也没有汉唐时代的稚气天真，没有两宋时期的纤秾得体。相比之下，明清时期的文化显得成熟凝重。

纵而观之，明清时期是湖北历史发展的重要转折时期。在元明易代、明清易代的两次时代大潮中，湖北是反元、反清复明的重要基地，豪杰辈出，波澜壮阔。其中，陈友谅、李自成、李来亨三人格外引人注目。

元末义军领袖陈友谅是湖北沔阳人，渔民出身，读过几年私塾，从小练就一身好武艺。元末政治腐败，官府残暴，民不聊生。当时各地农民不堪暴行，纷纷揭竿而起，陈友谅也投身于徐寿辉等人领导的天完红巾军。后来，陈友谅因战功升任元帅，为推翻元朝统治做出了杰出贡献。元至正二十年（1360 年），陈友谅称帝，国号“大汉”。当其时，阻挡陈友谅统一全中国的最大障碍，是另一支农民武装——朱元璋及其势力。于是，陈、朱之间展开了你死我活的厮杀。元至正二十三年（1363 年），陈、朱大战于鄱阳湖，史称“鄱阳湖之战”。陈友谅在战争中失败，从此退出了历史舞台。陈友谅虽然没有最终统一中国，但其英雄事迹却被江汉居民世代相传，永远怀念。民国初年，武昌陈友谅墓前的牌坊上，大书“江汉先英”“三楚雄风”，足见后世对其景仰之情。

在荆楚大地上，“败寇成王走一遭”的还有明末农民义军领袖李自成。与湖北籍的陈友谅不同，李自成系陕西米脂人，别名李鸿基，曾为银川驿卒。明末自然灾害严重，明朝统治日薄西山，崇祯二年（1629年）追随闯王高迎祥起兵反抗朝廷，因勇猛过人，成为闯王麾下的闯将。崇祯八年（1635年），各路义军在荥阳开会，谋划夺取天下之大政。李自成提出分兵定向、四路攻战之策略，受到普遍赞同，奠定了他在义军中智勇双全的声望，也展现了不同寻常的领袖气质。次年，高迎祥遭到陕西巡抚孙传庭伏击，战败被俘，凌迟而死。消息传来，义军一致推举李自成为新闯王。

崇祯十一年（1638年），李自成潼关大败，仅率大将刘宗敏等十余人逃入豫陕交界之商雒山中，伺机再起。崇祯十三年（1640年），被官军围堵于四川鱼腹山，仅以50骑突出重围，转战河南。彼时河南灾荒严重，民不聊生，谋士李岩提出“均田免赋”口号，深得民心，流行“迎闯王，不纳粮”的民谣，义军迅速扩充至百万之众，成为明末农民军之主力。崇祯十六年（1643年），李自成在襄阳称新顺王，并在河南歼灭孙传庭主力，进占西安。翌年，建立大顺政权，年号永昌，旋攻克北京，崇祯帝自缢，明朝瓦解。

这时，对李自成而言最关键的是争取镇守山海关的辽东总兵吴三桂归顺新政权，遂派人与之联系，吴氏亦有降意。但当生性猜疑、首鼠两端的吴三桂听闻义军在北京城大肆拷掠旧明官吏，连自己的生父也未能幸免，便打消与李氏政权合作之意愿。又闻爱妾陈圆圆被李自成大将刘宗敏霸占，吴三桂益发气恼，“冲冠一怒为红颜”（吴梅村《圆圆曲》），遂率部降清，与清军奔袭北京。但据保存完好的《吴氏家谱》记载，吴三桂降清并非因陈圆圆，而是李自成在北京杀死吴家百余口，系家仇所致。无论哪种版本更接近历史真相，最终都是李自成退出北京，败走湖北。顺治二年（1645年），李自成在通山九宫山遇害。

李自成遇害后，其侄子李来亨继承“闯王”遗志，率领义军追随李锦（又叫李过，系李自成侄子，义军名将，号称“一只虎”）抗清。顺治十年（1653年），李来亨进入湖北兴山县的茅麓山，成为威名显赫的“夔东十三家”（清初活跃于川鄂陕豫诸省的抗清力量）的首领之一，拥兵20万，被南明王朝册封临国公。康熙元年（1662年），清廷命四川总督李国英督率川鄂陕官军“三省会剿”。李来亨、刘体纯、郝摇旗三部联手抗击，重创湖广清军。后因粮草不继，被迫退守茅麓山九连坪。康熙三年（1664年），曾经锐气逼人的“夔东十三家”仅存李来亨一部，清廷对其发起总攻。李来亨率部凭借崇山峻岭的险要地形奋勇杀敌，使清军死伤无数，将领穆里玛之子被击毙。双方僵持不下，清军被迫采取围困战术，耗费巨大人力物力（“转输络绎往返，兵夫不下数百万”），修筑城寨，挖掘深堑，企图切断义军后勤来源。数月后，义军粮草所存无几，只得拼死突围，可惜清军层层坚守，未能成功。见败局已定，李来亨拒不投降，举家自焚，谱写了一首气吞山河的英雄史诗。

毫无疑问，从陈友谅到李自成，从“夔东十三家”到李来亨，来自社会底层的这些为自由和正义而战的豪杰英雄，为湖北注入了不一般的豪气和大气。他们不畏权贵、勇于抗争的精神，他们视死如归、敢作敢为的气概，非常切合千百年来荆楚文化“敢为天下先”的豪迈气质。这是我们在论述明清时期荆楚文化史时，应该铭记于心的重要历史背景。

作为中国文化举足轻重的一支，荆楚文化在众多区域文化中独树一帜。从历史进程看，荆楚文化发生甚早，迄今已有数千年的流变史。从文化品性看，荆楚文化善于吸纳不同地域的物质文化和精神文化，具有海纳百川的开放胸襟。

上古时的筚路蓝缕，先秦时的开拓进取，秦汉时的豪迈雄健，魏晋时的洒脱灵动，隋唐时的稳重从容，宋元时的精致弘阔，都在不同方面不同程度上传递给了明清时期的荆楚文化。明清时期的湖北在文化上的“亮点”颇多，堪称文化发达之区。我们认为：湖北之所以能够在明清成为文化发达之区，是因为这一时期的文化创造已有深厚的积累。这种积累来自先秦以降荆楚人民历时千年、坚忍不拔的辛勤创造。如果没有明清之前各方面的层层推进，如果没有持续不断的成果累积，那么就不会催生出明清时期的恢宏气势。因为时空转换，因为人物殊异，因为世情民风之嬗替，不同时期的文化史面貌各不相同，成就多寡也不一致。

因此，对荆楚文化史的评价不可一概而论，必须就不同时期展开论述方为妥当。这就意味着，一部上下数千年的荆楚文化史，有起有落，曲折蜿蜒，既有华美大气的高潮期，又有徘徊不前的低谷期。

明清时期是荆楚文化多所创发时期，应视为荆楚文化数千年的高潮期之一，具有全国性的广泛影响。换言之，明清时期的荆楚文化在众多方面构成中国文化史的“重头戏”。

在思想领域，明清时期的湖北涌现了一批杰出思想家和学问家。这些具有闪光思想的人物，其现实身份是学者（或学者型官员）。确切地说，是笃信儒家学说的著名学者或官员。思想家的类型大体有四种：

一是纯粹的思想家，不以学问见长，但确实提出了不同寻常、超越前人的思想主张；

二是学者型的思想家，是相关知识领域的专门家，擅长在探究学问的过程中提炼精华，形成高屋建瓴的见解；

三是民间思想家，他们出身草根，功名不彰，但活跃于基层社会，属于地方精英，对普通百姓的影响力不容低估；

四是富于治世经验、具有独特思想风骨的官员。由于史料缺失等原因，本卷聚焦于学者型思想家。

这些具备思想家特质的学者们，精于学问之道，各有专论刊行，是名重一时的大家。不是所有的学问家都有思想上的创见。在很多的情形下，大多数学问家都不是思想家，而是具备真才实学的专家学者。因此，学者在论著中的新见不一定具备“思想”的品格；而堪称“思想”者，一定是新见，但不一定出自学术论说。这一点，是我们谈论明清湖北思想界时应该明确的。正因为考虑到有思想的学者人数较少，所以在设计相关问题时，将思想与学术放在一起，希冀相互贯通，既展示学者们的思想之光，又评介重要学者的学术贡献。如此，庶几得当！需要强调的是，提倡“性灵说”的李贽长期生活在湖北，在游历、讲学之际写下了千古名著，其思想的高度令后世景仰。李贽的出现，宛若彗星划过湖北思想史的星空，令人惊艳不已！在思想锋芒上稍逊于李贽的“嘉鱼二李”“黄安三耿”、无神论者熊伯龙、倡导“学统”论的熊赐履、富于改革精神的政治家张居正，以及清代理学家曹本荣、彭大寿、萧企昭等人，也通过自己对天地、时势、人伦的探索，在湖北乃至中国思想史上留下了深浅不一的足迹。“惟楚有才”，湖北历来出大文豪、出大学者，可视为学术大省。明清时期，撰写《楚纪》的史家廖道南、经学家陈士元和郝敬、理学家胡承诺、史学家章学诚、舆地学家杨守敬等众多学者，都是名垂青史的大学问家，是后人撰述中国学术史不可遗漏的关键人物。若就湖北本身而言，大体可以论定：在思想与学术领域，明清远超秦汉、魏晋、唐宋诸时期。

与思想、学术相比，明清湖北在文学艺术上的创造成果似乎也毫不逊色，其华光溢彩不限于湖北一隅，亦不限于明清一时。魏观、王廷陈、吴国伦等人，在诗文创作方面均有不俗之见。特别是公安派、竟陵派的横空出世，是中国文学史乃至文化史上的重大事件。这是湖北人在文化上深具开创性的创造活动。睽诸全国，类似这种文化创新成果并不多见，这是应该正视的历史实情。既然是最为璀璨的文化成果，就应该作为湖北文化史纂修的重点。从湖北文化史的长时段看，明清文学成果只有先秦、唐宋稍可比拟。当然，开创性的成果必有开创性的硬伤。公安、竟陵的诸才子虽然写出了非同寻常的篇章，举起了震惊文坛的旗帜，但是也有不少弊端。例如，公安派讲求以俗入雅，结果文辞粗糙、有损意境；竟陵派重视用典，结果晦涩难懂、气韵不畅。但瑕不掩瑜，作为诗人兼文学家的公安才子、竟陵雅士，在创作文学作品的过程中，提出了不同于时贤、不同于前人的创作手法和理论主张，从文论而入思想，通过超越自我而超越了时代，成为荆楚文化史上的丰碑之一。

与公安、竟陵几相同时，湖北文学艺术的其他门类也得到了大发展。其中，戏曲的创新充满活力，新剧种层出不穷，这在很大程度上归因于区域文化的交融和升华。需要强调的是，当今湖北号称文化大省，其中就包含湖北是戏曲大省的内容。作为戏曲大省的湖北，正形成于明清之际，尤其是对京剧的孕育及定型发挥了关键性作用。概言之，明清湖北戏曲方面的成果是此前湖北各个历史时期均无法比拟的。

湖北又是教育发达之区。重视教育是湖北的文化传统，上自先秦、下迄现代，这一传统势如长河、奔涌不息。比较而言，明清之前的各个历史时期，湖北教育成果均无法与明清时期一比高下。翻检史籍，明清时期的湖北教育在官学和私学领域均称发达，体现了上自朝廷、下至地方官府对教育的高度重视。上行下效，卓有成效。科举事业是检验传统时代教育成绩的关键性指标。明清湖北应试者众多，考取进士者众多，进士出身担当朝廷重要官职者众多。在这些金榜题名的人才中，亦涌现了若干著名政治家，最有名者当推“宰相之杰”张居正。以此观之，湖北成为教育大省的时点，非明清莫属。

明清湖北又是科技大省。李时珍写出了天才巨著《本草纲目》。前后花费数十年光阴，被誉为“百科全书”的药学名著，李潢、刘湘煃、陈大章、李元等科学家取得了突出成就，有的不仅在国内领先，而且堪称世界一流。就湖北而论，不同历史时期都有科技人才及成就，但像李时珍这样“世界级”的科学精英仅诞生于明代！

一部文化史，不应该写成精英文化史，仅仅关注少数杰出人物的活动是不够的，而应该是视野开阔、内容丰富、涵盖面极广的大型文化卷轴。区域文化的形成和发展，既有少数精英们的创造，也有成千上万没有留下姓名的普通民众的参与。否则，仅有精英身影的文化史必定是畸形的文化史，是残缺的文化史。鉴于此，探讨明清时期的荆楚文化，还要涉及风土民俗、宗教信仰、人口宗族、社会万象。在诸多方面，大众文化的丰富性令人惊叹，人们的生活日常构成了历史文化最为深厚的基石。

史学乃史料学，已成为现代学界共识。一份材料说一份话，没有材料不说话，就是治学者的基本信条。当然，史料也不可尽信，因为有真伪之别，于是在运用史料之前，须下一番考订的工夫。对于写作《荆楚文化史（明清卷）》的作者而言，基本的史料有多种类型：既有正史、政书，又有方志、文集；既有家谱、碑刻，又有田野调查、口述资料。

此外，还有今人所编各种资料汇刊。总之，力争全方位地搜罗材料，以备撰述之需。由于各方面的条件限制，不可能将全部材料收集齐全。客观而论，经过多方努力，本卷征引的文献堪称基本上涵盖了写作明清荆楚文化史所要参考的资料，可以为后来者所借鉴。学无止境，史料的扩充和完备有待来日有志于学之君子。

在写作框架上，经过反复酝酿和修正，在杂芜的材料中辛勤整理，从前贤的论著中获得启示，最终确定为九个专题，即正文九章，略为说明于下：

第一章“人口、政区与移民文化”，先讨论了户分三等的人口结构、户均口数、男女性别比、人口密度等议题。尤其是，以往区域文化史谈论甚少的姓名与辈分，也被纳入了笔者的视野。人口的繁衍与迁移带来了官府政治管控力量的调整，明清湖广许多政区的改变便是典型事例，而明清政区的改变又直接导致了现代湖北省区的形成。而本章的重点是谈论明清最为著名的移民事件“江西填湖广、湖广填四川”，因为其中心点就在湖北。当时的移民，有官方移民和民间移民两种。官方移民还包括军事性移民。移民浪潮在明清持续不断，既有战乱原因，也有灾害驱使，另有人地矛盾导致的向外迁徙。湖北良好的生态环境和有待开发的经济形势，是“江西填湖广”的成因之一。至于“湖广填四川”，则与明玉珍自称蜀王密不可分。“麻城孝感乡”是中国著名的移民源点之一，特此专门论列。

第二章“族群与宗法”，分为两大板块：首先是论述族规家法，指出恪守正道、重视祠祭是明清宗族的基本价值取向，与此同时，几乎所有的族谱都写入了关于禁忌和惩戒的内容，而且分类极细，容易操作执行。这样做的目的，是为了培植根本、弘扬正气，维护宗族的健康发展。本章还选取鄂东作为分析对象，围绕黄冈郭氏、黄梅程氏、黄冈许氏、黄冈孔氏，论述了宗族整合、族群冲突、香火庙聚讼、宗族边界、宗族公产等问题，有助于了解地方社会的结构。

第三章“思想与学术”，将思想与学术一分为二，又统合在一起，旨在探明思想之光、辨识学问之道。从白沙之学切入，纵论“嘉鱼二李”的思想史地位，剖析“黄安三耿”与李贽的关系及其文化史意义，评介鼓吹个性解放的“性灵说”，兼及大儒熊伯龙的无神论、张居正改革及其思想主张、熊赐履的“学统”论。在学问上，列举廖道南、陈士元、郝敬、胡承诺在史学、经学、理学上的学术成果，重点评述历史学家章学诚、舆地学家杨守敬的显赫地位，同时对实学及汉宋之学予以梳理。

第四章“教育与科举”，从三个方面系统阐释了明清湖北的教育全貌。在官学系统方面，分析了官学机构的设置和地方官学的类型（府学、州学、县学、社学等），对那些手握教育大权的官员进行了评介，兼及学宫、学额、学田、官学书籍、从祀对象、社学等问题。在私学系统方面，谈到了私塾、义学、书院，讨论了办学经费（义田、宾兴膏火），重点放在书院的官方化，特别论及雍正帝对书院的重视，以五阳书院、江汉书院为个案做出说明，最后提及张之洞书院改制的教育改革。在科举考试方面，论述了明清时期通过考试选贤任官的人才机制，湖北科举人才的地区分布，强调科举之士在地方志书编撰上扮演着重要角色，指出科举出身的湖北籍人士出任重要官职者不在少数。

第五章“文学与艺术”，分别从文学和艺术两个方面展开论述。在明清文学领域，公安三袁和竟陵钟惺、谭元春无疑占据最为重要的位置，他们是屈原之后，湖北在全国最有影响力的文学巨匠。史称公安派、竟陵派，足见其独树一帜、有开创性的贡献。虽然没有公安派、竟陵派的风华绝代，魏观、王廷陈、吴国伦、高岱等儒生也因其诗文才学在历史上留下了自己的名声。此外，作为民间文学奇葩的竹枝词在湖北较为兴盛，亦是考察历史时期湖北文学成就不可遗漏的重要方面。在明清艺术领域，湖北收获颇丰，突出体现在戏曲界名角辈出，诞生了许多至今仍然生机盎然的新剧种。例如，梁山调、花鼓戏、薅草锣鼓、湖北越调、清戏、汉调、二黄、乱弹、襄阳腔、湖北大鼓、湖北评书、湖北道情，纷纷降临荆楚大地，极大地活跃了民众的娱乐生活，丰富了湖北文化的历史内涵。众多遗存的老戏台，见证了昔日歌舞升平的景象，见证了各类戏曲的繁华。

第六章“科学与技艺”，首先推出五位一流的科学家。他们是：写出医药学经典《本草纲目》的李时珍；写出数学名著《九章算术细草图说》《海岛算经细草图说》《缉古算经考注》的著名数学家李潢；写出天文学名著《五星法象编》《日食算稿》《月食算稿》《恒星经纬表根》，确认“法原”“法数”，提出“岁轮”说的顶尖科学家刘湘煃；写出生物学名著《诗经名物集览》的杰出生物学家陈大章；写出生物学名著、堪称博物全书《蠕范》的杰出生物学家李元。此外，还有包括李时珍在内的“鄂东四大名医”。另外三位是：有“北宋医王”之称的庞安时，明代儿科、妇科、痘疹科的权威万全（万密斋），清代名医杨际泰则堪称近代中国戒毒事业的开拓者。他们的出现，说明了湖北已成为科技大省。除了这些令人仰望的科学巨匠，明清湖北的科技事业还有多方面的内容，例如农田水利（垸田）、防洪堤坝（万城大堤即荆江大堤），以及城墙建筑、宗教建筑、会馆建筑，各类工艺（漆器、铜镜、汉绣、西兰卡普）等等，均可大书特书。

第七章“茶与中外交流”，在结构上分为两部分：一是从茶文化立论，论述湖北茶业在明清时期的发展，涉及茶区分布、茶税征解、制茶工艺诸方面；二是汉口开埠后的数十年间，由于对外贸易的刺激（主要是俄商的大规模采购和在鄂设厂制造），促使湖北茶业进入了极速发展时期，无论生产、销售均达到历史最高峰。尤其是，茶叶从汉口出发，途经中国多个省区，运往俄国，形成了一条跨越南北、水陆并行、贯通中外的“万里茶道”。在落实“一带一路”国家战略的当代，曾经无比辉煌的这条“万里茶道”成为湖北对外开放的重要历史资源。在论及“万里茶道”时，还讨论了羊楼洞砖茶、湖广总督张之洞振兴茶务的措施，兼及风情别具的汉口茶馆。

第八章“信仰与隆祀”，专门论述宗教信仰与祭祀文化。分为两部分：首先，有鉴于湖北均州之武当山是天下闻名的道教圣地，其祭祀活动也异常兴盛，因而本章选取武当山与真武崇拜作为了解当时宗教信仰与隆重祭祀的代表。其次，明代嘉靖皇帝出生于湖北，其父是就藩于安陆州的兴献王。嘉靖帝即位后，一方面在中央进行“大礼议”追尊其父为皇帝，另一方面大为扩建隆祀其父在湖北的陵墓——明显陵。嘉靖帝尊崇其父的行为，影响到了湖北乃至整个中国的历史，亦为我们打开了一扇了解湖北信仰世界的窗子。

第九章“流风与遗俗”，概分为三，首论普通百姓的日常生活，包括婚姻习俗、岁时节序、方言俗语等，于此可以领悟荆楚文化的历史感、地域性及多元化。形象地说，穿梭于文献编织的历史时空中，仿佛回到了历史现场，强烈感受到了人间的烟火气和世情百态。其次，论述深受《朱子家礼》影响的丧葬活动，重点论述巴东土家族的丧葬习俗（撒叶儿嗬），对这一非物质文化遗产进行细致的考察。最后，围绕食材以鱼类为主，烹饪技法以蒸见长的楚菜，对传统和史实进行认真考证，带领人们充分领略特色鲜明的楚菜历史。

关于本卷的研究方法，需要做出如下几点说明：

其一，恪守历史实证主义的立场，在广泛收集资料、认真解读资料的基础上，展开对相关议题的分析，做到论从史出，不尚空言，力戒武断。

其二，遵守学术规范，尊重前人的劳动成果，引述他人观点、材料时，必须注明出处。

其三，按照专题设置全书的框架，不局限于狭义的文化概念，而是立足于宽泛的文化内涵，兼顾物质、制度、精英、群众、精神、生活诸方面，努力展现荆楚文化的丰富性。每章的叙述不追求面面俱到，以免写成教材式的历史简编。在研究路径或写作策略上，每章选取若干可以深入挖掘的事项，逐一剖析其历史脉络，揭示其历史意蕴。通过这种“空筐”结构，收获以小见大、见微知著的历史观感。

其四，鉴于“荆楚”的地理概念存在历史的伸缩性，因此在谈论某些议题时，适当有所延展，特别是涉及“两湖”（湖北、湖南）时。除了空间上的扩展，还有时间上的延伸，即在分析某些事项时，可以适当地上溯或下延。这种在地域和时段上的延展，是为了呈现历史的完整性，避免人为地割裂历史运动的过程，也是为了更好地说明湖北本身的问题。当然，这两种延展必须把握分寸，仅限于少数事象。

最后，站在治史以鉴今的立场，对明清时期荆楚文化的得失稍作论述。总体上讲，明清时期荆楚文化能够用“灿烂辉煌”予以定评。其理据主要有两点：

其一，涌现了具有全国性影响的历史人物，例如：在思想与学术领域，出现了“嘉鱼二李”“黄安三耿”，思想大家李贽也长期居住于湖北，著名史家章学诚为湖北方志的撰述贡献良多，一代名相张居正是明代屈指可数的政治家及改革家，大学者杨守敬的声名远播域外。在文学艺术领域，出现了公安派、竟陵派，堪称明清中国文学史的奇观。在科学技术领域，出现了李时珍这样的旷世奇才，其所著《本草纲目》成为令世界为之倾倒的医学宝典。

其二，明清湖北的若干文化事象深具历史意义，对中国历史进程的影响不可低估。例如，在戏曲领域，汉调对京剧在清代的形成厥功至伟，俗称“班曰徽班、调曰汉调”是也。在明清全国性的移民浪潮中，湖北是中心，作为源点的“麻城孝感乡”扮演了文化传承的重要角色。在宗教领域，明代湖北的武当山成为道教圣地，奠定了中国道教文化的中心地位。在社会史的视域，明显陵的修筑，彰显了出生钟祥嘉靖帝的个人情感，折射了明代政治文化的若干特异之处；清代具有国际性影响的“万里茶道”，其中心舞台就在汉口，羊楼洞的砖茶一跃成为国际品牌。

上述优长之取得，固然继承了前人创造的诸多成果，也与时代变迁密不可分。明清时期的湖北，经济发展进入新阶段，“湖广熟、天下足”的新民谚已取代宋元时期“苏湖熟、天下足”的旧民谚。农业开发（垸田）、商业扩张（汉口）及人口流动（“江西填湖广”），必将对文化振兴产生多方面的影响，在一定程度上提升了文化互动的功能、完善了文化融合的机制。区域之间（如戏曲）、中外之间的多项文化交流得以广泛展开，为文化创新提供了新契机、新能量、新舞台。与之同时，权力的介入也在某种程度上推进了文化的扩展。这主要通过两条途径得以实现：一是湖北籍的官员身居朝廷枢要（如内阁首辅张居正），二是权贵们直接插手文化领域，如明代帝王对武当山的重视，如嘉靖帝修筑显陵。在皇权帝制的传统时代，权力与文化的关系如影随形。此外，人灵地杰的历史机缘，也使得李时珍、“公安三袁”等杰出人物诞生于此时此地。

金无足赤，明清荆楚文化亦有若干缺憾。以今人之眼光加以审视，其不足之处概有如下两端：

其一，“清不如明”，即明代文化成果超过清代。举目望去，思想与学术领域的“嘉鱼二李”“黄安三耿”、权相张居正，文学领域的公安派、竟陵派，科学领域的李时珍，均诞生于明代，清代湖北在这些领域大为逊色。权力是一把双刃剑。明代的武当道教、显陵缔造均与皇权直接相关。明清易代，武当式微、显陵没落亦与皇权运作密不可分。成也权力，败也权力，这是皇权帝制时代的文化悖论。同样是传统的皇权专制背景，为什么明代湖北与清代湖北的文化景象有如此大的差异？根本原因，在于帝王们的文化趣味及文化独断。明朝立国，开国帝王朱元璋、明成祖朱棣均将自己的践祚与武当真武大帝的辅佐联系起来，由钟祥出发、入京继承大位的嘉靖帝也不例外，于是，武当山道教在皇权的庇护下盛极一时，建筑规模达到顶峰。时过境迁，从东北入关的满洲八旗虽然选择在明朝旧宫（紫禁城）统治中国，却因多重原因舍弃了前朝对武当山的垂青，清帝们热衷于藏传佛教而非真武神。与明代政治文化相比，清代进一步加强君主专制的中央集权，在“文字狱”的肃杀氛围中，文化创造失去了活力，文化发展的空间大为压缩。全国如此，湖北也不例外。

其二，大体维持传统样态，绝少近代性因子。谈及“近代性”，人们往往将目光聚焦于1840年鸦片战争之后的中国社会变迁。这一看法有其历史依据，但不完全。近些年来，学者们逐渐将研究视角往前追溯，认为明清时期的中国社会已孕育近代性因子，尤其是思想文化领域，例如在明清实学思潮中脱颖而出的明末清初思想三杰（顾炎武、黄宗羲、王夫之），例如道光、咸丰年间的经世实学，均可视为旧学通往新学的桥梁。所谓“近代性”，是指跃出传统窠臼、具有新生气象的文化品格，它摆脱了传统规范的束缚，形成了崭新的精神风貌。具体而论，明清中国的历史特征是皇权帝制臻于极致，所有的文化活动均笼罩在大一统的文化专制主义之中。反抗专制、质疑权威、鼓吹民本、提倡自由，便是这一时期文化近代性的集中体现。反观湖北，只有明代久居黄（安）麻（城）的李贽具有如此思想风骨。与其兴味相投者，尚有耿定理、耿定力、“公安三袁”，但均未达到李贽的思想高度。因此，几乎在社会文化各领域，包括思想与学术、社会风俗、教育事业、文学艺术、科学与技艺、人口与移民、宗族形态、宗教信仰、社会控制、中外交流等等，基本上呈现了对传统的承续和发扬，近代性因子可谓昙花一现，随即湮灭于岁月的风尘之中。这一文化格局，表明明清时期的荆楚大地传统力量的强大存在，居于支配性地位。任何的改革或变迁（如张居正变革、大规模的移民浪潮、武当道教的兴盛），都只能在皇权至上的光环中呈现，都只能依附于专制政体的强力意志。就此而言，夸大明清湖北文化发展的近代性趋向是违背历史事实的，湖北文化的近代转型迟至清末民初方才徐徐展开。

从上述得失利弊看，历史启示昭然若揭，主要集中于两个层面：

其一，正确处理权力与文化的关系。中国历史的特点之一，是绵延数千年的王朝体系史，其政治形态可以概括为“皇权帝制”。明清时期，皇权帝制臻于完备、登峰造极，对国家政治、经济运行、文化生态均有根本性影响。忽视权力的介入，不利于今人对传统文化的深入理解。明清时期荆楚文化生成与发展的历史基础，正是皇权至上的政治体制，其与权力的纠葛甚广。在此，与皇权帝制相维系的各类权力既有促进文化拓展的功能，又有阻遏文化新生的障蔽，值得详细考察，不可妄下论断。时至今日，权力与文化的互动关系是保障湖北文化推陈出新的重大议题，它不仅具有历史价值，而且具有现实意义。

其二，积极审视传统与现代的关系。当代人写史，固然是为了还原历史真相，但更为重要的是为了以史为鉴，寻求当下的意义、明确前进的方向。这就要求我们认真思考传统与现代的关系，在继承优秀传统文化的前提下，融合现代文明的旨趣，打造出符合新时代的新文化。因此，对待传统文化，除了继承与呵护，更要发扬光大。明清湖北文化成果是一笔宝贵的历史遗产，它不是毫无生气的木乃伊，而是充满力量的生命体。认真探究传统文化的历史真相，深入把握传统文化的精神实质，充分挖掘传统文化的现代价值，是摆在当今湖北人面前的一项重要使命。只有在尊重历史、继承传统的基础上，现代湖北才能为中华民族伟大复兴做出新贡献。

第一章　人口、政区与移民文化

当今所谓的“湖北人”，其渊源可追溯到远古，其定型大体在明清。从人口构成看，明清移民运动奠定了“湖北人”的基本框架；从行政区划看，清康熙时的“湖广分治”，标志着湖北成为一个独立的行政单位（省）。正是在这一时期，出现了历史上罕见的贯穿长江中上游全流域的人口流动浪潮。这股大规模的移民潮，导致社会生态和区域文化发生了一系列变革。民谚“江西填湖广、湖广填四川”，极为形象而精练地概括了这场移民运动的历史过程。

第一节　人口的繁衍

考察湖北文化史，首先必须论及明清时期湖北的人口问题。这一时期，湖北人口的结构和规模、安居和流徙、族群和伦常无不标注显著的荆楚印记。它们部分弥补了文献资料佚失所带来的缺憾，指引后世的人们更加接近当时的人口实态。

一、户分三等的人口结构

了解明代户籍制度是我们理解明清湖北人口结构的关键所在。根据史料记载，明代的户籍分为三大类，即民户、军户、匠户，或称民籍、军籍、匠籍。还有一些特殊的户籍，不属于这三大类。例如，灶户或盐户，单独列籍；和尚、道士则统一从官府那里领取度牒（身份证明）等。官方对人口的分类，既是出于社会管理的需要，也是为了保证国家财政（赋役）的落实。因此，明代前中期的中央政府极其重视人口的统计工作。从洪武二十四年（1391 年）到嘉靖十年（1531 年）的百余年间，至少进行了14次黄册编纂。具体的年份参见下表：

表1—1 明洪武至嘉靖十年黄册编纂年份表

次数	年份	次数	年份
第1次	洪武二十四年（1391年）	第8次	天顺六年（1462年）
第2次	永乐元年（1403年）	第9次	成化八年（1472年）
第3次	永乐十年（1412年）	第10次	弘治三年（1490年）
第4次	永乐二十年（1422年）	第11次	弘治十五年（1502年）
第5次	宣德七年（1432年）	第12次	正德七年（1512年）
第6次	正统七年（1442年）	第13次	嘉靖元年（1522年）
第7次	景泰三年（1452年）	第14次	嘉靖十年（1531年）

资料来源：（明）李东阳等撰，申时行等重修：《大明会典》，扬州：广陵书社，2007年。

如表1—1所示，明洪武至嘉靖年间，基本上每十年就进行一次全国性的黄册编纂。所谓黄册，系明代国家为核实户口、征调赋役而制成的户口版籍。黄册制度由户贴制度演化而来，以一家一户为单位，详细记载该户乡贯、丁口、名、岁、事产等具体情况。每十年将各户人口的增减、财产的变化以及产权的转移等，分列在旧管、新收、开除和实在等项下，一一登记造册。[①] 但是明中期后，地方政府人户调查和记载不实的问题十分严重，“国家户口登耗，有绝不可信者”[②]。

具体到湖北，这14次的统计可从少数方志中看到结果。如沔阳州。沔阳州的人口统计没有严格遵守民户、军户、匠户的分类标准，而是按照民户、军户、杂役户的类别进行调查。遗憾的是，缺少弘治十五年的数据。如果取平均值，沔阳州的总户数约为7 000。其中，民户约为

① （清）张廷玉等撰：《明史》卷七十七《食货一·户口田制》，北京：中华书局，1974年，第1878页。

② （明）龙文彬撰：《明会要》卷五十《民政一》，北京：中华书局，1956年，第943页。

1 200，军户约为 5 000，杂役户约为 665。[①]

如天门县。天门县的人口类别跟沔阳州一样，分民户、军户、杂役户三类。数据也存在漏洞，缺弘治十五年数据、正德七年数据。如果取平均值，天门县的总户数约为 3 800。其中，民户约为 280，军户约为 3 300，杂役户约为 190。[②]

再如通山县。县志记载人户状况可称详细：明永乐八年（1410 年），户数 947，口数 7 399，其中官户 9、民户 68、军户 474、贴军户 299、杂役户 88、匠户 10；嘉靖二十一年（1542 年），户数 930，口数 17 041，其中民户 134、军户 461、贴军户 246、匠户 1、道户 1、僧户 6、杂役户 71。万历十一年（1583 年），知县张书绅"奉例查勘清审实在人户"，结果是：民户 200、军户 394、贴军户 200，杂役、船站、力士、校尉、匠户、畸零共计 216。清初，通山县的人口统计结果是：顺治十四年（1657 年），"实在户口" 1 022，其中正军户 410、贴军户 188，杂役、船站、力士、校尉、匠户、畸零共计 243。康熙二年（1662 年），知县任钟麟调查人口实情："实在人户" 1 022，其中正军户 410、贴军户 181、民户 188，杂役、船站、力士、校尉、匠户、畸零共计 243。[③]不难发现，沔阳州、天门县、通山县的人口结构中，军户的比例相当高，达到百分之七八十。为什么出现这样的情形？由于史料欠缺，尚难一探究竟。

由于史料方面的限制，还不能确定这种情形在湖北存在普遍性，但至少提醒我们关注军户在明清人口结构中的地位。例如，宜昌府所辖巴东县，明代户口中也有军户，但所占比例没有上述沔阳州、天门县、通山县那么大。史载：万历三十年（1602 年），巴东县的户数 1 553，其中民户 729，军户 165，杂役户 656，寄庄户 3。[④]至于湖北各县的军户实

① 嘉靖《沔阳州志》卷九《食货》。
② 嘉靖《沔阳州志》卷九《食货》。
③ 康熙《通山县志》卷四《政务·户口》。
④ 同治《宜昌府志》卷五《赋役志·户口》。

情，尚不得而知。

清代的史料欠缺严重，但零星记载仍然有助于我们了解相关情形。例如光绪《襄阳府志》记载：清乾隆二十一年（1756 年），所辖 1 州 6 县的民户 106 334、口数 431 382，其中包括：随粮成丁 26 134 口，滋生不加赋成丁 6 371 口，另有土著不成丁（成人 264 670 口、小孩 134 207 口）。乾隆二十三年（1758 年），襄阳卫的军户 6 973、口数 17 719，其中包括：随粮成丁 202 口，滋生不加赋成丁 185 口，土著不成丁（成人 9 961 口、小孩 7 371 口）。所谓成丁，就是要负担国家的赋役，而那些不成丁者，则是朝廷纳税单位（定额）之外的滋生人丁，这是“康乾盛世”的一大亮点。

又如光绪《归州志》记载：清光绪六年（1880 年），该州军户 367 户，男女共计 2 381 口；民户 13 617 户，男女共计 108 343 口。光绪七年（1881 年），该州军户减少 1 户，变为 366 户，男女共计 2 390 口，人数略有增加；民户 13 625 户，男女共计 108 380，略有增加。光绪八年（1882 年），该州军户仍然是 366 户，但男女共计 2 398 口，又有增加；民户 13 636 户，男女合计 108 457，较之上年增加百余口。由此可知，军户在明清一直存在，只不过各地情形存在差异而已。特别值得注意的是，归州的军户资料显示了成年人（大口）与小孩（小口）的不同：光绪六年，大口 1 185、小口 1 196；光绪七年，大口 1 188、小口 1 202；光绪八年，大口 1 191、小口 1 207。如此详细的年龄分组统计，对人们进一步认识军户的实际状况非常重要。

二、户均口数·性别比·人口密度

谈论人口结构，除了注意户籍的类别，还要注意“户”与“口”的关系。换言之，每户有多少口，即户均口数。限于资料，仅列举数例。据弘治《黄州府志》记载，明洪武二十四年（1391 年），本府户数 94 952，口数 642 160，户均口数约为 7；弘治五年（1492 年），本府户数 73 142，口数 788 800，户均口数约为 11。这表明，黄州府的人口在百年间有了巨大增长。具体到府辖各县，略如表1—2所示：

表1—2　明代黄州府各县户均口数

县名	洪武二十四年		户均口数	弘治五年		户均口数
	户	口		户	口	
黄冈县	16 252	122 349	7.5	17 827	179 730	10.1
麻城县	12 750	101 230	7.9	13 423	131 493	9.8
黄陂县	5 851	42 068	7.2	5 910	136 557	23.1
蕲水县	□4 357	84 540	不详	13 267	107 892	8.1
罗田县	缺	缺	缺	5 762	68 524	11.9
蕲州	12 935	78 698	6.1	7 970	72 952	9.2
黄梅县	11 382	78 733	6.9	7 329	66 107	9.0
广济县	12 165	95 090	7.8	6 530	47 233	7.2

资料来源：弘治《黄州府志》卷三，《官制·户口》。

说明：蕲水县洪武二十四年户数"万"前缺数字（"万四千三百五十七"），以故"户均口数"不详。

从上表看，除了广济县在洪武年间到弘治年间的户均口数基本不变外，其余各县都有不同程度的增加。但有若干存疑之处：一是广济县的户口数减少一半，原因不详；二是黄陂县弘治五年的人口统计数有误，户数5 910似为15 910之误，如此，户均口数约为8.6，较为合理。清代的情况又发生了变化，据光绪六、七年（1880—1881年）的统计，本府户数451 016、口数2 541 117，户均口数5.6。至于该府所辖各县户均口数，略如表1—3所示。

表 1—3 清代黄州府各县户均口数

县名	乾隆六年		户均口数	光绪六、七年		户均口数
	户	口		户	口	
黄冈县	13 396	157 895	11.8	97 118	661 782	6.8
麻城县	10 704	110 287	6.5	48 112	213 355	4.4
黄安县	5 841	79 068	13.5	66 840	494 111	7.4
蕲水县	13 159	118 741	9.0	74 942	293 785	3.9
罗田县	5 900	86 290	14.6	31 850	187 332	5.9
蕲州	7 914	68 050	8.6	27 343	211 518	7.7
黄梅县	7 421	66 268	8.9	71 017	271 725	3.8
广济县	6 810	54 176	8.0	33 794	207 509	6.1

资料来源：乾隆《黄州府志》卷五，《赋役志·户口》；光绪《黄州府志》卷八，《赋役志·户口》。

说明：乾隆《黄州府志》声称“蕲水册至拾壹年止”，其他各州县的统计“自康熙伍拾伍年起、至乾隆陆年止”。

对比上面两个表格，大体可知明清时期黄州府人口变动情况。除了行政设置略有更易外，人口增长呈明显趋势。当然，战争、灾害、移民等因素对人口的升降均有影响，此不赘述。有一点必须说明，黄州府地处鄂东地区，该地区在明清时期经济发达、文化昌盛，人口稳步增长当属情理中事。

翻检嘉靖《黄陂县志》，可以得知：明初，黄陂户均口数约为 8，成化时跃至 21；正德时继续增长，约为 24，嘉靖时再增长为 26。再看嘉靖《应山县志》，在与黄陂大致相同的时段，该县的户均口数：明初约为 7，宣德时约为 9，成化时约为 13，正德时约为 17，嘉靖时约为 16，呈现持续上升的轨迹。这一方面说明社会稳定导致人口出生率的增长，另一方面也说明“江西填湖广”的移民潮导致家庭规模的扩大。另据同治《当阳县志》：万历元年（1573 年），户数 1 384、口数 7 158，户均口数 5.2；万历十四年（1586 年），户数 1 724、口数 3 434，户均口数 2.0；天启二年（1622 年），户数 1 760、口数 3 469，户均口数 2.0，人口不增反降，提醒人们人口史研究必须兼顾诸多复杂因素，不可一概而论。不过，当阳县在晚清时期的人口大体呈现增长势头。据“造报民数”，该县在光绪元年（1875 年），户口 319 841；光绪五年（1879 年），户口 324 676；光绪十年（1884 年），户口 329 285；光绪十五年（1889 年），户口 331 589。①

清代的户均口数，除了上述黄州府，据嘉庆《郧阳志》记载，郧阳府户数 122 942、丁口 798 942，户均口数 6.5，比明代增加 111 179 户、671 984 丁口。其中，“纳粮户”53 589，就“丁赋”而言，原额人丁 25 982、额征丁银 8 421 余两，除豁免运夫减除外，实征丁银 940 余两。这是郧阳府承担赋役的实际状况，“纳粮户”就是必须完纳国家赋税的人户。从各县看：郧县，户数 29 889、丁口 196 158，户均口数 6.6，其中“纳粮户”14 681；房县，户数 27 827、丁口 138 369，户均口数 5.0，其中“纳粮户”8 097；竹山县，户数 16 255、口数 162 952，户均口数 10.0，其中“纳粮户”11 063；竹溪县，户数 16 848、丁口 97 330，户均口数 5.8，其中“纳粮户”8 656；保康县，户数 11 341、丁口 66 693，户均口数 5.9，其中“纳粮户”2 919；郧西县，户数 20 782、丁口 137 116，户均口数 6.6，其中“纳粮户”8 173。户均 5—7 人尚属合理，但竹山县户均口数达到 10 人，可能统计有误，或系另有原因。

再对照同治《郧阳志》，可以看出郧阳府人口却有大幅减少，但户均口数却有增加：户数 73 305、丁口 707 490，户均口数 9.7。具体到各县：郧县，户数 17 907、丁口 102 640，户均口数 5.7；房县，户数 15 662、丁口 100 827，户均口数 6.4；竹山县，户数 11 441、丁口 190 452，户均口数 1.7；竹溪县，户数 5 148、丁口 112 515，户均口数 21.9；保康县，户数 14 070、丁口 130 251，户均口数 9.3；郧西县，户数 9 077、丁口 70 795，户均口数 7.8。同治年间郧阳府人口状况的异常，或与统计有误、记载有误相关，或与战乱、灾害、逃亡有关。户均口数

① 光绪《当阳县补续志》卷一《政典志·户口》。

的大起大落，主要是因为户数骤然减少，而不是单个家庭人口的减少。这说明，许多人家或已成为绝户，或已逃离本地、迁往他处。

同治《远安县志》对该县清代各个时期的人口有较为系统的记载：顺治四年（1647年），户数795、口数1 450，户均口数1.8；道光元年（1821年），户数12 380、口数57 056，户均口数4.6；咸丰六年（1856年），户数12 412、口数57 141，户均口数4.6；同治五年（1866年），户数13 324、口数58 855，户均口数4.4，表明远安县人口自清中叶后一直保持较为平稳的状态。光绪《德安府志》记载，光绪十二年（1886年）的统计表明，安陆县户数20 817、口数158 421，户均口数7.6；相比之下，“旧编户”1 452、口数22 220，户均口数15.3，显然有误，光绪年间的数据基本可信。

户籍类别、户均口数之外，还应注意性别比，才能较为完整地展示历史时期湖北的人口结构。康熙《通山县志》披露：明万历十一年（1583年），该县户数943、口数16 576，其中男性8 742人、女性7 834人。顺治十四年（1657年），“实在口”15 807，其中男性8 165人、女性7 642人。康熙二年（1662年），“实在口”15 807，其中男性8 165人、女性7 642人。四五年间，男女人数完全一致，有可能是实情，也有可能是后者抄录前者的数据。再以沔阳州为例，将嘉靖《沔阳州志》与光绪《沔阳州志》纳入我们的视野，如果取平均值，可以得到如下数据（缺隆庆六年数据）：有明一代，沔阳州的总口数约为40 000，男性人口约为23 000，女性人口约为16 000，性别比率约为143.75 ∶ 100，性别比例失调的幅度很大。如果对比明清时期蕲州、光化、巴东、广济、蕲水等州县的方志，则可获得这样的印象：明代湖北的人口结构中，男性多于女性。这一状况的普遍存在，与明清溺女陋习是否相关，尚缺乏明证。

那么，明清时期湖北的人口规模到底有多大呢？如前所述，由于史料的欠缺，不可能获得精确的数据。而且，不同时期的人口显然是不一样的。

明代，湖北尚未从湖广布政使司分离出来。以故，湖北人口只能从湖北境内府州县志所记载的数据进行推算。不过，湖广人口总数对于我们了解相关历史情形亦有助益。洪武十四年（1381 年），湖广地区户数 785 549、口数 4 593 070；洪武二十四年（1391 年），户数 739 478，口数 4 091 905；洪武二十六年（1393 年），户数 775 851、口数 4 702 660；弘治四年（1491 年），户数 504 870、3 781 714；万历六年（1578 年），户数 541 310、4 398 785。在 13 个布政使司中，湖广人口所占百分比分别是：洪武二十六年（1393 年），户数 7.3%、口数 7.8%；弘治四年（1491 年），户数 5.5%、口数 7.1%；万历六年（1578 年），户数 5.1%、口数 7.3%。[①] 明代的湖北人口规模，暂且根据嘉靖《湖广图经志书》、万历《湖广总志》等历史文献的记载，予以估算：明成化八年（1472 年），湖北的户数约为 23 万，口数约为 197 万；正德七年（1512 年），户数约为 26 万，口数约为 236 万；隆庆六年（1572 年），户数约为 27 万，口数约为 248 万。如果根据这 3 个时间点的统计数据进行估算，在正常年份，明代湖北的户数当在 20 万以上，口数当在 200 万以上。当然，这一说法是极不准确的，只能作为一个模糊的参照。

到了清代，全国人口突破一亿大关，湖北人口也有了大幅度增长。根据《清朝文献通考》的记载，到乾隆末年，湖北人口已接近 2 000 万。嘉庆时，增长为 2 700 万。鸦片战争前夕，上升为 3 000 万。这一人口规模一直保持到光绪年间。[②] 如果考察人口密度（人 / 平方千米），则会加深对清代湖北人口的认识。有学者分析指出，乾隆末年，湖北人口密度约为 100 人 / 平方千米；嘉庆时，增长为 150 人 / 平方千米；道光时，

---

① 梁方仲编著：《中国历代户口、田地、田赋统计》，甲表 68《明太祖朝分区户口数》、甲表 69《明洪武、弘治、万历三朝分区户口数和每户平均口数》、甲表 70《明洪武、弘治、万历三朝各分区户口占其总数的百分比》，上海：上海人民出版社 1980 年版，第 202—205 页。

② 梁方仲编著：《中国历代户口、田地、田赋统计》，甲表 82《清乾隆（后期）、嘉庆、道光、咸丰四朝各直省丁口数》、甲表 85《清同治、光绪两朝各直省口数》，上海：上海人民出版社 1980 年版，第 262、264—265 页。

又上升为 180 人 / 平方千米，这一数值超过清代全国人口密度（60—70 人 / 平方千米）。如果与明代万历年间湖广布政使司的人口密度（12 人 / 平方千米）相比，更表明清代湖北的人口有了迅猛增长。[①] 以嘉庆二十五年（1820 年）为时点，还可以得到湖北各府州的人口密度：武昌府 395，汉阳府 248，黄州府 204，安陆府 252，德安府 166，荆州府 210，襄阳府 98，郧阳府 23，宜昌府 36，施南府 50，荆门直隶州 87。[②] 于此可见，政权中心及经济发达地区往往是人口密度最高的地区。这一人口分布态势，既与长时期持续不断的移民潮有关，也与社会经济的持续发展有关。

即使在经济落后的鄂西南地区，清代人口也由于土地开垦、安抚流民等举措而有增长。例如，同治《宜昌府志》记载：东湖县在乾隆二十六年（1761 年），“册造城关各乡共烟户”18 313 户，同治二年（1863 年）增长为 37 838 户，男女 227 339 口。归州，自康熙三年（1664 年）“招抚到州难民共一千三百三十七户，俱编保户、安插各乡，渐次开垦复业”；迨至同治年间，“今查州属生齿日繁，四乡总共一万四千六百五十八户，附近城内外共计一千零四十五户”。长阳的情形较为典型，“长阳疆域辽阔，有明盛时烟民户口当不下十数万。旧志载，明季户口五万余者，虽约言其多，而不知亡者过半。盖长邑原额人丁三千二百有奇，恐非五万口所能垦种而输纳，况四民之中，农仅其一乎！乾隆二年，凡荒熟人丁拨归长乐者，虽为数无多，而地实去四分之一，故历年垦首升科，户口渐复明季之数。而田赋犹远不逮者，一以田地分属长乐，疆域已隘；一以明时科粮摊派，赋重病民故也”。可见，人口的多寡关乎国家赋役的落实，是守土官吏们的最大职责所在。嘉庆二十五年（1820 年），“通查顺治以来递增旧数二万二千三百九十八

① 梁方仲编著：《中国历代户口、田地、田赋统计》，甲表 72《明代南、北直隶及各布政使司人口密度》、甲表 87《清代各直省人口密度》，上海：上海人民出版社 1980 年版，第 207、272 页。

② 梁方仲编著：《中国历代户口、田地、田赋统计》，甲表 88《清嘉庆二十五年各府州人口密度（公元 1820 年）》，上海：上海人民出版社 1980 年版，第 276 页。

户、一十二万二百三十五丁口”。同治年间，“本届合四境清查，新增户一千七百七十八、口四千四百一十七，通共二万四千一百七十六户、一十二万四千六百五十二丁口”。至于宜昌府其他各县（巴东、长乐），情形大体相当。

与宜昌府同属鄂西南地区的施南府，经过明末清初的战乱后，百姓安居乐业，人口在清中叶后有稳步增长。史载：入清之后，“施南府属六县，原数户口共二万七千百一十八户，原额随粮。及改土案内勘出人丁，并历届编审滋生人丁、土著不成丁男女大小，共十一万七千四百三十丁口”。道光十二年（1832年），“奉文编查保甲、清理户口”，得知户数118 795、丁口902 123。同治十年（1871年）“编查民数”，共计户数180 685、丁口1 078 838。光绪六年（1880年），又有增加，共计户数180 785、丁口1 020 838。其所辖各县“旧管新收土著流寓民数”（户数）及同治十年的丁口数，分别是：恩施县，50 840余户，337 000丁口；来凤县，14 365户，98 391丁口；咸丰县，18 384户，101 761丁口；利川县，31 226户，193 443丁口；建始县，31 762户，181 059丁口。到光绪六年，各县情形为：恩施县，户数39 154户，269 984丁口；宣恩县，土著22 346户，流寓12 505户，丁口181 182；来凤县，户数14 365、丁口108 391；咸丰县，户数18 384、丁口101 761；利川县，户数40 536、丁口173 766；建始县，户数31 764、丁口182 121。[①]值得注意的是，宣恩县竟然有土著、流寓的分开统计，其他各县均将土著、流寓合计。此外，利川县标明“合邑四汛共八十三堡土著流寓”，透露出社会动荡时的寨堡组织是人口编排的一种方式。

再以光绪《兴山县志》为例加以说明。该方志《赋役志·户口》声称：“兴山户口见于旧志者，乾隆十一年编审共四千四百八十户有奇。同治三年，周计城乡土著、流寓，凡九千六百六户、八万三百九十三

① 同治《增修施南府志》卷十一《食货志·户口》；光绪《施南府志续编》卷三《续经政志·户口》。

丁口。至光绪九年，实核城乡土著、流寓户口，凡九千七百一十三户、四万三千二丁口。”将人口统计数据登载于《赋役志》，是明清方志编纂的基本原则，表明完纳赋役是传统时代人口统计的主要目的。

三、姓名与辈分

人丁兴旺、家大业大是中国人的普遍心理追求。“不孝有三、无后为大”的俗语，深刻塑造了中国的人口观。在家族迁徙的过程中，有的没落了，有的发达了，人生的际遇可谓千差万别。那些逐渐壮大的家族，在姓名方面开始考虑如何区分愈来愈复杂的辈分关系。于是，便有了“辈派”，顾名思义，就是按照既定的字命名新增加的人口，而这些字镶嵌在固定的次序中，显示不一般的位置和长幼，同时也对应着特殊的身份。因此，那些修谱者均极重视“辈派”。

以麻城孝感乡为例，几乎所有的望族都会重视“辈派”。《徐氏族谱》辑录徐开来道光十年（1830年）的《辑谱小说》，声称“余昔问字四方，颇多岁月，见邑中诸大族如周、刘、梅、李、邹、董、喻、曾，莫不各有家谱”。《毛氏宗谱》辑录董缙道光十七年（1837年）《重修五脑山聚峰楼书院祠堂记》，亦谓“麻邑多世家巨族，其最著曰周、刘、梅、李，曰董、赵、毛、曾”。说法虽有不同，但大体可以知晓麻城望族之所指。限于篇幅，仅举若干家族为例。

李氏是麻城家势颇大的望族，素有“九李十三陈”之说。其中，坝坡李氏最为显赫。其辈派自二世起：中、振、省、甫、秀、思、芳、水、文。明代天启年间修谱，规定自十四世起，为二十字：长春中廷光，无嗣永绍昌，庆成景继世，鸿树启经邦。清宣统年间续修家谱，增加二十字：道德开宗远，明新在子良，传家崇述作，学祖显维扬。西乡李氏，成泗公支下前派，自八世至三十二世：成发廷和敬，宗道兴云庆；思时从逢远，应章天长正，永定家发彦。续编新派，自三十一世起：发彦士学本，德厚广其昌，有为声必显，佑国辅朝纲，荣华添景运，业盛胜海江，恩泽开新宇，瑞泰建经邦。宋埠李氏，原派二十字：李朝世德春，培忠清树勋，克全文进选，宗振誉芳明。续派二十字：昭明耀赣章，功楚著宗昌，共和英俊茂，睿智永自强。虽然李氏房支众多，辈派不同，但细究之下，其用字颇为讲究，旨在突显修养心性、弘扬祖德，使家业传承不辍。

再看刘氏家族。锁口刘氏的辈派：梦从言仲玉，天水守承时，安定光应伯，国用兆良师，世宏仁可体，孔道善文儒，三元期一则，家学起邦书。梓树畈刘氏，始迁祖至六世，沿用江西辈派：庆、明、文、宗、德、昭。七至九世，为尚、定、凤。清康熙十一年（1672年）修谱，规定大房自十六世起，为二十字派：维常能继世，美大应全期，用是兴家道，启承益永宜。

像李氏、刘氏这样的大族，因为人丁兴旺，以故编修谱牒时需要增加辈派用字。这些字的选择，一般会延请有学问、有名望的大儒拟定或审定，以期达到音韵和美、意境悠深的效果。即使不是名门望族，也会认真选定辈派的用字，不敢疏忽懈怠。例如，麻城张氏，原籍江西饶州府余干县瓦屑坝倪家堰，元末明初迁入黄州府黄冈县，生育九子（万一至万九）。其中，万九迁入麻城东乡。万九公支下各分辈派不一。其中，东义洲分，一至五世：万九、再二、清甫、世英、仲良；六世后：效文伯琼源，国德远承之，启宏万绍继，荣先世序长，延功名定选。①

家国情怀，是中国传统文化的一大优点。家谱修缮过程中的辈派用字，非常典型地体现了修身、齐家、治国、平天下的儒家思想。在一个人的姓名之中，充满长辈对后世子孙乃至国家未来的殷切希望，既希望家族兴旺、子嗣永继，又希望社会安定、天下和美。千百年来，人们耳熟能详的所谓“名垂青史”“彪炳史册”“万古流芳”之类，莫不是以气节、以德行、以功业让后人铭记某人之姓名，作为鞭策世人的榜样。人死留名，是中国人非常看重的人生目标。因此，上至皇亲国戚、下至黎民百姓，当新生儿出生之前，都会提前为其拟定名字，寄予厚望。这就

① 孙晓芬主编：《麻城祖籍寻根谱牒姓氏研究》，成都：四川大学出版社2008年版，第191页。

不难理解，当某人犯下滔天罪行，被家族除名，则是奇耻大辱，永世不得翻身。扩展开去，谨言慎行、积极向上、有所作为、不使父母、家族蒙羞，而是光宗耀祖，则是深埋于国人心中的文化情结。

辈分字派的确立，其初衷在于明白族人在家族体系中的位置，知晓何人与自己同族，同时分别上下长幼、尊卑贵贱，不可僭越无礼。也就是说，讲求字辈派行的目的极为清晰：遵照其排列顺序，则辈分亲疏关系、上下等级关系一目了然，一旦混淆，后果不堪设想。因此，研究家谱族谱中记载的辈派，可以对传统文化有进一步的理解。在某种意义上，中国姓氏之学是深入中国文化堂奥的一把钥匙。

第二节　政区的演变

“湖北”一词除了表明地理范围、文化感情之外，还是一种政区的名称。而国家行政管理者调整改划政区也自有一番历史逻辑，这种历史逻辑不仅蕴含着政治改变与王朝兴衰，更蕴藏着人口与文化的变迁。元代湖广行省面积广大，其管辖区域涉及今天湖北省、湖南省、广西壮族自治区、广东省、贵州省、四川省以及海南省的许多地区。如此庞大的地区，却还并不包括今天湖北省北部一些地区。明初，朱元璋将湖广的范围缩小，大致固定在今天湖北与湖南两省地区。到了清代康熙年间，湖广又分省，现代湖北省的政区格局最终奠定。

一、明初湖广政区

明太祖朱元璋统一全国后，调整元代庞大的行省规模，将元代河南江北行省南部与湖广行省北部地区合并成新的湖广，剔除了湖南以南地区。明代新湖广的地理范围大致与今天的湖北、湖南相重合。其次调整简化省以下的政区结构。明代在湖广省级政区之下，设置府与直隶州，府有附郭县，而直隶州则无。通过府与直隶州，再管理县与散州。而在少数民族聚居地区设置土司或卫所，采用授予少数民族首领世袭管理权的方法维持明王朝的政治影响。

经过大刀阔斧，纷繁复杂的改划调整，到明太祖洪武十四年（1381年）前后，湖广各级行政区划大致固定下来。此时，除了少数民族聚居区，湖广省级政府之下分别是：

洞庭湖以北地区

武昌府（省会）：辖江夏县、咸宁县、嘉鱼县、蒲圻县、崇阳县、通城县、武昌县、兴国州、大冶县、通山县。

汉阳府：辖汉阳县、汉川县。

黄州府：辖黄冈县、麻城县、黄陂县、蕲水县、罗田县、蕲州、广济县、黄梅县。

荆州府：辖江陵县、公安县、石首县、监利县、松滋县、枝江县、潜江县、夷陵州、长阳县、宜都县、远安县、归州、兴山县、巴东县、荆门州、当阳县。

襄阳府：辖襄阳县、宜城县、南漳县、枣阳县、谷城县、光化县、均州、郧县、房县、房陵县、竹山县、上津县。

德安府：辖安陆县、云梦县、应城县、孝感县、随州、应山县。

沔阳州：辖景陵县。

安陆州：辖京山县。

洞庭湖以南地区

岳州府：辖巴陵县、临湘县、华容县、平江县。

常德府：辖武陵县、桃源县、龙阳县、沅江县、澧州、安乡县、石门县、慈利县。

衡州府：辖衡阳县、衡山县、耒阳县、常宁县、安仁县、酃县、临武县、蓝山县、桂阳州。

长沙府：辖长沙县、善化县、湘阴县、湘潭县、浏阳县、临澧县、宁乡县、安化县、湘乡县、益阳县、攸县、茶陵县。

辰州府：辖沅陵县、泸溪县、辰溪县、溆浦县、沅州、黔阳县、麻阳县。

永州府：辖零陵县、祁阳县、东安县、道州、全州、宁远县、江华县、永明县、灌阳县。

宝庆府：辖邵阳县、新化县、武冈州、新宁县。

靖　州：辖会同县、通道县、绥宁县。

郴　州：辖永兴县、宜章县、兴宁县、桂阳县、桂东县。

从以上格局可以清楚地看到洪武十四年前后的新湖广几乎与今天湖南、湖北二省相吻合，且几乎做到了洞庭湖南北地区府与直隶州的均衡。具体到个别府州，我们会发现三点值得注意之处：第一，新湖广几乎以洞庭湖为中心，抛却了很多南方地区。第二，湖广府州辖县有多有少，并不一致，有的还差别很大；第三，既然府与直隶州都是省之下，州县之上的中间政区，却没有统一名称，仍然保持区别。

其实这都是明代人的智慧。政区划分的目的是更好地实施行政管理，方便居民生活。省级政区过于庞大，并不利于区域统筹管理，协调发展。我们可以想象，在当时的交通条件下，一个居住于岭南的人，都要花费几十天的时间，跑到今天武汉市来办理完粮纳税、诉讼申冤、科举考试等活动的窘境。而驻守武汉的湖广最高文官要同时兼顾洞庭湖与海洋，要时刻注意秦岭大巴山与南岭，这实在难以办到。明王朝将两广与两湖分开治理正是顺应时代潮流，加强统治力度的明智之举。

而省以下的政区有的辖区大，有的辖区小，也是因地制宜的合理规划使然。如安陆州只辖一县，完全可以并入周围的襄阳、荆州、德安三府中的任何一个，然而地处秦岭大巴山、江汉平原、大洪山交界的安陆州，划给任何一个府，都势必导致该府横跨多种地形，增加行政难度。

而府与直隶州更显灵活与便利，简而言之，府是一种统管模式，知府要全面管控辖区所有州县的事务。而直隶州是一种代管模式，知州重点管理本州事务，再监管其他地区。府与直隶州都是中间政区，其名称的不同其实意味着管理方式的差异。明王朝可以因实际情况，决定设置府与州，亦可根据实际变化将二者互相转换。史实也表明，明太祖时期在不改变政区整体框架的前提下，经常将某直隶州与某府互相转换，如沔阳州、安陆州在辖区并不改变的前提下，时而变成沔阳府，时而回复为沔阳州。

合理缩小省级范围、因地制宜、灵活便利是洪武十四年前后形成的湖广政区格局可以稳定下来的重要原因。洪武二十四年（1391 年），明王朝又想改变湖广政区，但没有维持多久又恢复原状。[①]

当时明王朝君臣认为襄阳等地区与河南省近，干脆划归河南。但是过不了多久，问题又出现了。原来仅从地理距离看，襄阳等地区的确与河南较近，但这些地区又靠近汉水等河流，而这些河流均从北流向长江武昌府，那么从水路顺流而下，终归还是与湖广关系密切。于是，上述这些地区重新回归湖广，至今仍保留在湖北省内。从这一事件亦可看出，洪武十四年前后形成的湖广政区格局已经具有很强的稳定性了。[②]

还要说明的是，明太祖朱元璋在洪武二十五年（1392 年）对湖广政区格局又有所巩固与加强。当时在不改变现有府州县的前提下，又在府与直隶州之上，湖广之下，设立蕲黄道、江陵道、汉江道、湖南道、湖北道五个道。洪武二十九年（1396 年），又将五道压缩为四道：武昌道、荆南道、湖南道、湖北道。每一个道分管湖广若干府州，如武昌道辖黄州、德安、武昌、汉阳四府，再如湖北道辖常德、辰州二府以及靖、沅二州。虽然以后道级政区还会变化，但省、道、府、州、县的政区格局

① 相关史料可见《明太祖实录》卷二〇九，洪武二十四年六月丙子。

② 当然，政区格局稳定是说整个政区框架以及湖广大致范围稳定下来，并不表示以后政区不会发生任何变化。就在洪武二十七年（1394 年），明王朝又将湖南全州及灌阳县划归广西。

正式形成。

随着湖广各级政区的最终确立以及巩固，明太祖朱元璋的生命也走到了尽头。洪武三十一年（1398 年）闰五月初十，朱元璋驾崩。在他的治理下，现代的两湖地区逐渐成为一个有机整体，而“湖北”也正式成为一个政区名称。①

二、流民与郧阳府设置

洪武湖广政区确定之后，当然不会一成不变，还是会根据湖广社会经济的改变而做出适当的调整。当明王朝经历建文、永乐、洪熙、宣德、正统、景泰、天顺朝，到达成化年间之时，湖广又出现了一次比较大的政区调整，那就是郧阳府的设置。

大约在明代成化年间（1465—1487 年），由于各种原因，导致数以百万的流民聚集在秦巴山区。这一山区界于湖北、河南、陕西交界地带，山高林密，地形复杂，极难治理。如此多的流民集中在这里，自然令朝廷官员大为不安。

明朝规定秦巴山区属于封禁之地：“郧在古为麇国，春秋时为楚附庸。地多山。元至正间，流逋作乱。元祚终，竟不能制。国初，命邓愈以大兵剿除之，空其地，禁流民，不得入。”② 此处之所以遭到封禁，是因为元代就有流民在此造反，其势力一直延续到明朝建国。

明初，朱元璋命开国名将邓愈（后封卫国公、宁河王）率兵进剿。事态平息之后，明朝官方遂下达封禁之令。不曾料到，数十年之后的成化年间，封禁令被流民撕毁。对此，官府想尽办法加以阻遏，但都没有什么作用。饥饿面前，流民们的求生欲望达到顶点，不惜违抗朝令、以命相搏。清代史家论曰：秦巴山区“地界湖广、河南、陕西三省间，又

① 虽然明代湖北道并不表示今天的湖北地区，但在湖广之内出现“湖北”政区名称亦可看作明清时期湖北地名文化的一种滥觞。

② （明）范景文:《昭代武功编》卷五《成化 · 白恭敏开设郧阳》。按，此段文字亦见之于（明）高岱《鸿猷录》卷十一《开设郧阳》。

多旷土，……正统二年，岁饥，民徙入，不可禁。聚既多，无所禀。约束中，巧黠者自相雄长，稍能驱役之。汉中守臣以闻，且言不即诛恐有后患。……"[①]看来，采取军事手段镇压不是最优方案，应该另寻良策。当时，官员周洪谟等人向朝廷献计：通过设置新的行政区划，使这些流民获得合法身份，变成国家户籍制度下依法完纳赋役的百姓。如此一来，流民犯法作乱的隐患可以消除，另一方面，秦巴山区的经济开发也可以得到有序展开，社会秩序不会出现大的动荡。这意味着，不费一兵一卒，便可顺利解决棘手难题。于是，最高统治者迅速采纳了这一建言。成化十二年（1476年），朝廷下令设置一个全新的郧阳府。

根据万历《郧台志》的记载，流民产生的原因主要有两点：一是遇到了不可抗的自然灾害，二是逃避繁重的徭役。[②]因为流民太多，所以安置的方法有两条途径：一是就地附籍，二是遣还原籍。就地附籍的最佳策略，就是新设府县，在原有的政区地理上动动脑筋。一方面，为了管辖湖广、河南、陕西等交界处的流民，成化元年（1465年），设置荆襄抚治，后改为郧阳抚治，设都御史提督抚治所辖湖广之郧阳、襄阳、荆州，河南之南阳，陕西之汉中等府县的军民政务。另一方面，于成化十二年分襄阳府郧、房、竹山、上津等县置郧阳府。

郧阳府的治所设在郧县，下面管辖7个县份。设府置县的具体步骤如后：析竹山县之尹店为竹溪县，编户7社；析郧县之南门堡为郧西县，编户7里；析陕西汉中府洵阳县之白石河为白河县，编户8里。新成立的竹溪县、郧西县、白河县，加上原来襄阳府的竹山县、房县、上津县、郧县，共计7县，共同构成郧阳府的地域范围。

在实施过程中，郧阳府的行政区划也有变动。因为水土不服等因，白河县民众要求划归陕西。这一请求得到官府认可。成化十三年（1477

① （清）谷应泰：《明史纪事本末》卷三十八《平郧阳盗》。

② （明）裴应章、彭遵古著，潘彦文等校注：《郧台志》卷一《设置·总镇》，武汉：长江出版社2006年版，第2—3页。

年），白河县再度从郧阳府析出，划归陕西金州。这样一来，郧阳府由7县变为6县。20年之后的明弘治十年（1497年），朝廷将房县的潭头坪设置为保康县。于是，郧阳府又变成了7县之府。这一设置，直到明朝灭亡，没有出现变更。

郧阳府设立后，其户籍的大致情形是：户12 460，口114 603。其中，郧县（户4 249，口50 077）；房县（户1 740，口11 930）；竹山（户1 586，口17 116）；上津（户1 007，口6 897）；竹溪（户1 359，口12 164）；郧西（户1 690，口12 978）；保康（户829，口3 441）。户与口的确定，是为了保证朝廷的税粮征缴。具体而言，郧阳府的夏税（麦）总额为3 580余石，秋粮总额为10 982余石。[1] 另有以银为单位的“编派”，包括岁办、驿传、民壮、均徭、里甲等项，不赘述。历史充满吊诡之处，虽然明代设置郧阳府暂时缓解了流民问题，却没有一劳永逸地保障秦巴山区不再出现剧烈动荡。迨至清嘉庆年间，秦巴山区又出现了白莲教起义。

除了郧阳府之外，明中后期湖广政区的相关调整还有嘉靖帝家乡承天府的组建：嘉靖帝继位后将其藩封之地安陆州升级为承天府，新府还并入沔阳州，以及荆州府的一部分。帝王尊崇帝乡形成的政区与流民管控形成的政区成为明代组建新府两大模式。另外嘉靖末年，湖广黄州府内因加强人口管理，在当地士绅的要求下建立了黄安县。

当然以上政区变动，仅是湖广内部的局部调整，它没有彻底改变湖广的地理范围，更没有改变明太祖定下的两湖合治局面。彻底让湖北、湖南分开治理，还要等到清代。

三、清代两湖分省

清王朝组建后，一反明初对元朝政区大刀阔斧的整顿，几乎全盘接

---

① （明）裴应章、彭遵古著，潘彦文等校注：《郧台志》卷六《版籍·户口》，武汉：长江出版社2006年版，第249、254—255页。

纳了明王朝的湖广政区格局，只是对嘉靖帝老家的名称予以改动：顺治三年（1646 年）改承天府为安陆府。这很好理解，明代嘉靖帝之后的所有皇帝都是其直系子孙，嘉靖帝家乡承天府的尊号更是无人敢动。而清代建立后，清朝统治者马上将自己的老家改为“奉天府”，对于前明皇帝的家乡自然不能再以“天”来称呼，改名理所应当。这种政区更换名称对于当地民众的社会经济生活没有产生直接影响。但顺治年间的政区平静其实孕育着政区剧变：两湖分省。

两湖分省的肇始其实可以追溯到明代。明万历年间，由于洞庭湖以南，特别是湖南南部地区战事频繁，而身处武昌省城的湖广巡抚又不能经常离开湖北，到湖广南部料理战争事务。这种顾此失彼的窘境，使得明王朝在湖广又设置偏沅巡抚，驻守湖南南部地区，分担湖广巡抚军民政务。一省设两个巡抚的方法，并没有改变湖广政区格局，但这预示着这样一个事实：驻守武昌的省级官员，不能很好地全面管理洞庭湖以南地区事务。

偏沅巡抚设立后，因实际需要屡有兴废。在明末农民战争中，偏沅巡抚再次设置，清王朝建立后又予以沿袭保留。这样一来，清初湖广早就形成了两位高级官员分治的局面。除了政治变化，还有教育需要。同样是在万历年间，明廷官员主张在湖广设置两个管理学务大臣。[①]

湖广不仅地域广大，而且人才日益繁盛，仅靠一个学务官员很难照顾周全。因此以洞庭湖为界，在湖广设置两个学务管理者，使得两湖学子都能更好发展。除了政治、教育因素，经济管理也以洞庭湖分而治之。顺治十年（1653 年）为了发展两湖农业生产，提供军需粮草，清王朝在湖广设置湖南、湖北二屯道，专门管理屯田事务。而这里的“湖南”“湖北”大致是以洞庭湖为分界线的。

也就是说，湖广作为一个省级政区一直没有改变，但因为政务、教育、经济等因素，明末清初之时已经形成了以洞庭湖为分界的两地治理

① 相关史料见《明神宗实录》卷五一四，万历四十一年十一月己卯。

模式。而造成若干事务两地分治的根本推动力在于整个湖广社会经济的发展。随着清王朝统治的巩固，湖广人口持续增长，经济水平日益提高，推动两湖分开治理的力量还会增强。

历史的车轮驶入到康熙年间，此时清王朝控制中国的局面已经形成，社会经济水平也开始全面复苏。康熙三年（1664 年）三月，清廷正式发布命令：湖广设立两个巡抚，以洞庭湖为分界线，以北归湖广巡抚管理，以南归偏沅巡抚管理。与此同时增设一按察使，常驻长沙府。

须知，明清时代一个省只有一个按察使，掌管一省刑狱司法事务，其衙署地点是省城武昌府。此时湖广设两个按察使，一个在武昌，一个在长沙，这就等于设立两个司法系统。

同年四月，清廷再次对湖广官员做出调整："命湖广右布政使移驻长沙，辖长、宝、衡、永、辰、常、岳等七府、郴、靖二州"[①]。所谓布政使，是配合巡抚等官员处理湖广民政钱粮事务的官员，分为左、右布政使两人，原本都常驻省城武昌。现在清廷命令其移往长沙，管理洞庭湖以南地区。这样一来，巡抚、按察使、布政使这三位省级高官，湖广都具备了一南一北两套。

同年闰六月，清廷命令："偏沅巡抚，自沅州移驻长沙。"[②]至此长沙成为湖广第二个政治中心。康熙三年（1664 年）春夏的人事调整，实质上形成了湖广武昌、长沙二元管理模式。此模式的形成，表明在行政管理上，两湖已经分离。

由于以后湖广巡抚已经管不了洞庭湖以南地区，"湖广"一词变得名不副实。雍正年间，湖广巡抚改称为湖北巡抚。雍正二年（1724 年），偏沅巡抚也改称湖南巡抚。从此，湖北与湖南作为两个正式政区名称出现在历史舞台上。另外，雍正年间大力推行改土归流政策，将许多世袭少数民族首领予以废除，设立府州县予以管理。湖北少数民族聚居区也

① 《清圣祖实录》卷十一，康熙三年四月癸巳。

② 《清圣祖实录》卷十二，康熙三年闰六月辛未。

在此潮流中形成新政区，如宜昌府、施南府、长乐县、恩施县等等。

经过康熙、雍正二朝的调整，湖北省终于诞生了。

到乾隆年间，湖北政区基本固定下来，分别是：

武昌府（省会）：辖江夏县、武昌县、嘉鱼县、蒲圻县、咸宁县、崇阳县、通城县、兴国州、大冶县、通山县。
汉阳府：辖汉阳县、汉川县、黄陂县、孝感县、沔阳州。
安陆府：辖钟祥县、京山县、潜江县、天门县（明代景陵县改名）。
襄阳府：辖襄阳县、宜城县、南漳县、枣阳县、谷城县、光化县、均州。
郧阳府：辖郧县、房县、竹山县、竹溪县、保康县、郧西县。
德安府：辖安陆县、云梦县、应城县、随州、应山县。
黄州府：辖黄冈县、蕲水县、罗田县、麻城县、黄安县、蕲州、广济县、黄梅县。
荆州府：辖江陵县、公安县、石首县、监利县、松滋县、枝江县、宜都县。
宜昌府：辖东湖县、归州、长阳县、兴山县、巴东县、长乐县、鹤峰州。
施南府：辖恩施县、宣恩县、来凤县、咸丰县、利川县、建始县。
荆门州：辖远安县、当阳县。

以上政区经过近代洗礼，新中国规划，最终形成了今天武汉市、黄石市、十堰市、宜昌市、襄阳市、鄂州市、荆门市、孝感市、荆州市、黄冈市、咸宁市、随州市、恩施土家族苗族自治州、仙桃市、潜江市、天门市、神农架林区的现代格局。

纵观历史，湖北省诞生的根本原因是人口繁衍、人才兴盛、经济发展，使得王朝政府不得不缩小辖区范围，增添官员，加强地方行政管理。明清两代，一分“湖”与“广”，再分“北”与“南”。最终形成东

（广东）、西（广西）、南（湖南）、北（湖北）分而治之的局面。在此历史过程中，湖北文化也持续发展，谱写了新的篇章。

第三节 “江西填湖广、湖广填四川”

在许多西方学者眼中，明清中国是中华帝国晚期，整个社会毫无生机，是停滞状态。这种僵化的社会需要来自外部的冲击，从而引发变革。这是典型的“西方中心论”的腔调，是不符合历史事实的。客观而论，明清时期的中国充满变化，富有生机，历史文化的发展并未止步不前。在这些变化中，最具时代性的现象之一是大规模的人口流动。人口流动不仅突破了官方僵硬的户籍制度，而且带来了诸多新的变动，实现了资源、劳力、技术、人才、商品、文化的大范围扩散。背井离乡的人们，被史家称作“移民”。数以千万计的移民，改变了明清中国的社会格局。

魏源是清代著名的经世实学家，而经世实学是通往近代新学的路径之一。实学家研究的对象大多关系社会民生，注重实用性，诸如边疆防御、农田水利等都是他们探讨的问题。魏源曾撰写《湖广水利论》一文，深入分析了湖广地区（今湖北湖南）的水患问题。

在《湖广水利论》中，魏源特别提及“江西填湖广、湖广填四川”的民谚，强调导致这场移民运动的主要原因在于明末张献忠血洗四川，“当明之季世，张贼屠蜀，民殆尽，楚次之，而江西少受其害。事定之后，江西人入楚，楚人入蜀，故当时有‘江西填湖广、湖广填四川’之谣”。当人口大量涌入后，虽然有诸多好处，但同时也有隐患，其中人地矛盾的突出、水利问题的严重格外引人注目。

魏源在文章中称，天下承平已二百多年，人口迅速增加，开垦田地，筑庐造屋，没有节制地进行土地开发，其结果便是“平地无遗利”“山地无遗利”，前者导致行、蓄洪区面积减小，后者则易致山谷淤塞。夏秋洪水期时，大雨和山洪裹挟泥沙倾泻而下，在湖中形成洲渚。

附近居民对洲渚“圩之田之”，使之成为湖田。如此一来，更进一步挤占了原来的行、蓄洪区，致使下游湖面江面日渐缩窄。魏源对此极为焦虑，他反问道，在这样的情况下，洪水来袭之时，“夏涨安得不怒？堤垸安得不破？田亩安得不灾？”按照魏源的逻辑分析，导致湖广水患加剧的主要原因是人口迅猛增加，为了养家活口，人们与水争利，从而引发更为尖锐的人地冲突。如此循环累积，其结果之一便是湖广水利问题相当严峻。[①]

应该指出，魏源将长江流域人口流动的主因归结于明末张献忠屠川，虽有一定的史料支撑，但说法欠妥，或者说过于简单，需要扩大视野，进行更为深入的论析。

一、移民模式：民间自发与官方主导

魏源提到的“江西填湖广”，确实是历史的真相。那么，为什么会出现这样一种情形呢？

抛开江西紧邻湖广的地理条件不谈，江西移民大量涌入湖广，首先是因为江西人口的快速增长已引发较为严重的社会经济问题，必须迁出部分人口才能得以缓解。万历《南昌府志》等众多明代史料都已明白无误地指出，大约在嘉靖至万历年间，江西的人口状况令人担忧：“生齿繁夥、村落丛集”，人口的迅疾扩张导致民众的生活遭遇巨大困难，固守田亩已无法解决基本的生计问题，所谓“稼穑桑麻之入不足以给养生送死之需”。这与当地“土浅田瘠”的经济资源禀赋密切相关。不过，江西人似乎有某种灵活的基因存在于生命之中，他们乐于且勤于移动，以此改变生活的窘境。在完纳朝廷赋役方面，江西人“悉取办四方”，主要的办法就是人口流动。“南昌、丰进商贾工技之流视他邑为多”，就是明证。即使远走他乡，对于江西人来说也不是什么困难的事情，“无论秦蜀齐楚闽粤，视若比邻。浮海居夷、流落忘归者，十常四五”。家

① （清）魏源：《古微堂集·外集》卷六。

人常年不见，也视为合理，“恒散而不聚，无怨语也”。[①]应该说，江西人这种不恋旧土、行走天下的活泼性格，是触发“江西填湖广”移民潮的深层文化动因。遗憾的是，迄今为止的明清移民史研究尚未对此有深度挖掘。

仅有江西人的迁移决心是不够的，还需要抵达地区具备良好的接纳条件。迁出与迁入，两者在受容机制上必须合拍，否则不可能出现两地之间持续性的人口流动。从历史的实态看，当江西人满为患、急于外出之时，湖广地区落后于江西、安徽、浙江和江苏的经济开发状况成为“江西填湖广”最大的诱因。那时的两湖，在人口方面还没有出现高度紧张的状况。尤其是，两湖素称“鱼米之乡”，平原湖区面积广大，能够容纳大量的外来人口，所谓“楚为鱼稻之乡，加以山水清旷，是以四方之客问津览胜、卜居著籍者，后先相望焉”[②]。从传世文献看，迁入湖北的民众不完全是江西人，但是，江西人是进入湖北的外地人口中人数最多的。恰如史家所论：“明季，徙豫章民来实兹土，江右（今江西）籍居多。”[③]根据清代编纂的《黄安乡土志·氏族》，在42个知晓来自何方的氏族中，有31个来自江西，约占74%。[④]再以谱牒资料进行印证，《义门陈氏宗谱》（1992年黄安陈士仪台北胶印本），明确指出：“吾祖世居江右，迄明洪武定鼎，移民始祖子富公奉诏来楚之冈邑（黄冈）中和里大河滨定居。至明嘉靖四十二年安邑（今名红安）立，子富公之次子万二公支系，迁居安邑南三十里，分居各村……人丁达万，勤耕俭作于斯土者，已有四百余年矣。此为义门陈氏聚居之最大根据地，义门陈氏宗祠设于陈家大湾。”此类记述常见于湖北家谱，不赘述。另如论者统计麻城155部谱牒，发现135位迁麻始祖来自江西，其中以饶州府人数

---

① 万历《新修南昌府志》卷三《舆地类·风俗》。

② 雍正《湖广通志》卷七十三《流寓》。

③ 同治《松滋县志》卷一《舆地志·风俗》。

④ 引见张建民《湖北通史》（明清卷），武汉：华中师范大学出版社1999年版，第492页。

最多。迁入麻城的时间，可上溯唐宋，但集中于元末明初。[①]

某些家谱在原籍及迁入地的记载方面详略不一，是因为各姓修谱的时间不同，表述方式各异。但是，这并不妨碍后世的人们了解麻城许多姓氏实为“外姓”，且多系江西迁入者。相比之下，明初从江西迁入麻城的人数更多，详如表1—4。

表1—4　明初江西迁入麻城始祖概览

迁麻始祖	原籍	迁入地	谱牒版本
李胜	饶州余杭	宋埠西李胜村	《李氏宗谱》（五知堂，清乾隆十六年）
王宣	饶州丰城	城东王家岗	《王氏宗谱》（益堂，清咸丰六年）
王必兴	江西豫章	熊家铺磨子山	《王氏宗谱》（三槐堂，清同治元年）
张受一	江西（县名不详）	县城西张虞湾	《张氏宗谱》（百忍堂，清光绪三十二年）
张显	饶州余干县	麻城宋埠	《张氏宗谱》（清河堂，清康熙二十年）
程国瑞	江西都昌	白果望花山	《程氏宗谱》（守先堂，清乾隆二十九年）
程济明	江西南昌	麻城龟头河	《程氏宗谱》（本源堂，民国三十六年）
罗鼎	吉安吉水县	白果赤山嘴	《罗氏族谱》（柏林堂，清嘉庆十八年）
何季什	饶州鄱阳县	福田河北	《何氏族谱》（三高堂，清雍正八年）
余高	江西瓦屑坝	中馆驿余家湖	《余氏族谱》（忠义堂，清乾隆四十年）
袁必达	江西（县名不详）	阎家河钓鱼台	《袁氏宗谱》（五公堂，清同治十一年）
戴克丰	饶州乐平县	麻城歧亭	《戴氏宗谱》（注礼堂，清光绪六年）
肖千八	南昌新建县	麻城中馆驿	《肖氏宗谱》（孝友堂，清康熙二十九年）
唐龙溪	饶州余干县	麻城县城	《唐氏宗谱》（堂名不详，清光绪十一年）
郭达卿	饶州余干县	麻城圣门外	《郭氏宗谱》（汾阳堂，民国三十六年）
赵铨	饶州余干县	麻城歧亭	《赵氏宗谱》（连城堂，清乾隆三十九年）
万敬二	饶州鄱阳县	铁门大万家	《万氏宗谱》（扶风堂，清咸丰三年）

① 钟世武主编：《麻城祖籍寻根：谱牒序言与始祖研究》，武汉：湖北人民出版社2015年版，第16、18—28页。

续表

迁麻始祖	原籍	迁入地	谱牒版本
万寿甫	饶州瓦屑坝	乘马万义	《万氏宗谱》（渭善堂，清光绪二十九年）
高德性	江西宜春县	宋埠龙井	《高氏族谱》（堂名不详，清康熙二十年）
邓斯贵	江西（县名不详）	麻城白塔河	《邓氏宗谱》（堂名不详，清道光二十五年）
邓遥、邓遐	江西（县名不详）	麻城黄安	《邓氏通谱》（南阳堂，2011年）
叶省三	江西南昌县	麻城中馆驿	《叶氏宗谱》（问政堂，清乾隆二十年）
傅德兴	江西乐平县	亭川乡傅家湾	《傅氏族谱》（堂名不详，清嘉庆十七年）
金自明	江西高安县	中馆驿浮桥河	《金氏宗谱》（济美堂，清乾隆五年）
雷正一	江西（县名不详）	宋埠	《雷氏宗谱》（敦叙堂，清同治二年）
方庆四	江西高安县	仙居乡紫云区	《方氏族谱》（壮猷堂，清咸丰六年）
龚谦	江西（县名不详）	麻城歧亭	《龚氏宗谱》（种柏堂，清康熙五十四年）
谢明远	吉安府丰县	仙居乡谢家墩	《谢氏宗谱》（宝树堂，清光绪元年）
卢福禄	南昌府南康县	麻城铁门岗	《卢氏宗谱》（崇德堂，清康熙十三年）
涂辛一	鄱阳县瓦屑坝	麻南走马岗	《涂氏宗谱》（三翰堂，清道光十八年）
严宗海	饶州府瓦屑坝	麻北严家畈	《严氏宗谱》（怀仁堂，清雍正九年）
邱竹庵	饶州乐平县	中馆驿	《邱氏宗谱》（忠实堂，清乾隆十三年）
姜鸿楚	饶州瓦屑坝	麻城古河垸	《姜氏宗谱》（兴义堂，1999年）
洪仁卿	饶州乐平县	麻城龟峰河	《洪氏宗谱》（燉煌堂，清乾隆二十三年）
梁朝佐	江西抚州	麻城麻溪河	《梁氏族谱》（堂名不详，清道光十五年）
易宗三	江西乐平县	麻城县城	《易氏宗谱》（正本堂，民国三十二年）
凌受辅	江西南昌县	麻南八里畈	《凌氏宗谱》（御书堂，民国六年）
潘念二	江西武宁县	麻南铁门岗	《潘氏族谱》（合德堂，清嘉庆十二年）
毕达	江西（县名不详）	麻城白杲	《毕氏宗谱》（永睦堂，民国三十二年）
库义益	饶州乐平县	麻北库家畈	《库氏宗谱》（英隽堂，清光绪十三年）

续表

迁麻始祖	原籍	迁入地	谱牒版本
孙世昌	江西（县名不详）	麻南闵家集	《孙氏宗谱》（金声堂，清宣统二年）
闾雄甫	江西安义县	麻城白果	《闾氏宗谱》（敦本堂，清康熙二十九年）
任思文	江西乐安	麻东东义洲	《任氏宗谱》（五知堂，清咸丰十一年）
石万二	饶州瓦屑坝	县圣门外七里岗	《石氏宗谱》（纯巨堂，清道光三十年）
欧阳开泰	江西吉安	麻南八里畈	《欧阳氏宗谱》（六一堂，清道光三年）
廖仲二	江西南昌	县圣门外许家凉亭	《廖氏族谱》（世彩堂，清康熙五十六年）
闵道鉴	鄱阳县瓦屑坝	宋埠湘邦河	《闵氏宗谱》（孝友堂，清嘉庆二十四年）
闵福镒	江西新建县	仙居乡破河口	《闵氏宗谱》（纯孝堂，清光绪二十六年）
施贤辅	饶州余干县	仙居乡永宁村	《施氏宗谱》（宗伯堂，宋绍兴五年）
史和淑	江西（县名不详）	麻城八里畈	《史氏宗谱》（骨鲠堂，民国八年）
荣景阳	江西（县名不详）	麻城歧亭	《荣氏宗谱》（三乐堂，民国九年）
钟受	吉安永丰县	麻城负儿山	《钟氏族谱》（堂名不详，明万历三十五年）
韩复益	江西饶州	太平乡肖家楼	《韩氏宗谱》（荆州堂，民国十一年）
游元镇	江西饶州	麻城石香炉	《游氏族谱》（述文堂，清道光六年）
魏理容	江西浮梁县	麻东陈家庄	《魏氏族谱》（文真堂，清嘉庆二十三年）
杜铎	乐平县瓦屑坝	麻城县城	《杜氏族谱》（宝田堂，清道光十年）
吕道刚	江西丰城	县城外西门樊顾区	《吕氏宗谱》（方正堂，清宣统元年）
盛组公	江西鄱阳县	麻城浮桥河	《盛氏宗谱》（务本堂，清嘉庆二十五年）
章福二	江西铅山县	麻西金茨林	《章氏宗谱》（德象堂，清光绪十九年）
章官三	江西（县名不详）	麻城古城山	《章氏宗谱》（全城堂，清光绪三十二年）
薛天一	南昌金溪	麻西宋埠独山	《薛氏族谱》（三凤堂，明成化十三年）
邵千四	江西饶州府	麻城曾山河	《邵氏宗谱》（爽荫堂，清乾隆五十七年）
柯柏贵	江西瑞昌	麻城歧亭东门	《柯氏宗谱》（敦本堂，清同治十年）
蒋青山	饶州瓦屑坝	麻南闵家集	《蒋氏宗谱》（三经堂，清光绪六年）

续表

迁麻始祖	原籍	迁入地	谱牒版本
谈祥	江西鄱阳县	麻北望仙桥	《谈氏宗谱》（奉先堂，清光绪元年）
瞿福二	江西贵溪县	麻东太平乡桑树冲	《瞿氏宗谱》（松阳堂，清宣统元年）
殷福启	乐平县瓦屑坝	中馆驿陈寨	《殷氏宗谱》（楚珍堂，清同治十一年）
尉伯臣	江西吉水县	城东白田畈	《尉氏宗谱》（凌烟堂，清光绪二十年）
缪三一	江西崇仁县	盐田河三合湾	《缪氏宗谱》（敦睦堂，清乾隆五十六年）
钱受	江西（县名不详）	县城西后街	《钱氏宗谱》（万选堂，清光绪二年）
靖普山	乐平县瓦屑坝	中馆驿石堰岗	《靖氏宗谱》（三星堂，明初）

资料来源：钟世武主编：《麻城祖籍寻根：谱牒序言与始祖研究》，武汉：湖北人民出版社，2015年，第18—28页。

在元末到清末的数百年间，根据麻城155部谱牒的相关记载，元末明初迁入麻城的始祖约为126位，约占迁麻始祖4/5，且绝大多数来自江西。与元末比较，明初迁入麻城的江西人更多，构成了明清时期麻城姓氏的主体部分。在多部谱牒中，“瓦屑坝”出现次数较多，且鄱阳、乐平、余干等县均有，表明这一地名的文化意象的“能指”超过了地理位置的“实指”，已成为“江西填湖广”始发地的统称，是一种积淀着丰厚内涵的历史记忆。在迁麻始祖中，还有少数来自江浙、湖南、河南、安徽、福建、河北、陕西、山西、山东、四川等省，但不影响麻城姓氏以江西原籍人士为主体的格局。

在江西迁入麻城的家族中，董氏值得特别关注。这是一个有着悠久历史、俊杰辈出的家族。关于董氏之由来，一说源于己姓，是黄帝后裔。相传黄帝曾孙颛顼的后人中，有擅长驯养蛟龙的董父，被舜封为御龙氏，赐姓董；一说源于姬姓，后裔中最著名者当推汉代董仲舒，是“罢黜百家、独尊儒术”的倡议者。董氏的倡议被汉武帝定为国策，孔孟之道自此成为千余年间的官方意识形态。董仲舒后裔董晋做过唐代宰相，居住江南，传到八世孙董合，迁移江西乐安县流坑。“流坑董氏”

堪称中国文化史的一大传奇：其族人在宋代传十六世，培养出进士 26 人。尤其是，北宋咸淳时，董氏五人于癸酉年（1273 年）同中举人，翌年甲戌年（1274 年）同中进士，耸动视听，可谓空前绝后。为此，族人修建“五桂坊”以表纪念。元末，董合十六世孙董奉高游历湖广，娶卢氏，生子董正一，居于麻城。正一稍长，父奉高独自返回流坑，竟不知所终。正一携母寻父，路过麻城白杲，“因草昧路阻，遂寓居横河”。母亡，葬于程家冲。正一转徙麻城西面的七里岗丗龙溪，娶妻生子，长子南寿，次子南海。恰逢元末乱世，南寿徙居七旦冲陈家寨，迎娶胡氏，育有三子：

长子世才，又名仲才、潮四，授广西桂林府栓校，育有三子，即应奎、应星、应轸；

次子仲二，又名潮五，明洪武二年（1369 年）迁居滠源乡（今红安县赵河乡大屋董家）、大悟县董家垸；

三子仲良，曾任知县，定居于白杲镇近旁的周家冲。

世才第三子应轸，解元出身，官至福建提学、广西布政司参议，后定居白杲镇。应轸育有八子：

长子董绪，居于龙溪；董绪之孙辈徙居碾子边；后裔时字辈兄弟六人同迁东山，又有时雍、时晏迁居蟠龙集；

次子董绍，居于白杲；

三子董绂，居于龙吼潭；

四子董缏，居于白杲东厂；

五子董絟、六子董紝，居于白果河东；

七子董□，居于石桥湾；

八子董级，居于秀才窳，后移居茅畈河。

南寿后嗣发达，统称“南董”支派。“南董”的董级，在黄安县繁衍六世后，第十三世董国斌回迁麻城白杲，居于镇南 15 里的毛玉冲。

与此相对应的，就是“北董”支派，属于正一次子南海那一支。南海，明初武庠，官至四川宁番卫镇抚，育有三子。长子仲彰，因军功授陕西岷州卫指挥使。仲彰育有三子，其长孙董綸，世居草鞋店；次孙受卿一支，散居于麻城县北柏子塔、黄土岗四道河南冲、董家嘴、福田河、宋家冲、石门畈、上岩，以及河南淮滨、商城南乡铁炉冲等地。“北董”第八世董士宗，迁居黄安明月会之董家畈，第十二世董时耀回迁麻城太平乡择里堡，在晏家畈从周姓手中购置百余亩田地，地名遂改称董家畈（今乘马岗以北地段），第十四世董本学再迁移本乡董家洼。

具体到迁川之事，“南董”大约是从第十一世或容开始的，第十三世其贵踵其后，后面的情形大致如下：

从第十四世开始人数骤增，概有秉彝、尚富、勤家、德风、懋柽等人；

第十五世人数更多，计有董隆、董伦、董价、有亮、世荣、国和，二房后裔良权、良枨、良桯、良柽、良椿携子入川（宝临场），另有董禅迁入璧山县龙水镇、董祠迁入郫县；

第十六世董熙、董烘、能灿、能炘等人入川，乔松迁入万县余家嘴，维贤、遇乾、明扬迁入璧山县，维新迁入郫县，成谟、成全、成寿迁入长寿县，立义、士明、士贵迁入重庆，士丛迁入成都府牛家场，士习、士琼、士钦等人亦入川；

第十七世作梅、世贤、国商、国富、国福、国高、金城、玉城、蒲城、贵保、福保、启顺、启国、启灏、启法，都迁入郫县。启正携子希文迁入云阳县沙陀子；为亨、为利、为良、为交、汉臣、汉让、为炯、为龙、为朝、为辉、为祥，都迁入南江白头滩；

第十八世希麟、其福、自禹、自德迁入开县，在兴、在文、志达、志远迁入重庆府巴县，学富、其辉、其铎、其信、其才迁入夔州；

第十九世世德、世魁、世柱、世杭、绍宁迁入长寿县，洪絟、洪万、绍金、绍堂、绍宁、洪照、洪熙、洪烈迁入四川；

第二十世德水、德智、德昌、学富、学成、基周迁入长坝；

第二十一世昌刊、昌乾、纯干等人迁入四川。

仅从姓名就可知晓，其中有许多都是兄弟搭伙同行，在迁徙的道路上患难与共、相互扶持。至于为何不同世系的董氏族人在四川的迁入地点不同，原因不甚明了。与“南董”一样，“北董”也有入川之举。开其端绪者，是第十一世董圣、董惟、董弼、董宪、董秀、董长发等人。第十二世董承雄入川从事商贸活动，第十三世董文廷、董贵亦入川定居。[①]

这些陈年旧事相当烦琐细碎，可谓盘根错节，颇有令人不明就里之惊愕。然而，这就是活生生的家族史，其中的繁殖生息、迁徙辗转，种种困顿、迷惘、失落、喜悦、欢欣、慰藉混杂在一起，生死交织、血泪模糊，上演了一幕幕的历史活剧。从“流坑董氏”到“麻城董氏”，从“南董”到“北董”，从“湖北董氏”到“四川董氏”，经历了多少的风风雨雨？！存留下来的，除了谱牒过于简短的描述，就只剩下了董氏祖祖辈辈口耳相传、错讹百出的故事和记忆。如同许多家族一样，董氏后人关于家族的故事和记忆永远都说不完，也永远都说不清。因为，谱牒只是历史的浮光掠影，它是历史碎片的缀集。

从江西到湖广，再从湖广到四川，这便是董氏家族史的叙事框架。当然，这三地还有坚守不动的董氏族人，并不是彻彻底底的迁徙。董氏的根脉，在江西、在湖广，也在四川。只有将这三个省域、三条根脉贯通起来，我们才能发现不同历史阶段的董氏，才能深入解读移民史浪潮中的董氏，才能完全认识董氏枝繁叶茂的“宗族之树”。

外省人迁移麻城的原因，包括奉旨入籍、躲避战乱、游宦寓居等。在迁徙路线方面，大多系由江西直接迁入麻城，也有由江西迁入湖北黄安、罗田、黄冈、黄陂、大冶、武昌、枣阳、孝感、兴国等县域，再移居麻城者。

从谱牒编修的角度看，麻城谱牒的版本上溯宋代、下迄当今，但集中于明清时期。在当地文史机构及专家所收集的155部谱牒中，宋

① 孙晓芬主编：《麻城祖籍寻根谱牒姓氏研究》，成都：四川大学出版社2008年版，第335—337页。

代2部，明代16部，清代116部，民国18部，当今3部；清代又以康乾时期最多，反映了所谓“盛世修史”“盛世修志”“盛史修谱”的史籍编纂现象。从版本上看，绝大多数的谱牒都有堂号。堂号之名，既有分别宗派房支、强调身份认同之义，更有突显伦常名教、实施道德教化之旨。简言之，堂号之名就是家族的文化符号。以故，有些堂号重复出现，不以为嫌，反映了不同的家族拥有相同的文化价值观，如敦本堂、务本堂、敦睦堂、问政堂；有些堂号的命名本身，就反映了族人的道德判断，如孝友堂、洗心堂、吉庆堂、礼教堂、敦伦堂、怀仁堂、百忍堂等。当然，少数堂名也不乏审美情趣，如笔花堂、俊逸堂、梦松堂、琴鹤堂、秋香阁等。明清时期的麻城谱牒有墨谱、也有刊印本，但不是为了广布天下，主要是供族人披览，颇具“家法”性质。

而且，创修谱（暂无续修）仅有3部，其余各谱均有续修。其中，编修10次者有2部，即龙池李家坝《李氏宗谱》、世彩堂《廖氏族谱》；编修9次者5部，即梦松堂《丁氏族谱》、大文堂《朱氏族谱》、孝友堂《童氏宗谱》、麻中南《钟氏族谱》、三星堂《靖氏宗谱》；编修8次者7部，编修7次者6部，编修6次者16部，编修5次者22部，编修4次者31部，编修3次者38部，编修2次者35部，绝大多数的编修次数在2—6次之间。[①]反复编修谱牒，一则表明家族兴旺，血脉传承不坠，后嗣代有人出；二则反映了族人敬天法祖的精神追求，是对血缘亲情的注重，是对文化根脉的体认，是对家族传统（“郡望”“门第”“嘉言懿行”）的弘扬。在某种程度上，修谱、续谱、读谱也是明清时期基层社会自我管理的一种有效手段，是民间自觉进行伦理教化的一种特殊途径。

由于具体的情形不同，湖北部分州县的外地移民也有超过江西人的例子，如湖北郧阳府，“陕西之民五，江西之民四，山东、河南北之民

① 钟世武主编：《麻城祖籍寻根：谱牒序言与始祖研究》，武汉：湖北人民出版社2015年版，第1—3页。

二，土著之民二，皆各以其俗为俗焉”[①]。尽管如此，江西移民仍然是鄂西地区主要的外来人口。

早在张献忠之前的元末明初，便开始了“江西填湖广、湖广填四川”的移民潮。史称：“元氏失政，寇贼蜂起，荆楚以南屠戮尤惨，土著之遗十无二三。当时挈家而来处者，往往皆豫章南康之人，故里俗有‘江西填湖广’之谚。”[②]再查看清代编纂的《黄安乡土志·氏族》，在41个记载落户时间的氏族中，有29个是元末明初由外地迁来的，约占70%。[③]由此可见，无论是元末还是明末，大规模的战乱是导致人口迁徙的重要原因之一，更何况是改朝换代的特殊混乱时期。正所谓“兵燹以来，晨星而列，雁户者又几何？”[④]人多地少的人地矛盾也不是清代才有，在明代张献忠屠川之前就已存在。根据明代嘉靖年间的文献记载：“本县田亩依山临溪，去石伐木，开辟成田。初年，山高水深田腴，而赋不觉其重。既而生齿日繁，流集日众，专以和山为事。缘土轻水重，推荡砂砾，壅塞河道，堆压旧田，故民纳无田之粮，而卒流亡矣。”[⑤]其中，“生齿日繁，流集日众”就是指外来人口骤然增加，最终导致“民纳无田之粮，而卒流亡”的状况。

当然，与元末明初相比，明末清初的移民潮来得更加迅猛一些，对社会变迁的影响力度更大一些。史载：“自明季兵燹以来，土著之家甚少，民多从邻邑挈妻襁子，住田主之房，佃田主之地。平昔不讲知交，临时又乏賄托。报丁户首，即报其人。及完丁不起，潜归本土，以致丁

---

① 乾隆《湖北下荆南道志》卷武汉市洪山区《舆地志·风俗》。

② （清）阎镇珩：《六典通考》卷六十《民政考·历代民数》。按，移民运动不仅导致人口变化，而且带来了民间信仰的新格局，如江西移民兴建的万寿宫背后的许真君信仰等，暂不赘述。参见汪红亮《略论江西万寿宫文化》，《江西广播电视大学学报》2016年第3期；吴成国、吴攸《明清移民运动中的万寿宫信仰》，“首届万寿宫庙会文化研讨会”（2016年10月15—17日，南昌）论文集，等等。

③ 引见张建民《湖北通史》（明清卷），武汉：华中师范大学出版社1999年版，第492页。

④ 康熙《德安安陆郡县志》卷五《田赋·乡里》。

⑤ 嘉靖《罗田县志》卷二《食货志·贡赋》。

粮虚悬，无从追比。”[①]这种“潜归本土”的情形不仅发生在鄂东，也出现在其他地方，例如鄂西的外地移民，往往在秋收后，“始行滕而回籍”。[②]这表明，由于各种不可预测的原因，从外地移入的民众有可能再度移出，甚至回到原籍所在地。所谓不可预测的原因，大概包括完赋纳税方面遇到了麻烦、与当地土著发生激烈冲突、有更好的打算、水土不服等等。人地矛盾在清代也往往表现得比明代更加激烈，“自明迄于我朝，苗夷荒壤咸隶版图，日引月长，种类繁滋，故今日湘楚之全境颇有土狭人满为患，而有司所以畜养而生全之者，尚未能树久远无穷之利，此不可不慎虑也”[③]。这种“苗夷荒壤咸隶版图”的开发态势，在鄂西有突出表现。史载：“竹邑幅员宽广，昔时土浮于人。又山多田少，水田十之一，旱地十之九。后因五方聚处，渐至人浮于土，木拔道通，虽高岩峻岭皆成禾稼。”[④]可以肯定的是，像竹山县这样的山区开发情形，在全国许多地方都存在。个中原因，就是人口增加的速度过快，平原湖区等宜于农业经济的区域早已人满为患。为了活命，人们必须开发山区，以拓展生存空间。

需要指出的是，大规模的移民潮虽然有自发性，但也有官方推动的因素。这种官方主动介入的情况，早在明代开国之初便已出现。史称：“自元季兵燹，土著几尽。五方招徕，民屯杂集。”[⑤]可见，正是官府采取有力措施“五方招徕”，才会改变“土著几尽”的惨状，出现“民屯杂集”的结果。清初的情况也是一样，“实在户口，自诸寇盘踞以来，死亡略尽。……寇平，招集流民，以次开垦”[⑥]。“招集流民”的举措，自然离不开官府主动介入。

---

① 光绪《罗田县志》卷四《政典志上·民赋·户口》。

② 道光《施南府志》卷十《典礼志·风俗》。

③（清）阎镇珩：《六典通考》卷六十年《民政考·历代民数》。

④ 同治《竹山县志》卷七《风俗》。

⑤ 光绪《德安府志》卷三《地理志下·风俗》。

⑥ 同治《巴东县志》卷四《赋役志·户口、田地》。

那么，官方能够“五方招徕”“招集流民”的奥秘何在呢？一言以蔽之，就是官方出面解决了移民的户口问题。以安陆县为例，据历史文献记载：“安陆幅员几何？山则童，平楚则卤，地力几何？……闻之父老言，洪武初，大索土著弗得。惟城东有老户，弯屋数楹而无其人。乌兔山之阴，穴土以处者数人，而无其庐舍。徙黄麻人以实之，合老孺妇子仅二千余口，编里者七。”①

这份康熙年间的文献交代得很清楚：安陆县的自然条件并不优越，经济环境令人担忧。元末明初，战乱导致人民逃亡，以至于明朝建国、社会安定之后，“大索土著弗得”，成为一座“死城”，只有山上洞穴中躲藏数人。面对此种情形，官方下令部分“黄麻人”搬迁到安陆。这“二千余口”的男女老少迁入安陆后，官方在户籍上的安排是“编里者七”，成为国家正式的编户齐民，身负向朝廷完纳赋役之责任和义务。像这样的事例绝非罕见，而是一种较为普遍的做法。如果不是官方的命令，谁会愿意迁往安陆这样“山则童、平楚则卤”的地方呢？值得注意的是，在官方主导的人口变动中，还有一种较为特殊的移民现象，即具有军屯性质的移民。

以位于鄂西地区的施南府为例，在这样一个远离政治中心的少数民族聚居的偏远山区，出于社会治安和经济发展的需要，明末清初之际，官方调拨河南、江南等地的“官军之家”，移民到湖北相对落后的边穷山区。这类移民，定格于“屯籍”的特殊户口册籍中。与之相对应的，是当地的土著居民，他们的户口册籍是“里籍”。这段史料具有多重的历史研究价值，因为它除了记载“屯籍”的军队人员及家眷，还从生活习俗方面比较了土著与屯户的区别，尤其是婚丧嫁娶方面殊为不同。少数民族的火铺、打丧鼓、合村醵饮、巫师等文化符号，鲜明地体现了鄂西独特的民族风情。作为政府移民过去的河南官军、江南官军，则是“言语、服食各从本贯”，暗示鄂西语言、衣服、饮食习惯，已融入新的

① 康熙《德安安陆郡县志》卷五《田赋・乡里》。

元素，开始发生变化。相对而言，土著居民教育落后，汉人重视教育，所谓“子弟必读书”，想必随着时间的推移，读书之风将改变鄂西民众的认知。“亲丧，多遵家礼”一句，系指这些汉族屯户遵从朱子家礼，以之规范丧葬行为。实际上，不仅丧礼如此，就是日常生活也必须恪守程朱理学的规训，例如“绅衿不干预词讼，妇人不踏青谒庙”等。[①]这种带有国家规范意味的道德训条，也会对鄂西社会产生深远的影响，并渗透民族融合的历史洪流中。利川的情形也可补证：“民籍皆明末国初调拨各省官军之家，或流寓行商，而江西、黄州、武昌及四川、贵州为多。言语服食，各从本贯。”[②]可见，利川的移民主体似乎也是“官军之家”，而且系由朝廷调拨，只是这些“官军之家”的来源地与上述施南府不同而已。

二、移民潮的多样性及社会矛盾

必须强调的是，明清时期长江流域移民潮不是一次性的。恰恰相反，在迁出迁入的时间及路线等方面呈现出多重性。

从总体上讲，“江西填湖广”只是一个笼统的说法。事实上，湖北境内不同区域接纳外来人口的情形存在较大差异。先看东部，包括德安、安陆、罗田等府县在内的鄂东北，在明清时期接纳了较多的移民；与其相邻的鄂东南却相形见绌，通城、通山、崇阳、咸宁等县亦有移民，但人数有限。再看西部，鄂西北的移民明显超过鄂西南。以鄂西北的谷城、远安为例：谷城“差繁赋重，女七而男三。田芜户消，土四而客六”[③]；远安“僻处深山，主客相半”[④]。相比而言，鄂西南的移民现象并不突出，这与土司制度密切相关。在某种程度上，清代改土归流后，鄂西南方才出现外来人口的迁入。例如，利川县的历史文献指出：

---

① 道光《施南府志》卷十《典礼·风俗》。

② 同治《利川县志》卷三《风俗》。

③ 万历《襄阳府志》卷二十六《风俗·谷城县》。

④ 同治《远安县志》卷四《风俗》。

“郡志载各邑风俗，皆缘土司旧地，习尚朴陋。自改土归流，远人麇至。民勤耕稼，士习诗书。旧俗渐易，与郡城大率相同。”[①] 又如建始，“建邑自明季寇乱，绝人烟者十余年矣。迨康熙初，始就荡平，而逃亡复业之家亦仅十之一二。由是，荆州、湖南、江西等处流民竞集。维时，土旷人稀，随力垦辟，不以越畔相诃也。然后至者，必以先至者为业主，典买耕种，略议地界。又或众姓共佃一山，自某坡至某涧，奚啻数里而遥。始则翦除荆棘，驱其豺狼、狐狸而居之。至于荒地成熟，收如墉栉，昔所弃为区脱者，今则等于商于，而争田之讼日起矣。初界本不甚清，易于影射。自康熙二十五年报垦、雍正七年清丈以来，有屡经勘讯，而经界仍不能正者。固难以让畔之风，喻诸荷锄之侣矣。”史家特别强调改土归流对建始县人口流动的推动，声称：“迨改土以来，流人麇至，至穷岩邃谷尽行耕垦”；“迨施郡改土归流之后，人烟稠密，猛兽远藏”。[②] 再如来凤县，“（乾隆）三十七年以后，土籍、客籍各居其半，今则客籍且十之八九矣”。[③] 这种情形已是晚清，说明移民是一个持续不断的过程。

在“江西填湖广、湖广填四川”的背后，还有“四川填湖广”。史载：“咸邑旧惟土著，自改所归流后，外来寄籍者不少。然皆耕凿相安，两无猜忌。迄咸丰初年，四川彭邑人民始有迁移入咸者，近则愈迁愈甚，接踵而至者遍满乡邑，有非我族类之感焉。”[④] 咸邑指湖北咸丰县。值得注意的是，四川移民大量进入湖北，发生于清代咸同年间，在时间段上已属清代晚期，说明明清时期长江流域的移民运动不曾间断。换一个角度，民谚“江西填湖广、湖广填四川”似乎是省际人口流动。实际上，明清时期的移民潮也发生于一省之内。先看鄖西：“迩者，五方杂处。山西、陕西、河南、江南、湖南，以及本省之武（昌）、汉（阳）、

① 同治《利川县志》卷三《风俗》。

② 同治《建始县志》卷四《食货志·物产》。

③ 同治《来凤县志》卷二十八《风俗志·士习》。

④ 同治《咸丰县志》卷七《典礼志·风俗》。

黄（州）、襄（阳）各属州县，锄山稞地，接踵而至。”[①] 可见，进入郧西谋生的外来人口既有来自西北、华北和江南等地的外省人，也有湖北境内武昌府、汉阳府、黄州府、襄阳府的民众。再看恩施：“国朝版图，初登仍沿前明旧制。迨土司革心向化，举族外迁，改县为府，始获汉唐郡县之旧。乃丧乱既久，旧家故族既为寇贼所伤，夷匪徒授首之时，更复大趋卫民出山，故从前土著无多存者。维时，地远山荒，种植无人，辟土烧畬，惟视力所能任。嗣是，而四外流人闻风渐集，荆楚、吴越之商相次招类偕来。始而贸迁，继而置产，迤今皆成巨室，而土著之家亦复巍为望族焉。”[②] 恩施的事例与郧西既有相似之处，即移民包括省内、省外，又有不同之处，即移民的主体是“荆楚、吴越之商”，通过做生意逐渐安顿下来，继而向农业领域拓展，成为当地富户。无论如何，这些史实表明，当我们探讨中国历史上的人口流动问题时，必须注意不同时期不同地区的差异，因为其中缠绕着相当复杂的历史过程。

下面围绕“湖广填四川”，进一步展开论述。

以“湖广填四川”而论，它在“江西填湖广”之初便开始了，两者几乎同时展开。民谚“江西填湖广、湖广填四川”容易给人造成一种片面的感觉，即先有前者，然后才有后者。其实不然。客观而全面的认识应该是，一方面存在这种先后顺序，另一方面两者同时进行。在时间点上，与“江西填湖广”兴起于元末明初一样，“湖广填四川”的兴起也在此时。湖北黄陂文献记载：“元末，流贼之扰。至明初，而土著者多迁四川。所有江右迁来之家，又或各自为俗。是风俗固难概论也。”[③] 这条材料特别强调元朝末期“流贼之扰”，社会混乱，民不聊生，四处逃亡。明朝开国之后，经历战乱的人们惊魂未定，仍然谋求向外迁徙，迁徙的大方向是四川，这才有“至明初，而土著者多迁四川”之断语。关

① （清）张道南：《营制说》，同治《郧西县志》卷十八《艺文志》。

② 同治《恩施县志》卷七《风俗志·习尚》。

③ 同治《黄陂县志》卷一《天文志·风俗》。

键的是，与之同时，江西移民开始迁入黄陂，于是黄陂出现了“江右迁来之家”。在这里，似乎不是“江西填湖广、湖广填四川”，而反过来成为“湖广填四川、江西填湖广”了。

之所以出现“湖广填四川”，原因很多，其中关键的一点在于，无论是明初还是清初，四川均系地广人稀之区，许多地方需要开发，移民容易立足生根。在移民入籍问题上，官方给予了相对宽松的政策。史载：“顺治三年，诏天下编审人丁，凡军民、驿灶、医卜、工乐诸色人户，并以原报册籍为定。惟年老、残疾、逃亡、故绝者，悉行豁免。康熙十年，定各省贫民携带妻子入蜀开垦者，准其入籍。二十九年，定入籍四川例。时川省民少而多荒地，凡他省民人在川垦荒居住者，即准其子弟入籍、考试。四十年，以四川东川府僻处极边，免其编审……”[①]在这样的政策条件下，移民入籍基本上不成问题，从而极大地促进了外省民众迁移入川的速度。

应该说，外省移民是明清时期四川经济开发的重要力量。诚如四川云阳文献称：“邑民不善贸易，其百工、商贾多属荆楚、江右之民”；“邑人食盐利多，男女负贩……云安厂煮盐者，皆黄州人，惟陶、郭二族为多，故有陶三千郭八百之谣”。[②]四川汉源县的情形是：“明初，秦楚填蜀，七姓军籍戍守大渡，爱国将士接踵南来，或官指挥而入籍，或官千户而安业，一时编户齐民，秦楚籍者十居八九焉。”[③]这是军事性质的移民，属于明清移民类型之一种。四川资中县亦是，“资无六百年以上土著。明洪武时，由楚来居者十之六七；闽赣粤籍大都清代迁来。明初来者，今谓川省人，余则各以其籍相称。土音不尽，随山川而变，要以官话（即川省话）为主。特唇齿清浊、高下不同，或声以通转而讹，或音以轻重而差。兹摘其普通者，如不当理，曰瞎闹、曰糊说；出恶

① 咸丰《云阳县志》卷二《户口志》。

② 咸丰《云阳县志》卷二《风俗志》。

③ 民国《汉源县志》卷三《风俗志·民族》。

声，曰谣、曰绝人（即吕相绝秦之意）；睡，曰困；谀，曰舔；申斥，曰呸；有疑，曰噫；何如，曰怎么、曰那（音如朗）个；阔绰，曰闹派、曰顽格；逞势矜能，曰假、曰绷、曰提劲之类。又有关于天时、地理、人物、应事者……”[①]相对于清代康雍之际的外省入川者，明代湖广移民入川早，以故后世称为“川省人”，说明那些迁移到四川的湖广人早已融入当地社会，成为社会经济的拓荒者。尽管说话以四川官话为主，然而“土音不尽”，多少保留了原籍的口音，这恰恰是移民文化的生动体现。论者称，清代前期形成了以湖北话为基础的四川官话（成都语音）。其中，麻城方言与川蜀方言在声母、韵母、声调、声韵上基本一致，有些词汇至今依然通用，例如：解手（小便），一路（一起），要得（可以），歪（不正规），晓得（知道），扯谎（撒谎），麻了（糊涂），二回（下次）等等。[②]推而论之，移民史的拓展有赖于历史语言学的深入辨析，是所望焉！

此外，资中县的史实透露了这样一个历史信息，即因为地理位置之缘故，湖广移民往往先于其他各省移民进入四川，从而占据天时、地利、人和之优势。再补充四川名山县的材料以证之：“县中古户，自宋末酷罹元祸，死亡转徙，几无孑遗（详《事纪》）。明洪武十四年，徙楚实蜀。名山号为乐郊，来者尤众（县人多楚籍，缘此）。休养生息，垂三百载。若赣、若闽、或粤、或秦晋，间以游宦、经商寄籍斯土，耕田凿井，总总林林。”也就是说，在明清四川民众中，来自湖广之人占据大半，影响超过赣、闽、粤、秦、晋等省之移民，可谓根深蒂固。

持续不断的移民潮，一方面赋予明清中国社会变迁以强大动力，使社会格局处于不断调整的过程中，经济开发的力度得以加强；另一方面，数以千万计的外来人口也不可避免地带来了很多棘手问题，例如人地矛盾、土客矛盾、治安恶化、生态破坏等等。这一点，突出体现在江

① 民国《资中县续修资州志》卷八《风土志·方言》。

② 孙晓芬主编：《麻城祖籍寻根谱牒姓氏研究》，成都：四川大学出版社2008年版，第30页。

汉平原，因为它是外来移民较为集中的区域。一方面，江汉平原“湖多易淤，土旷易垦，食物旋给”，良好的生态环境对移民有较强吸引力，另一方面，大量人口的涌入也造成土客矛盾，“强者侵产，弱者就食，故客常浮于主”，直至贫富差距悬殊。在江汉平原的外来移民中，江西人占多数。外来人口的到来，除了保障农业生产有了充足的劳动力，在某种程度上也促进了商业的发展。因为外来人口不全是农业人口，也有相当部分是商人和手工业者。①

明清时期，湖北著名的商业市镇刘家隔就位于江汉平原的汉川县。刘家隔的繁兴，在一定意义上应该归因于外来人口的大量涌入。明代文献指出，刘家隔“其始，居民十数家。宣德、正统间，商贾占籍者亿万计。生齿日繁，贸迁益众，卒成巨镇。今编泯六里，驻节有馆，送使有舟，可见其民人之盛”②。显然，刘家隔之所以在明代宣德正统年间发展起来，与“商贾占籍”数以万计有着直接关系。

三、作为原点的“麻城孝感乡”

学界大体认可麻城孝感乡是“湖广填四川”移民潮的原点。按照现今的行政区划，麻城孝感乡位于湖北省麻城市西南，面积约 1 200 平方千米，地域包括龙池桥街道办事处、铁门岗乡、鼓楼街道办事处、白果镇、中馆驿镇、宋埠镇、歧亭镇、顺河镇等。

关于麻城，史称：“麻城介楚豫之交，幅员周六百里，东北多山陵。其民，男务耕牧，女习蚕织。西南平畴弥望，农隙赢金服贾，动致素封。曩自荆襄，溯江汉以达川陕，视犹外府。”③明代，孝感乡是麻城下辖四乡之一，“初分四乡，曰太平，曰仙居，曰亭川，曰孝感，统一百三十里，里各有图”。明成化八年（1472 年），“以户口消耗，并为九十四里，复并孝感一乡入仙居，为三乡”。嘉靖四十二年（1563 年），

① 嘉靖《沔阳州志》卷九《食货第五》。

② 嘉靖《汉阳府志》卷三《创置志》。

③ 民国《麻城县志前编》卷首《郑重序》。

“建置黄安县，复析太平、仙居二乡二十里入黄安，止七十四里……国朝因之”。[①] 这表明，明代成化之后、直到清末，已无“孝感乡”。清光绪二年（1876年）刊本《麻城县志》卷三《方舆志·坊乡》等清代文献，明确记载仅有三乡，即太平乡、仙居乡、亭川乡。虽然如此，“麻城孝感乡”始终是迁移川蜀之民心目中的一方圣地。时至今日，它被称为“中国古代八大移民发源地之一”，与山西洪洞大槐树、江苏阊门、江西瓦屑坝、山东枣林庄、广东珠玑巷、福建石壁、河北小兴州等七处一起，谱写了中国移民史的宏大史诗。这一历史定位，使“麻城孝感乡”不仅成为中国移民史的鲜明符号之一，而且成为荆楚文化的金字招牌之一。

麻城孝感乡的民众入川落户者，其风俗、境遇亦各有不同，如四川云阳县，是孝感乡移民的迁入地之一，“邑分南北两岸，南岸民皆明洪武时由湖广麻城孝感奉敕徙来者，北岸民则皆康熙、雍正间外来寄籍者，亦维湖南北人较多。而风俗，则南岸俭而北岸奢，迥然不侔矣”。[②] 再如四川南溪县，据相关文献记载，南溪县麻城孝感乡的移民人数最多，在与四川土著争夺田地的过程中占有优势。为了稳定社会秩序，官府设置由鄂人担任的“客长”，加强移民的自我管理。经历劳作奋斗、繁衍生息，移民逐渐融入川蜀文化之中，与并当地人通婚。并不是所有的移民都生活幸福，有些遭遇不幸，跌入灾难的深渊；有些发家致富，过上了“役佃”“食租”的地主生活。当人口增多、人地矛盾日益激化时，有些人家又离开川蜀之地，往云南、贵州迁移，去寻求新的生活天地。[③] 因此，麻城孝感乡的移民亦分散于云贵地区。

在“湖广填四川”的茫茫人海中，有些姓氏经过不懈努力，在异域他乡成功地站稳了脚跟。例如，南溪县四区的张氏便是这样的范例。南

① 康熙《麻城县志》卷一《封域志·乡区》。

② 咸丰《云阳县志》卷二《风俗志》。

③ 民国《南溪县志》卷四《礼俗篇第八下·风俗·氏族》。

溪四区“以李庄为总枢，而李庄以张氏为豪族。张氏祖庆，明中叶自楚迁蜀，居县北观音铺，后迁李庄。婴（因）明季之乱，翘翔兄弟六子十九孙遂分为十九支，今李庄诸张皆其后也”[①]。有意思的是，张庆并非湖北人，原籍安徽桐城，明万历时离开湖北、迁移入川。据此推测，他此前已离开皖界，来到湖北谋生。据民国年间调查，其在南溪一地的后裔已超过千人，可谓枝繁叶茂。该县同样来自湖广、迁入时间为明末清初的始迁祖，有姓名可查者概有：马家场的李可政、周鸿儒；李庄场的邹懋凤、廖汝玉、王龙山；绥庆场的刘启宾、陈泰仁、李大馗、涂鹤林；毗卢场的张相声、涂有根；牟坪场的曾可权、陈大炳、杨登荣、周妙头、熊文兰、张友禄、谭如义；大坪的陈世台、李春泰；新添铺的唐绍珍；刘家场的曾尚元、沈伦三、向楼、寇宣、周应芳、陈文；仙临场的邓应銮、戴时济；长兴场的周兴虎；留宾场的叶芳、陈岐山等。这些始迁祖的原籍，大多冠以“湖广”，当有湖南籍人士，但并不影响对“湖广填四川”运动的评判。至于那些确系麻城孝感乡移民之始祖者，详如表 1—5 所示。

表 1—5　四川南溪县麻城孝感乡移民概况

场名	始迁祖	迁居时间	后裔	居住地
留宾	李仕贵	清康熙初	1 000 余人	高山楼房头、黄葛湾，及江安县雀儿山田坝头
	王永德	明末	400 余人	松林湾、积善桥、长田坎、铜鼓山、天堂湾，及富顺县地
	严纪仁	清康熙初	200 余人	场中正街、庙儿湾、巷子头
	谭义鳌	清康熙初	1 000 余人	大庙正家沟，及富顺赵化镇
	刘仲威	清顺治初	1 000 余人	小土坝、余家坝，及石鼓滩场、土桥子
	刘汉纯	清康熙初	700 余人	大湾头、金钩湾外东观音堂、佛耳岩，及江安大屋基

① 民国《南溪县志》卷四《礼俗篇第八下・风俗・氏族》。

续表

场名	始迁祖	迁居时间	后裔	居住地
留宾	刘允□	清康熙初	3 000 余人	黄泥冲、四合头、刘家湾，及小层基、迎祥湾塘坎上
	唐重职	清康熙初	500 余人	场中正街、长兴场、教场坝，及宜宾县与贵州
	李大绣	清康熙初	200 余人	新屋基、万家嘴、墩子山、瓢儿田
	余可通	清顺治九年	1 000 余人	三官庙，及长兴场、湾头田□、富顺隆昌、江安余家桥
	龚维禄	清康熙十九年	100 余人	漏洞子、横梁子
	陈朝亨	清顺治初	400 余人	七家沟
	陈文献	清康熙初	500 余人	土地嘴楼房头、檀木冲
	彭光贵	明末	200 余人	半边山，及城中、富顺飞龙观
长兴	徐登恒	清康熙六十年	4 000 余人	大地坩，及城中、仙临场、留宾场等地
	董启朝	清顺治初	1 000 余人	本场附近
	王刚	清顺治初	600 余人	梭子湾里堡何
仙临	顾天智	明末	2 000 余人	本场附近，及长兴场、刘家场、富顺彭湾、飞龙观

资料来源：民国《南溪县志》卷四《礼俗篇第八下·风俗·氏族》。

上表显示，在明末清初的时段内，明末迁入四川者较少，大多是清初之际离开湖北、迈上迁徙之途。其中，顺治时较少、康熙时较多。这一现象，恐怕与前者试探、后者踵至的移民规律有关。与元末明初的移民潮相比，“湖广填四川”的高峰似乎是明末清初。比对麻城133个姓氏、155部谱牒，可以发现：在迁移入川的2 385人中，元末明初为84人，明末清初为2 301人。[①] 这种连续不断、由元末至清的持续数世纪的移民运动，为八大移民发源地之最，世所罕见。在此过程中，麻城孝感乡的地位相当突出。据四川大学图书馆刘宁对四川193个家族的分析结

① 钟世武主编：《中国八大移民集散地比较研究》，湖北省麻城市地方志办公室刊印（内部出版），出版年不详，第8页。

果，来自湖广者 147 个，其中来自麻城孝感乡者多达 111 个。[1] 这一统计不排除有冒籍的可能，但亦表明“麻城孝感乡”影响力之巨大！

与其他七大移民发源地相比，麻城孝感乡的军事移民色彩浓厚。一则，“江西填湖广”在某种程度上与朱元璋惩罚宿敌陈友谅有关——江西鄱阳湖大战，朱元璋险而死于流矢，以故，明初迁移到湖北麻城者，大多系鄱阳湖一带的百姓；再则，元末明初湖北人明玉珍在川蜀建立政权，吸引数十万鄂民跟随，以及明末张献忠在麻城招募数万兵士入川，别立“新营”，[2] 均推动了以孝感乡为中心舞台的移民运动。至今，在四川汉源等地，仍然流传着“麻城七姓子弟兵”的故事。据对麻城谱牒的不完全统计，自清初开始的百余年间，有姓名可查的麻城入川者约 2 000 余人，其中许多成为迁川始祖。[3] 除了军事移民，麻城孝感乡的移民原因还有逃避赋役、天灾驱迫、土客矛盾、官府动员，以及贸迁有无、投亲访友、走马上任等等，不一而足。

在移民路线上，麻城孝感乡的民众水陆并用，但以水路为主。因为，孝感乡位于长江北岸，有举水流经境内。这条河流与长江贯通，逆流而上可达重庆、泸州、宜宾等地，是入川之通途。

水路：麻城到武昌 240 里，武昌夏口驿至荆州荆南驿 960 里，荆南驿到夔州永宁驿 860 里，永宁驿到重庆巴县朝天驿 1 360 里，朝天驿到

---

① 钟世武主编：《中国八大移民集散地比较研究》，湖北省麻城市地方志办公室刊印（内部出版），出版年不详，第 35 页。按，历史实情或许是——许多自称是麻城孝感乡的移民未必如其所述。它反映了移民文化中的“吸引力法则”，即为了在陌生的环境中生存下来，来自不同地域的人们不约而同地聚合在某种共同的文化符号之下（具有同一性的来源地或精神信仰），以便最大可能地互相协同，并结合成为利益攸关的群体。在此过程中，无意或有意减弱或泯灭个体性的血缘及地缘特征，是一种特别有用的生存策略。随着时间推移，这种趋同性便成为了一种深刻的历史记忆，成为后人追宗认祖的“历史依据”。

② 钟世武、李朝仁主编：《麻城祖籍寻根姓氏地名录》，湖北省麻城市地方志办公室刊印（内部出版），出版年不详，第 29 页。

③ 钟世武主编：《中国八大移民集散地比较研究》，湖北省麻城市地方志办公室刊印（内部出版），出版年不详，第 7 页。

成都锦官驿 2 235 里，全程 5 655 里。麻城高岸河古码头、歧亭镇古镇，为水路始发地。

陆路：麻城到黄陂 180 里，黄陂到襄阳 680 里，襄阳到巴东 930 里，巴东到巫山 120 里，巫山到成都府城 1 620 里，全程 3 530 里。[①]

当然，这些里数不尽准确，具体行进路线也有变化，但大体能够反映麻城孝感乡的移民迁徙入川的路程概况。

相关研究表明，有 93 部麻城谱牒记载了迁川事迹。迁川 10 人以上者 51 部，50 人以上者 12 部，100 人以上者 7 部，尤以朱氏、刘氏、罗氏、梅氏、董氏、金氏和周氏最为著名。截至目前，迁川人数最多的是麻溪河大文堂《朱氏族谱》所载 195 人，均有姓名可查。其次，是铁门梓树畈《刘氏宗族》所载 192 人，白果柏林堂《罗氏族谱》所载 153 人，青龙区百岁堂《梅氏族谱》所载 138 人，白果横河道原堂《董氏族谱》所载 111 人，中馆驿济美堂《金氏宗谱》所载 111 人，新店、蕨淡山《周氏宗谱》所载 106 人。超过百人的迁移行为称得上“举家搬迁”，虽然只有七姓，但其影响不容小觑。相比之下，超过五十但未过百的迁移，也算是规模较大的移民现象。属于这一层次的概有五姓，即亭川乡望花山《蔡氏宗谱》所载入川人数 95 人，麻西北五希堂《邹氏族谱》所载 58 人，宋埠屈家巷基厚堂《屈家宗谱》所载 56 人，麻西独山晒书堂《郝氏宗谱》所载 51 人，松鹤李家坝《李氏宗谱》所载 50 人。

在入川的人员上，有些是父子同行，如明末，麻中南白氏第 4 世白憬志携三子迁移四川仁寿；清康熙时，铁门梓树畈刘氏第 13 世刘文尧携子刘洪明迁移成都，后定居新都县；清代入川的白果横河董氏第 16 世董维禹，为两子取名启蜀、启川，以志入川之壮行。有些是兄弟同行，如元末明初，麻东黄市汪氏第 7 世两兄弟汪维章和汪维美；明成化时，麻城百岁堂梅氏第 10 世三兄弟梅玉润、梅觅狗和梅中元；明末，

① 钟世武主编：《中国八大移民集散地比较研究》，湖北省麻城市地方志办公室刊印（内部出版），出版年不详，第 33—34 页。

宋埠项氏第 10 世三兄弟项启、项言和项可；明末，宋埠七家庙区段氏第 16 世三兄弟段启明、段启圣和段启烈；清康乾之际，吉庆堂熊氏第 16 世四兄弟熊学文、熊学礼、熊启贤和熊启明；清代后期，中馆驿迎河集吴氏第 22 世两兄弟吴振文和吴振武；清代，中馆驿余家湖余氏第 13 世三兄弟余在天、余在朝和余在国等等。父子情深、兄弟手足，同甘共苦，此情此景令人动容！

入川的麻城人大多扎根川蜀，开花结果，子嗣繁盛。例如，松鹤李家坝的李氏，其迁麻始祖的第 2 世（李玄中）在元末入川，后裔遍布重庆府长寿县等地，如今已有 3 000 余户。

当然，各家各族的迁移入川不是一次性完成的，主要是从迁麻始祖后的第 11 世开始、延续到第 23 世前后，且集中于第 13—17 世，大约与“康乾盛世”相吻合。例如，麻溪河朱氏第 13—16 世的迁川人数为 163 人，约占家族迁川总人数 84%；铁门梓树畈刘氏第 15—18 世的迁川人数为 150 人，约占家族迁川总人数 78%；白果罗氏第 13—17 世的迁川人数为 135 人，约占家族迁川总人数 88%；青龙区梅氏第 16—19 世的迁川人数为 91 人，约占家族迁川总人数 66%；白果横河董氏第 13—17 世的迁川人数为 63 人，约占家族迁川总人数 57%；中馆驿金氏第 13—17 世的迁川人数为 74 人，约占家族迁川总人数 67%；新店、蕨淡山周氏第 13—17 世的迁川人数为 88 人，约占家族迁川总人数 83%。[①] 这些麻城的先人们在离开故土的那一刻，可能没有想到这一走竟是永诀！也没有想到，他们的出走被后人记入家族史书——谱牒之中，成为依稀可辨的如烟往事。至于千山万水之跋涉、风雨寒暑之侵袭、饥饿病痛之磨折，则不为人知，也无处诉说，早已湮灭于滚滚红尘。

虽然被迫离开故土，但思乡之情绵延不绝。明清时期，远隔千山万水的入川之民，总要委托可以依赖之人，携带书信、物品给湖北的乡

① 钟世武主编：《麻城祖籍寻根：谱牒序言与始祖研究》，武汉：湖北人民出版社，2015 年，第 14—15 页。

亲父老。其人被称为“麻乡约”，“麻”指麻城，“乡约”是宋明时期形成的基层社会管理组织或制度，亦泛指管理民事但无薪酬的职务，与甲长、保长等相似。从实际功能看，“麻乡约”与寄送信件、物品的民信局相当。殆至清咸丰年间，出现了组织化的“麻乡约大帮信轿行”，从事客运及货运业务。创立者陈洪义（又叫陈鸿仁，外号陈麻乡、陈跑通），是四川綦江县（今属重庆）人，出身贫寒，本为抬轿之人，出卖苦力为生，但为人仗义，吃苦耐劳，素有孝行。相传其面有麻点，亦有谐音之义。一位唐姓官员出面，支持他在昆明设立轿行，这便是“麻乡约大帮信轿行”的由来。其民信局设于重庆。“麻乡约”注重诚信，其业务网遍及川、滇、黔三省，甚至远涉滇缅、滇越一线。大凡委托办理的信函、物件，纵使穷乡僻壤，也能安全送达，以故声誉卓著。其内部分工严密，包括麻乡约轿行（客运）、麻乡约货运行（货运）、麻乡约民信局（邮递信件）；既承接官府业务，也兼顾百姓需求。“麻乡约”业务网络之广、线路之长、运量之大，为彼时同类行业之最。直到民国年间，麻乡约依然活跃于西南地区。在某种意义上，“麻乡约”的出现及发展是“麻城孝感乡”移民文化孕育而生的一大成果。

从移民分布看，现有资料显示：麻城孝感乡的移民分布于重庆、四川、陕西、河南、云南、贵州等400余县、区、市；分布密度最高的地方是重庆、四川，孝感乡移民后裔约8 000余万，约占现有人口的七成，“是八大移民集散地中移民后裔最大群体”。[①] 由于麻城孝感乡入川人数众多，且持续不断，以故在迁徙进川的移民中，难免有冒称来自孝感乡者，以便得到大家庭般的护佑。除此之外，也不排除淡化异乡异族之身份，竭力融入当地社会之需求，恰如史家所论“人类杂处，在初有目不识丁者，或数典而忘其祖。即具有常识者，亦以异类为嫌，讳所自出。故百余年来，虽有他族，合同而化”。可见，身份认同在适应新环境、获取生

---

① 钟世武主编：《中国八大移民集散地比较研究》，湖北省麻城市地方志办公室刊印（内部出版），出版年不详，第12—13、26页。

存空间方面，往往比“原籍”“本族”等文化标签更具现实意义。

由于史料缺失，要想统计历次移民人数已不可能。即使估算“江西填湖广、湖广填四川”的移民总数，也面临风险。这是中国移民史无法克服的难题，也是麻城孝感乡移民史的一大缺憾。在某种程度上，唯其缺失，方才真实。那种力图还原历史人口数据的做法，一旦没有坚实的史料支撑，其结果只会是偏离史学宗旨的臆断，是无法证实、也无法证伪的猜想。

必须指出，在以农为本、重本抑末的传统时代，安土重迁是“黎民之性”，亦是儒家文化所倡导的“骨肉相附”的田园生活，还是“父母在、不远游”的伦常规范。与之相对，“轻去其乡”则不足以赞赏，甚至被视为人性浮躁、不重亲情之行径。在明清时期，人们之所以背井离乡，往往因天灾或人祸而迫不得已，并不是什么光彩的事情。这就不难理解，为什么在明清乃至民国的麻城方志中，几乎找不到关于“麻城孝感乡”的移民记载。后世的人们只能从民间编纂的家谱族谱中，去寻找那些关于移民的历史陈迹。可以想象，在离家远行、前途未卜的那一刻，一定是泪水沾襟、撕心裂肺的场景，绝无欢天喜地、欢呼雀跃的身影。

经过岁月的轮回和沉淀，麻城的移民史仍在继续，迁出和迁入的脚步声从未停歇。据2000年第五次全国人口普查，麻城姓氏多达544个，排名前十的是李姓、刘姓、王姓、张姓、周姓、陈姓、胡姓、夏姓、黄姓、丁姓。这十大姓氏的人口超过40万，约占麻城总人口37%。[①]值得注意的是，排名第一的李姓也是全国百家姓中第一大姓，其余的刘、王、张、周、陈、黄诸姓，也都是全国百家姓的前十名，说明麻城人口中大姓的比重较高，这是历史变迁的结果。确切地说，是元末明初以降历次移民的结果。

四、明玉珍与大夏政权

湖北大量人口往四川迁徙，既与川、鄂在地理位置上毗邻有关，更

① 孙晓芬主编:《麻城祖籍寻根谱牒姓氏研究》，成都：四川大学出版社，2008年，第40页。

与元末战乱有关。确切地说，与元末举兵造反的湖北人明玉珍有关。

明玉珍出生于湖广随州，参加反元义军之前，是弓兵小头目。弓兵是元代的地方武装，隶属于巡检司，负责基层社会的治安。元末，政治腐败，人民走投无路，各路义军风起云涌。明玉珍毅然投靠徐寿辉，成为倪文俊手下的一员骁将，不久擢升为统军元帅。他奉命率部从巫峡入川，攻占重庆，随后剿灭四川境内元军。元至正二十年（1360 年），徐寿辉遇害。陈友谅自立为帝，引起明玉珍的反感。在义军内部的矛盾旋涡中，明玉珍决定独立发展，不再依赖任何人。翌年，明玉珍在重庆建立政权，自称蜀王。至正二十三年（1363 年），明玉珍称帝，建都重庆，国号大夏，年号天统。三年后病逝（一说被其弟所杀），年仅 38 岁。长子明升继位。明洪武初，朱元璋劝降，明升坚拒。洪武四年（1371 年），朱元璋命汤和等率兵征蜀，兵临城下，明升出降，大夏政权覆亡。①

之所以详述明玉珍的故事，是为了突出他与“湖广填四川”之间的关系。正是因为一个湖广籍的义军统帅在四川站稳了脚跟，并且建都称帝，所以才有数以千万计的湖广民众涌入四川。这个号召力无疑是相当巨大的，诚如四川方志所载：“本境分五省人：一本省，二楚省，三粤省，四闽省，五赣省。本省当元之季，伪夏明玉珍据蜀，尽有川东之地，蜀号少安。玉珍为楚北随州人，其乡里多归之。逮今五百余年，生齿甚繁。考其原籍，通曰湖广（麻城孝感人为尤多）。而元以前之土著，无一闻者。优胜劣败，天演公例然欤！君子可以观世变矣。”②

前述史料非常清楚地记述了麻城孝感乡在湖广移民浪潮中的中心角色，对明玉珍之于“湖广填四川”的历史作用亦有充分肯定。值得注意的是，当湖广移民在清嘉庆、道光之际达于极盛时，也宣告了资中县外来移民接近尾声，所谓“资州自清乾嘉以来，已无隙地，由外入籍者绝少”③。

---

① （明）郎瑛：《七修类稿》卷八《国事类·明玉珍》。

② 民国《资中县续修资州志》卷十《杂编·拾遗》。

③ 民国《资中县续修资州志》卷十《杂编·拾遗》。

毋庸置疑，明玉珍称帝于蜀，诱发了元明之际的“湖广填四川”移民潮。问题在于，这股移民潮在明朝立国后并未停止，尤其是明末清初，仿佛回到了从前兵荒马乱的岁月，“湖广填四川”迎来了又一个高峰。仅以四川达县的历史文献为例：“达（县）自兵燹以后，土著绝少，而占籍于此者，率多陕西、湖广、江西之客。业已五方杂处，未免各俗其俗。”[①]又如，巫山县“田地多因无主荒芜。自募民垦种以后，两湖之民负耒耜而来者几千万人。省耕有助，省敛有助，始遗以钱镈之资，即授为恒产之业。至开荒成熟，乃视则升科，初未尝取盈于额外焉”[②]。达县的例子说明除了湖广移民，另有陕西移民和江西移民。其中，“江西之客”四字，透露了江西移民经过湖北，再继续前行，直抵川境。这是一条颇有价值的历史材料。紧邻湖广的四川巫山县则是另外一副情形：其移民主体是“两湖之民”，而且是“负耒耜”，自带生产工具而来，人数成千上万。这一劳动大军的入川，带动了四川的经济开发，也为自己带来了相应的经济利益，拥有了“恒产之业”——田产。

那么，为什么进入四川的湖北移民没有自称随州人，而是自称麻城孝感人？其中的缘由，值得详细考察。史家对此的评述是：“今蜀南来自湖广之家族，溯其住始，多言麻城孝感乡。核其人数，即使尽乡以行，亦不应有若是之夥。且湘楚州县与蜀邻比者，尽人皆可移住，何以独迁孝感一乡？岂若大之川南，仅为一孝感乡人殖民之地乎？抑明氏籍隶随州，随州距孝感不远；彼从龙之彦，人众势强，土民或他民皆冒其籍，求荫以自庇乎！”[③]这一论断合乎实际，堪称公允！

总之，在明清移民史上，明玉珍是一个不能被遗忘的历史人物。虽然他称霸川蜀的梦想归于破灭，但由此带动起来的由鄂入川的移民浪潮，却深刻影响着湖北及四川的社会变迁，至今仍有回响。

---

① 民国《达县志》卷九《礼俗门·风俗》。

② 光绪《巫山县志》卷九《田赋志》。

③ 民国《南溪县志》卷四《礼俗篇第八下·风俗·氏族》。

第二章　族群与宗法

中国历史的一大特点，是宗法制度源远流长。讲究血统的亲疏，是理解中国社会关系的切入点之一。宗族的发展成为明清社会变迁的重大推动力量，湖北的宗族史呈现了大时代的巨大投影。在此，族规家法及鄂东宗族成为我们考察的重点。

第一节　家法与族规

虽然不同姓氏来源不一，聚族而居的规模大小不等，然而，强调家族的团结、提升家族的荣誉却是共同追求的目标。为了约束家族成员的思想和行为，家族的管理者（族长）通常都会联手读书识字的士绅，制定族规家法。

一、恪守正道

中国文化的一大特点，就是把道德修养置于非常重要的地位。儒家宣扬的“修身、齐家、治国、平天下”，“修身”居于首位，可见个人的品格不仅仅是自己的事情，还与家庭幸福、国家安宁相联系。在这里，特别要强调的是，“修身”之后，排第二位的是“齐家”。考虑到儒家文化是传统中国家庭教育的核心内容，因此，族规家法特别重视家族内部成员的“修身”问题，要求他们恪守正道，做一个堂堂正正的人。诚如家谱编纂者所言：“家中孝子顺孙、义士节妇，有名公称赞文词、官吏褒奖牌坊，必搜罗入谱，以为后人观法。”[①] 限于篇幅，下面围绕清

① 大冶《明氏大成宗谱》卷首，清代刊本。

代所修《汉阳辜氏族谱》展开论述。值得注意的是，该谱牒订立了多条“族规”：

一、合族尊卑长幼各守其分，共笃天伦。

二、每年清明，无论远近，祖坟务须一律修培。

三、祠内公田，无论本族、外人承佃，务须先完田租，始准耕种，以免租金久搁推延起衅。

四、祖祠公积钱文，或族中先年挪移，或借与别姓，宜速将本利还清，嗣后再不准徇情护弊，私相授受，假名冒借。

五、祠内公田公费、一切收支账目，应由族中公举公正廉洁、家有资产之人经理，以三年为限，期满另举更替，将每年出入细账交出，核算清白，不得混扯侵吞。

六、族表善行，国有定例。族有孝友节义，均当保持曲全，年例相符即公请族表。

七、族中甲乙参商，多因细故与混争田产，而尊者或捏词以凌卑，长者或挟分以欺幼，强者或逞气以暴弱。应先由族长、族正人等，令两造均诣祖祠，陈明原委，秉公排解。

八、修谱所派人丁、田亩等费，务各按期交清，不得故意推延、阻拦公事。

九、族长、族正、房长、房正，均应由族中公举年高有德、公正勤敏、素行足以服人者充之。亦以三年为限，期满另举更替。

十、祖祠大小事务，均以公正之族长、族正人等为主，别人不得越俎妄议，该族长人等亦不得偏执私见。[①]

通过这份族规，可以发现：官方钦定的儒家文化经过千百年的传

① 上海图书馆编，周秋芳、王宏整理：《中国家谱资料选编·家规族约卷》，上海：上海古籍出版社2013年版，第659—660页。

承，已经深入社会、深入民心，成为人们自觉遵守的行为规范。上述族规，第一条谈到“尊卑长幼各守其分”，这是中国传统礼教的核心。中国传统社会从上到下，划分为许多等级，每一等级都要安分守己，不能有非分之想；上级领导下级、下级服从上级，才能各守其分，实现社会安定。如果每一等级的人们都不恪守自己的本分，上级德不配位，下级轻侮上级，那么整个社会就会大乱，其结果必然是灾难性的。从“礼”入手，确立家族的道德规范，可以说是抓住了问题的要害。如果联想到编写家谱的人，一般都是读过书、考过科举的“士”，那么这些了解儒家思想的执笔者，自然会巧妙地将官方认可的道德要求写进去，作为理论依据。

当然，对儒家伦理的遵循，并不是要将“四书五经”全盘照抄，而是根据实际情况，选择性地确立行为规范，以便收到实效。于是，我们看到，第二条族规就转到了清明祭祖的事情上，规定每一年的扫墓活动，必须“修培”祖坟，包括锄去杂草、清洁环境、加固墓地等等。通过这些细小的举动，表达对先人的尊敬和怀念。“敬天法祖”是中国传统文化的特点之一，这是远古流传下来的祖先崇拜文化在后世的体现。清明节来临，举家老小前往墓地祭扫，一方面能够寄托哀思，倾吐对离世亲人的眷恋之情；另一方面，这也是中国“孝”文化的体现，正如童蒙读物所说的“事死者，如事生”。可以设想，如果先人的墓头杂草丛生，无人清理，或者长年没有人前去祭拜，那么邻里一定会指斥这家人是“不孝之子”。在传统时代，被别人说成是“不孝之子”，是相当严重的事情，往往在人前抬不起头来。这一条特别强调“无论远近”，说明清明扫墓是普通人家一年当中必须认真完成的最重要的事情之一。

人们或许认为，儒家伦理是高高在上的空洞说教，对现实人们的生活没有什么作用。其实不然。与西方的宗教信仰不同，儒家学说不是宗教，而是切切实实的行动指南。这是我们在讨论中国文化与西方文化的差别时，应该格外注意的地方。尽管汉唐之际，外来的佛教进入中国，但它被以儒学为主体的中国文化改造成了中国化的佛教，在根本的精神导向上与儒家保持一致。正是由于儒家非常注重现实性，所以它所宣扬的道德伦理都能在寻常百姓的日常生活中一一对应，从而与大众文化水乳交融。从这个角度看，上列族规的第三、四、五、七、八条，都与经济活动相关，说明基层社会的伦理规范不是停留在书本上的文字，而变成了活生生的指导方针。第三条谈到族田的承佃问题，第四条谈到公款（族产的一种）的挪借与清偿。第五条谈到家族财务的管理，特别提到管理者的道德修养（公正廉洁），三年一换，以示公正。第七条谈到“混争田产”的纠纷解决，第八条谈到修纂族谱所需要的人力物力，希望各房各支按规定提供。偌大的一个家族，人丁繁杂，经济事务是重中之重，它关系到基本的生活保障及各项开支，非同儿戏。因此，在族规的制定中，经济方面的内容占到了一半，体现了传统时代的经济伦理。[①]

如何有效管理一个家族，其关键在于族长、族正，以及各房的房长、房正。选择的标准有三个要点：一是“年高有德”，中国人特别看重年龄因素，它与资历、经验、智慧、能力相挂钩，从而在某种程度上与“权威”相等同。“德高望重”，从字面上看似乎与年龄无关，却很少用在年轻人身上（一般赞为“年富力强”等），但这一称赞常常用在年龄较大的领导者身上。明清时期，乡村社会的“老人”制（主要负责教化），便说明了年龄的重要性。这也反映了中国人“尊老”的思想倾向。二是“公正勤敏”，这一条包含的信息量较大。公正是品行，勤奋是态度，敏捷是素质，三者齐备，是族长、族正、房长、房正的最佳人选。三者之中，公正最重要。俗话说“清官难断家务事”，没有公正的品格，绝对处理不好家族关系，甚至适得其反。有了公正，还要勤勉，不能懒惰。“敏”字令人注目，因为一个好好先生未必是一个优秀的管理者。头脑清晰、敏于判断，办事能力强——这样的人，对于维护家族团结、解决内部矛盾往往能够起到重要作用。三是“素行足以服人”，这是民

① 参见陈钧、任放：《经济伦理与社会变迁》，武汉：武汉出版社1996年版。

望的问题。通过长期的接触和观察，某人的品行好且办事效率高，那么他就是能够充当族长的对象。这不是一两天的嘉言懿行，而是数年甚至更长时间的考验。

之所以对族长、族正等人的选择有这么严格的要求，是因为他们一旦出任这样的“职位”，将拥有其他族人没有的权势，这就是第十条族规所说的：他们负责管理“祖祠大小事务”，有绝对的权威，“别人不得越俎妄议”；如果族内人员违背了法律或言行不当，也由他们裁决处置。在传统社会，族长就是“大家长”，是没有官衔和俸禄的基层社会管理者。在某种意义上，这种基层社会的自我管理机制，为近代自治运动提供了正反两方面的若干历史借鉴。

二、重视祠祭

所谓重视祠祭，包括重视祠堂的修葺和祭祀的仪轨。家族层面的祠祭是国家制度的地方化，它特别强调对国家礼制的遵循。当然，在若干细节方面，家族祠祭也有变动，但不影响祭祀的正当性。

明清时期的祭祀是非常庄严的事情，这是上古时代遗留下来的文化传统。古人云：“国之大事，在祀与戎。”这表明，祭祀神灵及祖先的重要性，丝毫不亚于提升国家武装力量以捍卫边疆的重要性。重视祠堂的修建，是明清时期家族文化的一大象征。在某种意义上，祠堂是祖先灵魂安息的地方，具有神圣性。活在现世的人们应该认真维护祠堂的建筑，在礼制规定的日子里进行祭祀活动，以求祖先们护佑后人。

在唐宋之前，从事祭祀和修建家庙局限于社会上层，为权贵们所垄断，一般民众根本没有资格进行这样的活动。因此，祭祀成为身份的一种文化符号。宋元以降，祭祀之权下移民间，普通百姓开始拥有建庙祭祖之资格。应该说，这是社会进步的体现。明清时期，家族的发展进入鼎盛阶段，修建祠堂、祭祀祖先、编纂家谱成为相当普遍的大众行为。因此，在族规中写入有关祠堂与祭祀的相关内容，属于情理之中的事情。

祠庙应该时常修葺，避免破败之象。《续修江陵毕氏族谱》刊印于民国二年（1913年），其内容应该在清代即已确立，而不是民国初年的新规定。因为它明确指出："宗祠以老宅改建，坐落荆州府西城便河桥西首，前大门向北，后祠堂屋向南。系前清乾隆三十二年礼字房三世祖履安公，契买民人陈怀昆宅。传至宣统二年七世承纮，归并胞兄承缃，捐作合族宗祠，立有归并契据。老红契及归并白契，均存北京承缃手。祠中只存承缃手钞归并契据，盖有毕氏宗祠图记，并刻入族谱，以垂久远。"显然，江陵毕氏宗祠之渊源，可上溯清乾隆年间，至晚清正式确立。

关于宗祠的建筑及用途，该谱记述："老宅北向，今以后堂为宗祠正厅，易作南向，庶合古者庙皆南向之义。正厅前一重，为祭毕休息、馂馀核算之所。又前为门房，大门向东。前铺面与正厅佃人，租钱归值年人收交总理，以备一切费用。正堂屋两房，住礼字房寡妇孤儿，不取佃租；如孤儿成室，即宜迁出，非孤儿不得擅住。两厢房留作祭祀时沙市及居乡子孙上宿之所，不准租人。"从这段文字，大体能够推断出这座宗祠的建制，为南北朝向，包括正厅、堂屋、厢房，还有铺面、门房。正厅、铺面出租，以收取租金，充作族产；堂屋让给孤儿寡母，而且只能是孤儿寡母入住。厢房，则用作临时客房。值得注意的是，照顾孤儿寡母的生活，是毕氏"祠规"的内容。事实上，同为族人，各房各支的经济条件不尽一致，有的甚至相当贫困。但既为同族之人，这些贫困家庭基本上会得到照顾。因此，明清时期的家族制度，在某种程度上扮演了社会救济者的角色。

在祠堂神位的排序上，毕氏相当讲究："宿公为始迁祖，百世不祧，居中龛最上一层。左次列上、开、世三派为昭，右次列启、永、承三派为穆，共四层。东龛三层，左列家字派，右列德字派，亦如中龛，低宿公一层，仍依昭、穆位次。"又称："考古者，大夫三庙，不应一龛共列六代，但礼经六世则亲属竭矣。爰本此例，似亦可行。本宗若传至嗣字派，三龛共十九世，则上字派宜从祧祖之例，移入西夹室，祭时仍奉主于中龛合食，余例推。”对祖宗神位的重视，体现了礼制的根本精神，那就是必须弄清楚身份等级，不可僭越。除了定正座，还要设祔位：“本祠事属初创，屋宇稍狭。堂左右未立房，未立夹室，未立东庑西庑，亦未立东序西序。今暂于西龛设合族成人无后及其长殇、中殇、下殇者为祔位，同日致祭，以期合食。”

有意思的是，为了表明毕氏宗祠的合法性，该“祠规”援引《清朝通典》关于“吉礼”的记载，作为日后改进的依据：“品官家祭，四品至七品，庙三间，中为堂，左右为夹室，为房阶三级，东西庑各一间，余与三品以上同；八品九品，庙三间，左右狭阶一级，庭无庑，以箧分藏遣衣物，祭品祭器陈于房，余与七品以上同。（在籍进士举人视七品，拔岁副贡视八品）堂后楣北设四室，奉高曾祖祢，皆左昭右穆，妣以嫡配，南向。高祖以上亲尽则祧，迁室祔庙，均依昭穆之次。东序西序为祔位，伯叔祖之成人无后者，伯叔之成人无后及其长殇（十六岁至十九岁）者，兄弟成人无后及其长殇中殇（十二岁至十五岁）者，妻先殁、子姓成人无后及其长殇中殇下殇（九岁至十一岁）者，皆以版按行年墨书，男东女西，岁以春夏秋冬仲月择吉致祭等语。”如此用心良苦，是为了明确上下尊卑，这是清代所有家谱的共同之处。

在木主（神位）的祭拜程序上，毕氏“祠规”规定：“大祥日，在家设殽馔、焚楮帛（禁用僧道）。题主于祖座毕，孝子易吉服，捧木主，入祠。先设座于正殿外（正对祖座）。司事者启户，燃香烛。孝子向祖座行二跪六叩礼、兴（或改为三鞠躬）；题主于牌，行二跪六叩礼、兴（或改为三鞠躬）；转捧木主入西龛，行二跪六叩礼、兴（或改为三鞠躬），趋出，掩门加锁。”这一套严格的祭礼，完全是对古礼的遵循，与之同时，因其烦琐而有改革的意图（将跪叩改为鞠躬）。然而，基本程序无从大改，否则就会被人讥讽为不懂礼法。例如，关于名讳，完全是古代传统的路数：“现在系承字派主祭，故承字派书‘毕君名某’，配书‘毕门某氏’。日后家字派主祭，则另易新主，世字派宜书‘六世祖考妣’，承字派改书‘七世考讳某妣氏某’。且承字派现存者七人，若病卒，则依先后上主；亦俟家字派主祭时，另依房分、年齿序立。”

如前所述，古时分春秋两祭。毕氏“祠规”似乎更为重视春祭：“春祭，即以清明日举行。先二日，由值年禀知总理，洒扫庭除、拂拭祭器、办治祭品及楮帛、茶酒等类，必诚必敬。届期，日初出时，主祭者（以族长为之，如外出即依次派定）及助祭者，皆具礼服，集祠中（卑幼及无礼服皆随班致祭），分长幼、尊卑序立上祭。祭毕馂馀（如子孙在家无故不到，又不托人告假者，议罚），中午相率诣公安门外多宝庵后展墓，次日诣西关外七星堰之笔架山、秘师桥、魏家垱、五庄庙、土龙冲共五处，又次日诣善因寺，转至西门，雇船至花家冲，再至荆南寺，共三处，至承字派以下，则各房祭扫，以免耽延。如遇风雨，远者不能在城久候则归，总理值年派人展墓，万勿旷废。”行动的安排相当周密，说明对春祭的重视。由于经费问题，秋祭略为简单一些，“秋祭有中元节，各房在家私祭。异日经费充足，仍宜办秋祭一次）”。

在祭品方面，规定相当详细。“祠规”称为“厘祭品”，具体内容是：“亵味常珍不宜供祭，拟用荆俗三牲（肉、鱼、鸡）加鸭一只（皆用红烧），实于豆。时食，如芹、韭、青、白等菜（皆用汤芼之，伴以盐醋），实以笾（无笾、豆则用碗）。羹用鸡鸭肉切片煮之，和以五味，实于铏（无铏则用火锅）。茶酒饭，中龛七世共七分，余仿此。馂馀用四盘一品碗汤（每席约计一串六百文）。勿过俭，亦勿过丰，简而易行，庶不废坠。”根据经济实力，量力而行，避免过于节俭或过于丰盛，要拿捏好尺度。其中提及“荆俗三牲”，道出了湖北乃鱼米之乡的经济地理格局。在祭品方面，考虑到财力有限，必须有一个先后制作及准备的过程，“先制长香案、爵杯、大小烛檠、香瓶香炉、帛盒铁磬、棕垫蒲团、茶盘、方棹大椅、木炕板凳等类。余如钟鼓、簠簋、笾豆、棹围、椅褡、椅垫、灯彩之类，需钱甚多，宜积祠中余款，陆续办理”。可见，并不一定要求所有的祭品都准备完毕才能进行祠祭，而是根据实际情况，先准备一部分，就可以进行祭祀了。重点不在形式的完备，而在诚意！

正式举行祠祭时，必须按照一定的仪式。这叫作“定祭礼”。所谓“祭日，须择子弟礼节娴熟、声音洪亮者二人，一为通赞，一为陪赞。又择二人，司香、酒、茶等物。皆宜恪恭将事，毋怠毋忽（礼节附于后，以便永远遵行）。赞礼、司事人不能同时上祭，俟祭毕再择一人赞礼，呼排班，行二跪六叩礼（或改为三鞠躬）”。

前面多次谈到财力有限的问题，因此，解决经济方面的难题是宗族祭祀所面临的大事。一般情形下，设置祭田是通行做法。江陵毕氏也不例外，“前清光绪十二年，承绶契买北门外李家湾草山一形，无粮，契存承绶手；十七年，承缃契买西门外龙山寺前教化坟北首粮田一形，计丈六分，花名毕贞茔，契存承缃手，均捐入祠中作义地。如礼字房元、亨、利、贞四记，无力厝葬者，由总理值年查实，准其入葬，有力者不准”。祭田的收入，是族产的一部分，用于祀祭所需的各项开支。有的购买或捐赠的祭田，还要完纳国家赋税，因此不准拖欠，这叫作“重国课”：“公安门外多宝庵茔，及西门外魏家冢茔（花名毕水盛），秘师桥季姓祠堂对岸茔（花名毕朱茔），七世承绶于四址立有界石五根为记，以上三处统归祠堂，于开征时即行完纳，券存值年手，俟次年春祭后清交下手，不准拖欠。如后来有捐田入祠者，均并作毕宗祠，花名较若画一。”

由于兹事体大，所以明清时期的人们多有捐田作为“义田”“学田”“祭田”之举，这是得到社会高度称赞的善行。精打细算，是维护祠堂运行之必须，要有储备的思想准备，“铺面正厅，每年租金无多，值年宜量入为出，慎勿冒滥。每年除办祭、扫墓、完粮外，有余则存总理手，以备祠中之用”。在账目的管理上，要有认真负责之精神，“祠内立总账一本，先将前清咸丰辛亥至宣统庚戌，祖茔六十年钱粮，及光绪修谱、立碑诸费（统系亨记所出），并宣统庚戌捐建宗祠、置义地及修造一切费用，本年续修族谱（统系贞记所出），一一载明，交总理轮流掌管。次立流水簿一本，交值年，凡出入账务随时登记。俟春祭日，先将旧管、新收、开除、实存四账目核算清楚，登之总账，当族众交下届总理、值年收清（如用费有不合不实、与祠中章程宜增有损者，皆可听族中公正年长者指摘、提议），并由下届总理、值年亲立收清、无欠二纸，盖印祠堂图记（一存祠中、一寄京寓），以便接办，不准含糊滥收，违者予受议罚”。由于总理、值年掌管财务大权，因此在人选问题上应该格外慎重，“每年举总理一人，以年长者轮派；次举值年一人，凡事禀商总理。如总理适外出（如游宦、游幕、行商等类），亦由值年函商总理，商定乃可施行”，这表明总理的权限比值年要大许多。

保持祠堂的干净整洁，是宗族人员应尽的义务。显然，这一条是衡量宗族人员对祠祭是否真心诚意的标准，而且相当直观、一目了然。毕氏族谱规定：“每月朔望，由值年人具香楮鞭，行二跪六叩礼（或改为三鞠躬）。先一日，由寄居孤寡洒扫洁净。如有上漏下湿，即告值年修理。每年小除前数日，值年雇夫打扫堂尘一次，务期内外整洁。如元旦节，凡住城内者，皆于日出时齐到，行二跪六叩礼。”[①] 这种“劝洒扫”应该成为自觉行为，而不是强迫命令。

三、禁忌与惩戒

清代家谱，除了追溯远祖、陈述本房本支的来源，主要内容就是道德规范。除了正面意义上的引导和劝善，还有禁忌与惩戒之类的内容。

祠堂是神圣之地，因此保持清洁卫生是尊重祖先的体现。为此，有若干不允许的事情，包括“不准妄置什物，不准借地兴工，不准在内寄宿，不准喂养鸡鸭畜类，不准私用祠中器具，亦不准私借他人”。连说话也得小心，不能胡言乱语，“宗祠重地，祖灵式凭，凡言不及义及讥刺时事、毁谤官长之类，皆宜严禁”。

祠堂往往是行使族长权力、惩处违法乱纪者的地方，犹如官府审讯的“公堂”一般。江陵毕氏族谱规定：“子孙有不孝不弟及好与人争斗

---

① 上海图书馆编，周秋芳、王宏整理：《中国家谱资料选编·家规族约卷》，上海：上海古籍出版社 2013 年版，第 712—714 页。

者，先治以家法，不悛则告知族长、族正，并如其父母，齐集祠中，轻则戒饬，重则罚跪，再重则不齿于族。”清明祭扫祖坟，是宗族集体行为，无故不得缺席。社会交往固然需要，但不与什么人交往则有严格规定。因此，宗族之人应该“慎交接”，具体内容是“如僧道、胥吏、优俳、屠宰及下流者，皆无与交，祠产亦不准租给此等人。至如扶乩之类，近于左道，更宜严禁，违者议罚”[①]。凡此种种，都应该牢记于心，不可任意践踏。

不孝、乱伦等行为，均属犯禁，必将受到严厉惩治。族长族正扮演了执法者的角色，惩处各种犯禁行为也体现了他们的权威。解决纠纷是族长等人的分内之事，是其职责所在。对于那些不听劝告、执意闹事之人，则会采取相应措施：“如固执成讼，即将实情上堂陈说，以便判断，亲支不得偏袒。若与他人构讼，曲在族人，应规责族人劝和亲邻，平息讼端。”在明清时期，“讼风甚健”的地方往往说明民风剽悍，以故家法族规基本上都提倡息事宁人，不愿扩大事态，以免伤了和气。身为族长、族正，也要严格自律，“如贪利营私、怠玩误事者，除名，另行选举；期满有功者，载入谱传，以奖贤能”；保持公正十分重要，“该族长人等亦不得偏执私见”。[②]

在惩戒方面，有些族谱只有原则性的规定，但有些族谱则有相当细致的内容。当然，家族对于维持基层社会秩序有其特殊贡献，族规家法发挥了重要作用。因为，并不是所有违法乱纪者都移交官府，许多情况下是在族内解决的。杖罚，便是一种常用手段。在中国民间的教育理念中，流行“棍棒底下出孝子”之论。这一观念，往往变成家谱中的以棍棒击打犯禁者的行为。

属于杖罚者，有很多种。从杖罚数目的高低排序看，高者二百，低

① 上海图书馆编，周秋芳、王宏整理：《中国家谱资料选编・家规族约卷》，上海：上海古籍出版社2013年版，第660、714页。

② 上海图书馆编，周秋芳、王宏整理：《中国家谱资料选编・家规族约卷》，上海：上海古籍出版社2013年版，第660页。

者二十，如：

妇人夫亡，愿守志，而强逼改嫁，无论受财、未受财者，杖二百，免祀。

祖宗丘墓祠宇，无故毁坏者，免祀，杖一百。

养同宗人为子，所生父母无子不鸣公，公议而抢出者，杖九十。

女孀居，自愿改嫁，而其翁姑服亲主婚受财，而母家强抢者，杖八十。

盗窃他人谷麦、棉花、柴草、杂粮等项者，男杖八十，女笞七十。

乞养异姓以乱宗族者，立嗣虽系同宗而尊卑失序者，杖六十。

妇女肆行无忌而乱骂人者，及无故骂人者，笞四十。

女废盟，另许男家，不告官司而强抢者，杖三十。

服尽尊长以他物殴卑幼成伤者，杖二十。

“免祀”也是处罚的一种形式，例如“窃盗再犯，计赃应杖者，免祀”；“遇事胡言乱道、扯东画西、拗公不出者，免祀”等等，均属较轻的惩戒。

比较之下，被赶出宗族，即从宗族中除名，可能是最为严厉的处罚。例如，“子孙盗买祖遗祀产及亏空公款者，免祀，逐出族外”；“乞养异姓义子、意图资财、冒认归宗者，逐出族外”。[①] 遭受这种处罚的人，在儒家文化的价值判断上，就是失去家园的人，形同无根之浮萍。

① 上海图书馆编，周秋芳、王宏整理：《中国家谱资料选编·家规族约卷》，上海：上海古籍出版社2013年版，第686—687页。

第二节　族群的利益纠葛

明清时期是中国人口急剧增长时期，也是宗族突飞猛进的时期。在同一地域，不同的宗族既有联合、互助的一面，也有因为各种现实利益发生冲突的一面。鉴于鄂东文献相对集中，在此以之作为分析对象。

一、宗族整合及冲突

治与乱，似乎是中国传统社会存在的两种主要形态。在人们的美好愿望中，和平时期应该是社会存在的常态，不过对于作为兵家必争之地的鄂东来说，事与愿违的是社会的动乱同样是他们必须不时面对的生活之一。那么这种动乱的局面对于本地宗族的建构究竟有什么样的影响，以及在动乱状态之下，宗族又是如何应对等等，成为我们不得不思考的问题。元明之际本地宗族活动尚未兴盛，但正如绝大多数鄂东宗族所传称的，这一时期的战乱是他们从江西移民而来，定居此地的主要原因，他们的说法不无道理。正是在战乱之后，朱元璋对里甲户籍的规划措置，才奠定了鄂东日后“户族”形成的基础。不过在此时期，并未见到太多有关宗族在战乱中的活动痕迹。明中后期，陆续有部分宗族得以建立，人们的宗族意识开始唤醒，在面临明清换代之际的战争时，他们得以采用宗族的形式自保，如麻城县县西“三十五里曰朱山，明季周姓结寨，保全甚众”[①]。

明清之际的战乱对于鄂东地区进行宗族建设的影响，可分为两个完全不同的层面。一方面，战乱毫无疑问地会对本地刚刚兴起的宗族活动起到阻碍作用。因为战争之中的社会动荡不安，人们被迫背井离乡以躲避战难，寻求其他适合生存的地方，而战后某些地区可能出现“土满人稀”的现象也同样吸引着鄂东之人向外移民，比方说四川地区流传着

① 光绪《黄州府志》卷二《疆域志·山川》。

“麻城孝感乡”的移民传说，便是指这一时期的移民运动[①]，这当然削弱了形成宗族所需要的人口基础。而且，此一时期还有大量外地迁入鄂东的移民，这种新移民的出现便增加了日后宗族整合的复杂性，在黄梅程氏个案中，这种复杂性表现为新移民要取得编户齐民的身份，大多不得不借重于原有的土著户名，但他们要真正融入当地社会则有一个漫长而时有反复的过程。另一方面，战乱则有可能加快宗族的组织化过程。动乱之中，人们只有联合起来才能增大生存的概率，虽然此时宗族没有经济条件，或毫无心思去从事修家谱、建祠堂等宗族活动，但在生存压力之下，同族之人无疑会更为紧密地团聚在一起。罗田彭氏的例子对此便做了很好的说明：“当明末流寇蔓延，乡里受害，（启相）公有武力，智谋过人，家赀甚富，出其财粟，令本族及亲邻团聚一处，各保家眷，百计防御，保障一方，寇无如何，相引而去，今族姓之繁衍，皆公之庇荫也。卒葬睡眠牛地，族人思公之德，至今大祭，举族祭之。”[②]

明中后期至清初所组织的宗族，一般是拥有士大夫的名门望族，此时宗族意识在鄂东民众之中尚未得到普及。本地大规模建设宗族的活动是从清代中后期开始的，以上明季麻城结寨的周姓便是麻城之大姓，曾有族人周宏禴中万历二年（1574 年）进士，并以事功闻。[③]因此，宗族的形式在明清之际不是人们所采用的唯一自保形式，甚至不是主要的形式，以地域为单位，以及地域间的联合似乎是当时人采取的主要组织手段。如撰有《蕲黄四十八寨纪事》的王葆心亦仅只表示在抗清的寨堡中，本族之人多以个人的身份参与其事。[④]当然，战乱中生存压力所导致的同姓联合，在某种程度上亦为清廷统治稳固之后的康雍乾时期，鄂东宗族活动的兴盛奠定了基础。到了道咸同时期，鄂东地区已经普遍开始建立宗族。

---

① 葛剑雄：《中国历史上的移民发源地之一：麻城孝感乡》，《寻根》1997 年第 1 期。

② 罗田《彭氏族谱》卷首《诸祖行略》，光绪甲午年三修，宗寿堂刊本。

③ 光绪《麻城县志》卷十八《耆旧志一·名贤》。

④ 罗田《东安王氏庚申宗谱》卷四之二《建置考四·兵事》，民国十九年，金钩祠铅印本。

当宗族成为生活于一定地域范围之内民众的组织形式之后，人们便依靠宗族来维护各自在本地的利益及势力范围。长期以来，关于明清鄂东的宗族研究一直处于薄弱状态。本节将考察黄冈郭氏、黄梅程氏等宗族的历史，探讨宗族整合的过程、宗族之内各“户”之间的调整，以及国家与地方社会的关系。黄冈许、孔二姓之间围绕香火庙所有权的争夺始于清代，也将作为个案予以分析。

黄冈郭氏宗族的发展历程，围绕着宗谱、公产及祠堂展开。郭氏宗族聚居于今天的武汉市新洲区凤凰、三店地区，处于长江支流的举水冲积平原之上，明清时期属黄州府黄冈县管辖。根据《郭氏宗谱》记载①，郭氏始迁祖云甫公原籍江西饶州府余干县枣树林大塘郭，始迁云梦县，明洪武初年与昆弟虚甫、明甫二人又奉调入黄。其中，郭云甫家于黄冈庶安乡，其弟明甫生子二，曰希秀、希祖，希秀居黄冈石屋山区，希祖居麻城歧亭西乡；虚甫生子希乐，转迁至河南光山郭乐河。郭云甫落居之后，生希泰、希诚二子。希泰居举水支流扬叉河之西，在黄冈乐四图立户曰郭成，演化为郭氏成分；希诚居扬叉河东，在黄冈砂二图立户曰郭玉，由之演化为郭氏玉分。②希泰生五子，依次为：彦忠、彦良、彦恕、彦恭、彦文，其中彦忠、彦良从军在外，彦恕一传而止。万历年间，留居本地的成分后裔又以彦恭、彦文为支祖，“申请县册，将我成分分而两之”，列为成一、成二两支。

---

① 有关郭氏宗族发展历程除注明之外，均参见黄冈《郭氏宗谱》（民国二十二年四修，活字本）的记载（以下简称《宗谱》）。

② 这里的“乐四图”与“砂二图”当指庶安乡“长乐四村”与“高砂二村”，据弘治《黄州府志》卷一《地理·附坊社乡镇》记载：“庶安上乡：在县北一百五十里，领安仁、云陂、安定、牛城四村；庶安下乡：在县北七十里。”没有记载长乐、高砂情况，而据乾隆《黄冈县志》卷二《建置志·厢镇》记载：“庶安乡（上乡在县北一百五十里，下乡在县北七十里）辖里十三（安仁一村、安仁二村、安仁三村、安定一村、安定三村、长乐一村、长乐二村、长乐三村、长乐四村、高砂一村、高砂二村、高砂三村、高砂五村）”，虽不能确知明代是否存在长乐、高砂之名，但长乐四村、高砂二村之称显为弘治之后的事情，《宗谱》编纂者是将编修之时的称谓混同于明初的情况了。

特别要注意的是，云甫七世孙，属于成二支系的郭庆于正德二年（1507 年）中举，成为了本族第一位具有较为高级功名之族人。郭庆，字善甫，从著名学者王守仁治学，县志称其“闻王守仁讲学，徒步往从之三年，得其说。正德丁卯（1507 年）举于乡，授清平知县，以廉称，勤于抚字，捐俸给贫民牛种。在官五年，乞休，民为立祠祀之。家居俭约，遇荒岁，赡亲邻困乏，为人质直，好吟，著述甚多，然不自收辑，后尽散失。卒祀乡贤”[①]；耿定向称其“为举人时，从文成王先生（即王守仁）游最久，文成念其笃实，常延为馆师，其所提训者甚悉，具录文成集中。北归，则以其闻诸文成者，接引里中后生，因而兴起者甚夥，不具述。里有郡庠彦吴君，名良吉，字仲修者，故笃孝人也，性质，视善甫尤英敏”[②]。

从上面的表述来看，郭庆的成就主要在为学、为官及为师等方面，这些活动，尤其是他在地方上的讲学，无疑增强了族人的荣誉感，而且扩大了郭氏在当地的影响，这就为郭氏宗族的进一步整合，提供了理念及社会地位上的前提性基础。然而，似乎出于个人原因，他在整合宗族的努力中，作用并不明显，仅限于“遇荒，赡亲邻困乏”之类。郭庆的师承及理学上的成就不仅为他本人赢得了声誉，为郭氏赢得了“理学世家”的美名，同时，更激励着郭氏后人进行宗族组织化建设的努力。

郭庆之孙郭知易，于万历己卯（1579 年）中举，授中江知县，县志称：“治才明敏，有廉平声，擢工部主事。时方建两宫，御史议签人夫运石，如嘉靖故事。知易上议造车法，所费视旧仅十六之一，官储无损而民不扰，其干济类如此。迁员外郎。告归，囊无余物。耿定向称其世济清白云”[③]，可见他甚有干才。归乡之后，郭知易几乎凭一己之力修纂宗谱，其命次男郭世宏“采各分祷祀之章，详各家称谓之制……

① 乾隆《黄冈县志》卷八《人物志 · 儒林》。

② （明）耿定向：《郭善甫先生里表》，光绪《黄冈县志》卷二《地理志 · 古迹》，“明郭善甫故里”条。

③ 乾隆《黄冈县志》卷九《人物志 · 宦绩》。

逐核其名，递详其分，耳目严明，世系昭信”，于万历四十六年（1618年）修成。他在为宗谱所作的序言阐明了修谱的目的：“余先世始于饶郡枣林园。国初，云甫祖徙于黄之古亭南居焉，生希泰、希诚。希泰而下，相衍二分，户名成一、成二。世世八传，蔓延楚蔡间者，皆其枝叶也。生齿日繁，惜未有谱，死几以世远而湮，生几以人盛而涣……抑又甚者，分干上下，派窜亲疏，莫可相诘。即余年八袠，于祖先世已不能悉记，况后起者曷能辨轻重等列乎？”简言之，就是为了明尊卑、辨世系。为此，郭知易还拟定从十二代开始，以“正宗维言在；存厚启嗣云；可继如山裕；应试尚主廷”等二十字作为族人辈派之名。但是这部凭一己之力修纂的宗谱并没有付梓印刷，以使族人广知，而是以墨谱的形式藏于私人之手，秘而不宣。从内容来看，宗谱将世系编至第十一代，因为第十、十一代对郭知易而言属子孙辈，其记载并不详尽，而且谱系的范围也仅限于郭氏成分。然而，他的努力毕竟使这个尚处于涣散状态下的血缘群体迈出了制度化的第一步。

入清之后，郭知易的四世孙宗松在康熙三十七年（1698年）无意中得到墨谱，发现“谱中世代未接，且间有长者列于后，幼者列于前者”，而且谱稿经历了明末清初的战火，所存仅十之一二，“爰携谱反馆，为之驳正世代，序次长幼，且将遗者依次增补其名，以俟稽考，鱼鲁者悉行改正，勿致子孙之疑，未列者循序插入，不失人宗祖，而又多存素质，期下四五辈，层次渐入，然后刊刻以垂后世，俾后人明如指掌”。知易的另一位四世孙宗源已随父辈迁居于还和乡，去祖地百余里，亦于康熙六十年（1721年）在宗松处得见墨谱，于是倡议各支“各依旧谱抄写一簿，再随所得见闻者而增书之，则止尽数日之勤，而可获百千年之益”，然而，族人对此似乎反应冷淡。乾隆三年（1738年），宗源之子郭维本中举，“因亲老，兄弟早卒，不赴任”[①]，因此，宗源将旧谱各分第九代逐一抄出，命“维本持向祖地，请诸伯叔兄弟侄，不吝循序开载，

① 光绪《黄冈县志》卷十《人物志·宦绩》。

各书本支一稿，付我誊录入谱，再俟得时以镌”。宗源及维本的努力引起了部分族人，尤其是同属于成二支系族人的共鸣，维昌即言：“庆公以理学著于楚黄，庆公之孙墨渠公叙谱，垂为二十字派行，而宗风为之大振，不幸遭于兵火，世远人湮，虽有遗稿，藏于二三诗礼之家，卒未昭示合族，至子孙犹有不识祖先之讳者，可乎哉？由明而清，犹未刊刻，因维本兄先生尝语及族尊，昌于斯共疚然焉。”因而维昌也加入到修谱的行列之中。但是总体而言，效果仍不甚明显。直至乾隆十七年（1752 年），年已七十的宗源仍未停止努力。

其后，在宗族整合方面发挥关键作用的人，就是郭云甫的第十四代孙，属于成一分支系的郭维显。郭维显（1726—1801），字峻德，号石涧夫，年及弱冠就到省城做吏员，从宗谱中进士王廷鸿为其所作的传记来看，他深受上司赏识，其吏员生涯可谓十分成功。乾隆五十八年（1793 年），年已六十七岁的维显召集郭氏成一、二分及玉分户众筹划修建祠堂，并得到族人的响应。因考虑到“宗庙香灯无所出，看祠之人无所资”，维显捐献了数十亩其父祖辈遗留的洲地，入祠成为公产。作为族内的第一份公产，这块数目不小，得以“渐次开垦”的洲地为其进一步的收族活动提供了坚实的经济基础。当控制了一定的资源之后，郭氏宗族无疑迈出了制度化建设的重要一步。筹划数年之后，祠堂于嘉庆三年（1798 年）七月开始动工，并于嘉庆六年（1801 年）完工。祠成之后，又陆续有族人捐产入祠，同时，祠堂自嘉庆九年（1804 年）亦开始置买祭产。对于宗谱，维显亦十分重视，但相对祠堂而言，他似乎更关注成一分本支的谱牒。与修祠几乎同时，郭宗宸也于嘉庆元年（1796 年）修成了玉分的墨谱。至道光二年（1822 年）维显之孙在唐进行包括成分与玉分之宗谱的修纂努力，然而未等事成，在唐病故。道光四年（1824 年），在唐之子存恺、存怡接续其父未竟事宜，致力修谱，终于道光八年（1828 年）将包括成、玉二分的郭氏宗谱修成并付梓刊印，成为郭氏创修之谱。在此之后，郭氏修谱与建祠等活动逐渐隆兴起来：

同治八年（1869 年），由存恺之孙启宇为首，年已七十的存怡主笔，在迁居四川的族人资助之下完成了第二次续修宗谱；

光绪八年（1882 年），八世祖丽民公之后，居于中腰塆的成一分族人建修支祠；

光绪二十六年（1900 年），七世祖懋祖支祠建成；

光绪三十一年（1905 年），由厚裕等人总理，郭氏第三次续修宗谱告成；

民国二十二年（1933 年），由云汉、厚杰等人担任总修，郭氏第四次续修宗谱告成；

民国二十六年（1937 年），在厚生等人的倡导下，玉分支祠建成。

上面以宗谱为线索，简要介绍了郭氏宗族在明清乃至民国时期的发展过程。鄂东地区宗族活动的高峰出现于清康雍乾时期，并且在此之后更愈演愈烈。因此，可以说黄冈郭氏的个案基本上能够反映整个鄂东地区的宗族发展状况。

宗族整合的面相之一，是要关注国家与地方的互动。以宗谱为主要资料，来追述宗族发展的历程存在着相当的危险性，由于谱牒私家修纂的特性，我们很难弄清楚哪些内容反映了事实，哪些内容则是无事实的“传说”，更因为许多宗族将谱系的记载与历史上同姓的名人，甚至与上古时代的传说人物相连，从而使得这一问题更趋复杂化。研究广东宗族的学者指出：“在地域社会中各种势力争夺沙田开发权和地方控制权的明争暗斗日趋激烈时，尽可能‘培养’出祖先与士大夫传统的联系，无疑可以占据更有利的位置。”[①] 这一点对于我们有重要启发。

然而，学者们普遍相信宗谱有关始迁祖定居之后的内容相对而言，可信度更高一些。与刘志伟所论之情况相比，黄冈郭氏则未曾将本族与历史上的郭姓名人有意相连，其宗谱的系谱记载自始迁祖而始，并且这

① 刘志伟：《地域社会与文化的结构过程——珠江三角洲研究的历史学与人类学对话》，《历史研究》2003 年第 1 期。并参氏著：《祖先谱系的重构及其意义——珠江三角洲一个宗族的个案分析》，《中国社会经济史研究》1992 年第 4 期。

种做法得到了历次为其作序之人的赞赏，如道光七年（1827 年）同邑姻亲余宗道即称："春亭兄弟（即存恺、存怡）独能脱去恒蹊，据理为断，仿古尸祝别子之义，即以云甫公为始祖，自公而上，则不复求详焉"[①]。但是，修谱之人毕竟离始迁祖定居之初相隔了百年的时间，因此对于定居之后的这段记载，我们仍然要从宗谱的文本出发，结合文本内容与其背后所隐藏的修纂者之意识两个方面来加以详察。实际上，亲属关系的建构及运用，表现于国家的赋役制度及官方的宗族政策，当时的商品经济发展，以及地方社会的族群关系及权力斗争这三大范畴的互动之中。[②] 的确，由涣散走向整合需要跨越一条鸿沟，并非每一地区的每一个姓氏群体都能完成这一过程，如华北地区的宗族意识就不甚强烈。除此之外，另一个重要方面则出现于族内各种力量的调整之中。

明初朱元璋为使人民纳赋服役及社会控制的需要，建立了严密的户籍制度，这对于鄂东宗族的形成影响至深，黄冈郭氏于明初由二世祖的两兄弟以单个家庭分立为郭成与郭玉两户，从此两人的子孙便在这两个户名下繁衍生息，并进而衍化为郭氏成分与玉分两支。至万历年间郭成户又分立成一与成二两户，亦当与成分人口增长，户下人丁负担过重有关。由此可见，户籍与赋役制度对其宗族组织化的重要影响。地方经济的发展及地域内族群间的关系为宗族组织的成立及发展提供了外部社会环境。此种地方经济的发展对宗族的影响，便可从许多户族的户长由商人充任之事实中得到体现，如黄冈谢氏同盛公"家素贫，乃弃儒术贾于霍山，业稍裕，即旋梓里"，被族人举为户首。[③] 黄冈陈氏百坤公同样"业立槽坊，所造之醇醪不但可供嘉宾之需，而四方幽人，莫不相率而就其酒旗"，被族中父老举为合族户长。[④]

---

① （清）余宗道："郭氏族谱序"，见黄冈《郭氏宗谱》（民国二十二年四修，活字本）首卷 2。

② Michael Szonyi. Practicing Kinship：Lineage and Descent in Late Imperial China. 参见陈国成书评，《历史人类学学刊》第 1 卷第 2 期，2003 年 10 月。

③ 黄冈《谢氏宗谱》卷首下，"同盛公传"，民国戊午年，大祠藏板。

④ 黄冈《彭氏宗谱》卷首一，"百坤公传"，民国戊子年，述古堂刊本。

加强内部的认同感，以应付外在的压力，是宗族作为血缘群体的功能之一，也是以后作为一种社会组织（从血缘群体走向社会组织）的动力之一。地方经济的发展诚然为宗族组织的成立与壮大提供了坚实的物质基础，然而人地关系的紧张，生存环境的恶化似乎更利于宗族的产生，与外族的争斗则更需要通过血缘的认同来加强内在的凝聚力，这点对于郭氏亦不例外。明初黄冈经历了改朝换代的战乱，人烟稀少，相对而言生存压力似乎并不太大，至万历年间，知县茅瑞征仍称："团风、阳逻堡，西北百里而遥，田多闲旷，有十亩价仅数金者。"① 这或许是郭知易于万历年间收族努力未获成功的原因之一。随着本地人口的增长，生存压力的增大，人们开始与水争地，与人争地，由此，对于宗族组织的需求也逐渐迫切起来。如同样生活于三店地区的刘氏就以宗族的形式组织修筑河堤，并在本族之内形成了一套管理章程，据该氏宗谱所载《大房圩堤首领规则》曰：

祖籍湖地，以修筑河堤为保护之根，每逢修筑时，人众首轻，为诚踊跃之致，实因首目父子相传，贤愚不一，系致推疏。今因载谱垂流，殆后选举，子弟不能代任，有力不为，疏筑论；无力不退者，以废筑处：

一、子弟不能代任；

一、议选举人皆有资格者，必然注意防范；

一、议在任人如后逝，开会公举，不得碍情私立；

一、议担任首领远去，公请临时代理，不得私情转授。②

郭氏所立的第一份公产便是来自维显所捐的大段洲地，而这段"祖

① （明）茅瑞征：《土田论》，载于乾隆《黄冈县志》卷十四《艺文志·古文上》，其所论团风、阳逻堡离郭氏所居之乡甚近，几可等同而论。

② 黄冈《刘氏宗谱》卷首二《大房圩堤首领规则》，民国丙戌年，藜照堂刊本。

遗扬叉河夹洲大段，僻在徐姓近地”，正是得自于“康熙、乾隆年间，我祖成三公及叔父宗珩、宗岱叠讼各宪”①，或许维显就是因此而认识到族众团结的重要性，才致力于宗族制度化建设的。无独有偶，郭宗源在极力劝说族人修谱时称：“尝概冈邑还、永二乡，素呼山僻，乃其间诸巨族旧有谱乘家，大约越三代一修辑，其中具载规条，屡修益加严密，此固在所当取法令，老人时兴愧慕者。近有一二微末族，人丁实繁，向未有谱，见彼巨族世次尊卑亲疏，规矩井然，自愧族众混淆，不齿于乡里长者，其族中一二高明有志之士，愤发修谱，鼓励族众勉出银费，辑成谱牒，刊以大版，印以卷素，家各藏守一部，一时咸称有礼，而彼族顿为增光……夫理学祖，主敬存诚，不愧屋漏，礼门义路，宾祭见承，而忍令子孙数传之后，世次尊卑，顿尔混淆，人道乖违，孰大于是耶？”②正是由于修谱对于宗族声望的提高作用，宗源才进行着不懈的努力，而宗族声望的提高，无疑会使本族在地方上更有发言权，这对于本族获取更多的生存资源当然是有好处的。

宗族整合的面相之二，是要树立宗族之内的权威。在讨论了郭氏宗族成立的外部环境之后，我们仍要将主要目光投向宗族的内部，毕竟，宗族的成立是内部整合的结果，所有外部的影响都必须得到内部的回应才可能促使作为社会组织的宗族得以最终确立。现在，首先来看看到底是谁在宗族整合过程中起着主导的作用，其原因又何在？通过上面郭氏宗族的简介，已知有知易、宗松、宗源等人先后进行了收族活动，直至维显及存恺兄弟之时公产、祠堂、宗谱等宗族组织形成的标志物才得以完成。不可否认，知易等人先前的努力为以后收族者奠定了基础，但我们仍然要问为什么是维显等人才最终获得成功呢？这就涉及权威的地方性问题。

通常认为，士绅在宗族乃至地方社会中处于领导地位，按照张仲礼

① 黄冈《郭氏宗谱》首卷十二《修祠告竣序》，民国二十二年四修，活字本。

② 黄冈《郭氏宗谱》首卷二《再请缵修本支谱牒原引》，民国二十二年四修，活字本。

的分类，士绅按功名的高低可分为上层绅士与下层绅士两大类，前者拥有举人、进士等高级功名并出任官职，后者则指拥有生员等低级功名的读书人。[①]依此分类，郭庆和郭知易均属于上层绅士的阶层，在其致仕回乡之后理应在宗族及乡村生活中占据主导地位，然而可以看到，郭庆并没有进行多少收族的努力，这可能与其个人的心性有关。郭知易返乡之后拥有着较高的声望，并且也认识到修谱的重要性，何以他的努力仍然收效甚微呢？其弟子柴应乾的说法或许可以给我们一点启示，柴氏评论道："郭族富而吾师犹甘贫，郭族贵而吾师不忘贱"[②]，答案就在于知易为官清廉，并没有太多的积蓄，而且他的主要作为均在为官之时，回乡之后并没有给本族及当地带来太多的利益，因此他的努力的成效也只能达到一定的程度，不可能真正地完成收族举措。宗松十二岁即丧失父亲，年十九而"人众事繁，家计渐落"[③]，宗松本人也只是靠授馆收徒的一介寒儒，其不获成功自不待言。至于宗源，由于远离祖地，即使凭借其子维本中举给宗族所带来的荣耀，毕竟对宗族聚居之地的影响不大，因此也只能屡遭碰壁了。

维显出身于受士人所鄙视的吏员阶层，不属于士绅阶层，然而由于吏员往往掌握着实际的事权，使得他们成为了一股不容忽视的力量。维显在为吏期间积累了足够的财富、关系以及办事的能力，这使得他拥有了成为宗族乃至地方中权威的基础。对本族而言，他能够促使驻防歧亭的黄州府同知出示禁约，以保护其祖墓免受其他族人的侵挖，从而向族人显示其能量的强大。[④]不仅如此，他的传记称："先是，族有荒洲，与他姓叠争未绍，公乃与争者约，杯酒谈笑间，绍归数十亩，至是尽捐入

① 张仲礼著、李荣昌译：《中国绅士——关于其在19世纪中国社会中作用的研究》，上海：上海社会科学院出版社1991年版，第4—6页。

② （明）柴应乾：《墨渠老师族谱序》，载于黄冈《郭氏宗谱》首卷二，民国二十二年四修，活字本。

③ （清）郭宗松：《振谱原序》，黄冈《郭氏宗谱》首卷二，民国二十二年四修，活字本。

④ 黄冈《郭氏宗谱》首卷十二《三屋畈坟山禁约》，民国二十二年四修，活字本。

祠，以为禋祀供奉”[①]，此事既显示了维显的办事能力，更为宗族谋求了福利，而且在修祠之初，他能先垫付银两以购买砖瓦材料，此举更得人心。对于地方事务，维显同样勇于任事，传记称：“其于乡党中一切有可补益事，尤必极力兴举。里有巨盗，室拟素封，家颇自肆，白昼夺人牛马，乡人苦之，无敢与较者。公乃与众约，默请于邑宰黄公，缉获之，盗乃力讼其诬，经数载，其害始除，人以为快。村之东有大溪焉，隔绝通衢，行旅病之，公倡建巨桥，环拱十数丈，为至今利。”[②]

从基层社会普通民众的角度来看，能够使他们产生畏惧，或者可以为他们带来实际的好处，均可称之为权威，这就是所谓的“权威的地方性”。与维显相比，知易的官职非谓不高也，但正是缺乏这种“地方性”的作为，使其功效就大打折扣了。以往论者均强调士绅在地方事务上的重要性，而郭氏的个案则显示了处于地方支配地位的不仅包括士绅，更有着其他拥有财势而又敢于任事的各种力量，他们共同左右着地方社会的运作。

科举对于宗族发展具有相当重要的意义。考取功名，进入士绅阶层，从而具有国家所认可的权威地位仍然是乡村中每一个人的梦想，维显同样认识到这对于他的直系后代能得以长久发展的益处，于是努力培养他本人的子孙治学。在翰林院检讨潘光烈为其曾孙存怡所作的传记中就描写了他受到的督责之严：“公先辈苦心读书人也，屡拔前茅，而卒难后效，恨留书债，亟望儿还。公虽学日益富而尊人课日益严，至七八龄时，五经四书早已烂熟，奈尊人期望过急，督责略不稍宽，以至灵机渐没，益攖父志，日受楚挞，尝至数十数百而不已。”[③]存恺、存怡虽仍未获取功名，然而继承自祖辈的财富、声望以及他们仍能以宗族及地方公益为己任，使得他们的这种根植于地方的权威性同样有效，从而得以

① （清）王廷鸿：《石涧夫先生家传》，黄冈《郭氏宗谱》首卷七，民国二十二年四修，活字本。

② （清）王廷鸿：《石涧夫先生家传》，黄冈《郭氏宗谱》首卷七，民国二十二年四修，活字本。

③ （清）潘光烈：《蓴楼公家传》，黄冈《郭氏宗谱》首卷九，民国二十二年四修，活字本。

完成修谱重任，如存恺便于道光八年（1828 年）倡捐扬叉河义渡，此举既方便了本族属众，以及有利于地方公益，同样也是有助于保障他在族内权威的地位。[①]

在郭氏的个案中，户长并没有成为主导力量，这与国家的户籍制度和赋役制度相关。郭氏在同一始迁祖下分为了三户，且三户因各自承担赋役，已呈现出独立发展的趋势，因此，相对于那些一户一族的情况，三户要统合为一个宗族，要克服的困难显然更大。这里实际上涉及各户之间的力量对比的问题，在郭氏的个案中，成一户的经济实力更为强大，成二户则有郭庆、郭知易这样的显赫功名者，相对而言，玉分并没有太多值得夸耀的地方，因此，可以看出首倡整合宗族者均来自成一、成二两分，而玉分一直处于从属的地位。成一与成二两分之间则存在着一种微妙的平衡，如此，由族内出现的一位强势人物来完成收族活动，可能较由户长担任此责更会让人容易接受一些。当然，强势人物仍然需要户长们的鼎力协助。

由于宗族在血缘范围之内能够在某种程度上主持正义，因此，对于宗族的需求同样还包括有某些族内的弱势群体，如嘉庆十年（1805 年）在郭氏尚处于整合过程之中时，族内之未亡人郭曹氏为避免他人对名下产业的觊觎，而将该产捐入祖祠以寻求支持，谱载："立付约人郭曹氏，今因亡夫三秀弟兄有七，俱各谢世，仅生一子在高又惨亡，有三屋畈祖坟前得分莲花大塘十大股一股之内分作三股之一，得半股渔业。夫弟兄在日吩嘱此塘多劳叔祖峻德分绍，虽贫不许出售。适今氏年迈目盲，每届取鱼，步履维艰。夫堂弟言祯只育一子君福，亦鲜嗣息，素与氏不睦，均欲氏死伊得，氏心不忿，若欲出卖，不但违背夫命，亦且废叔祖等原议合同禁约。氏今情愿央请族众，将得分鱼塘捐入祖祠，以作春秋二祭，永远享祀遗念，自付之后，听凭经管祠事首领放蓄分鱼，出售存

① 黄冈《郭氏宗谱》首卷十二《捐扬叉河渡船记》，民国二十二年四修，活字本。

费入祠，永无异说，恐口无凭，立此为据。”[①] 产业捐入祖祠，使得郭曹氏及其夫之堂弟均未收此实际之利益。然郭曹氏因捐产的行为，从而获得了一种宗族在道义上的支持，其对亡夫之堂弟的谴责便因捐约刊刻于谱中而得到了人们的认可，正是众多类似于她的这种做法的存在，无疑使得宗族的整合得到了更为广泛地响应。

宗族整合的面相之三，是有关宗族边界的界定。接下来再来看看郭氏宗族具体的整合过程。宗族的发展是一个动态的历程，不仅由涣散走向整合如此，即使整合之后的宗族同样处在不断的变动之中，宗族通过一次次地修谱与续谱，不断地界定着宗族的范围，明确着族内与族外、“我们”与“他们”的区别。其中，郭氏的个案就呈现出不断的摈弃与统合两个同时进行的过程：其不断摈弃的过程，要之皆以本地宗族的利益为首要考虑对象；而统合的过程，则呈现出以核心集团为主导，不断整合着各种不同的支系，乃至一些边缘群体的被吸纳。通常情况下，宗族在第一次修谱时所面临的情况要复杂得多，这不仅是由于在宗族整合之前因缺少记载而造成的亲属世系关系的混乱，更重要的是，这些尊卑世系关系体现了人们在族中的地位，因而在创谱之时，人们通常会不断地讨价还价，甚至因此而产生纠纷，如道光年间曾任黄州知府的祁宿藻在为黄冈《谢氏宗谱》所作的序中即声称：“宿藻忝守是邦，有风教之责，每遇兄弟、宗族之兴讼者，不惮勤劳劝导，冀其悔悟而後已，比来如麻城张氏、蕲水胡氏，皆以修谱讦讼，大失敦本笃亲、敬宗睦族之意。”[②] 在户籍、赋役制度的影响下，明初许多所立之户逐渐演变为户族，这里暂不讨论一户之内的整合，而将视线主要集中于宗族之内各“户”之间的整合。

文献记载：一世祖郭云甫“原籍江西饶州府余干县枣树林大塘郭，始迁云梦县，明洪武初年，祖与昆弟虚甫、明甫二祖又复奉调入

① 黄冈《郭氏宗谱》首卷十二《捐约》，民国二十二年四修，活字本。

② 黄冈《谢氏宗谱》卷首《黄州知府祁宿藻序》，民国戊午年，大祠藏板。

黄”[1]；又三世祖彦忠于“洪武二十九年（1396年）以人材选赴顺天府锦衣卫校尉，后以功升斧钺司”[2]；彦良“以闲吏于洪武二十八年（1395年）擢授辽东左卫百户”[3]，显然，郭氏迁居初期当与军户有关。于志嘉指出：“明王朝成立以后，统一的事业仍不断的进行，每下一地都会招集降兵为军。已收集的各地若有旧势力之部队残余下来，亦会委任原管官回原籍收集，用以充军”[4]，这里我们已无法断定郭云甫及其弟是否属于这类军户移民，以及二世所立之户是否属于军户，但彦忠与彦良两人及其后裔从属于明代军户系统当无疑问。其中彦忠之孙郭球仍返回本地居住，万历年间，郭知易纂修墨谱时，将彦忠与彦良两支的世系加以记载，至宗松续修墨谱时，却完全不提此两支的情况，甚至连居于本地的郭球之支系也只字不提，致使道光八年（1828年）创修宗谱之时，存恺发出感慨：“球公世系颇见蕃盛。墨祖（郭知易）老谱仅编至十一代，想必于十一代后尚未及见，独不解（宗）松公续谱，与十一代仅隔一世，何以未及详明，岂此支渐次凌夷，尽归乌有欤？抑其后仍归顺天，远莫至之欤？顾又有疑者”，最后，还是存恺自己道出了原因：“或以其支既属军分，因不与之联世系欤？”[5]

明清军户的负担极其沉重，往往成为人们极力规避的对象。论者指出：“不论从原籍分出去的是大宗或小宗，本诸认祖归宗的宗族伦理，只要有能力追溯出共同的祖先，统宗合谱是最理想的状况。然而，沉重的军役负担常常成为谱系断绝的直接因素，许多军户因为畏惧军役牵

---

① 黄冈《郭氏宗谱》卷一《一世云甫祖小序》，民国二十二年四修，活字本。

② 黄冈《郭氏宗谱》卷一《彦忠祖系小序》，民国二十二年四修，活字本。考彦忠于“洪武二十九年以人材选赴顺天府锦衣卫校尉”，据《大明一统志》卷一《顺天府·沿革》称：“本朝洪武初改为北平府，永乐初改为顺天府”；《明史》卷六《本纪六·成祖二》称：“（永乐元年二月庚戌）改北平曰顺天府”，显然，修谱之人似根据祖辈口头传说编写。

③ 黄冈《郭氏宗谱》，卷一《彦良祖系小序》，民国二十二年四修，活字本。

④ 于志嘉：《明代军户世袭制度》，台湾学生书局1987年版，第4页。

⑤ 黄冈《郭氏宗谱》卷一《彦忠祖系小序》，民国二十二年四修，活字本。

连，甚至不敢修谱。”[①]同理，黄冈郭氏执意割裂与属其血亲范围内的军户之间的联系，因此这部分族人就很自然地被剔除于宗族的范围。

论者在对位于珠江三角洲的中山小榄镇的研究中，提出了“宗族观念下移”的概念，即“沙田地区的政治经济状况和多渠道的财富来源，使这个地区有可能较快地分化出许多宗支房派……亦即是宗族的‘分化’的过程。然而，当这种分化到一定程度时，为了向对手显示实力，又有必要经常地巩固和加强在同一始祖荫庇下的宗族联盟。这是一种既符合士大夫文化传统，又不违背政治规范并被积极采用的组织手段”[②]。黄冈郭氏与之有类似的地方：明初即分为郭成与郭玉两支，至万历年间又形成了成一、成二与玉分三大支系，乾隆年间三支才在郭维显的倡议下共建同一始祖的祠堂。所不同的是，成分在万历年间的分户除与地方经济的发展有着很大的关系之外，两次“分化”更主要的是由于国家户籍、赋役制度的影响所致，更大的区别在于，将郭氏的“分化”称为“血缘群体的分化”似乎更恰当一些，毕竟此时的郭氏尚不是严格意义上的宗族。然而，在同一户名下繁衍的血缘群体由于共同承担赋役，因而要更具凝聚力一些，如与郭氏相邻的丁氏谱中就因为户名不同而认为两个丁姓并不同宗[③]。

因为族人不能确认丁氏是否为同一始祖所繁衍，郭氏则有可以共同追认的始迁祖，即使这并非事实，但仍为族人所深信，因此在宗族成立之时，仍可联合各户。然而，处于血缘群体时期的各户仍然因为承担赋役而各自独立发展，并且这种趋势将可能产生一户一族的模式，如郭知易所修之谱只包括了成分。即使是同由成分分户而来的成一、成二两支，同样存在这种趋势，就在郭宗源致力于宗谱修纂的同时，成一分亦

---

① 于志嘉：《明清时代军户的家族关系——卫所军户与原籍军户之间》，《“中央研究院历史语言所”集刊》第74本第1分，2003年3月。

② （美）萧凤霞：《文化活动与区域社会经济的发展——关于小榄菊花会的考察》，叶显恩主编：《清代区域社会经济研究》，北京：中华书局1992年版。

③ 相关史料见黄冈《丁氏宗谱》卷首《丁炎、杰同姓不同宗序》，抄本。

有人开始编修本支谱牒，宗源在乾隆十七年（1752年）记曰："又尝微窥成一分中，有各纂其谱，不相扶同之意，然果能纂修彼分，不至废坠，亦老人所甚愿望，何分彼此。"[①]同样，成、玉两分在十一代以前各自独立发展，《宗谱》曰："（玉分）十一代以前与我成分来往隔绝，各自为派，故墨祖创谱未录其支，（维）昌公续谱亦未采入，因于序首啧有烦言，后之人倡而和之，遂以为口实，而郭成、郭玉日益阔疏。迄我曾祖峻公督修祠宇，考其世系，始与合祠，以昭睦族。今又纂修谱牒，议者多以前代未经合谱为言，但既合祠，安得不与合谱？道光甲申岁，约其填注各支，录部缴阅，分看合看，井井可观，余等按部就班，总成卷帙，前此固未及考，而今则条理分明矣。"[②]从这段记载来看，维昌的合谱努力反而使得成、玉两支的分歧越来越大了。维昌在谱中并未有传记，可见其声望并不显著，大概正是这种权威性的不够，使得真正能够完成宗族整合的重任落在了族内当时的风云人物——维显的手中了。

或许我们可以作一个推测，若是宗族自身发展的历程没有被历史进程所打断，可能会进一步联合与郭云甫同迁本地的虚甫、明甫二人的后人，至少是其弟明甫之后，居于离此地不远的石屋山区的希秀一支。事实上，修谱者已经有了这方面的意识，在创修宗谱之时，就将希秀后裔的户族——郭秀于乾隆十年（1745年）的修谱及乾隆九年修祠的序言收入其中[③]。通常，宗族组织壮大的一般途径，就是不断地联合更大的血缘范围内的族人，到后来，甚至以同姓为标准而进行联宗。当然，并不是每一个宗族都能够走到这一步，这仍取决于如何解决各种族内与族际的矛盾。在郭云甫后裔中，成分很明显的由于人众势大而处于主导地位，而郭秀则与玉分不同，他们更早地完成了收族活动，与成分的力量对比并不处于劣势，这种情况下的联合所涉及的问题就更加复杂了。另

① 黄冈《郭氏宗谱》首卷二《再请缵修本支谱牒原引》，民国二十二年四修，活字本。

② 黄冈《郭氏宗谱》卷一《二世希诚祖系小序》，民国二十二年四修，活字本。

③ 见黄冈《郭氏宗谱》首卷二《附郭秀修谱序》及《附郭秀修祠序》，民国二十二年四修，活字本。

外，宗族组织仍有其发展的极限，仅从族内来看，由于组织的不断壮大，随之而来的各种权力斗争就将有可能制约着组织的进一步扩展。

郭氏在以同一始祖整合的宗族成立之后，族内的各个分支才大规模地开始了各支私祖的祭祀组织的建设，这大概是因为联合宗族的努力使族人增加了敬祖的观念，而且看到了宗族作为团体的竞争优势。同时，就应该有出于宗族内部的权力斗争的需要，当郭氏宗族发展到一定程度之后，以更近的血缘关系联合起来，对他们在族中的地位将更加有利。但我们仍然不能忽视精英人物在这些组织建设中的意图，他们看到了通过热心宗族事务，可以获得声望的抬升，并且亦可在族内占据一定的发言权，因此也致力于这些建设，如中腰塆支祠的建设首领为彬祥、彬宜、坤元、世仪、公望等五人，他们就声称："建此祠等，仆等五人之微劳也，所有祠中事务，议定归五人后嗣经管，他房不得与闻。"[①]当然，这种组织内分支的建设仍是在同一宗族认同下的活动，这或许就是宗族不断统合壮大之后的一个结果。

经过一番统合，郭氏宗族成为了当地首屈一指的巨族[②]，族内的公产也获得了有效的扩充，其中一个扩充途径就是通过收取钱财或田产等为代价，以允许去世族人的牌位进入祠堂而受到全族的供奉。这正是由于此时的宗族已经成为不仅是祭祀祖先的血缘群体，而且更是统治族人、有时亦是救助部分贫困族人的社会组织的表现。血缘关系当然是宗族认同的基础，然而某些其他弱小的群体亦可通过对血缘的附会，而被宗族组织所吸纳，从而受到强势群体的支配。如距郭氏聚居之地十数里之遥的郭家塆，就被吸纳入宗族组织中，《宗谱》记曰："郭家塆者，相传以为玉族一分。昔余曾祖督修祠宇，议刊列祖木主，佥曰：'宜粟不忘本'，而斯塆实供奉之。比来修辑宗谱，相约各亲各支，刻期缴薄，

---

① 黄冈《郭氏宗谱》首卷十二《中腰塆建修支祠序》，民国二十二年四修，活字本。

② 今天郭氏居住的自然村落就有40个之多，笔者在当地调查时，其他宗族的说法也印证了郭氏巨族的地位。

即山川修阻，亦渐次伻来。矧伊介在密迩，僱单屡次，曾不一通世系。丙戌（1826 年）复命弟祺及族元公同往采访，乃知伊墩明季遭兵火之变，老谱失传，十二代以前颇多刺谬，迁于何年，来于何自，派于何出，渺不及知。成分耶？玉分耶？何今是而昔非耶？第渠簿首有讳见吾公者，其曾孙辈皆承字派，而玉分文朝祖后世寓公亦讳见吾，其后尤多承字辈派，是伊已属玉分亲支，亦可无疑。特以世系中断，莫可寻源竟委耳。但修祠既与连合矣，今虽不敢妄为串凿，从而乱之，亦何敢掩其先德，忍而弃之。爰就所开，刊诸谱后，仍讹踵谬，不赞一词，以见郭公夏五之意。其传疑者，正所以征信斯谱者也，后有智者能联而贯之，是所厚望。"[①] 文中对郭家墩的血缘做了近乎推测性的判断，修谱者还希望后人能够将这一判断更加自圆其说，正显示出血缘关系在宗族中已成为一种组织整合的手段，真实的血缘关系可以，通过附会攀援的血缘关系同样也是有效的。

有必要提及本地宗族对四川不同的两支族人截然相反的两种态度。每一个宗族都有人离开聚居地外迁他处谋生，对于这部分族人，只要有条件，本地宗族都会努力地将之纳入谱中，以示对于同一血缘关系的重视，然而出于利益的考虑，本地宗族似乎更加欢迎那些在外获得成功的族人，对于那些与本地宗族存在利益纠葛的族人，就有可能将之摒除于宗族之外了。郭氏有大量的族人迁居四川，迁居于四川云阳县云安厂的族人通过加工贩卖井盐而获利颇丰，当太平天国军切断了两湖地区的淮盐供应时，他们更是以此为契机而成为巨富。同治年间，本地宗族欲再次续谱，然而由于太平天国运动及捻军起义等战乱的破坏，面临资金困难，于是存恺之孙启宇前往四川寻求其赞助，数月之后云安厂族人携巨款前来，助成续谱。[②] 此举得到了本地宗族的盛赞，并使得迁居云安厂的族人与本地宗族的联系更加紧密，以后本地的历次续谱，均将其作为

① 黄冈《郭氏宗谱》卷四十《郭家墩支序》，民国二十二年四修，活字本。

② 黄冈《郭氏宗谱》首卷二《续谱告竣序》，民国二十二年四修，活字本。

重要内容而予以记载。相反，迁居四川江北县静观厂的族人就是另外一种境况了。

1932年，静观厂郭氏从云安厂处得知黄冈老祠续谱之事，于是致函黄冈郭氏，称其祖郭之文系康熙年间由黄冈县庶安乡郭家庙岩门社郭家寨迁来，“故将所买田业，交托郭载朝经营，每年收租，以作楚地宗祠祭祀之用，转托徐、朱二亲同为照理”，因此请老祠代查“黄冈族谱有无郭载朝其人否，郭载朝现时有无后嗣可考否，郭载朝经营郭之文所托产业现时仍作楚地祭祀否”等等问题，并且因为怕老祠引起误会而再三申明：“以上所云请求调查郭载朝管理郭之文所托产业及载朝有无后嗣可考等语，纯系借此事实，以好清查真实根据，并无心怀觊觎，别有妄想也。”[①] 黄冈本地宗族复函承认其“更信出自吾籍，疑义全无”，然而对于郭之文留有产业则不予承认，并对静观厂的再次来函置之不理，由此而断绝了与之的联系。这两个事例虽然都是针对外地族人，但由此而反映出的有关宗族统合与摈弃过程中所采取的立场则是相通的，宗族的组织化过程，正是从血缘群体蜕变为利益集团的过程。下面以黄梅程氏为中心，讨论一下作为象征的公产。

族产的收入为宗族举行祭祀以及其他各种活动提供了经济上的来源，但当我们从另一个角度思考时，就会发现声称对于族产的所有，更预示着一群人对于宗族的归属感，这种“有分”与“无分”的区分，使得族产成为一种象征、一个标尺，用之可以清晰地界定一个宗族的范围。同时，对于族产的支配权，以往论者亦多从阶级分析的角度来思考，从而忽视了它同样可以映衬出各个房支在族中的地位。从郭氏的个案，人们可以看出：由数户组成的宗族在整合过程中，需要面对原本以“户”为单位而存在的不同血缘群体之间对各自利益的要求，这里，试再以黄梅县程氏的个案为中心，从族产的象征意义出发来探究这些以“户”为单位的各房支在整合过程中相互之间力量的调适。

---

① 黄冈《郭氏宗谱》首卷二《第四次续谱四川静观厂来函一》，民国二十二年四修，活字本。

清代，黄梅县程氏的三大房支分成了两方，为了争夺二世祖墓所在公山上的树木，分别于乾隆四年（1739年）至十三年（1748年）、乾隆十八年（1753年）、道光八年（1828年）至九年（1829年）、道光二十七年（1847年）至二十八年（1848年）等四次相互告讦。对于这种内容，族谱通常都不会予以记载或是仅有只言片语而已，幸运的是，黄梅县博物馆藏有一部名为《民间案卷》的手抄本[①]，它记载了大约四十个清后期县衙所审理的案件，其中第四十案详细记载了道光八年至九年以及二十七年至二十八年，程氏宗族的伯玘、伯达与伯政三房两次争夺公山树木的诉讼审判过程，其中对前两次官司也有所追述。以这一资料为主线，加上笔者在实地调查中所得之光绪丙申《程氏宗谱》（伯达支）、民国癸亥《程氏宗谱》（伯达支）、民国八年《程氏宗祠汇编》、1989年《程氏宗谱》以及1998年所编修之《程氏籍梅志》等资料[②]，当可就上述问题来略加回答。

关于入赘与附户的问题。道光八年（1828年）六月初二日，程氏伯政分的程利用、程宏义等带人砍伐了位于居所附近的二世祖来三公墓地所在的双凤林松丫，程氏另外两分伯玘与伯达的后裔程秀华、程乔松等人闻讯之后，马上赶来制止，利用等人不理，反称祖山上的树木秀华等人“无分”，秀华等只得找来山邻郑待鹿、陈其瑞等理处，利用等依旧不听，无奈之下，秀华等八人于初八日以“强伐吞公、恳究保祖事”为名，向时任黄梅知县的邓彬联名递交了状纸，由此双方展开了长达一年半时间的打官司过程。[③]

事实上，这不是双方第一次为此打官司了，早在乾隆四年（1739

① 在本书的中页及末。页题有“光绪八年岁次壬午仲春月程芹香抄”“光绪九年岁次癸未孟秋月程芹香抄”字样，疑为时任书吏的程芹香所抄录知县审理案件的衙门档案，书名《民间案卷》应为后人所加，当然，对于本书尚有待于进一步的考证。

② 可惜的是，笔者在调查中没有找到伯政与伯玘两支的谱牒。

③ 黄梅《民间案卷》，手抄本，第40案，以下关于诉讼以及双方的说法除注明之外，均以该书记载整理而成。

年）至十二年（1748 年）以及乾隆十八年（1753 年），伯政分的程亚伯等与玘达两分的程建中、程加茂等就曾展开过激烈的诉讼。这也不是双方最后一次争夺祖山上的树木，在近二十年之后，以伯玘、伯达后裔为一方，伯政后裔为另一方又一次为此事而呈诉公堂。根据伯政一方的说法，程氏始迁祖程晃于宋末在黄梅任知县，后来落籍于此，单传五代之后生伯玘、伯达和伯政三子，以后伯玘传至浩而入赘邹姓为后，伯达传至文皆之后就无嗣，康熙年间伯玘的后人请求归宗，而一群所谓伯达后裔之人则本身是附户，他们虽然同意了两支可以与祭，但并不意味着伯玘、伯达支就拥有了二世祖坟山上之树木的所有权。与此相对的玘、达一方则认为伯玘本是大宗，因此不可能入赘他姓，而伯达并不是政支所说的没有后人，也不存在所谓的“附户”，政支一方之所以能够公然无视他们的存在而占夺祖山树木，是因为在明清换代之际玘、达两支的人口及财力受到了极大的削弱，相反，政支没有太大的损失，并且因为保护了祖产而在族中处于优势地位。

今天居住在黄梅的程氏共有 14 支，依其落籍黄梅的时序列次为：晃、景臣、鸾祈、恒懋、乔木、慕泉、柏、事礼、显祥、奋八、其昌、建坤、述玉、福堂、道坤，其中，程氏宗族即为首先迁居黄梅的程晃之后裔。[①] 对于程晃，现存的黄梅各县志均称其为“江西浮梁人，宋宝祐二年（1254 年）登文天祥榜进士，任黄梅令，时莫山寇起，身率邑民斩群贼，保捍一方，民戴之，寻家焉”[②]。明成化十八年（1482 年），新安进士程敏政所修之囊括篁墩 44 支程姓的《大成谱》对他也予以了记述，称其为程氏南宗富后 18 世。[③] 由此可见，程晃的落籍似乎无甚疑义。拥有这样一位对当地有着特殊贡献的始迁祖，对于其后人来说当然是一份

① 程氏籍梅志编纂领导小组编：《程氏籍梅志》，内部资料，1998 年 7 月，第 29 页。

② 见顺治《黄梅县志》卷四《人物志 · 宦绩》，乾隆《黄梅县志》卷九《职官志 · 名宦》以及光绪《黄梅县志》卷二十《职官志 · 名宦》，其中，顺治以及乾隆所修的县志中还说明了程晃于宋祥兴二年来此任知县。

③ 参见程氏籍梅志编纂领导小组编：《程氏籍梅志》，内部资料，1998 年 7 月，第 30 页。

值得炫耀的事，县志记载了万历年间，时任黄梅知县的来三聘曾为程晃书写墓志。[①] 落居之后，程晃后裔的繁衍则出现了数个版本，《大成谱》载晃生采三、万四；再传，采三生荣五、万四生寿一；三传，荣五生彦杰四，寿一生太四；四传，彦杰四生伯玘、伯达、伯政、伯显，太四生伯琛。婺源程士培于清康熙四年（1665 年）所修之《江东谱》则记载为：晃生来三；来三生万四；万四生荣五、寿一、寿五、寿六；寿五、寿六无传；荣五生彦，彦生伯玘、伯达、伯政、伯显，太四生伯琛[②]。

另外，康熙三十二年（1693 年），邑绅黄利通为伯达支的《程氏宗谱》所写序言称："予邑有程氏者，其上世……晃公以宦来梅，已而籍于梅，传数世而玘、达、政三公鼎足并峙"[③]，似乎遗漏了伯显与伯琛两人，而民国八年（1919 年）本县程鹏瀛所修之《程氏宗祠汇编》中又出现了"彦公长子伯瑛"的记载。[④] 今天的程姓则仍然采用了《江东谱》的说法[⑤]，并称现在的晃公后裔分为五大户，分别为伯玘、伯达、伯政、伯显和伯琛五支，而今的程氏族中已经无人提及伯玘后裔曾入赘邹姓一事，只是称有伯琛后裔入赘过姚姓，而后归宗之事[⑥]。

纵观各种文献，当以成化年间所修的《大成谱》更具说服力。但这部谱牒并非程晃后裔之族的专谱，其记载的时限也仅到伯玘等人的下一辈，至于伯玘之后入赘邹姓，以及伯达之后文皆无嗣，则是在其记录时间之后发生的，自然也就没法记载了。属于程晃后裔的所修的谱牒最早是伯玘与伯政两支于康熙三十二年（1693 年）各自分修的支谱，估计此

---

① 光绪《黄梅县志》卷三十八《杂志·坟墓》载："文林郎程晃墓：在小溪山石谷村，有邑令来三聘墓志。"

② 参见程氏籍梅志编纂领导小组编：《程氏籍梅志》，内部资料，1998 年 7 月，第 30—31 页。

③ （清）黄利通：《黄梅程氏小溪凤凰山谱序》，见黄梅《程氏宗谱》卷一，光绪丙申年，以安堂刊本。

④ 参见程氏籍梅志编纂领导小组编：《程氏籍梅志》，内部资料，1998 年 7 月，第 32—33 页。

⑤ 见黄梅《程氏宗谱》卷首，1989 年，安定郡刊本。

⑥ 据 2005 年 10 月 23 日，徐斌、江田祥采访伯政分程时夫老人（时年 71 岁）所得。

时双方已经采用了前述两种不同的说法了。[1]这种对于始迁之后的许多事情记载不清的情况并不稀奇，实际上，黄州的大部分宗族都曾出现过这种现象，原因无非有二：一是宗族本身缺乏记载，后人在修谱之时附会而成；或者是后人有意隐瞒事实而进行了篡改。对于伯玘入赘邹姓一事，显然后一种可能性更大一些，林济就指出了黄州早期移民社会的血缘姓族关系并不十分严格，血缘关系甚至存在着某种程度的混乱状况，赘婿改姓及异姓继承宗祧与财产的情况曾经普遍存在。[2]至于作为大宗的伯玘分支后裔不会入赘的说法，显然在当时宗法观念尚未深入民间的时候并不具有太多的约束力。另外，对其入赘邹姓一事，现在仍然有蛛丝马迹可寻，伯玘后裔聚居地邹福庆据称就是“邹姓有一富户名福庆，终身只生一女，许浩（即伯玘之裔）招赘承嗣。浩入邹生子四：启椿、启松、启式、启杜。时人均以邹称，其所居之地遂称之为邹福庆”[3]。

需要从户籍、赋役的角度，了解伯达后裔附户之说。由于程氏自身的宗谱缺乏有关立户入籍的记载，我们只好以其他记载来略作分析。成化年间的《大成谱》指出程晃的四世孙为伯玘等人，并且还记载了伯玘与伯政之后的第三代[4]，按三十年一代来推算，伯玘等人应为明初时人，他们很有可能分别立户入籍。这个推测应该是可以成立的，如今天的程姓就称族内有五大户，另外，与之相类似，县志中记载了岳飞的第四子岳震在隐居黄梅后，“其后分为十三户”[5]。同样，这个推测也可以解释程氏宗族的分支为何是以伯玘等人为分界点的。就黄梅县“户”的变动而言，有关伯达后裔的“附户”的记录，与之最为接近的是万历年间署

① 参见程氏籍梅志编纂领导小组编：《程氏籍梅志》，内部资料，1998年7月，第198—200页。

② 林济：《长江中游宗族社会及其变迁——黄州个案研究（明清—1949）》，北京：中国社会科学出版社1999年版，第45—46页。

③ 程氏籍梅志编纂领导小组编：《程氏籍梅志》，内部资料，1998年7月，第46页。

④ 参见程氏籍梅志编纂领导小组编：《程氏籍梅志》，内部资料，1998年7月，第44页。

⑤ 乾隆《黄梅县志》卷十一《人物志・侨寓》。

任知县曾维伦进行赋役调整时所实施的“粮不及额者附”①的规定，如果属于这种情况的话，那么他们的人丁及田产较少，因而势力亦不甚强大。然而，伯政分曾在供词中透露出这些“附户”的祖先是“逃荒而来”，显然这里的“附户”应当为某些“逃荒而来”之人借用了伯达这个户名纳粮当差，从而取得官方认可的编户齐民身份。因此，伯政分强调伯达后裔属于“附户”，以致并不具有真实的血缘关系之说似乎更具说服力一些。不管这些“附户”属于上述两种情况中的哪一种，他们必然在程氏的宗族中均处于从属的地位。

在历史发展的过程中，伯玘、伯达、伯政三户因为不同的原因，从而走上了不同的发展道路。伯玘的后裔——程浩入赘邹家，继承了邹福庆的田产，因此极有可能同时继承了邹福庆原来的户名，从而丧失了自己本身的户名。伯达户则似乎出现了伯达的真实后裔虽然无传，但是还有在这个户名下纳粮当差的一群人，他们与其他程氏族人虽可能没有真实的血缘关系，然由于仍借用此户名，因而仍对程氏之始迁祖程晃存有认同感。伯政的后裔则由于人丁的兴旺，并且一直在伯政这个户名下繁衍生息，从而形成为具有真实血缘关系的一族了。这里不清楚伯政户是否位列于清初的“四百二十户”之中，但可以肯定的是，他们作为一个整体得以保存。正是这种整体的“纯粹性”，使得伯政一支在晃公的后裔中以正统自居，从而掌握了晃公这面日后号令全族的旗帜。②入清之后，这几个不同命运的支派开始在程晃这个富有感召力的始迁祖名下走向了整合，然而他们之间相互不同的命运使得整合的过程同样充满曲折，于是诉讼出现了。

关于对内与对外的问题。道光八年（1828年）六月初八日，知县邓彬决定受理此案，并指示差役将状纸上开有名目的各色人等唤齐候讯。

① 乾隆《黄梅县志》卷三《赋役志上·乡图》。

② 据2005年10月23日，徐斌、江田祥采访伯政分程时夫老人（时年71岁）时称，程氏宗族的族长一般都是由伯政分下的子孙出任。

在随后双方你来我往的相互控告以及庭讯中，邓彬凭借着多年的审案经验，意识到这并非普通的宗族内部争产案件那么简单，双方的真实意图并不在于树木本身，而都是集中在这份公产背后所蕴含的象征意义，毕竟，祖山上树木本身的价值并不值得双方为之付出如此大财力和精力来进行旷日持久的官司。即使他做出了与我们相同的判断，但是对于这种民事案件，他应该像一个大家长一样去调和而不是激化矛盾，他知道，需要谨慎处理此案。于是，本次庭讯之后，邓彬在很长的一段时间内没有再开庭审理，对于双方的不断呈控，他也只是批示“候讯”而使官司陷入了停滞。邓彬的感觉是对的，的确，公产在这里就成为了一种象征，其意义分为了两个层次：首先，它可以界定一个宗族的边界，也就是说对公产必须“有分”才能算是属于同一个宗族之人；第二个层次是，在同一个宗族内部，拥有公产的支配权就可以确定在族中的主导地位，毕竟“有分”并不代表就有支配权，显然，后一个层次的含义更进一步。程氏中，首先意识到了这种象征意义重要性的是玘、达一方。

虽然玘、达一方的说法并不具有太大的说服力，但是在清初，伯政分在三支中的确处于优势地位，这种优势就表现在他们掌握着族产，对于这一点玘、达方也是承认的，他们即称其“保护了祖产”。我们缺乏有关程氏设立公产的时间记载，但有一点可以肯定的是，晃公祭田应该是以伯政一方为主导而创设的，可以说，伯政一方已经掌握了这种象征资源。伯玘后裔因为入赘而使自己在晃公后裔中处于边缘地位，声称是伯达后裔的那群人因为本身是“附户”而使自己不被承认，两支由于不同的原因但同样处于边缘地位的人走向了联合，开始为改变他们的边缘地位而向处于优势地位的伯政分发起了挑战，他们选择的目标就是作为象征的宗族公产了。光绪年间伯达支所修的《程氏宗谱》中记载了一份康熙三十三年（1694年）伯政后裔程亦朴卖晃祖祭田二股与伯玘、伯达后裔的契约[①]，可以看到，玘、达一方的第一次动作选择的是最具象征

① 黄梅《程氏宗谱》卷一，光绪丙申年，安定郡刊本。

力的始迁祖晃公的祭田，而且显然获得了成功。虽然暂时缺乏证据说明为何伯政分会将祭田卖与玘、达一方，但这似乎也并不难理解，毕竟他们是以购买祭田的方式来参与到晃公的祭祀之中，其本身是有了付出。当玘、达一方以为这样就能够使其在族中的地位获得承认，并进一步对二世祖墓所在公山上的树木提出要求时，此时的伯政分已然醒悟，于是在将晃祖祭田出卖给玘、达一方，从而使得在“有分”“无分”的第一道防线不攻自破的情况下，他们以这些树木为由筑起了另一道防线，以此强烈抵制玘、达一方对于其支配权的挑战。

问题在于，既然晃公的祭田能够卖与玘、达一方，就是承认了他们在族内的合法地位，那么又有什么理由阻止其对于这些树木的要求呢？何况据与“两造都是亲戚”的山邻供称此山的树木本来就是公共栽培的。为了弥补这一缺陷，伯政方将过错推与了程亦朴一人之身，称其是私卖祭田，但是缺口已经产生，于是玘、达一方循着这一突破口通过四场官司，以及其间的其他作为，努力地寻求与政支“品列三分”的地位。乾隆四年（1739 年）至十三年（1748 年）的第一场官司同样缘起于政支的亚伯等人砍伐了此山的树木，以至于玘、达方为此上控。这场官司历经了岑□□[①]、杨黼时两任知县，最终于乾隆十三年（1748 年）四月，杨黼时断令“祖为公祖、山为公山、树为公树”，首先肯定了伯玘、伯达等人的后裔拥有了在族中的合法地位，然而，他又进一步指出如果公树，玘、达两支各占一股，伯政支占有四股，如属枯枝，尽属伯政一支所有，同样又照顾了政支在族中的优势地位。可以说，这个断语是对双方当时实际状况的一种认可，因而也只能是一种暂时的妥协，伯政支或许还会寄希望于诉讼而将玘、达一方排斥出宗族之外，而玘、达一方更由于他们在族内的地位仍然没有得到改善，因此，再一次的对簿公堂只是迟早的事情。

---

① 在县志中，笔者并没有查阅到乾隆年间有岑姓就任知县，但《民间案卷》中是如此记载的，这里姑且采用案卷中的说法。

乾隆十八年（1753 年），伯玘、伯达一方首先翻案，但知县杨黼时仍然维持了原判。之后，前面描述的道光八年（1828 年）六月初二日的一幕出现了。这次伯政分砍伐祖山树木的行为显然带有一定的挑衅性，其目的正在于挑起另一场诉讼，以此强化本支在族内的主导地位，甚至达到将其他两支赶出宗族的意图。在知县邓彬休庭“候讯”期间，私下的调解工作也在以生员孙材为首的几位本邑绅士的努力下紧张地进行。他们的调停起到了一定的效果，在一年之后的道光九年（1829 年）九月间，他们向知县递交了一份呈词。

按此呈词，双方在知县面前书具了甘结，情愿终讼。然而，这次调解的后果明显有利于玘、达一方，调解结果强调了树木按“六股均分”，并且极力解释了之所以发生纠纷，是因为伯政方为了修路的公益事业而挪用了公产收入，言下之意不仅承认了玘达一方对树木“有分”，而且还认可了他们的处置权。如果这次调解成功的话，那么伯玘、伯达两支一直寻求的平等权已然获得，本次官司则以伯政方的完败而告终，这当然有悖于他们砍伐树木的初衷了，几日之后，伯政分以生员程宗耀等人为首的，在本支中更具影响力的另一群人，马上向邓彬再次递交控状。控状中宗耀等怒斥了息中的说法，并称先前的具结是受人蒙骗所至。官司只得继续进行。

鉴于伯政分出面的人员俱是具有生员、监生及贡生头衔的绅士，知县邓彬受到了很大的压力。十一月，邓彬再次开庭听讯并做出了最终的判定，这个断语基本上仍然遵循了前令杨黼时的审理结果，双方谁都没有达到各自更进一步的目的。庭讯结束之前，程宗耀等人还进一步要求知县将道光四年以伯政支为主导所立的祖山禁约，以及他们所抄录本案案卷钤印，希望以此获得官府更进一步的认可，但被邓彬以“抄案页幅繁多、未便给印”为由予以婉拒。或许过去累年的官司使得双方都在反思是否值得的问题，此时双方都有了退一步的想法，对于伯政支而言，与其争斗下去，还不如承认其他两支同属于本族，以此既可“收族”又能扩大本族的势力，但本支在族中的优势地位还是应该保持的，而玘、达一方或许在思考是否必须非要以打官司的形式才能获得族内的平等权？

光绪年间伯达分所修的《程氏宗谱》又记载了一份道光十四年（1834年）九月二十九日立的契约，这是伯政支将“小溪镇晃祖墓前水田一幅，并先年赎置祖山后田山一所，品作六股，内将一股载粮一升，凭族拨与程公伯达族后裔名下培族管业”，并“当得时价九九钱二十串文整”[①]。这个完成于第三次官司之后不久的交易，显示了伯政分已经完全认同了伯达等分属于本族的现状了，他们不再抱有将其逐赶出族的想法，退而努力保持自己在本族中的主导地位。另外，伯达支愿意再次出钱购买晃祖祭田，证明了他们也正在尝试除去官司之外的其他途径。冰山开始融解，双方的关系正在慢慢地得到改善。

道光二十六年（1846年），相互内斗的程氏三大房支遇到了来自外部的威胁[②]。这一年，程氏在其三世祖万四公墓地所在的马头山上栽植的松秧，被居住于附近的朱姓拔去，原来，朱姓在此山脚下亦葬有坟冢，他们进而声称对此山拥有所有权。“外患”的来临使得三大房支走向了联合对外的道路，其中最为积极的是被认为没有真实血缘关系而最不受认可的伯达一支。面对朱姓的挑衅，程氏以伯达支的生员程涣廷、程崇为首向知县梅体萱递交了控状，知县谕令“断令程涣廷等照旧绍业，沟北之坟听朱可兴等祭扫，程姓不得以山没坟，沟南坡形，朱姓不得冒坟占山，倘再滋事，重究不贷”。这是一个有利于程氏的审判，朱姓当然不服，于是他们越过了知县而直接向黄州知府提请了诉讼，这一次朱姓更拉来“钱光延、岳国安、吴蓬岚等混扯马头山为殷家圩之随田山，旁出插讼”，程氏面临的困难更大了。然而，在程涣廷、程崇等人的努力下，知府祁宿藻还是维持了原判。

---

① 黄梅《程氏宗谱》卷一，光绪丙申年，安定郡刊本。

② 本次程氏与外姓的诉讼是据黄梅《程氏宗谱》（光绪丙申年，安定郡刊本）卷一的记载整理而得，下不加说明；另，民国八年（1919年）所修的《程氏宗祠汇编》在卷三《万四公墓后山界说》中，对此也有记载。

这场突如其来的争端，正为玘、达一方提供了一个获取族内平等权的良机，他们保护祖山的举动无疑为双方之间业已开始融化的冰山添上了一把旺火，的确，又有什么比为宗族做出了重大贡献更能让人心悦诚服的呢？虽然在此之前购买晃公祭田的行为已经表明了他们拥有族内的生存权，但这毕竟在伯政一方心不甘情不愿的状况下获得的，当他们此次为宗族打赢了官司之后，这种生存权就更显得名正言顺了，然而他们所寻求的平等权呢？是否也已经在这次与外姓的冲突中同时获取了呢？道光二十七年（1847 年）十一月间，伯政分的户首程利灿带人又一次在没有告知玘、达一方的情况下砍伐了双凤林的树木，显示出这个问题还是没有得到根本解决。听得这个消息之后，玘、达分的监生程崇等人也一反直接报官的常态，而是首先预备了酒席，请来伯政分的绅耆程思忠等人理论。宴席中，思忠等均称本房户首难制，并愿意赔偿他们树价两串文，然而等程崇找利灿取树价时，没有得到理会，因此，程崇等只得再次向知县提请了诉讼。

显然，在双方上一次官司结束之后的十多年时间中，彼此之间的关系得到了相当的改善，尤其是经历了与外姓的那场官司之后，玘、达两支的地位已经受到了尊重。此次双方再次对簿公堂，伯政分的内部显然也存在着不同的意见，其中最为明显的表现是，道光九年（1829 年）官司中伯政分的关键人物，生员程宗耀没有如上次官司中那样义正词严地维护本支的利益，反而是加入到劝解的行列中。然而，鉴于几位前任的判定，这次知县还是做出了与他们相同的审理结果。这一结果显然出乎程崇等人的意料，为此，他径直向知府祁宿藻递交了状纸，祁宿藻将案发回黄梅知县，并作了批示。知县再次审理了此案，可想而知，双方本来的分歧已经非常小了，此次的官司只是为了扫清伯政支内少数强硬分子而已。道光二十八年（1848 年）十月初八日，在生员王叶凤、吕东盛以及程氏族内的廪生程应玉、监生程咸登的调解下，双方最终达成了一致，并订立合约[1]。

由此，伯玘与伯达两支取得了与政支“品列三分”的平等地位，官司至此而宣告结束。事实上，我们不能忽视玘、达方在这次官司中获得胜利的另一个重要原因，即隐藏在所有这些官司背后的玘、达一方自身力量的增长，而反映这种力量增长的正是本方生员等绅士阶层的出现。从第一次官司中以“民”的身份具名控告，到第四次以“监生”为首的具禀，包括与外姓的争讼过程中显示的影响力，无不证实着他们实力的增长。在双方第四次对簿公堂的控辩中，玘、达方甚至以“愿丢山树并祠宇，免得苛派”相威胁，显然，随着他们自身力量的增长，确实已经无须非要依附于掌握着晃祖这面旗帜的伯政一方，而可单独建立自己的宗族了。通过对内及对外两个战场，程氏宗族的三大房支终于走向了融合，但宗族的发展仍然在持续，程氏的宗谱中记载了两份咸丰十年（1860 年）的契约，分别是伯显与伯琛后裔将自己所购买的田地“附祭”于晃公名下。[2] 显然，这两个房支安于“晚来者”的边缘身份，使得本次融合很快完成。

二、香火庙：诉讼与械斗

在宗族成长的过程中，难免会遇到尖锐的矛盾。在此，以黄冈许、孔二姓为例，探讨诉讼与械斗对宗族的影响。人们以宗族的形式组织起来之后，宗族便成为他们保护各自在当地的利益及势力范围，甚至是向外扩张势力的重要方式，并且，与外族展开对各种资源的争夺同样亦加强了宗族的内聚力，从而促使了宗族的进一步整合。晚清同治至民国年间，黄冈县许氏与孔氏之间为了一座香火庙的所有权而展开了数十年的争斗。

先看《许氏宗谱》的记载：“大明正德二年（1507 年），阖族经营

① 合约内容见黄梅《程氏宗谱》卷一，光绪丙申年，安定郡刊本。

② 黄梅《程氏宗谱》卷一，光绪丙申年，安定郡刊本。

之，首复于乾隆丙申（1776年），逮至道光辛丑（1841年）两度兴工补葺”[①]，孔姓则称此庙为“万历年间祖辈承淑修建”[②]，修成于2000年的《三店镇志》则采纳了正德年间始建的说法，而此时二姓的祠堂远没有修建[③]，暂且不论谁是庙宇的真正建造者及所有者，我们或许可以推测在尚处于宗族组织制度化之前，存在二姓都对庙内供奉的神灵进行祭拜的可能性，然而，这并不是晚清直至民国时期二姓争夺的根本原因。许氏之谱中载有一篇嘉庆十一年（1806年）署名“庠生徐仁”所作的“普福寺记”，该记曰：“龙丘之北有许氏者，邑之巨族也，其衣冠之盛、家道之丰，固难更仆数。第见诸创建者，于市则有新祠，于乡则有老祠，其于八房又创有别墅建有私祠，虽规模阔大、雅致宜人，究不若所建之普福寺，庙貌清奇、地势曲折，为许氏之锁钥，亦神明之灵境也。”[④]与之相对应的孔姓则是：“我族自江右转徙而来，向无祠宇之建，秋霜春露，祭扫于郭外磻间，清夜揪心不安孰甚。民国八年（1919年），（友三）公遂纠工督费，不一载而涣然可观，诚可对先灵于地下矣。”[⑤]从这里来看，普福寺的建造者似乎是许姓[⑥]，从寺址为“许氏之锁钥”来看，双方的争斗还含有争夺风水的意味，其深层的含义是对家运兴旺的企望。

---

① 黄冈《许氏宗谱》卷首二《普福寺图》，民国乙卯年，敦睦堂刊本。

② 黄冈《许氏宗谱》卷末《许孔在县质讯》，民国乙卯年，敦睦堂刊本。

③ 许氏谱中没有祠堂的始建时间，但绝对晚于明正德年间，而孔氏的祠堂修建则在民国八年（1919年），见三店镇志编写组：《三店镇志》，内部资料，2000年，第304页；黄冈《许氏宗谱》，民国乙卯年，敦睦堂刊本及黄冈《孔子世家支谱》卷首一《友三公传》，民国十六年（1927年），忠恕堂刊本。

④ 黄冈《许氏宗谱》卷首二《普福寺记》，民国乙卯年，敦睦堂刊本。

⑤ 黄冈《孔子世家支谱》卷首一《友三公传》，民国十六年（1927年），忠恕堂刊本。

⑥ 据2004年11月23日徐斌、江田祥采访武汉市新洲区三店镇高尚湾曾参与二姓民国时期械斗的许丹阶老人（时年88岁）称，此庙应归许姓与孔姓所共有之庙。由于许、孔二姓之间存在着田主与佃农的关系，因此香火庙所反映的地域社会中各族之间除了存在着合作关系之外，某些庙宇还反映出庙主之间的支配与被支配的关系。

再看黄冈《许氏宗谱·卷末》的记载[1]，许姓对此事件起因及发展的说法是：普福寺是许姓先人于明正德二年（1507 年）始建，并于乾隆四十一年（1776 年）和道光二十一年（1841 年）两度重修。同治元年正月初（1862 年），许族礼勋、步云等人前往庙内进香，见庙上殿有新铸的铁磬一座，问住持僧人得知是去年腊月三十日由孔姓族人四喜等送往庙中，铁磬上铸“孔姓公立天运辛酉年季冬月造”等字，因磬上不铸咸丰年号，“勋等一见攒眉，又闻僧云孔流言庙系孔家”，依据民间处理纠纷的常规，许姓投鸣当地绅士程道高、朱复源、黄炳珩、黄元凯等验明本寺许姓向官府缴税的印券及所置的梁木牌匾等物，“向孔理论，孔无可答，回言缓日领磬”。然而孔姓并未如言领磬，反于三月初八日由孔均和等带领数十个族人来到庙内，欲刮梁字，僧人元魁在制止时被孔均和等打伤头腰等处，并且庙宇建筑受到一定的损坏。于是许姓在出事的第二天以“为凶占碎伤恳委勘究事”的名义向黄冈知县提起诉讼并向其提供了庙宇完纳税粮印券、招僧住持的领付字约等有关所有权的证据以及殴斗时的人证名字，“喊叩大老爷俯察霸占庙产、碎伤，赏准委勘匾梁、验伤、拘究孔均华（系主持新铸铁磬，着四喜等送庙，今又纵均和统伤碎庙毁梁打伤庙僧打碎格窗人）”，从而使得两姓的争夺进入到了官方审讯阶段。

四日之后，孔姓亦以许氏毁庙并殴伤孔氏族人为由向知县供呈了诉状。孔姓对事情的描述是：万历年间祖辈承淑修建孔家庙，招僧住持，乾隆年间庙宇毁坏时，因其家无钱修整，由其佃种之田东许百万捐钱重修，并于庙中供设孔姓之祖先孔子的至圣牌位（我们后面将看到此孔姓并非孔子的真正后裔）。咸丰辛酉年（1861 年），庙内铁磬破烂，庙僧元亮叫其家制磬，因此孔姓专程从沙市铸新磬送庙。同治元年（1862 年）三月初八日，孔姓前去祭祀，庙僧不许他们入庙进香，因此孔姓只得在庙外磕头，然后与闻讯前来的许姓族人发生冲突，许姓将庙内先圣

---

[1] 有关事件的经过除注明引文出处之外，均据黄冈《许氏宗谱》卷末《普福寺事略》的记载。

牌位丢弃并将孔姓的两个族人殴伤。为此，孔姓提供了自己的墨谱为据，并因为黄姓墨谱中载有“坟向孔家庙等字”也成为孔姓的证据之一，此外，孔姓亦提供了争斗时的人证名字。至于比许姓晚数天投诉的原因，孔姓解释说是“因被团局绅士写一帖信挽调和耽搁几日”，并将书信粘呈在案。

受理此案后，知县程光第做出了初步判断并对二者分别做出批文：“许礼勋，批据尔族捐建普福寺已历多年，且确有凭据，孔均和等欲图霸占，已非情理，迨尔等投绅前往理论，并无不合，何以又复逞强，弜将僧元魁殴伤，并毁庙宇，有无隐饰，姑准查拘，一面委仓埠司勘验，申覆查核审断”；“孔批：孔均华提验孔兆春尚有瓷器划伤一处，明系装点，欲图抵制，孔均甫并未受伤，率称左手被殴，更属刁猾，业经从宽，当堂申饬，许礼勋等有无毁庙情事，尔等果否行凶伤人，已札委仓埠司勘验，听候覆到并集人质讯”。从批文来看，程光第已经较明显地站在了许姓一方，然出于谨慎考虑，他并没有马上做出结论，而是下令由分辖此处的仓埠巡检司前往实地查勘。

在得到仓埠巡检黄嘉树的查勘报告后的四月二十三日，知县正式开堂听讯，在听取了双方的供讯，查验了双方所提供的证据之后做出了最后的堂判，将庙宇判归许姓所有，孔姓族人被掌责，孔姓唯一的收获是将至圣牌位留在了庙中而保留每年春秋两次不完全的入祭权利，许孔二姓的第一次公堂对决以孔姓的完全失败而告终。然而孔姓并不甘心于失败，他们派代表前往山东孔府寻求大宗主的庇护。为此，第七十五代世袭衍圣公孔祥珂直接向湖北巡抚提出重新审理此案的要求，湖北巡抚亦对此显得较为重视，并将此案交给武昌府而非黄冈县或黄州府重审。

同治元年（1862 年）八月初二日武昌知府黄昌辅接到由巡抚转递的衍圣公府公文， 希望该府重审此案。不可忽略的是，巡抚在信后还指示武昌知府：“兹据五品执事孔宪炳、孔广誉、孔宪义等赴司禀到，除饬发武昌府交保候讯外，合亟札饬到该府，立即转移。遵照迅集监生许礼勋、贡生许步云、庙僧元亮并孔昭正等到案，并卷宗佥差妥役解省，听候另行饬发审讯详办，毋稍迟延，切切此札。”上引信中可以看出，孔氏大宗主首先肯定了三店孔姓的族人身份，并对许姓有行贿“钱二千串”的隐晦指控，认为这直接导致了孔姓的败讼。武昌知府随即召集许氏涉案人及寺僧到府，并从黄冈县提取了有关案卷。在读完黄冈县案卷后，知府明显地怀疑了孔府的指控，“复饬孔宪炳等呈出族谱，查核该三房承淑名下注有万历丁丑年（1577 年）建修家庙于北流河口等字样，细验此页纸色字迹与该谱前后均不相符”，这更加深了他的怀疑，随后的讯供使他得出了与黄冈知县同样的结论。至于对许姓行贿的指控，他的调查结果是：“时程令奉文劝办减成捐输，即谕令许步云等量力捐资助饷，孔均和等闻知即疑许步云等贿嘱偏断。”最后，他向宪台提出了“（寺）仍断令许步云等族众管业，听其招僧住持，并令许步云敬立大成至圣先师牌位，永远供奉以示尊崇，孔姓不准再兴讼端，无干省释，未到人证邀免提质，以省拖累”的处理意见。湖北巡抚以此回复了山东衍圣府而销案。至此，双方的第二次对决仍以孔姓的失败而告终。

再回头看这一次的争讼，有特别值得注意的地方。虽说刚经历完太平天国起义时期的社会动荡不久，然而官府此时已经恢复了对社会的控制力。[①]这时孔姓以自己为封建王朝统治之核心思想源泉——孔子的后裔身份对许姓发起挑战，且将许姓侮辱抛弃孔子牌位作为其罪状之一，他们在此采取的策略是动用王朝统治文化权威的象征资源，这种做法极易得到一般为读书人出身的地方官员的认同，作为孔氏庇护者的山东孔府亦向当地官员施加压力以证明权威的存在，事实上他们的施压确实达到了此案由本省首府重审的效果。

许姓在受到挑战后，遵循着官方最为认同的方式，他们首先请来当地士绅进行调处，力争使本案在官方所认可的本地权威的范围内解决纠

---

① 美国学者芮玛丽在对“同治中兴”的研究中曾指出清廷依靠地方士绅的帮助，在一定程度上恢复了对地方社会的控制，参见（美）芮玛丽著、房德邻等译：《同治中兴：中国保守主义的最后抵抗》，北京：中国社会科学出版社 2002 年版，第 154—179 页。

纷，在士绅调处失败后他们则以诉讼的手段直接向正常社会秩序定义者的官府寻求保护，知县程光第对此亦表示了赞赏。从知县决定受理此案亦可得知许姓在本地的社会地位，因为对于民事案件，知县有权决定是当受理还是当驳回。[1]正是基于许姓与官府的良好合作关系，如共同对付农民起义军对于地方秩序的破坏，又如孔姓所指责的官府对许姓的劝捐以支持地方事业，许姓才得以动用官府这一正统资源来维护自身的利益。两次公堂对决均以孔姓的失败而告终，这是因为不管他们如何指责许姓伪造付僧领字等证据，但许氏握有最能体现其所有权的庙产向官府完纳钱粮的印券，官府当然要维护这种由他们自己制定的认可所有权的权威了。对于孔子及山东孔府的象征意义，地方官员们同样没有忽视，黄冈知县程光第以许姓在普福寺中供奉孔子牌位来运成妥协，湖北巡抚将案件交给武昌府而非黄州府重审更是体现了对山东孔府的尊重。然而在官方许可的范围内，孔姓的挑战还是失败了。

争讼并未平息。同治二年（1863年）四月，许氏再次赴黄冈县具控，原因是："（孔均华）胆于本月十九日统领多人至庙，将庙内什物抄抢一空，并将住持三僧捆缚捉去，有僧工人胡志高潜逃信生，但僧住持什物固属庙项而庙系生祖建修，孔挟庙断生家，抄抢捉僧，必怀奸局，累生无奈，报恳太老爷拘孔均华等交僧究退庙项，以杜复占。"此次知县陈汝蕃亲自到现场查勘，然而此时由于捻军在三店一带活动[2]，陈汝蕃并未采取措施，其能亲勘估计也是与之带兵与捻军作战的顺便之举。

同治三年（1864年）春，陈汝蕃又一次接到许氏讼状，诉称："许礼勋、许步云催呈为背咨抢捉擎谕延占事，孔昭兴等占生族捐建完粮庙，讼经前宪断归生管，惩孔占伤。孔违，翻控衍圣府，咨送藩宪提

① 瞿同祖著，范忠信、晏锋译：《清代地方政府》，北京：法律出版社2003年版，第196页。

② 据《三店镇志·大事记》记载："同治二年三月，捻军从（麻城）白果移驻三店，与清军和乡勇激战后撤走。同治三年五月初七日捻军与三店击毙乡勇首领黄俊等。同治六年又于三店击毙乡勇首领胡宗敖、苏昌亨等。"见三店镇志编写组：《三店镇志》，内部资料，2000年，第6页。

审，仍与县同拟，以孔诉不实，满杖饬责发落，咨移在案，孔计闪未决杖责。谳内令生敬主圣牌一语，不思生早遵立，孔则狡请饬立，凿匾抢捉僧胁禁荒田，控宪讯勘明确，孔尤喧闹抢棉夺逃究，央团掣查延漏，团令孔还抢放僧，耗赃酌赔。展今九月不寝不复，谕催不应，激生投四邻与本局九团质理无辞，均可访证开单，伏乞太老爷鉴察违背咨断催团立覆，一面比拘究办追抢交僧。”陈汝蕃即令此地负责团练的士绅对二姓进行劝谕。然而士绅的调解宣告失败。

此时，忙于对付捻军的陈汝蕃无暇顾及此事。数年之后，许礼勋、步云在案等人先后谢世，至同治十年（1871 年），许族继续向时任黄冈知县的恒琛提起诉讼，按照许氏的说法：“孔畏恒公清政究办，迫央绅耆戚邻求和免讼，我族由是隐忍，遵依停控，绅耆公具息销案，又孔宪炳亲书乞和字样于我族，故此寝讼。”

对这第二次争讼，我们的印象是：同治二年（1863 年），孔姓在通过官方取得认可的道路行不通之后，决定撇开官府而以自己的方式——武力来挑战许姓的地位，他们抄抢了庙宇，绑架了寺僧，使得双方的争斗进入第二个阶段。此时，捻军活动于三店镇一带，社会正常秩序已经遭到破坏，我们就不难理解孔姓所选择的策略了，而且这种武力也正是他们所擅长的方式。熟悉地方掌故的徐仲贤老人曾告诉我们，孔姓塆子虽小族人虽少，但他们有习武的风气，当地即流传其族人孔昭润善使长矛，人称“孔武矛子”，曾将为非作歹的英国传教士杀死的故事。[①] 作为正常社会秩序既得利益者的许姓仍然以正统的方式向知县再次提起诉讼，然而忙于应付外来的起义军以维护自身统治的地方官根本无暇顾及此事，只能交给他们同样倚重来对付起义军的地方士绅处理。士绅们的权威来自在本地社会声望，他们只能劝导不能强制，而社会动荡时期的这种劝导根本起不了什么作用，更何况是对于拥有习武风尚及孔子圣裔

---

① 据 2004 年 2 月 25 日杨国安、徐斌采访徐仲贤老人（时年 75 岁）所得；另见徐仲贤：《徐仲贤杂记》，内部资料，2004 年，第 35 页。

双重身份的孔姓，于是他们明智地选择退出调和，仍将此事交回地方官。于是此事一直悬而未决。

同治六年（1867年）之后，捻军从这一地区消失，官府重新整理本地的统治秩序。同治九年（1870年），三店驻把总1员，防兵17名，塘房3间，烟墩5座，官府的权威得以恢复。[①]同治十年（1871年），许姓继续向知县控诉。这时，孔姓预料到诉讼时极有可能面临再次失败的结局，于是通过士绅的撮合下与许姓书立息词而宣布停斗。许姓将孔姓的服输归结于知县恒琛的个人魅力，我们倒宁愿相信这是孔姓知道在此情形下不可能获胜而采取的退让之策略。

然而，第二次争讼的"息词"并未杜绝日后的流血事件。据1992年《新洲县志》记载："孔许械斗：三店地区的孔三塆与许家大塆，从清末到解放前夕，为争夺香火寺庙，械斗数十次。其中1943—1944年，发生两次大规模械斗，孔姓死亡6人，许姓死亡1人，各伤10余人。"[②]由此看来双方更大规模的冲突发生于民国时期。在这里不能肯定谁挑起了这次争端，考虑到这个时期三店存在着三个政权[③]，日伪盘踞在镇上的碉堡中，共产党与国民党在广大农村活动，三方不断地进行拉锯争夺，社会秩序一片混乱，于是双方都试图通过武力来解决就不难理解了。对于许姓而言，他们获得士绅地位的清朝已经灭亡，新的统治权威还没有确立时，武力或许是可以使用的唯一方式了，而这种局面正是孔姓所希望看到的，因此大规模的械斗就在这一时期发生了。

也许，我们并不能断定谁是庙宇的真正始建者。然而，至少在乾隆四十一年（1752年）之后许姓就已经取得了庙宇的实际所有权，并且通过庙产的完纳钱粮而获得了官方权威的认可。事实上，庙宇归谁所有在我们的考察过程中倒显得次要了，此个案真正让人感兴趣的是双方的社

① 三店镇志编写组：《三店镇志》，内部资料，2000年，第6页。

② 新洲县志编纂委员会：《新洲县志》第25章《社会》，武汉：武汉出版社1992年版。

③ 三店镇志编写组：《三店镇志》，内部资料，2000年，第7—9页。

会地位以及在此过程中所使用的各种策略及动用的社会资源。按照庠生徐仁的说法，许姓属当地望族，出了不少读书人，而且非常注重宗族各方面制度的建设，宗族的经济实力亦甚为强大，如祠堂方面，他们不仅在本村落中建有老祠，还于三店街上建有新祠，且各祠名下均有田产。许姓十分乐于鼓励族人考取功名，每年于宗祠中举办文会并对族人考试进行资助，据其宗谱记载："议以祖田之羡余，每岁文会饮食有费，笔墨有资，文之优者有奖赏，考试有津送盘缠，一则以励后学之不怠，一则以彰祖宗之逮惠矣。"[①] 从其记载来看，许姓尚未出现拥有进士举人等科名的高级士绅，然而具有贡生监生等低级功名者为数不少，这些低级士绅在本地发挥着重要的作用，如同治元年具名首控的许礼勋："咸丰丙辰年（1856 年），知黄州府许公庚藻、县令葛公志远督同公带练勇数千防堵柳林一带，有备无患，详请钦奖，由监生加五品职衔。"[②]

可以说许氏宗族是属于在传统社会正常秩序下得以晋升为望族的地方实力派，这种社会地位得到了官方的认同并倚重，许氏在维护这种社会秩序方面亦是不遗余力，其宗谱云："道光戊申年（1848 年），（许详勋，字庆泰）经营西分祠事，颇积羡余，奈粤贼窜境，府县宪谕胞叔生员金彪公充东三店区团总，练乡义勇剿贼，派族勇自备资斧，祠内帮费一半。咸丰甲寅（1854 年）、乙卯（1855 年）、丙辰（1856 年）三载，军需浩繁，庆泰办理支销。"[③] 培养族中子弟考取功名对于提高本族的社会地位，并进一步维护本族各项利益的重要性自不待言，为此，鄂东地区的许多宗族除了奖励资助族人求学之外，还通过设立学塾，延请塾师，以为族中子弟提供更好的教育环境，如据罗田《东安王氏庚申宗谱》记载，该族立有学塾多所。通常情况下，愈是经济实力强的宗族，对此愈加重视。

---

① 黄冈《许氏宗谱》卷首六《许氏宗祠文会及应试条规序》，民国乙卯年，敦睦堂刊本。

② 黄冈《许氏宗谱》卷首四《详亨公传》，民国乙卯年，敦睦堂刊本。

③ 黄冈《许氏宗谱》卷首一《庆泰公传》，民国乙卯年，敦睦堂刊本。

孔姓自称为孔子后裔，然而是否真如其言颇让人怀疑。参与普福寺争夺的孔昭彩为宗谱所作的序言中记录了他与父亲的一段对话，记云：“广清公（即昭彩之父）曰‘吾族原籍曲阜，自五十一代元祇公职授奉政大夫，随子之恭公以孝廉来守黄郡，遂家于黄。及宗邑修谱未之编入，即祇公之弟元祐公后迁中州之弋阳，其修谱也，亦未编入。谱之未修，职是之故。’彩又问：‘然则盖清其支乎？’（广清）公曰：‘清其支而不始于阙里，实蹈数典忘祖之讯，始于阙里，则其中名目未清，笋缝不合，又蹈郭崇韬误拜汾阳之讥，欲往访之，则山川迢递，跋涉多艰，从而搁笔者盖亦屡焉。’”在这里，广清公表示了“名目未清，笋缝不合”的担忧，正显示了孔姓自身对于追认孔子为始祖的不确定。按照孔氏的说法，其始迁祖元祇公于宋理宗端平二年（1235 年）由江西弋阳迁来黄冈，然理宗一朝有宝庆、绍定、端平等八个年号，孔姓在此采用理宗十一年的含糊说法或许也是为了掩盖这种不确定性的行为。广清公在世时孔姓的圣裔身份并未得到山东孔府的认可，为此孔昭彩在同治元年（1862 年）“偕堂侄宪炳同往曲阜敬谒圣陵，随即进见宗主大人，宗主谕以督修支谱，并授宗谱全卷，卷内注有元祇公名讳，彩二人心窃喜之，特归商之族众，一时莫不欣悦”①。正是在这一年其身份才正式得到山东孔府的承认，并且借此而向实际取得普福寺所有权的许姓挑起争端。这或许可以回答：第一次审判时，知县程光第所提及的孔姓何以不在乾隆年间向许姓索取庙宇所有权，而于八十余年后才重提此事之疑问了。

在经济实力方面，三店孔姓宗族本身并不强大。他们向族众派费而修了数年的宗谱相比于许氏宗谱就显得非常的简陋，且谱中并未见有祭产等宗族公产的记载，事实上，孔姓宗族在与许姓争夺之前一直处于较为涣散的状态，正因为与异姓的争斗促使了族内的团结加强了宗族的整合。另外，在黄冈县第一次审判时许姓的具控人是监生许礼勋，而孔

① 黄冈《孔子世家支谱》卷首一，民国十六年（1927 年），忠恕堂刊本。

在时只是一名佃种许姓田地的民人[①]，相对于许姓地方望族的地位而言，他们或许只是一个处于地域社会边缘角色的小宗族。孔姓正因为在本地一直处于受压制或者“人微言轻”的地位，而孔子则历来受到各朝各代皇帝的尊崇，且族人还享有优免差徭等实际好处[②]，为此我们不难理解他们何以非要执着的取得圣裔身份之根源所在了。许氏在其宗谱中更指责他们“冒乱圣裔”[③]，虽说与之存有纠纷，然由此亦可得知孔姓的身份并未得到邻里的承认。

许、孔二姓所居村落相距不过三华里，属于近邻关系。另据各自族谱记载，孔姓于南宋时期始迁此地，许姓则是“于明洪武初由江右饶州乐平瓦屑坝迁黄冈庶安乡古龙垢之北”[④]，许姓迁来之时，孔姓在此已经生活了一百多年。目前没有资料显示在许姓初迁之时他们之间是否存在着土客矛盾或是支配与被支配关系，然而，至少是到了乾隆时期孔姓已经明显受制于许姓则是明白无疑的，孔姓在论证庙宇归其所有时就曾指出：“乾隆年间，庙宇毁坏时，因其家无钱修整，由其佃种之田东许百万捐钱重修”，这时孔姓族人已逐渐沦为许姓田地的佃种者了，其带头具控的孔在时更是明白指出“小的佃种许家田亩”。因此对于许孔二

---

① 黄冈《许氏宗谱》卷末《普福寺事略》，民国乙卯年，敦睦堂刊本。

② 据黄冈《孔子世家支谱》卷一《衍圣公府移文优免孔族丁差役》，民国十六年（1927年），忠恕堂刊本记载：“袭封衍圣公府，为恳赐移知，照例优免差役，以广皇仁，以培圣裔事。今据湖北黄州府黄冈县族人孔宪炳等公呈前事，呈称窃炳等自五十一代祖元祇公随子之恭公，以宋理宗十一年举孝廉，封奉政大夫，官黄州太守，遂籍黄冈，然均属圣裔，亦应照阙里族人优免差徭之例，一体优恤。为此公恳移知黄州府转行遵照，感恩无及等情。据此，查阙里圣裔，蒙圣朝崇重先师，加恩格外，一切差徭例应优免。今孔族等虽籍寄居远邑，然究之均属圣裔，应照阙里之例，一体优恤，相应知。为此合移本府，烦为查明，希即转饬本邑孔族人等，一切差徭，照例优免，则凡寄居族人，当感栽培之德于无及矣。须至移文者。奉皇恩及部院移文，孔氏子孙承种田粮，照常办纳，余外差徭社役，保甲乡约门烟，一概蠲免。孔氏子孙不类齐民，嗣后一应照例优免，毋许一例撒派混报，孔氏子孙当烟以致干究。又须查明，毋许异姓假冒衍圣公移文，为此云。”

③ 黄冈《许氏宗谱》卷首《详亨公传》，民国乙卯年（1915年），敦睦堂刊本。

④ 黄冈《许氏宗谱》卷首《纂修宗谱缘起》，民国乙卯年（1915年），敦睦堂刊本。

姓对家庙的争夺，我们可以理解为邻近村落间一个受支配的弱小宗族对居于支配地位的强宗望族发起的挑战。这座庙宇的信仰范围似乎超出了血缘的范畴，因为如果孔姓认为普福寺的神灵对他们并没有保护功效的话，争夺就没有任何意义可言，或许可以解释为孔姓将许姓宗族的兴旺归结于家庙神灵的保佑，根据民间信仰中的唯灵是从的原则，孔姓认为自己也可以通过对普福寺神灵的供奉亦得到它的护佑。

由上可见，挑战者孔姓首先在官方允许的范围内以诉讼的手段来争取在地域中的发言权，当看到这种努力没法实现时，恰逢此时社会出现动荡，于是他们采取了武力的策略，并在动荡达到顶点的时候再次使用武力。作为应战者的许姓，其地位的取得是在正统的统治时期，他们则首先寻求这种传统社会秩序的保护者——官府的帮助，当旧的社会秩序被打破而新秩序尚未正式确立时，他们也以武力这种最原始的方式解决纠纷。双方的策略应时代的不同而发生变化，因为他们都知道失败者将在此地失去一定的生存权。在宗族成长的过程中，不时可以看到地方社会中不同姓氏群体之间对各种资源的争夺，比方说郭氏个案中郭维显在与他姓争夺洲地中的胜出为其树立了族内的权威，程氏个案中来自外姓对祖山的威胁使数个房分走向了联合，等等，这些都在不同程度上影响着宗族的整合过程，而许孔二姓争夺香火庙的个案则更加反映出在社会治乱交替之下，人们会采用不同的策略以维护自身的利益。鄂东地当孔道，乃南北、东西交会之区，久战之地，且先不论改朝换代的大动乱，诸如太平天国起义、捻军起义等历次的战乱都对此地形成冲击，无一不深刻地影响着当地人们的日常生活。

三、应对社会动荡的武装策略

不可忽视宗族在社会动荡时期的角色。在面对太平军及捻军的冲击时，宗族成为人们最主要采用的组织形式，以及官府平乱所倚重的主要力量之一，其主要的表现便是“族团”“族勇”的出现。

咸丰四年（1854 年），当太平军攻克黄州城之后，逃到黄冈西部

（今新洲地区）的知县翁汝瀛便就地组织各族团练，以抵抗太平军，[①]前揭黄冈许氏即在“道光戊申年（1848 年），（许详勋，字庆泰）经营西分祠事，颇积羡余，奈粤贼窜境，府县宪谕胞叔生员金彪公充东三店区团总，练乡义勇剿贼，派族勇自备资斧，祠内帮费一半。咸丰甲寅（1854 年）、乙卯（1855 年）、丙辰（1856 年）三载，军需浩繁，庆泰办理支销”[②]。黄冈谢氏户长树芳公同样在“咸丰癸丑岁（1854 年），粤匪窜入楚境，黄州知府周公炳鉴手谕各属邑绅，宜起团练以剿贼。公闻之，忠义愤发，招集乡勇，以年老力衰，命长子志炘公任其事”[③]，这里的谢氏户长当然更多的是号召族内之人团练“剿贼”。这种情况在鄂东其他地区皆然，罗田知县彭仲芳亦利用同姓之谊，号召本地彭氏团练族勇，据其子彭鲤事后为彭氏族谱所写序言称：“彭君鸿渐，罗之平湖乡人也。咸丰三年癸丑（1853 年），先大夫来宰是邦，鲤随侍署中，因得与君晋接。越明年甲寅（1854 年），发逆蹂躏全楚，且犯罗境。尔时会垣残破，师旅丧亡，罗偏处楚疆东北，官军莫能顾计，非团练不能与贼抗。先大夫命鲤遍召邑人士筹议团防。鲤过君家，相与商榷，君即慨然自任，振臂一呼而宗族从者数百，其磊落英多之慨，盖已卓越寻常万万矣。”[④]

在对地方势力军事化的研究中，美国学者孔飞力曾提出了一个饶有兴趣的问题，即“氏族之间的械斗在中国军事发展中的重要性”，他以华南为例对此问题略作回答：“很显然，南方农村由于它的持续的军事化状态，成了培育军事领导和军事技术的场所，广东东部的河谷，特别是潮州（现在的潮安）和嘉应（现在的梅县）这个以具有残忍的氏族械斗传统而著名的地区，在 19 世纪中叶的内战中为正统和异端两方面的

---

① 光绪《黄冈县志》卷六《职官志・循良》。

② 黄冈《许氏宗谱》卷首一《庆泰公传》，民国乙卯年，敦睦堂刊本。

③ 黄冈《谢氏宗谱》卷首下《树芳公传》，民国戊午年，大祠藏板。

④ 罗田《彭氏族谱》卷一《续刊谱序》，光绪甲午年三修，宗寿堂刊本。

部队都提供了新成员。”[①]结合鄂东地区的“族团”“族勇”，孔飞力的看法给了我们两点启示：

其一，乡村中宗族间的械斗之风为战争培育了后备力量。罗威廉精湛地分析了麻城在七个世纪之内的乡村暴力，其基本结论便是暴力作为一种传统深深植根于乡村社会之中。[②]在鄂东地区，从最东部的黄梅县到西部的黄冈、黄陂等县，各地均由于各种原因而在不同程度上存在着械斗的风气。某些地区，宗族械斗之风更属常事，如据新洲《三店镇志》记载：“解放前，户族械斗常有发生。多为土地田产、水利、风水、口角、阴谋诈产、婚姻等原因所引起，越是大族、望族，其械斗越频繁，造成经济损失、人员伤亡、世世相仇、互不通婚等恶果。境内影响最大的户族械斗有‘许、孔械斗’和‘陈、朱械斗’。”[③]其中的“许、孔械斗”中的二姓正是上文中的争夺香火庙的主角。黄冈西部地区的尚勇斗狠，使得地方官在对抗太平军时极力争取之，咸丰十一年（1861年），时任黄冈知县薛元启“闻邑西乡人劲勇，可任事，亲往召之。城适陷，乃率勇驻新洲，图进取，屡战克捷”[④]。可见械斗的风气导致了宗族本身带有一定的军事化色彩，在战争来临之际，宗族便可马上成为人们军事组织的形式，很自然地就会出现“族团”之类的组织。在贯穿整个明清时期的鄂东地区，从元明之际的难觅行踪，到明清之际的零星出现，再到太平天国等起义时期“族团”“族勇”的出现，宗族作为军事化的组织基础呈不断加强的趋势，这一趋势也正与本地宗族的发展趋势相吻合。与之同时，宗族间的械斗当然也培养出了合格的士兵——“族勇”。

---

① （美）孔飞力著，谢亮生、杨品泉、谢思炜译：《中华帝国晚期的叛乱及其敌人》，北京：中国社会科学出版社2002年版，第78—79页。

② William T. Rowe, *Crimson Rain: Seven Centuries of Violence in a Chinese County,* Stanford University Press, 2007, pp.321—326.

③ 见《三店镇志》内部资料，2000年，第316—317页。

④ 光绪《黄冈县志》卷六《职官志·循良》。

其二，“官”与“贼”均享受到了这种后备力量的好处。明清之际的战争，以及太平天国起义、捻军起义等战乱，均属席卷数省的，甚至遍及全国并最终导致改朝换代的社会动荡，这些大的动乱似乎多从鄂东以外的地区发生发展，然后波及了本地。当这些冲击波来到本地之后，势必会引起地方上的连锁反应，人们并非被动地应对战争的威胁，他们必须在抵抗、顺从，或是逃亡等几个方案之中做出选择，如同治三年（1864 年）九月，由于“发捻又合股扰蕲州界，岭下与（黄）梅后山接壤”，黄梅县人余锡椿“与济邑东乡之刘、郭、蓝、项众姓人张皇失措，突奔入太白湖中，舟以万计，余家眷属亦与焉”[①]，从而成为逃亡者之一。另外，本地又总会有一些胆大妄为之人希望借着战乱之机，来谋求一定的好处，于是在每一次战乱降临之时便有“从贼”与“抗贼”之分。崇祯年间，黄冈县“先是乱民詹瑞莆、汪咸一各以舟二十艘降贼（张献忠），为贼乡导……贼去，大启（知府）执瑞莆、咸一，责以修城贷死”[②]。咸丰三年（1853 年）春，“广济土匪宋观佑等因粮滋事。知县蔡润琛不能制，力求去。时（邵）纶署府事，檄黄梅知县鲍开运兼摄济篆。会带兵勇往弹压，观佑等阳受抚。不三日，纠其众入城，肆杀掠。纶及开运均遇害”[③]。动乱之中，组织化起来的宗族同样面临着这一选择，在黄冈罗氏户长星垣公的传记中便记载了当时的情况，据称：“粤逆始扰吾黄，市井纷然蚁附，虽庠序著名之士，且首红巾，跨白马，扬扬在道，顾友而大呼曰：‘此正豪杰出头之日，汝何瑟缩乃尔，苟从吾游，富贵可国也。’公闻之，遁益远，深恐胁授伪职，族众亦相戒而避，间有窘为俘虏者，皆不久逃归。”[④]

族谱中经常可以见到这种记载，给人的印象似乎是人们都站在了入侵外敌的对立面，如黄冈《苏氏宗谱》亦称：“（族众）佥曰：‘汝（苏

① （清）余锡椿：《黄梅兵事考》之《黄梅兵事续纪》。

② 光绪《黄州府志》卷四《建置志·城池》。

③ 光绪《黄州府志》卷十三《职官志·秩官传》。

④ 黄冈《罗氏宗谱》卷二《星垣公传》，民国丙戌年，柏林堂刊本。

氏户首）自总领族事以来，粤氛屡炽，汝同众姓修宁城寨，先人之墓在焉。又修道士山古城寨，近族之身家托焉。'" [1] 当然，人们忌讳莫深的反对官府之情仍然在族谱对他姓的叙述中得到了一丝反映，例如罗氏户长所见到的，追随外来的太平军、捻军者亦不乏“庠序著名之士”。同样，正如以往研究阶级斗争的学者所发现的那样，许多无产少地的农民加入到起义军中，可见怀有此类投机心理，或是反抗阶级压迫之人确实不在少数。若对宗族的这种选择加以总结的话，透过族谱的记载，我们似乎只能说起义军的追随者大多是以个人或小群体的身份加入，罕见有整个宗族“从贼”的现象。当然，我们也不得不考虑到文献记载所具有的局限性，因为即使存在整个宗族参与起义军的情况，由于起义军的最后失败，参与者的族谱对此不提一言，或是他们干脆迁离本地，甚至被官府镇压殆尽，都是可能发生的事情。

更为重要的是，本地业已存在着宗族间的敌对现象，在和平时期，纵使时有械斗，但由大姓主导的乡里秩序仍然维持着一种动态的平衡。当一股外部的动乱冲击到本地时，便有可能会被平时占劣势地位的弱小宗族所利用，除去甚少采用的整个宗族站在起义军的一边等极端做法之外，他们同样会趁此乱世的时机，力图扭转劣势。当人们以宗族的形式保护着各自在地方上的利益时，便会理性地采取不同的策略来争取他们的生存空间，于是经常看到宗族之间打官司甚至械斗的情况发生，上述许、孔两姓的争夺即发生在官府审判和民间械斗两个层面之上，这正与此一时期社会的平稳与动荡，以及官府对当地社会控制力上升与下落的轨迹相吻合：在官府的社会控制力较强时，人们在发生纠纷之时通常寻求官方权威的支持，并在官方所认可的范围内寻找社会资源的支持，然而当社会出现动荡，官府控制力下降时，人们就以自己的方式——通常表现为武力来解决纠纷。

---

① 黄冈《苏氏宗谱》卷首一《督修自序》，民国丁丑年，敦伦堂刊本。

第三章　思想与学术

从历史发展的长期趋势看，明清时期堪称湖北文化发展的重要阶段。史家在谈论历代人才之兴盛时，指出："论湖北之人才，春秋楚为首，三国时次之，明又次之。"[①] 此番评价表明，继先秦、三国时代之后，湖北文化到明代又出现了一个发展高峰。清代湖北文化亦称昌明，多有可圈可点之处。具体到明清时期的思想与学术领域，荆楚大地可谓人才辈出，值得大书特书。

第一节　思想之光

明清时期，湖北思想界、学术界著名者概有：承续白沙之学的"嘉鱼二李"，寓居湖北的李贽以及与之交游的"黄安三耿"，鼓吹无神论的熊伯龙，积极变法的内阁首辅张居正，宣扬"学统"论的熊赐履等，他们均对湖北乃至中国文化进程产生了不同程度的影响。

一、白沙之学与"嘉鱼二李"

明朝建立后，统治者对程朱理学"尊而奉之"，将之标榜为维护封建统治、教养与育化人民的"规矩准绳"。民间立说、立言如不遵奉程朱之道，将被视为异端而无法为当时主流社会所接纳和包容。在如此的思想文化氛围中，朝野上下流于表面的景象概如文献所称："学术正而耳目一，是故朝多纯德之彦，野皆方正之儒，治化之隆，几比三代，有

① 民国《湖北通志》卷一二三《人物志序》。按，本章在写作过程中，受罗福惠《湖北近三百年学术文化》（武汉出版社 1994 年版）启迪甚多，特此致谢！

由然也。”[①]官方的强力介入导致明初思想文化进入所谓“述朱期”，学者非五经孔孟之书不读，非濂洛关闽之学不讲。这一时期，明代思想界暮气沉沉，万马齐喑——学者们在理论上普遍缺乏探索和创新的勇气，在学问上寻章摘句、画地为牢，在修养上丧失独立的人格。

明代中期王阳明心学的兴起，为破除程朱权威注入新的活力，成为当时社会思想解放的重要契机。阳明心学承续宋代陆九渊的思想，批判和吸收程朱理学，将“心”（人的意识）作为哲学最高范畴，强调“心即理”，“心外无物，心外无事，心外无理，心外无义，心外无善”[②]，与程朱理学所信奉的“性即理”形成了鲜明的对比。正如顾炎武评价：“盖自弘治、正德之际，天下之士厌常喜新，风气之变已有所自来，而文成以绝世之资，倡其新说，鼓动海内。”[③]阳明心学在社会下层迅速传播，推动民间儒学向前发展，加速了其世俗化进程，明代中后期思想文化风气为之一振。

在由初明理学的“述朱期”向中明的“王学期”过渡的历史进程中，广东新会陈献章所创立的白沙学派突破程朱理学的桎梏，架设起通往主观唯心主义心学的桥梁。白沙学派提倡为学以“自得”（自由自适）为验，以“自然”（摒弃矫揉造作）为宗，以“虚静”（慎思宁静）为门。白沙学派还反对烦琐的章句考述，主张“经书则惟原文”，即抛开后人的曲解，回归经典，由学者“深思而自得”。黄宗羲评价白沙学派时曾称：“有明之学，至白沙始入精微，其吃紧工夫，全在涵养。喜怒未发而非空，万感交集而不动。”[④]白沙学派宛若吹向明代学术界的一股清风，新鲜而活泼。它深刻影响了明代文人的精神和性格，为明末清初学术界的繁荣奠定了基础。

白沙学派陈献章的众多弟子中，以李承箕、张诩、湛若水等较为著

---

① （清）陆陇其：《三鱼堂文集》卷八《序·周永瞻先生四书断序》。

② （明）王守仁：《王阳明全集》卷四《文录一·书·与王纯甫》。

③ （清）顾炎武：《日知录》卷十八《朱子晚年定论》。

④ （清）黄宗羲：《明儒学案》卷五《白沙学案》。

名，其中李承箕即是今湖北人。李承箕与其兄李承芳世称“嘉鱼二李”。明代湖北学者具有全国性影响者，亦自“嘉鱼二李”始。

李承芳（1450—1502），字茂卿，号东峤居士，湖广嘉鱼人，弘治三年（1490年）进士，与其弟李承箕皆有才学，时人并称为“嘉鱼二李”。承芳自幼天资过人，志向高远，出生仅七个月，尚处襁褓之年时便能用筷子在地上摹画“土地”二字，十四岁时即向伯父表明自己“富贵不淫，贫贱乐”的人生观。[①] 他博览诸子百家，酷爱吟咏诗词。李承芳一度入朝为官，但他不入流俗，对升官发财不感兴趣。不久，李承芳告病辞官，归隐家乡，清素俭约，躬耕陇亩，常与渔民、牧童一起劳作。他与胞弟李承箕居黄公山多年，潜心经世致用之学。著有《东峤集》15卷，收入《四库全书总目》。

李承芳富有学术批判精神。批判的锐利和逻辑的严密从李氏《送戴元之序》一文中可窥一斑。宋代学者李觏曾言，秦代迅速灭亡的原因在于“废诗书”，汉朝久有天下则是因为“宗学术”，承芳大不以为然，直言这种结论流于浅显片面，并未探究到根源。他说：“诗书者，吾道之迹而已。必得知道者以为之师帅。”在“知道”的良师指引下，读书才会有益。古今学术已发生变化，“古之学者为己，今之学者为人；古之学者为君子，今之学者为小人。”这些并非学校的过错，而应归咎于老师。他进而批判官学及科举之制，主张推倒一切学宫，汰换所有学官，然后选定老师和教学内容后重新恢复。其一，责成地方官员选择优秀的老师；其二，责令读书人学习的内容要回归原典，同时讲求经世致用。[②] 承芳对教育的批判集中于体制、教学内容以及取士制度，强调了师者的重要性。

面对士子寻章摘句、沉溺文字笺注的风气，李承芳认为实由朱熹所倡导，并贻害后世。明代此风更甚，导致治学方法日益僵化，造成士人

① （明）过庭训：《本朝分省人物考》卷七十六《湖广武昌府·李承芳》。

② （明）李承芳：《送戴元之序》，载于嘉靖《湖广图经志书》卷二《武昌府·文类》。

所学杂乱、所学无用；科举考试以朱熹的《四书集注》为范围，考试取才的视野和格局亦受到严重限制。承芳提出解决之道，即反其道而行，不必拘泥于训诂章句。为学者以此体认没有附加笺注者思想和认识的著作，开阔视野，还原和回归到完整的经典本身。

兴义学、建祠堂，为李承芳归隐后全力以赴操持的事业。李氏义学始建于宋庆历年间，由嘉鱼李氏四世孙李宗儒、李宗仪创建，拥有千亩学田，本为训导李氏子弟之所，后来同邑及邻近（蒲圻、咸宁、临湘）慕名而来者达数百人，李承芳遂利用原址复兴义学。后奉正德皇帝敕命，依托祖庙，修建祠堂，名为世祠堂，内设义学堂、世祀堂、享祭堂。门楣“世祀堂”上方悬挂正德帝御赐金匾“恩荣报本”，祠堂楹联为“郁林天祚唐王裔，庆历风高范相家”。义学与祠堂并举，体现了李承芳修身、齐家、治国、平天下的理想追求。时人对承芳重修义学评价道，教育所带来的文章之美、爵禄之荣、功名之显，“得之不加益，失之不加损”，都不是要紧之事，老师教育学生“修四德、敦五伦、励百行”，这才是当务之急。[1]

李承箕（1452—1505），李承芳胞弟，字世卿，号西峤居士，人称大厓先生。成化二十二年（1486年）举乡试。承箕无意官场，与其兄隐居黄公山读书。他师从白沙学派创立人、著名学者陈献章。从弘治元年（1488年）起，曾四次从嘉鱼赴广东新会求教，并主编《顺德县志》和《新会县志》。其主要著作编为《李大厓集》20卷。

李承箕在新会求学期间，与陈献章在南岭楚云台读书论道。他们登临吊古、吟咏抒怀，学问文章，无所不谈，而“所未语者，此心通塞往来之机、生生化化之妙，欲先生深思而自得之，不可以见闻承当也”。通过这种颇具禅意的教与学，李承箕终有所悟，得到老师学问的真谛。

据李承箕讲述，陈献章曾在吴与弼门下游学，回到家乡之后，陈献章“习静端坐，积以岁月”参悟白沙之学。经过了十年的努力。在终于

① （明）余祐：《李氏重修义学记》，载于乾隆《重修嘉鱼县志》卷六《记》。

找到“此心”与“此理”的“凑泊吻合处”后，陈提出“自得之学”。白沙之学没有教义，只是令人静心端坐。①

从白沙归来之后，李承箕筑钓台于黄公山，上悬陈献章题写的“黄公钓台”匾，读书讲学之余静坐其中，不复仕进。与弟子张诩、湛若水相比，陈献章更看重李承箕的悟性、洒脱。在《明儒学案》中，黄宗羲将李承箕列在陈献章之后，表明两人无论在思想还是在情感上的契合已成为学界共识。②

受陈献章的影响，李承箕述而少作，学术思想集中反映在《李大厓集》（又称《大厓李先生文集》）20卷之中，内含诗集12卷、文集8卷。李承箕服膺白沙之学。他将“气”“理”之说与自然和人相互贯通。理和气融为一体，这种感觉只可以个体进行体察。当欲使用言语描述感到词穷，想有所行动却如履薄冰之时，内心的境界已臻圆融。继而，承箕将气、理融汇扩展到人和自然。在走出自我、走进自然之后，自己内心之“志”亦超越一气之囿，进入天地自然与我化一的更加广阔的境界。在这个境界中，自己的眼、耳、鼻、舌、身、意之感达至无限，形神灵动而毫无阻滞。

李承箕还提出“理、义、身、心、时”等五个概念，对于理解承箕所言的超脱自我、摆脱束缚颇有助益。“理者，其所自顺者也。义者，其所自合者也。身者，其所自不屈者也。心者，其所不自违者也。时者，其所不自失者也”。③由此可以看到，五个概念也就是气、理融贯的五个要素。其中，“理”是不受束缚、超然物外又无所不在的一种存在；“心”主导自我，遵从内心而不被役使；“义”、“身”和“时”代表自我所处环境的规则、物质以及时间。在合乎规则、经历时间或者说是岁月累积的情形下，“心”与“理”相协，并不需要求之于外，一旦我心能

① （明）王鏊：《李大厓墓表》，载于《明文海》卷四四一《墓文》。

② （清）黄宗羲：《明儒学案》卷五《白沙学案·孝廉李大厓先生承箕》。

③ （明）李承箕：《大厓李先生文集》卷十六《序·送柯容甫还莆田序》。

够“寂然中居”，那么自己对于天地外物，就能够“有感斯应”，内心之气便能流注于理，达到气、理相通，无一息间隙的境界。

李承箕思想还托寄于他对学术风气、治理国家、游历等批判和看法上。在李承箕看来汉宋以来的传统学术是“依据圣贤，讲说经传，以立门户，以侥声誉，以干非分，以损灵原”[①]。世人所称的学术，其实不过是假借圣贤之名，通过所谓的解注，附加自己的主观认识，便以圣贤分支流衍名义立身学术领域，博取名利，如此既有损经典，也贻害人心。李承箕进一步说明：“拘拘陈编曰居敬穷理者，予不然；嘐嘐虚迹曰傍花随柳者，予不然；罔象无形求长生不死之根者，予不然。”[②]三个“予不然”，表达了承箕对程朱学派“拘陈编”“嘐虚迹”以及对道家追求个体长生的强烈鄙视和不予认同。

李承箕指出治理天下应做到内外合一、内外并重；人尽其才、人尽其用；相互信任、相互支持以及赏罚分明、德位相配。在具体施政方面应该力行仁政，使人民休养生息，减轻人民负担，恢复民力。

在李承箕看来，游历可分为三种。其一，孔、孟之游；其二，（张）仪、（苏）秦之游；其三，庄周、列御寇之游。换言之，孔、孟怀揣人伦、儒道的忧思而游历，张仪、苏秦身负纵横要务、包藏机心而游走，庄周、列御寇之游则属“乘物而游心”。

还有一件轶事颇能显示李承箕的人品和性格，赢得后世人们的长久记取。明代诗人俞弁著有《逸老堂诗话》，记述了李承箕和湛若水（白沙弟子）之间的一桩旧闻。某年，湛若水擢升南京祭酒，准备赴任，“其母垂白，随行任所”。当时，众士绅赋诗送行，唯独李承箕直言相告：“孝道由来儿奉母，得官今日母随儿。八千里路风波险，纵是胡麻也皱眉。”湛若水宛如醍醐灌顶，请求朝廷准予自己留家赡养老母。八

---

① （明）李承箕：《送王承吉序》，载于（清）黄宗羲编：《明文海》卷二八八《序七十九·送序》。

② （明）李承箕：《送许生还上虞序》，载于（清）黄宗羲编：《明文海》卷二八八《序七十九·送序》。

年后母亲去世，方才就职。“承箕可谓能尽友道，若水则能尽子职，两得之矣。”这种率真爽直的性情，尽显诤友本色。

总之，李承箕所追求的至高境界，就是“举天下之物，不足以动吾中。虽高登乎极天、幽入乎厚地，皆荡荡乎而无碍矣”；“心与境两忘，内与外一致”。[①]真正的学者，不应该“矜矜然以好名，矫矫然以好勇，汲汲然以好利”，而应该“擅辞章而能不为，有进取之才而能不趋。退避绂冕而能不觐谒于指使剪拂之地，放游江湖而能不动意远时促留恋之怀”[②]。不盲从外在权威，不为功名利禄所役使，也不屈服于恶劣的处境，始终保持人格的尊严、思想的独立，正是李承箕思想光亮所在。

二、“黄安三耿”与李贽

作为陆王心学泰州学派的支系，晚明鄂东“黄安三耿”在明清湖北文化史上占据重要位置。其思想先驱为寓居于黄安（今红安）、麻城的李贽。李贽反对高扬禁欲主义旗帜的程朱理学，倡导自由奔放的人性，其主要思想体现在“童心说”，认为不应该“以孔子之是非为是非”[③]，因此李贽的观点在当时被视为“邪说”。受李贽的影响，明代鄂东思想学术面貌一新，其代表人物便是“黄安三耿”——耿定向、耿定理以及耿定力。兄弟三人无论在朝为官，抑或闲居乡野，均以研讨学问为要务。他们在黄安五云山间营建的天窝书院，吸引了众多学人前来交朋识友、讲经论道，李贽亦在此过着隐士般的生活，撰写了多部重要著作。

耿氏三兄弟均是泰州学派的著名学者。耿定向（1524—1596），字在伦，号天台，又号楚侗，人称天台先生，嘉靖三十五年（1556 年）进士，久居官场，历任御史、巡抚、尚书等职。为官期间，耿氏曾举发吏部尚书吴鹏科场营私、钳制言官、贪污受贿、奖抑失则等六项罪状，但

---

① （明）李承箕:《大厓李先生文集》卷十五《记·游罗浮记》；卷十五《记·曝日台记》。

② （明）李承箕:《大厓李先生文集》卷十五《记·易庵记》；卷十六《序·送柯容甫还莆田序》。

③ （明）李贽:《李温陵集》卷十四《读史·藏书纪传总论》。

因内阁首辅严嵩偏私袒护而不予追究；曾为海瑞鸣冤，奏称进谏者的“愚憨”和“狂诬”能够反衬出君主的容恕，并称谏言虽然逆耳，但充满忠君爱国之情，维护海瑞之情跃然于奏章之上。[①]嘉靖年间，他力主从麻城、黄冈和黄陂析地，建置黄安县。督学南京时，大力提倡书院讲学之风。后因内阁首辅高拱专权跋扈，耿定向被贬衡州判官，继迁衡州推官，万历年间（1578—1580）任福建巡抚，后官至户部尚书兼总督仓场。晚年辞官，与弟耿定理、耿定力共同居住在天台山，创设书院，讲学授徒。离世后，追赠太子少保，谥恭简。

耿定向主要著述有四。其一，《先进遗风》2卷，属于明代文言笔记体著述，体裁及主要内容为“略仿宋人《典型录》之体，载明代名臣遗闻琐事，大抵严操守、砺品行、存忠厚者为多”，其成书宗旨在于“陈先进懿行以救时弊”。[②]《钦定续通考》《四库全书总目》将其归入子部小说类，《明史·艺文志》则归入史部传记类。其二，《硕辅宝鉴要览》，为耿定向任南直隶督学御史时所著。其书“上述虞夏，下逮唐宋，得辅相之贤者七十九人，各为赞述，议论亦多肤浅”[③]。其三，《耿子庸言》2卷，全书包括《绎经》《冲言》《辑闻》《比弦》《学筌》《牧要》《切偲》等七篇论述。其四，《耿天台先生文集》，含诗赋1卷、杂文19卷，集定向学术文化之大成，为门人刘元卿所编。《四库全书总目》为《文集》撰拟的提要为“定向之学，兼讲作用，观其全集，大略可知”[④]，对其不尚玄远的学术思想颇为肯定。

---

① （明）耿定向：《披沥血诚恳祈霁天威葆天和以彰圣德疏》，载于《耿天台先生文集·珠字集》卷二。

② （清）永瑢等：《四库全书总目》卷一四一《子部五十一·〈先进遗风〉二卷（两江总督采进本）》。

③ （清）永瑢等：《四库全书总目》卷六十一《史部十七·〈硕辅宝鉴要览〉四卷（浙江巡抚采进本）》。

④ （清）永瑢等：《四库全书总目》卷一七八《集部三十一·〈耿天台文集〉二十卷（湖北巡抚采进本）》。

关于进学主张，耿定向提出两个“省之”。第一个“省之”，即“学贵默识”，“惟自学不厌，即教之不倦”；第二个“省之”，即“学贵慎独”，“不必求人知，惟是求天知”。[①]以此提醒投身学术之人，切于实际，不悖生活常理，不可故作摇曳之态，假装高雅精深而沦为庸浅之辈。论及为学次第，他认为：“学有三关，初解即心即道，已解即事即心，其究也须慎术。”[②]即心即道是耿天台的心学理论体系本质；即事即心为基于本质本原的居敬穷理，只有致力于圣人之学，明明德于天下，才能达到良知本体；慎术即是慎独，慎独方能达致良知。此外，“三关”还存在着学术进阶的递进逻辑关系。刘元卿曾言，即心即道指处于入门阶段，学者于此建立心与理的统一以及体知集义凝道之心；即事即心表示步入学业发展和进步阶段，学者不可沉溺于虚无，更不可忽视是非之心，肆意妄为。耿定向所提出的“慎术”，即指学者的学术行为选择。耿列举两例作为正面范例，一为“孔子十五志学，学大人之事也”，一为“孟子善择术，故曰：‘乃所愿则学孔子’”。[③]学者还需分别大人之事还是小人之事，最终才能有所成就。

耿定向思想经历过三次重要转变而定型。第一次转变发生在嘉靖三十六年（1557年）。定向在与其弟定理论学之时，定理向定向进言称：“兄弟默识于时光景可也”，[④]意为学思不可刻意单纯求之虚寂，其正途应在体察当下。这个建议促使定向治学转向以“常知”为宗，秉持“存养”之法。

第二次转变发生于嘉靖四十年（1561年）。一次在汉江之浒论学时，正甫谈及自己为学之道称：“吾学以无念为宗”，而定理则表示以“不容己为宗”，定向深为其弟所论触动和叹服。此次“汉浒定宗”，定

① （明）耿定向：《耿天台先生文集》卷十九《杂著三·题跋·警言》。

② （明）耿定向：《耿天台先生文集》之《自字集》卷七《论说解·慎术解（赠邹汝光）》。

③ （明）耿定向：《耿定向集》，上海：华东师范大学出版社，2015年。

④ （明）耿定向：《观生纪》，《宋明理学家年谱续编》，北京：北京图书馆出版社，2006年，第296页。

向思想得以完全转变，自此以“真机不容已”为宗，天台之学遂完成“由用向体”的重要转变。

耿定向思想的第三次变化发生在嘉靖四十一年（1562年）。定理在论学时称：“孔氏之无声无臭，亦自有形有象，孔氏之有形有象，原自无声无臭。”定向闻言感到豁然开朗，“自是于有无、内外、精粗、微显，无二见矣。”[①]来知德解注《易经》曾提及：“形而上者，超乎形器之上，无声无臭，则理也，故谓之道；形而下者，则囿于形器之下，有色有象，止于形而已，故谓之器”[②]，还认为道与器不相离，它们之间的关系就像天与地一样，统一对立。可以说，来氏易注也为定理所称的“无声无臭”和“有形有象”提供了注解，即两者表达了体用同源，内生与衍生原为一体的思想理念。定向从中领悟到“有无不二”，最终达到“若无若虚”的境界。这三次转变反映出天台学术思想的发展和转化脉络，即从有到无，再到若无若虚。

仲弟耿定理（1534—1583），字子庸，号楚倥。耿定理的学问出入儒释之门，言谈颇具机锋。他不屑于趋炎附势，不追求功名利禄，终生以一个布衣学者的身份，隐居田野山间，怡然自得。耿氏三兄弟中，定理与李贽最相投契。每当兄长（耿定向）与李贽发生思想交锋，出现不愉快的情形，也多系耿定理居中调和。李贽寓居湖北亦与定理有莫大关系。耿定理著述没有结集刊行，散见于兄长耿定向文集和黄宗羲《明儒学案》之中，虽仅存只言片语，但仍动人心魄。

耿定力（1541—1607），隆庆五年（1571年）进士，历任工部主事、成都知府、福建提学副使、右佥都御史及南京兵部侍郎。后主动辞官，与两位兄长汇聚黄安天台山讲学问道。耿定力与二哥耿定理思想和学识较为接近，其论述散见明清多种文献之中。他“生平学问，以求仁为宗，以与人为善为体，真修实诣，超然自得，与仲兄定理辈讲学不

① （明）耿定向：《绎中庸》，《耿天台先生文集》卷十，第7—8页。

② （明）来知德撰：《周易集注》卷十三《系辞上传》。

倦”。[1]他虽然赞同李贽的见解，但自己的理论主张却以平实见长。黄宗羲曾比较耿定向、耿定力的学问，两人“皆以倡明道学为任。司徒公（耿定向——引者）之学，深诣而有权衡；副使公（耿定力——引者）之学，真诚而无粉饰，每与士大夫论学，就事论事，极有针砭。至公立身行己，绝不为岸异，而人自以为不可及”。[2]定力去世后被追赠尚书及赐予祭葬。

言及明代湖北文化，必然言及“黄安三耿”；谈论“黄安三耿”，必然谈论寓居黄（安）麻（城）的李贽。

李贽（1527—1602），最初姓林，名载贽，后改姓李，名贽。字宏甫，号卓吾、温陵居士。福建泉州府晋江县人。先祖曾是泉州从事海外贸易的巨贾，娶色目人为妻，信奉伊斯兰教。父亲是教书匠，亦是李贽发蒙之师。嘉靖三十年（1551年）中举，历任河南共城县（今辉县）儒学教谕、国子监博士、礼部司务、南京刑部员外郎、云南姚安知府等职，后辞官。他在南京任职时，结识了耿定向、耿定理兄弟。尤其是，他与耿定理一见如故、割舍不下，遂决意迁居湖北。在耿定理的盛情邀请下，李贽于万历八九年间携家眷来到黄安，充当耿氏家族塾师。自此以后的20年间，除了外出游历，李贽基本上寓居黄安和麻城，并完成了《焚书》《藏书》等著作的写作。由于李贽名气甚大，以故跟从者众多，这不仅有助于思想的传播，而且确保了李贽生活无忧。

早在北京为官期间，李贽便醉心于阳明心学及佛教，加之南京任职时又拜王襞（王艮之子，与王艮、王栋合称“淮南王氏三贤”）为师，因此在学术脉络上，他堪称“泰州学派”的传人。李贽质疑儒家经典的思想权威，其学术立场富于批判锋芒，以故其观点被时人目为离经叛道的歪理邪说。不过，李贽虽然猛烈抨击儒学先圣，但他在思想旨趣上并未完全告别孔孟之道。恰恰相反，在这位思想斗士留给世人的文字中，

① 康熙《湖北通志》卷四十八《乡贤志·黄州府·耿定力》。

② （清）黄宗羲编：《明文海》卷三八九《传三·名臣·上篇（邹观光）》。

可以轻易找到诸多维护传统伦理的议论。这表明，任何思想家都不可能脱离自己所处的时代，都会自觉或不自觉地烙下历史的印痕。这是我们在评判历史人物时需要警醒的地方，即使像李贽这样出类拔萃的思想先锋也不例外。

在中国文化史上，不同门派之间出现分歧、争执是很自然的事情。然而，同一门派之内，两位思想巨子之间由友朋转至仇敌的现象，却较为罕见。李贽与耿定向的关系堪称典型。他们都是“泰州学派”的代表人物，尊奉阳明心学，而且耿氏兄弟力邀李贽入住家中，在书院讲学。不承想，经过深入的接触，两人却出现了严重的思想交锋。史载：“先生（耿定向——引者）因李卓吾鼓倡狂禅，学者靡然从风，故每每以实地为主，苦口匡救，然又拖泥带水，于佛学半信半不信，终无以压服卓吾。”[①] 思想旨趣的差异，导致两人发生诸多不和。例如，李贽指出耿定向爱好虚名、言行不一。[②] 李贽继而嘲讽定向如此伪善的做派，反而不如市井小民率真爽快。此外，耿定向在官场上的一些颇有心机的做法（尤其是涉及何心隐一案），不仅引发李贽的愤怒，而且素为史家所诟病。

在思想成就上，李贽最著名的观点是“童心说”。此外，李贽的史论也颇有特色，这集中体现在《藏书》中。这部李氏代表作，正是作者寓居湖北时所撰著，68卷，分“世纪”“列传”两部分。“世纪”讲述王朝更迭及帝王事项，“列传”分为“大臣传”“名臣传”“儒臣传”“武臣传”“贼臣传”“亲臣传”“近臣传”“外臣传”等八种，收录从战国至元末历史人物八百余名。该书语言尖锐泼辣，对历史人物评价独到，反映出李贽独特的真理观、是非观、义利观和道统观。

李贽托寄《藏书》与古人对话，试图将记载于史册的历史人物完整描摹和勾勒出来。至于评定历史人物的尺度，则一反儒家正统做法：

---

① （清）黄宗羲：《明儒学案》卷三十五《泰州四·恭简耿天台先生定向》。

② （明）李贽：《李温陵集》卷三《书答·答耿司寇》。

“人之是非，初无定质。……咸以孔子之是非为是非，故未尝有是非耳。”这种大胆否定官方钦定思想价值的言论，在当日必将为正统所不容，但却给后世开启了思想启蒙的大门。李贽自然知道这一点，因此他将书名定为《藏书》：“藏书者何？言此书但可自怡，不可示人，故名曰《藏书》也。”①

试举数例，一窥《藏书》强烈的批判精神和独特的思想观点。如对武则天的评价。李贽称武则天作为中国历史上唯一的女皇帝，“胜高宗十倍、中宗万倍矣”。李贽赞赏武氏，是为论述男尊女卑这一先验论的荒谬性。他认为，“惟女子与小人难养”这句话存在着巨大的偏见，女人并不是在生活中不如男人，而是被人为设定成先天弱势。

如民贵君轻思想。李贽在《藏书》中以战国时期齐王饿死，而齐国人民得以全活为例，说明君主帝王并不比人民更高贵，其生命也并不比人民更宝贵。②李贽甚至将齐王称为“无用痴汉”，亦令当世自命高贵者为之气绝。

再如对儒家学派和儒家道统的批判。李贽在《史记列传总目后论》中直言不讳称儒者“不可以治天下国家”。在《德业儒臣前论》中，李贽亦批判儒家“道统说”，对儒家学派孟子、董仲舒、二程、朱熹等都进行了批判。

细览此书，还有诸多不合“时宜”之处。例如，暴君秦始皇，被赞为“千古一帝”；秦末农民起义领袖陈胜，被称为“匹夫首倡”；西楚霸王项羽，被誉为“英雄草创”，等等。《藏书》尖锐的思想锋芒刺痛了卫道士们的眼睛，他们怒斥“贽书皆狂悖乖谬，非圣无法”。③这就不难理解，不啻“洪水猛兽”的《藏书》在明代被官方严令销毁，清代则被

① （明）李贽：《李温陵集》卷十四《读史·藏书纪传总论》。

② （明）李贽著，张建业编：《李贽文集》（第2卷），北京：社会科学文献出版2000年版，第6页。

③ （清）永瑢等：《四库全书总目》卷五十《史部六·别史类·〈藏书〉六十八卷（两江总督采进本）》。

列入“禁毁书目”。

李贽才华卓异，勤于写作，留传于世的著述极为可观，且影响深远。其与湖北学术文化的因缘际会，堪称荆楚文化史的华章之一。

除了“黄安三耿”和李贽，明代湖北籍思想及学术名家还有以下诸人：朱廷立，通山人，进士出身，历官河南道御史、两淮盐政，师从王守仁，时称“朱夫子”，是阳明学派的重要人物之一，著有《两崖集》《盐政志》等。何迁，德安人，进士出身，历官刑部侍郎，师从湛若水，提出“知止”之说，介于王（阳明）、湛（若水）之间；晚年辞官，筑书院于吉阳山下，人称“吉阳先生”，著有《吉阳集》。瞿九思，黄梅人，师从罗洪先，不喜仕途，以授徒讲学为业，足迹遍及白鹿洞书院、濂溪书院、岳麓书院、石鼓书院、江汉书院，著有《乐章》《万历武功录》，史称其“学极奥博”。[①]另有参与编撰《大明会典》《明实录》的童承叙（沔阳人，进士出身，历任翰林院编修、国子监司业、左庶子兼侍讲），史称“开七子之前茅”的高岱（钟祥人，进士出身，历官刑部郎中、景王府长史）[②]，均为天下名士。

三、熊伯龙的无神论

我国哲学思想史上从来不乏杰出的无神论者，如先秦时期的老子、黄老诸子、荀子等，他们对天神崇拜和天命神学进行批判，公开反对世俗迷信；韩非承继荀子无神论提出反对“神道设教”；东汉王充在唯物主义自然观和形神观基础上批判天人感应的谶纬神学以及批驳“人死为鬼”等神鬼迷信，创建了中国古代最为完整的无神论理论体系。此外，南北朝范缜、宋代张载、明代王廷相、清代王夫之、王清任等都对无神论思想的发展和深化做出了重要贡献。其中，明末清初的湖北籍学者熊伯龙及其著作《无何集》，便以无神论思想而名留史册。

---

① （清）张廷玉等：《明史》卷二八八，《列传第一百七十六·文苑四·瞿九思》。

② （清）钱谦益：《列朝诗集》之《丁集》卷五《高长史岱》。

熊伯龙（1617—1669），字次侯，号塞斋，别号钟陵，汉阳人。清顺治六年（1649年）应试，名列一甲二名（即榜眼），入官翰林院编修，后任浙江乡试正考官、提督顺天学政，倡导实学，着力培养和选拔人才，“甲午典浙试，一榜中状元三人、探花一人；督学顺天及官祭酒，凡乡会巍科，多出其门”[①]。因其政绩显著，后迁国子监祭酒、侍读学士，最后晋升内阁学士兼礼部侍郎。书生本色是其一生写照，“公自少至老，朝夕手一卷不置。仕宦在京师，恂恂如儒生”[②]。作为饱学之士，他自负甚高：“今世诗人，吾甘为之下者，凫盟一人而已。”[③]熊伯龙主要著作有《熊学士诗文集》（即《谷诒堂集》），录有文章108篇，诗291首，以及充分反映熊伯龙无神论思想和批判精神的《无何集》。

熊伯龙博学多才，为清代文化的标志性人物之一。乾隆皇帝在上谕中将“熊刘”视为前清文运开济的代表加以褒扬：“本朝文运昌明，英才辈出，刘子壮、熊伯龙以后，作者接踵，莫不根柢经史，各抒杼轴，此皆足为后学之津梁。”[④]他多篇著文被选入内阁学士方苞奉敕编定的《四书文》。由于精通八股制艺，其文被应试士子奉为范本。熊氏还精通字母反切之学，熟知西洋天文算法。此外在书法、篆隶、弓马和琴棋等方面，他也颇有心得。

熊伯龙的无神论思想集中体现在《无何集》中。《无何集》目前所见刊本由熊氏数代后人在其原稿上增订而成，凡十四卷，前十二卷依次为天地、古今、鬼神、祸福、灾祥、感格、宜忌、人事、儒术、道教、

---

① 康熙《畿辅通志》卷六十七《名宦·熊伯龙》；（清）廖元度：《楚诗纪》卷五《国朝·熊伯龙》。

② （清）张维屏辑：《国朝诗人征略》卷一版《熊伯龙》。

③ 赵尔巽等：《清史稿》卷四八四，《列传二百七十一·文苑一·申涵光》。文中所称凫盟，即申涵光，字孚孟，号凫盟，才气倾绝一时。

④ （清）英汇修：《科场条例》卷四十六《闱墨》；卷五十《磨勘》。注：刘子壮，湖北黄冈人，他和熊伯龙两人为顺治六年同科进士，刘氏位于一甲头名（状元），熊氏一甲二名（榜眼）。二人同为湖北籍人士，既俱负文名，科场又名列伯仲，海内因而并称“熊刘”，堪称湖北科举史上的奇迹。刘子壮行述详见本章第二节《学问之道》的《实学及汉宋之学》部分。

杂家和百物等类，第十三卷为《委宛续貂集》，末卷为《勿广余言集》。《无何集》中标题为“篇”者，为历史文献辑录；标题为“段”者，则为作者有感而自撰。文后又附“总评”“附说”，为总括和阐述观点。总而言之，《无何集》是一部辑录历代文献中有关天地鬼神言论汇编而成的资料集，也因系统揭示熊伯龙思想而成为我国古代无神论的总结性论著。

关于写作缘起，熊伯龙在《无何集》中提到自幼即不相信神仙鬼怪、祸福报应之类的说法，但当时并未形成思想理论体系，因此如果有人提及《中庸》《易》《尚书》等著作中的前知、鬼神以及祸福，自己往往陷入“疑而不决”的困境。在这一时期，熊氏曾著有《适逢说》，说明古今天下之事最终归结于偶然；《鬼辨》，论述人死之后泯灭如同未生之前；《神论》，称山神、水神的形象应分别与山、水相似。数年后，熊伯龙在京城读到王充的《论衡》，发现自己前述数篇文章与《论衡》中的《幸偶篇》《论死篇》《纪妖篇》文意雷同，“欣然自喜，又爽然自失”。自喜是因为熊氏认为自己文章与东汉王充所著大意相同，这是两人思想跨越时空的风云际会；自失则是熊伯龙自谦的表述，与王充相比，遗憾自己力有不逮，笔力尚处浅薄，无法和前贤同日而语。因此，熊伯龙决定“废《适逢》《鬼辨》诸篇，取《论衡》之辟虚妄者选为一编”[①]，并广泛收集资料，以补王充之不足，同时阐发己见，辑录成书。

至于书名，看似普通简单，但蕴藏深意。书名取自《荀子》。熊伯龙记述了将书命名为“无何”的初衷。顺治庚子年（1660年）初夏，熊氏翻阅《荀子》，看到“雩而雨，何也？曰：无何也，犹不雩而雨也”一句时颇为触动。[②]正如荀子认为祈雨与下雨之间并非存在着必然的因

---

① （清）熊伯龙：《无何集》，北京：中华书局，1979年，第7—8页。按，以下仅注作者、书名、页数。相关研究成果，可参见张瑗、黎德扬、黄劭邦：《熊伯龙与〈无何集〉》，武汉：湖北人民出版社，1986年。

② （清）熊伯龙：《无何集》，第6页。

果联系，世间万物的产生和发展遵循各自规律一样，伯龙亦认为世人总是蛊惑于天地报祐、善恶吉凶、鬼神灵验、祈禳应效、神佛庇护、因果报应，以及山川草木之神、飞虫走兽之怪，而没有认识到许多自然界的现象是自然产生，而不依天、人或其他什么意志为转移。取名“无何”，正是为唤醒那些顽固操持神怪祸福论调惑人惑己的士大夫们。

熊伯龙在《无何集》中讨论了天的本质和天人关系、形神关系以及宗教迷信等问题，批驳了天命论、鬼神论、佛道的宗教迷信和民间忌讳。

关于天的本质，熊伯龙精辟地指出：“天不故意造作，自成天地大文章。”① 这句话清晰表明熊氏对所谓天有意志、天生谷以食人、生丝麻以衣人、世间万物皆由上天安排等唯心主义论调持坚决反对的态度。这与荀子所称“天行有常，不为尧存、不为桀亡”，以及王充“夫天不能故生人，则其生万物亦不能故也”的思想前后呼应、一脉相承。他还运用当时最新的科学知识解释自然现象，从而使批判更为有力。例如日食月食，熊伯龙称日、月食可推算而知，况且日、月所照，万国皆同，并针对诸如“人君失德于下，则日月之食见于上”的荒谬说法反问：难道没有发生日、月食的国家，国君施行的都是仁政，而发生日食的国家的君主都失德了吗？②

天和人的关系往往借助“符瑞”和“谴告”等方式进行表述和在社会传播。对于天人关系，荀子站在唯物主义的立场，否定了西周以来把天神秘化和人格化的迷信思想。王充则针对天人感应，指出社会治乱与天无关，是人为造成的。熊伯龙继承荀子及王充思想，认为所谓“符瑞”和“谴告”，“皆随上之好而伪造之耳”③，都是为满足统治需要而编造出来的东西。如电闪雷鸣，被认为是上天震怒，惩戒下民。熊伯龙

① （清）熊伯龙：《无何集》，第29页。

② （清）熊伯龙：《无何集》，第57页。

③ （清）熊伯龙：《无何集》，第180页。

解释称："电乃雷发之光耳。人自下望之，则先见雷之光，而响则自上而下必少迟而后闻之。"[①] 并举出天黑燃放爆竹的例子加以说明，近观爆竹爆炸时，火光与声响同时发生；远看时则先看见火光，而后才能听到声响，这与雷、电是同一个道理。再如水旱灾害，亦被认为是上天对下民的"谴告"。熊伯龙反驳说，上天与其惩戒下民，不如"尽生善人如尧舜之世"。但即便尧舜在世，上天应对他们德行感到满意，为什么尧舜时期还经历了九年水灾、七年旱灾呢？[②] 类似事例还有如沿海地区的祭潮活动等，熊伯龙均以丰富的自然科学知识揭示现象的成因，运用逻辑严密的文字一一进行批驳。

形神问题一直贯穿于唯物主义无神论与宗教神学及世俗迷信的斗争。荀子明确提出形体第一，精神从属于形体的唯物观点；王充指出形体由"元气"构成，为精神依附的实体，形体如不存，精神亦无存；范缜在其著作《神灭论》中称"形存则神存，形谢则神灭"，将形神的关系比作刀刃与锋利的关系。锋利并非独立于刀刃之外的实体，没有刀刃，锋利将无从谈起。熊伯龙继承了荀子、王充和范缜的唯物主义形神观。他指出："精神升天，犹火灭随风而散；骸骨归土，犹薪炭之灰在地。"[③] 精神始终依附于形体上，形体泯灭，精神自然无法脱离形体而单独存在。

具体到鬼神，熊伯龙采取了多步论证的方式进行批驳。他首先阐明人死不可能成为鬼。他说："人，物也；物，亦物也。物死不为鬼，人死何故独能为鬼？……人死，精神升天，骸骨归土，故谓之鬼。鬼者，归也。"[④] 然后再假设人死后成为鬼，反证世界上不可能有鬼。熊伯龙认为，若是人死之后成为鬼，那么从古至今早已遍地是鬼，人们不可能只是见到零星的鬼。"天地开辟，人皇以来，随寿而死，若中年夭亡以

① （清）熊伯龙：《无何集》，第 50 页。
② （清）熊伯龙：《无何集》，第 71 页。
③ （清）熊伯龙：《无何集》，第 116 页。
④ （清）熊伯龙：《无何集》，第 116 页。

亿万数，计今人亡数不若死者多，……则道路上一步一鬼也。人且死见鬼，宜见数百千万，满堂盈庭，填塞巷路，不宜徒见一两人也。”[①] 进而指出既然人死之后不能成鬼，那么精神和知觉无所寄托，将会随身体消亡，犹如“汤之离釜”。生前与人的种种恩怨都烟消云散，报德报怨的行为自然无从谈起。熊伯龙以荀子、王充等前贤的思想为基础批驳了鬼神观，维护了无神论。

道教在我国已有两千年的悠久历史。明代道教世俗化和民间化的趋势一直延续到清代中前期。城镇和乡村供奉道教神仙的宫观庙堂星罗棋布，道教的教理教义、伦理思想、科仪方术等也深入民间生活。熊伯龙《无何集》中对道教宣扬的炼丹修仙、招神驱妖，祈福禳灾等各种骗术进行了揭露和批驳。

熊伯龙以长生不老和成仙理想为主要突破口批判道教迷信。对于长生不老，熊氏认为：“血肉之躯，安能长生不死”[②]，并进行了详细解释：“有血脉之类，无有不生，生无不死。以其生，故知其死也。”[③] 强调人为血肉之躯，如同世间其他生物一样，将经历初生、成长、成熟以及死亡的过程。这是一个永恒的生命周期规律。他还举出东方朔劝谏汉武帝的事例，嘲讽所谓长生不老丹药。事情发生在汉武帝时期，武帝痴迷于成仙之说，他将得到的不死药给东方朔观看，东方朔当即抢过此药吞服。武帝大怒要杀他，东方朔却辩驳说，倘若他吃下的真是不死药，那么皇帝就无法杀死他，如果是假的不死药，那么皇帝服用又有何用呢？熊氏欣赏东方朔的机谋，称赞他“真善谏”，仅仅吞服丹药这一个行为，便使汉武帝陷入两难境地，从而破除了武帝的长生不老迷信。

对于成仙理想，熊伯龙通过一则故事进行了无情地揭露。后汉时期，毛伯道、刘道恭、谢稚坚、张兆期四人同赴王屋山修道。历经四十

① （清）熊伯龙：《无何集》，第 117 页。

② （清）熊伯龙：《无何集》，第 379 页。

③ （清）熊伯龙：《无何集》，第 383 页。

年炼得长生仙丹后，毛、刘二人率先服用后先后身亡。谢、张胆怯，丢弃仙丹，准备下山回家。两人还未走出王屋山，忽然看见毛、刘二人骑白鹿在山间悠游。两人方才明白，原来毛、刘已经羽化成仙。他们还给谢、张茯苓方，二人因此也得道成仙。而实际情况是，谢、张二人上山求道，终无所成，感到非常惭愧，因而编造谎言，假称遇见毛、刘，欺世盗名。[①]至于汉武帝曾派人入海求仙，寻求不死之药，临终时才醒悟称："天下岂有神仙"；韩愈诗亦云："神仙有无何渺茫，桃源之说诚荒唐"，熊伯龙表示赞赏称："真知言也。"[②]

熊伯龙对佛教的批判主要集中于在社会中流布最广、毒害人民最深的因果报应等迷信思想和行为上。熊氏运用丰富的历史知识，在《无何集》中列举数个帝王的命运，以示因果报应的荒谬。如梁武帝萧衍曾经三次舍身同泰寺，每次都是朝臣动用国库大量的金钱将之赎回，梁武帝还计划将国家所有的土地和财产都舍给同泰寺，然而梁武帝晚年被困台城，以至饿死；陈武帝陈霸先亦舍身大庄严寺，次年即身亡；唐懿宗在禁中设置佛经讲席，自己唱佛经文，并手抄梵文贝叶经，咸通十四年（873 年）遣使迎奉佛骨，三个月后的秋七月即病亡；元仁宗诏写金字佛经，共使用黄金三千九百两，两年后即病亡。[③]梁武帝、陈武帝等四位皇帝虔诚向佛，就因果报应思想而言，他们的所作所为招致的后果并非福报，而是灾祸。

熊伯龙在《无何集》中还对民间流行的封建迷信活动，如看风水、占卜、测算八字、相面、敬灶神、拜土地、卜筮、巫祝、扶乩、堪舆、谶纬、星相等一一揭露，称"堪舆、星象之家，皆窃阴阳八卦之说，其流弊至不可言"[④]；"术数之学皆欺人耳，有时合者，偶然适中，非先

① （清）熊伯龙：《无何集》，第 370 页。

② （清）熊伯龙：《无何集》，第 385 页。

③ （清）熊伯龙：《无何集》，第 465 页。

④ （清）熊伯龙：《无何集》，第 408 页。

知也。世人因有时偶合，故疑以为神”[①]。

综上所述，熊伯龙已经构建起比较系统的无神论思想体系。他学淹百家，善于独立思考，广泛收集资料，所著《无何集》在基本思路和观点上，是对以《论衡》为代表的中国古代无神论的继承和发扬，堪称中国无神论史上的经典之作。同榜状元刘子壮曾言：“钟陵作《无何集》，千载而后定当与仲任（即王充——引者）齐名。”[②]朴学大师阎若璩赞叹：“予上下千古，自汉以前，得一大异人，曰王仲任；自汉以后，得一大异人，曰熊次侯。”[③]他在批驳宗教神学以及否定种种世俗迷信的同时，寄望人们依靠和相信自己的力量，真正认识和改造自然和社会。他的思想对于今天破除迷信和解放思想，仍具有一定的现实意义。但是，他对宗教的批判没有深入到宗教的理论基础和社会根源，将一切现象出现的原因都归结于偶然性等，这些历史时代的限制导致了熊伯龙的批判不可能是彻底的。

四、张居正改革及其思想主张

遍观明清鄂籍士人，因科举而入官场、声名最为显赫者，当推张居正。张居正（1525—1582），字叔大，号太岳，湖北江陵人。张居正当国十年间，大兴改革，革除弊政。他提出“考成法”，革新官员考核和监督机制；推行“一条鞭法”，使税赋合一、税制简化、按丁按地派役。这些改革措施及其思想主张对明中后期及清代的政治和社会产生了重大影响。

万历元年（1573 年），张居正上《请稽查章奏随事考成以修实政疏》，请行整饬吏治的“考成法”，获明神宗批准施行。“考成法”的主要内容为：朝廷吏部、户部、兵部、刑部、工部、礼部等六部和都察院在衡量路程远近及事情缓急程度后，制定各级官员工作事项，规定完成

① （清）熊伯龙：《无何集》，第 421 页。

② （清）熊伯龙：《无何集》，第 98 页。

③ （清）熊伯龙：《无何集》，第 14 页。

的时限，并将之以“一式三份”的形式登记在三本账簿上。一本登记本衙门的所有来往公文和办理的公务，将例行公事无须查考的工作事项剔除，留为底册；一本交与六部相应的六科备注，实行一件注销一件，遇有未按时完成的事务，即由该科具奏请示处理；一本呈送内阁，以备阁臣随时查考六科与六部的事务。①

考成法实施后，“月有考，岁有稽”，各级官员考核周期缩短，考核时间也固定下来。考核内容分列三册，标准统一明了，易于稽核。考核体系由基层到朝廷中央共有办事衙门、六科、六部和内阁等四个层级，互相牵制、便于监督。考成法的实施如同给万历初期的政治注射了一针强心剂，明朝官场面貌焕然一新。概而论之，考成法的成效有三：其一，官场风气整肃一新。考成法对中央及地方等具体行政部门实行随事可考、事事责成的监察制度。地方官按政绩实行考核，优良者列为上考，庸劣者列为下考或裁撤。同时，具有实干和改革精神的官员被委以重任，不再拘于出身和资历。其次，财政支出得到控制。嘉靖中后期到万历初期，国家财政经常出现入不敷出的状况。究其原因与皇室、贵族生活不知撙节、浪费无度密切相关。实施考成法后，皇室宗亲缩减生活开支、禁绝官员挪用公款的命令得以贯彻，财政支出状况好转。其三，赋税征收效率提高。考成法将赋税征收与地方官员的政绩联系起来，要求各地的官员追缴以前欠税，改变地主豪户兼并及隐瞒土地、逃避纳税的状况，并以此考核官员业绩。如此，不仅地方官员如数完成当年税粮征收，而且还清查出许多地主的陈年积欠，国家税粮显著增加。

除了政治制度层面的考成法，张居正还在经济领域锐意改革。他提出“一条鞭法”，上承唐代“两税法”，下启清代“摊丁入亩”，是中国财政经济史上的重要事件，对中国传统封建社会形成深远影响。

明神宗万历九年（1581 年），张居正为了抑制豪强兼并，均平赋役，在清丈土地的基础上，全面推行“一条鞭法”。“一条鞭法”将地税与

① （明）张居正：《张太岳先生文集》卷三十八《请稽查章奏随事考成以修实政疏》。

徭役合二为一，按田亩征纳的税法，将复杂的赋役项目编为一条，故称“一条编”，后变为“一条鞭”。又因其征银，亦称为“一条鞭征银法”。这种税制征收手续简化，将一年应收的粮税、代役金以及各种经常性摊派、杂税与土贡之类合并在一起，“计亩征银、折办于官”。[①]

“一条鞭法”作为经济领域一项重大改革措施，它的制定和实施顺应了当时社会发展的实际状况。归纳而言，明代中后期政治和经济形势面临着三个方面的问题和新变化。

第一，土地兼并日益严重，税赋负担不均。明代中期地方豪强和皇亲国戚大肆兼并土地，如“武宗继位，逾月即建皇庄七处，其后增至三百余处”，还有诸王、中官通过采取“上请”“受献”或直接掠夺等多种手段侵占大量土地。明洪武二十六年（1393 年），全国登记在册耕地为 850 万余顷，经过百余年后到弘治十五年（1502 年），耕地面积剧减到 422 万余顷，比洪武时期减少一半以上，其中以湖广、河南和广东失地最多。[②]与此同时，农民土地大量流失，但依附于土地的赋税却没有发生转移，地主、官僚和贵族占有大量的土地而不负担赋役，贫民无地却要承担赋役，加之连年灾荒，人民难以生存，不少人被迫离开自己的土地，流离失所，导致国家税赋收入迅速下降。

第二，国家财政捉襟见肘，日益窘迫。明朝中后期国家财政支出不断增加。“国家经费，莫大于禄饷”。在财政支出结构中，皇室宗亲、贵戚岁享俸禄占较大比重。如朱元璋在明初规定亲王每年的俸禄为“米五万石，钞二万五千贯，锦四十匹，纻丝三百匹，纱、罗各百匹，绢五百匹，冬、夏布各千匹，绵二千两，盐二百引，茶千斤”等，其他郡王、亲王子以及公主的年俸、出阁和婚嫁赐封亦各有成规。[③]此外，明代中期政府机构臃肿，冗员充斥，耗费了大量国家资财。还有，明代中

① （明）王圻撰：《续文献通考》卷十六《职役考》。

② （清）张廷玉等撰：《明史》卷七十七《食货一》，北京：中华书局 1974 年版，第 1882 页。

③ （清）张廷玉等撰：《明史》卷八十二《食货六》，北京：中华书局 1974 年版，第 1999 页。

后期为防御福建、浙江沿海倭寇滋扰以及北方少数民族侵袭，军费开支亦日渐庞大。国家财政收入减少、支出不断增加，负担日渐沉重。

第三，商品经济获得长足发展。明代中后期，随着商品经济的发展，商业的繁荣推动了白银货币的广泛流通。同时，农村大量失地农民向城市聚集，从事城市小手工业和商业，为城市商品经济提供了充足的劳动力资源。这些都为“一条鞭法”折银征收的实施创造了必要的条件。

“一条鞭法”实施后取得诸多成效：首先，赋役合一，税制简化。“一条鞭法”改变了此前烦琐、复杂的赋税征收和管理方式，将赋税和徭役合并在一起征收，这标志着在中国沿袭两千多年的赋役并行的赋役制度，逐渐转向以物为课税对象的租税制。其次，清丈土地，平衡赋役。明代中后期豪强、地主大规模的土地兼并及隐没，造成赋役负担不均，国家财政收入流失。张居正在全国范围内重新清丈土地的基础上，通过计亩征银的方式确定个人所需承担的赋役，然后据此征收。“一条鞭法”在一定程度上纠正了失地农民赋役畸重与地主赋税畸轻的社会矛盾，促进了赋役平衡。再次，改差为雇，减轻负担。“一条鞭法”以雇佣劳役替代征收劳役。官府一年所需要的劳役，由官府出钱雇人应役，不再由农民义务承担。如此，农民既可避免原先在劳役编派中因不同役差轻重不均而受到豪民地主欺凌，又可安心农业生产。最后，官收官解，简化标准。原先田赋纳粮，采取民收民解的方式，即里长、粮长协助官府征收和运输赋粮，其中官司需索以及运输路途远近等造成的负担不均等弊端难以避免。此外，原征收丁粮设置了三等九则，操作复杂，“一条鞭法”规定计亩征银，银税交纳，官收官解，降低了征税成本，提高了赋税征收效率。

张居正在政治层面和财政领域先后推行“考成法”和“一条鞭法”改革，其中所反映出的理政思想雏形可上溯到隆庆初期。隆庆二年（1568 年）八月，张居正给穆宗皇帝上《陈六事疏》，奏疏称：“臣闻帝王之治天下，有大本，有急务。正心修身，建极以为臣民之表率者，图治之大本也。番几度势，更化宜民者，救时之急务也。”[①]奏疏开宗明义，治理国家需要着眼于“图治之大本”和“救时之急务”等两项要务。“大本”事关皇帝自身修为，宜“正心修身”，“以为臣民之表率”；“急务”则指客观世界中亟待解决的现实问题。这与儒家思想的最高境界“内圣外王”之道暗合。换言之，张居正把儒家所提倡的“内圣外王”思想作为改革思想基础的一部分。奏疏提出实行“省议论”“振纲纪”“重诏令”“核名实”“固邦本”“饬武备”等六项政策，以纾解明朝面临的经济和政治危机。“考成法”和“一条鞭法”两项改革措施便以《陈六事疏》为蓝本，沿袭奏疏中六项政策的基本思路，根据政治和经济形势变化调整施政策略，使改革更加具有针对性和可操作性。

经济政策上的重大改革与经济思想的突破和创新总是联系在一起。张居正秉持“厚农而资商”“厚商而利农”的观点，认为“古之为国者，使商通有无，农力本穑。商不得通有无以利农，则农病；农不得力本穑以资商，则商病。故商农之势，常若权衡”[②]，将商业与农业置于同等重要的地位，两者协调发展，互为支撑，不可偏废。张氏农商关系的观点在“一条鞭法”中得到充分体现。推行新法后，农民对地主的人身依附关系进一步松解，与市场的联系得到加强，农产品进入市场交易，经济作物如茶、桑等种植面积增加。在城镇商业方面，手工业市镇大量涌现，城市商业进一步繁荣。

万历初年展现出“中外乂安，海内殷阜，纪纲法度莫不修明”的景气景象，应该说这是张居正当政期间“肩劳任怨，举废饬弛”的结果。《明史》评价张居正称：“日久论定，人益追思。”[③]李贽亦称张居正为“宰相之杰”，并为之辑录《张文忠公奏稿》。张居正曾言：“得失毁

① （明）张居正撰：《张太岳集》卷三十六《陈六事疏》，上海：上海古籍出版社，1984年，第453页。

② （明）张居正撰：《张太岳集》卷八《赠水部周汉浦榷竣还朝序》，上海：上海古籍出版社，1984年，第99页。

③ （清）张廷玉等撰：《明史》卷二一三，北京：中华书局，1974年，第5652页。

誉关头若打不破，天下事无一可为者”[①]，正可作为张氏对自己的精辟评价。

五、熊赐履的“学统”论

宋明理学发展到清代，俨然已是一个庞大体系。大体上，清代理学家可分为两大类：一是以理学博得朝廷恩宠的官方学者，一是舍绝仕途、以理学修身齐家的士人。湖北籍学者熊赐履即属于前者，堪称誉满天下的理学名家。

熊赐履（1635—1709），字青岳，又字敬修，号素九，别号愚斋，湖广汉阳府孝感人，祖籍江西南昌，明洪武初迁入湖北。祖父获清廷赐赠光禄大夫、东阁大学士兼吏部尚书。父亲为明朝生员，后主连奇书院讲席。赐履年少勤奋好学，十五岁时即学有所成。顺治十五年（1658年）考中进士，选为庶吉士，后改授秘书检院检讨。康熙践祚后，熊氏在短短数年内连获拔擢，由国子监司业迁弘文院侍读、充经筵日讲官。康熙十四年（1675年），因其“素有才能、居官清慎”，升任内阁大学士。[②]后官至武英殿大学士兼刑部尚书、礼部尚书、吏部尚书、东阁大学士，兼充《太祖圣训》《太宗圣训》《孝经衍义》《太宗实录》《世祖实录》《平定溯漠方略》以及《明史》等纂修副总裁或总裁。卒于清康熙四十八年（1709年），享年75岁，谥文端。

康熙六年（1667年），皇帝下诏征求直言。熊赐履时年32岁，性情刚毅，敢作敢为。他不顾权臣鳌拜当权专政，秉笔直书，向康熙皇帝直上万言疏。此篇上疏以揭露民生艰难、吏治黑暗为开篇，言及各地私自加征的赋税及税项都远在官府规定数额之上，人民生活困苦艰难。在遭遇水、旱灾害时，朝廷施行税赋减免以及拨发钱粮赈灾，这些好处实际

① （明）张居正撰：《张太岳集》卷三十二，《答南学院李公言得失毁誉》，上海：上海古籍出版社，1984年，第407页。

② （清）孔继涵：《杂体文稿》卷七《年谱·经筵讲官太子太保东阁大学士兼吏部尚书熊文端公年谱》。

上都落入地方贪官污吏之手。地方吏治已呈现系统性贪腐特点，即“督抚贪则监司贪，守令亦不得不贪”。熊氏向皇帝提出地方官员的考核标准——“以民生苦乐为守令之贤否，以守令贪廉为督抚之优劣”，以使考核贴近民生，不流于清议。

熊氏奏疏继而将矛头直指朝政。在熊赐履看来，朝政当前存在两大弊端，其一，国家章程法度随意更变。在朝廷根本制度尚不完备的情况下，权臣常为一己之私任意弄权，这种行为已经严重伤害到国体并为将来留下无穷隐患，应敕令议政王详议制度，以“上有道揆，下有法守”。其二，朝堂议政风气萎靡，散漫塞责。部院大臣大都明哲保身，心怀持禄养老之心，丧失锐意进取之志。请求皇帝敕令满汉诸臣，实心任事，少推诿多担当。汉官不逢迎满官，地方官员不巴结朝廷官员。宰执、台谏各司其职，各尽其责。如此，“则职业修举，官箴日肃而士气日奋矣”。实际上，此两大弊端的肇因和实质均指向“权臣弄权”。除此两点，熊氏还指出群起嘲讽道学之士的现象，表明至少在康熙初期，理学家在朝堂上并未受到尊重。

抡才和教化亦是熊氏奏疏所讨论的重点。关于抡才，熊赐履认为当前文教日衰，师道不立，士子则醉心科举，熊赐履请求朝廷责成学院和学道，为士子“讲明正学”，以“求圣贤理道之归”，而非当前士子们沉溺于诸子百家和佛道二氏的状况；关于教化，熊氏认为当前礼崩乐坏，社会上奢侈之风盛行，并将“风俗奢、礼制坏”，视为“饥寒之本原，盗贼、讼狱、凶荒所由起”，这个原因当然并非探本之源，它只是熊赐履思想认识囿于时代，忽视了阶级压迫和社会分配不公这两个重要因素所得出的结论，但它表明，居于庙堂之上的熊氏关注社会治乱，并为寻求解决之道进行着有益的探索。

奏疏的最后部分是熊赐履对皇帝“择人”的建言。熊氏认为：“根本切要，端在皇上”，前述吏治、朝政以及抡才等问题最终将由皇上乾纲独断，因此，皇帝身边的“环境”亟待治理。如遴选帝师，宜“慎选左右，辅导圣躬，熏陶德性”；任命顾问，应“妙选天下英俊，使之陪侍法从，朝夕献纳”；挑选近臣，需“左右近习，必端其选，缀衣虎贲，亦择其人”。如此慎选“君侧”后，熊赐履寄望康熙皇帝“佞幸不置于前，声色不御於侧，非圣之书不读，无益之事不为”[①]，流露出对皇帝早日亲政的殷殷期许。

熊赐履的此本长篇奏疏触怒了权臣鳌拜。其时鳌拜权焰正炽，遂向皇帝提请以“妄言”之罪责罚熊氏，并要求此后禁止所有言官上疏议政。康熙帝没有批准这两项要求。次年，即康熙七年（1668 年），熊赐履再次上疏议政，疏中有“朝政积习未除，国计隐忧可虑”，“讲学勤政，在今日最为切要”以及“乞时御便殿，接见群臣，讲求政治”等语，其中，“积习”“隐忧”应指鳌拜势力未除，“勤政”“时御便殿，接见群臣”等表示希望康熙帝摆脱束缚，临朝亲政。这篇上疏再次受到鳌拜诘责，传旨追问熊“积习”“隐忧”所指何事，在没有得到回答后，鳌拜诬称熊赐履“所陈无据、妄奏沽名”，下部议处，降二级调用。康熙帝再次原宥和保护了熊赐履。康熙八年（1669 年），鳌拜以三十项大罪被议处，其中一项罪名即为衔恨赐履，并意图倾害。由于熊氏不畏鳌拜势力强权，勇于斗争，因此“直声”大著，深得康熙皇帝信任，熊赐履也步入他仕途的辉煌时期。

康熙九年（1670 年），熊赐履任国史院学士，八月充世祖实录副总裁，十月又任武殿试读卷官。一日，皇上召熊赐履入内廷，命作楷书。熊氏遂写就“敬天法祖，知人安民”呈进。皇上看后对侍臣说：“（熊赐履）书法亦如其人，顾不自炫耳。”然后请熊氏讲授《大学》《中庸》的两首节《道千乘之国》以及《务民之义》。康熙为之激赏，称赞他是真正的讲官。次日，熊赐履便被擢升为翰林院掌院学士兼礼部侍郎。康熙皇帝在随后的上谕中称：“帝王图治，必稽古典学，以资启沃之益。经

---

① 赵尔巽等撰：《清史稿》卷二六二《列传四十九・熊赐履》，北京：中华书局 1977 年版，第 9891—9893 页。

筵日讲，允属大典，宜即举行。”[①] 康熙十年（1671 年）二月任命熊赐履、冯博、明珠等人充任经筵讲官。三月，又以“经筵体严时暂，工夫切实在日讲”为由，确立日讲制度，任命熊赐履为日讲官。自此，经筵日讲制度便正式确立下来。

通过经筵日讲，熊赐履一方面向康熙讲授孔孟程朱之道，帮助皇帝逐步树立了“理学至上，摈弃杂端”的思想认识。这一认识伴随了康熙皇帝终生，在其晚年训诫官员时他曾说：“理学之书，为立身根本，不可不学，不可不行。”[②] 另一方面，熊赐履还通过日日进讲对“异学”进行抨击和贬抑。如评论陆九渊、王阳明之学时称：“二氏之书，臣虽未尽读，亦曾穷究，其指大都荒唐幻妄，不可容于尧舜之世。”还劝诫皇帝作为圣帝明王不可耽溺于佛老学说，否则将会如秦始皇和梁武帝一样贻笑千秋，康熙则表示赞同：“此正论也，朕当切识之。”[③] 经筵日讲对康熙崇儒重理思想产生了深刻的影响，朝野学术氛围亦发生显著变化：“圣祖崇儒重道，经筵讲论，孜孜圣贤之学，朝臣承其化，一时成为风气。”[④] 至于熊赐履之于康熙皇帝，史称：“圣祖之崇宋学，自孝感（即赐履）发之也”，[⑤] 萧一山看法亦相同：“帝之尊重儒术讨论宋学，盖自熊赐履启之。”[⑥]

熊赐履著述较多，择其要者，列述如后：《闲道录》3 卷，“是书大旨以明善为宗，以王敬为要，力辟王守仁良知之学，以申朱子之说”；《下学堂札记》3 卷，实为《闲道录》的副产品，“赐履既重订所作《闲

---

① 《清圣祖实录》卷三十四，康熙九年冬十月丁酉条。

② （清）章梫：《康熙政要》卷十六《理学》，北京：中共中央党校出版社，1994 年。

③ 中国第一历史档案馆整理：《康熙起居注》，北京：中华书局，1984 年，第 116 页。

④ 赵尔巽等撰：《清史稿》卷二六二《列传四十九·熊赐履》，北京：中华书局，1977 年，第 9899 页。

⑤ （清）徐世昌等编，沈芝盈、梁运华点校：《清儒学案》卷 38，《孝感学案》，北京：中华书局，2008 年，第 1427 页。

⑥ 萧一山：《清代通史》卷上，上海：华东师范大学出版社，2005 年，第 777 页。

道录》，乃举向所札记，摘其与是录相发明者三百三十有三条，定为此编”；《经义斋集》18卷，“此集乃康熙庚午赐履以礼部尚书丁忧家居时所刻，凡文十四卷、诗四卷。其名经义斋者，圣祖仁皇帝所赐御题也”；《澡修堂集》16卷，多为书札，兼及匾额对联，“澡修堂亦圣祖仁皇帝御题之名，故以名续集”。[1]熊氏著述中最有代表性、影响最大的当属《学统》，共56卷，该书“计凡十阅寒暑，三易草稿而后成”，殊为不易，凝聚了熊氏大量心血。

谈及《学统》的编纂宗旨，熊赐履说：“辨其学所以晰其理，而道以明，而统以尊”，概言之，即“倡导程朱，传承道统”。

熊赐履参照四书五经、《孔子家语》等书籍，将学术置于一个较长时段内考察，“爰断自洙泗，暨于有明”，并且为“示偏全，辩是非，别同异”而将历代学术分为正统、翼统、附统、杂统、异统等五统。熊氏将五统逐一厘定。正统，“犹族之有大宗也”；翼统，“犹小宗也”；附统，“犹外姻也”；杂统和异统，“则非我族矣”。正统、翼统、附统属于正学，杂统、异统则属于异端。归入正统、翼统、附统者，为其褒扬对象；纳于杂学、异学者，则遭其贬抑。

《学统》的“正统”为卷一至卷九，共收人物九人，人各一卷，依次为孔子、颜子、曾子、子思子、孟子、周敦颐、程颢、程颐和朱熹。熊氏将孔子放在卷首，尊为正统之主，盖因孔子“德配天地，道冠古今，可谓至圣”[2]。卷二至卷五收录孔门中人。卷六至卷九中的周敦颐、二程以及朱熹皆为宋代理学代表人物。

“翼统”为卷十至卷三十二，人各一卷，共收入为闵骞、冉雍、端木赐、有若、言偃、卜商、董仲舒、韩愈、张载等二十三人。熊赐履认为正统之外，先贤先儒有能羽翼经传，表彰绝学者，亦能称之为吾道大功臣。

---

① （清）永瑢等：《四库全书总目》卷九十七《子部七·儒家类存目三》；卷一八二《集部三十五·别集类存目九》。

② （清）熊赐履：《学统》卷一《孔子按语》。

“附统”为卷三十三至卷四十二下，多人一卷，共收录冉伯牛至明高攀龙等一百七十八人。附统以春秋战国、西汉、东汉、魏晋南北朝、唐、宋、元、明等朝代为序，卷内人物亦以时序论列。卷三十三至卷三十五收载春秋战国人物。卷三十三所载均为孔子弟子，包括冉耕、仲由、宰予、冉求、颛孙师、曾点、公西赤等十六人。卷三十四收载三人为左丘明、公羊高和谷梁赤，他们分别著有《左传》、《公羊传》与《穀梁传》。卷三十五收载四人为乐正子春、公明仪、公明宣和乐正克，此四人品行高洁，其中乐正子春、公明仪、公明宣为曾子弟子，乐正克为孟子弟子。

卷三十六所载为西汉诸经学人物，包括丁宽、孔安国、伏胜、夏侯胜等十二人。卷三十七所载为东汉经学家，包括杜子春、刘昆、洼丹、张兴、孙期等三十二人。

卷三十八收载魏晋南北朝及隋朝人物，依次为徐苗、范宣、范宁、皇侃、沈不害、平恒、乐逊、刘焯等八人。卷三十九收载唐代儒家人物，计有盖文达、王元感、褚无量、马怀素、元行仲、归崇敬等六人。

卷四十上、卷四十下所录为宋代诸儒。卷四十上所载人物为朱熹前辈及同时代人，始于北宋孙奭迄于南宋吕祖谦，包括孙奭、孙复、石介、胡瑗等二十九人。卷四十下所载为朱熹弟子及后辈诸儒，包括蔡元定、李燔、张洽、陈淳等二十二人。卷四十一所载为元代诸儒，包括金履祥、许谦、陈栎、胡一桂等九人。

卷四十二上、卷四十二下收录明代诸儒。卷四十二上所录为明中前期人物，包括朱善、曹端、吴讷、李时勉等十六人。卷四十二下所录为明中后期人物，包括蔡清、黄巩、陈琛、邵宝等二十一人。

“杂统”为卷四十三至卷四十九，所收人物依次为荀子、扬雄、王通、苏轼、陆九渊、陈献章、王守仁等七人，每卷一人。

“异统”为卷五十至卷五十六，依次为老子、庄子、杨朱、墨子、告子、道家、释氏，各占一卷。熊赐履坚决不容道家，“冀其绝”；卷五十六上、五十六中、五十六下为释氏，熊赐履对释氏亦极为排斥，以三卷篇幅不遗余力展开抨击，“曰杂曰异，则非我族矣”。[①]

总的来说，《学统》基本是三段式，即包括小传、评语和按语三部分，各卷根据内容不同而略有增损变异。

第一部分，小传。除杂统和异统人物以外，正统、翼统、附统人物皆有传记。依传主事略，传记详略不一。详述者上万言，简要者仅有百余字。小传主要关注人物生平、主要言论、事功、学术思想及身后荣誉。人物小传内容最为翔实的当属孔子、朱熹，其次为孟子、二程诸人。

第二部分，评语。除附统外，其他各统均有“古今评骘”部分。熊赐履将历代诸儒依次排位，择历代诸儒评骘之语条列人物之下，以求取公道和公认之意。熊氏为正统、翼统人物尽数遴选历代诸儒的褒扬之语，而为杂统、异统人物则仅选录贬斥、批判之辞。对此，熊赐履在《学统·凡例》中也有说明：“惟取吾儒拒辟之辞，择其最严正者，录于各氏之下，以为后学之鉴戒。”总之，熊赐履选录人物评语，其目的便在于维护正统，批驳杂统，为其尊朱黜王的卫道服务。

第三部分，按语。《学统》每卷之后均有按语。按语不拘长短，一般来说，对于那些有争议的人物，按语相对要多些；对于那些历史上有定见且评骘一致的人物，按语则少些。

“天子之位也，是谓治统；圣人之教也，是谓道统。”[②]道统和治统从来都不是孤立存在，它们相互交织、相互强化。在中国历史上，封建政权倚重道统，“天下以道而治”。作为少数民族政权，清代统治者格外注重道统，因为道统直接关乎统治的合法和稳定。顺治皇帝称“今天下渐定，朕将兴文教，崇经术，以开太平”[③]，康熙皇帝强调“万世道统之传，即万世治统之所系”[④]。以熊赐履为代表的庙堂理学家正是顺应

---

① （清）李振裕：《学统》，《序》。

② （清）王夫之：《读通鉴论》，长沙：岳麓书社，1996年，第568页。

③ 《清世祖实录》卷九十，顺治十二年三月壬子条。

④ 《清圣祖实录》卷七十，康熙十六年十二月庚戌条。

了清初这一政治需要和理学发展潮流，通过总结学术的方式，卫道、明统，从而排斥异端，捍卫程朱理学的正统地位，达到“存《学统》以存国统”的目的，使道统与治统更加契合，“以王佐之才，为圣天子辅，启心沃信，兴起鸿业”[①]。

第二节　学问之道

明清时期是古代湖北文化发展的重要阶段，出现了诸多重量级的学者。其中，廖道南、陈士元、郝敬、章学诚、杨守敬等众多史学家、理学家、实学家和舆地学家，均具有不可忽视的学术地位及影响力。他们有些本系鄂籍人士，有些则系客居于此，但对湖北文化贡献颇多，理应刊载史册，以纪其功。

一、史家廖道南及其《楚纪》

廖道南（？—1547），字鸣吾，号洞野、玄素，蒲圻人。正德十六年（1521年）进士（殿试二甲第一名），授翰林院编修，后任右春坊太子中允、侍讲学士。与童承叙、张治并称“楚中三才”。有意味的是，廖氏中举那一年，正是武宗驾崩、朱厚熜继承皇位之时。他感到这是特别不同寻常之事，声称“臣道南伏自龙飞登极，叨拔甲科；鳌掖抡材，幸列史馆；载迁宫秩，晋长词垣；讲幄横经，觐天颜于咫尺；纶扉献议，被帝宠之骈番……”[②]自有一番得意在心中，对皇权颇有感恩戴德之情。

正因为如此，廖氏倾注心血，撰写长达60卷的《楚纪》，为嘉靖帝改变皇统之作为提供合法性的学术依据。史载：“此书乃道南归田以后为世宗而作也。世宗以兴王继统，实受封于楚之安陆府。道南大旨以为太祖平陈理于武昌，实开定鼎之基。世宗复由安陆履帝位，更启中兴之

① （清）李振裕：《学统》，《序》。

② （明）廖道南：《楚纪》卷六十，《景则外纪后篇·感遇》。

业，故以楚地为受命之符，天心所属。博采古今，铺张润色，为纪十有五”，包括皇运、国基、征献、懋庸、崇道、昭文、孚谏、稽谋、树节、经变、考履、阐幽、登绩、穆风、景则。“每纪分内外，内外又分前后。凡一人一事，与楚稍有所涉者，亦必牵引以入焉。”对这部大作，廖道南耗费了大量时间及精力，希望写成《史记》那样的传世名著，“道南于当时颇负文名，此书亦殚十余年精力。其六卷《景则纪》中，有《原胄》《叙宗》《感遇》等篇，详述己之世系出处，仿太史公自叙，隐然自以其书比于《史记》。然其体例芜杂，援引附会，殊不足观也”[①]。刻意颂圣的史学写作，必然曲意阿谀，最终自坏门庭。事实正是如此，《楚纪》自嘉靖二十五年（1546 年）刊布，再未重刊，以故少有人知。清修《四库全书》，亦未辑入，仅以“存目”略记之。后世研究荆楚历史的学人，极少利用该书。不过，作为地方史书之一种，《楚纪》仍然有其参考价值。附带提及，廖氏还曾主修《蒲圻县志》一部，今佚。

关于《楚纪》的写作旨趣及原则，廖道南在对仗工整、文辞雅丽的《自序》中作了详细说明。通览《自序》，不难看出作者对明代皇权的膜拜心理。以学者之资质，援引古今之文献，结合时势之变化，阐发自己对于江山社稷之建言，在传统时代是极为常见的现象，是学以致用的“士”之道。身为科举入仕之学者型官员，廖道南竭力维护帝王权威的做法也无可厚非。只不过，嘉靖帝的入继大统本是武宗无嗣造成的“偶然”事件；不承想，这位新皇帝却异想天开，绝意另立“政统”，结果引发宫廷政治的纷乱，影响甚为恶劣，也彰显了明代君主专制的嚣张。作为一介书生，廖道南不遗余力地为嘉靖帝歌功颂德，其间之媚态实不足称。在这种媚态下完成的著述，也遭受冷遇的命运。

作为一部通史性的著作，《楚纪》征引文献众多，为后人留下了较为丰富的历史资料（参见表 3—1）。这或许是其最大的价值所在。

---

① （清）永瑢等：《四库全书总目》卷五十三《史部九 · 杂史类存目二 ·〈楚纪〉六十卷（浙江范懋柱家天一阁藏本）》。

表 3—1 《楚纪》征引地方志书一览

所引志书	在《楚纪》中的位置
《荆州志》	卷十五《朱昂》条，第 223 页；卷三十三《熊宜僚》条，第 554 页，等等。
《郧志》	卷七《麇国》条，第 98 页；卷三十六《尹伯奇》条，第 584 页，等等。
《襄志》	卷九《柳浑》条，第 125 页。卷三十三《卞和》条，第 555 页，等等。
《蒲圻志》（廖道南编纂）	卷十五《费师古》条，第 237 页。
《蒲圻志（旧志）》	卷三十三《陈求道》条，第 559 页。
《沔阳州志》	卷十六《刘琢》条，第 252 页。卷四十五《汉滨老父》条，第 724 页，等等。
《茶陵志》	卷二十二《谭子发》条，第 323 页。
《武昌志》	卷二十六《邓真》条，第 426 页。
《长沙志》	卷十五《狄棐》条，第 234 页。卷三十三《虞悝》条，第 557 页，等等。
《道州志》	卷十五《费师古》条，第 237 页。
《常德志》	卷四十一《连舜宾》条，第 653 页。
《辰州志》	卷四十三《何镐》条，第 690 页。
《武陵志》	卷十五《柳拱辰》条，第 239 页。卷四十三《乐广》条，第 683 页，等等。
《郴志》	卷十六《曹嗣宗》条，第 250 页。
《衡州志》	卷四十一《谷朗》条，第 643 页；卷五十五《朱昂》条，第 1006 页。
《永州志》	卷二十三《陶弼》条，第 353 页；卷四十一《蒋晋》条，第 643 页，等等。
《江西通志》	卷十二《伍文定》条，第 179 页；卷十五《柳拱辰》条，第 239 页。
《通志》（《湖广通志》）	卷三十六《鬻拳》条，第 584 页。卷三十六《陈道周》条，第 588 页，等等。
《一统志》	卷九《尹吉甫》条，第 113 页；卷十一《宋绶》条，第 170 页，等等。

资料来源：邱亚：《廖道南〈楚纪〉研究》，华中师范大学历史文化学院历史文献学专业 2014 年硕士学位论文。《楚纪》所引志书，大部分都会在“史南曰”部分加以说明、述评。

在《楚纪前叙》中，应槚（曾任湖广按察副使、提督学政）称赞《楚纪》："是不足以补通志之遗乎？纪凡六十卷……是盖遵时制、昭宸翰，而又有以补《郢志》之所不及也。是书错综往迹，发扬休光，始自神农，迄于嘉靖，上下数千年间，隐括不遗，矧事核文，实词严义，正非具博古通今之学者，其孰能之。"又说："窃谓此书事兼规劝、义存鉴戒，足以信今而传后。"虽为溢美之词，也点明了《楚纪》仍然不可全盘否定。

例如，廖氏通过检索文献，在传说时代的帝王系列中增加了"云阳氏"（在茶陵）、"赫胥氏"（在衡山），并构建了一个炎帝世系，所谓"炎帝传世，世有哲君"[①]，旨在突显楚史源远流长。

关于史学之评价，廖氏以官方意识形态为基准。例如，他推崇宋代理学家周敦颐、朱熹，视为孔儒之正传。又如，他从"夷夏大防"的角度出发，对元朝予以否定，"至元则天地晦冥，阴阳争战，彗孛天飞，龙蛇走陆，大乱极矣"[②]，肯定徐寿辉、明王珍、陈友谅举兵反抗的正当性。不过，一味站在儒家正统立场评判人物，难免牵强附会，例如他对屈原、贾谊、诸葛亮等人的儒学化"再造"，便令人质疑。此外，廖氏在处理史料、评定人物时，往往有较大的随意性，以故多有失实之嫌。虽然如此，今人研究两湖地区的社会变迁，仍可将《楚纪》纳入参考文献之中。[③]

二、经学家陈士元与郝敬

陈士元（1516—1596），字心叔，号养吾，小名孟卿，自署江汉潜夫，又称环中愚叟，应城人，史称"少蹶弛，负干济才"。嘉靖二十三

---

① （明）廖道南：《楚纪》卷三，《皇运外纪前篇·帝承》。

② （明）廖道南：《楚纪》卷三十八，《经变内纪后篇·徐寿辉》。

③ 罗福惠：《值得重视的〈楚纪〉及其撰者——兼考〈同胡参六祭熊芝冈年兄文〉非廖道南所作》，《江汉论坛》2007年第10期。

年（1544年）进士，与李攀龙（“后七子”之一）同榜。出任滦州知州，颇有政绩，但因得罪严嵩一党，遂罢官而归。此后，闭门著述数十年，蔚然大观，其中若干种已散佚不传。陈氏治学，视野开阔，遍及经、史、子、小学等，兼及占卜、术数。计有：《归云集》《论语类考》《孟子杂记》《古俗字略》《韵苑考遗》《五经异文》《易象钩解》《汇解梦占逸旨》《滦州志》《姓汇》《姓觿》《名疑》《象教皮编》《释氏源流》，均载入《明史·艺文志》；《新宋史》《新元史》《楚故略》《楚绝书》《隄疾恒言》《五岳记》《氏疑》《俚言解》《江汉丛谈》《荒史》《世历》《彝语音释》，共380余卷，皆已刊行；其他散佚者，约有十余种。时人叹曰：“有明一代，撰著之富，若升庵杨氏凡二百余种，郁仪朱氏凡百余种。士元赅博，与两家等而不苟同，则郑仲渔所云：后十五略，人未之闻者，盖两家不如也。”又称：“养吾子学问渊雅，经史子集各有撰著，共四百余卷，收入《四库》者六十余种。”[①]将才情、学识凝结为著述，以写作为人生之志业，陈氏不愧为大学问家。专著之外，亦负诗才，其诗与“后七子”领袖王世贞相埒，合称为“王陈”。

经学研究是陈士元的学问主干，兼擅考证与义理。其经学成就，集中体现在《易象钩解》《论语类考》《孟子杂记》三本专著上。

《易象钩解》4卷，是易学研究的专精之作。陈士元治《易》受朱震（湖北荆门人、宋代著名理学家）影响较大，故在文中多次引用“朱汉上”的观点和分析方法，体现出宋明两代湖北籍学者在《易》的研究领域薪火相传。陈士元认为《易》是圣人卜筮的成果，而汉代以来的儒者空谈义理，因而歧见百出。因此研究《易》的正确方法是回归原典，围绕彖辞、爻辞、象数予以考析。关于书名，他的解释是：“钩，曲也，转取也。本无所见，引物而旁通者也。若夫阴阳消长、治乱存亡之几，其何能解哉？”[②]这表明，易象可以帮助人们认识世界，但却不可以解

① （清）丁宿章：《湖北诗征传略》卷二十三《应城·陈士元》。

② （明）陈士元：《易象钩解》卷首《〈易象钩解〉原序》。

释事物的所有存在，尤其是变化不居的原因。陈氏此书，难免错谬，但史家充分肯定。[①]

《论语类考》是关于《论语》名物典故的考证著作，分 18 门（天象、时令、封国、邑名、地域、田则、官职、人物、礼仪、乐制、兵法、宫室、饮食、车乘、冠服、器具、鸟兽、草木），下设子目 494 条，是儒学研究的重要成果。陈氏在此书中敢于纠正朱熹《四书集注》的错误，显示了令人敬佩的学术勇气。与之同时，他对宋儒过度阐释经典的做法也表示不满，力主读经之法应该先考证、再引论，否则就会沦入曲解、妄议之陷阱。

至于《孟子杂记》，则表明陈士元提振孟学之用心。“士元嗣辑此书。第一卷叙孟子事迹，后三卷发明孟子之言。名以传记，实则经解居多。其所援引，亦皆谨严有体，不为泛滥之卮言。若赵岐注义以尾生、抱柱不去，证不虞之誉；以陈不瞻失气而死，证求全之毁，概为删薙。与所作《论语类考》均为有裨于经义，故今特附于四书类焉”[②]。毫无疑问，陈氏关于《论语》《孟子》的考证，有助于人们深入理解儒家经典的内涵。

附带提及，陈士元撰有《江汉丛谈》，是荆楚地方志书之一种。原书不著作者之姓名，既无序言、也无跋语，仅卷首有“环中迂叟”之提示，“其著书年月及作者时代亦无考”。元末明初学者陶宗仪《说郛》载有此书，指明陈士元所撰。据此，人们遂认为此陈士元与《易象钩解》作者为同一人。在这部方志中，陈氏重考据的学风再度展现。学者治学，当以求真为首要，此乃陈士元之于后世学人之启迪也。

郝敬（1558—1639），字仲舆，号楚望、书痴，京山人。号称神童，个性奇倔，曾杀人入狱。后专意读书，于万历十七年（1589 年）荣登

① （清）永瑢等:《四库全书总目》卷五《经部五 · 易类五 ·〈易象钩解〉四卷（两淮马裕家藏本）》。

② （清）永瑢等:《四库全书总目》卷三十六《经部三十六 · 四书类二 ·〈孟子杂记〉四卷（浙江汪启淑家藏本）》。

进士榜。先后出任缙云县、永嘉县知县，礼科、户科给事中。彼时，矿监税使祸害百姓，郝敬愤然上奏，连皇上也敢批评。因直言谏事，屡遭贬抑，干脆辞官，闭门著书。史称“不为要人所喜，考下下，再降，遂挂冠而归，筑园著书，不通宾客。‘五经’之外，《仪礼》《周礼》《论》《孟》各著为解，疏通证明，一洗训诂之气。明代穷经之士，先生实为巨擘”[①]，终成一代大家。

值得注意的是，郝敬耿直的性格在学术研究上也表现得淋漓尽致，其观点往往振聋发聩，令世人为之侧目。在那些恪守儒家正统之论的学人眼里，郝敬实在是可恶至极，“敬所作九经解，皆好为议论，轻抵先儒”[②]。尽管如此，郝敬的多部著作收入钦定《四库全书》存目类。其言行虽乖张，但其学术贡献却不容抹杀。

郝敬天才纵横，加之勤奋用力，撰写了大量论著。大体上，经学研究是郝氏学术主攻方向。《谈经》（一名《经解》），是郝氏“九经解”的概要，原题为《山草堂集》。郝氏“九经解”系列专书，共计165卷，167万字。《谈经》所记：《易》70条，《书》30条，《诗》54条，《春秋》56条，《礼记》13条，《仪礼》20条，《周礼》42条，《论语》26条，《孟子》32条。对郝氏经学研究，史称：“敬天资高朗，论多创辟，而臆断者亦复不少。其详皆具经解中，此亦可见所学之大概也。”[③]

《周易正解》是郝氏重要著作，“大旨以义理为主，而兼理于象。其言理多为创论”。[④]《尚书辨解》提出了不同于前贤的见解，“其说多与

① （清）黄宗羲：《明儒学案》卷五十五《诸儒下三·给事郝楚望先生敬》。

② （清）永瑢等：《四库全书总目》卷二十三《经部二十三·礼类存目一·〈仪礼节解〉十七卷（浙江汪启淑家藏本）》。

③ （清）永瑢等：《四库全书总目》卷三十四《经部三十四·五经总义类存目·〈谈经〉九卷（江苏巡抚采进本）》。

④ （清）永瑢等：《四库全书总目》卷八《经部八·易类存目二·〈周易正解〉二十卷（浙江吴玉墀家藏本）》。

先儒异。”[①]《毛诗原解》亦是郝氏解经之作，“是书前有读法一卷，大指在驳朱改序之非。”[②]

儒家经典，以礼为宗，此孔子“克己复礼”之要旨。《周礼完解》是郝氏下了一番功夫而完成的专书，在当时堪称冷僻之学问。虽则如此，郝氏知难而进、愈发钻研，遂有《仪礼节解》，结果遭人非议，“所解亦粗率自用，好为臆断”[③]。

在郝氏经学著述中，《春秋直解》不可忽视。郝氏认为：“今读《春秋》，勿主诸传先入一字，但平心观理，圣人之情恍然自见。”[④]这种文风，也体现在其他著述中。例如，《孟子说解》对孟子生平提出新说，“至书中所解，往往失之粗犷，好议论而不究其实。盖敬之说经通坐此弊，不但此书耳”[⑤]。又如，《史记琐琐》被批评为：“取《史记》疑义，略为考正训释，然多臆撰……皆漫无根据，不足信也。”[⑥]

通观郝氏著述，最为完整呈现了作者的心路历程和精神旨趣者，当推《时习新知》。该书前后花费 30 年时间，凝聚了郝氏之心血。他在自序中称：“早岁出入佛老，中年依傍理学，垂老途穷，乃输心大道。”在书中，郝氏既痛批宋代理学家空谈性理，又对阳明心学保持怀疑态度，充分说明郝敬具有独立之人格，显示了不为陈见所束缚、不盲从学术权

① （清）永瑢等：《四库全书总目》卷十四《经部十四・书类存目二・〈尚书辨解〉十卷（浙江汪启淑家藏本）》。

② （清）永瑢等：《四库全书总目》卷十七《经部十七・诗类存目一・〈毛诗原解〉三十六卷（浙江巡抚采进本）》。

③ （清）永瑢等：《四库全书总目》卷二十三《经部二十三・礼类存目一・〈仪礼节解〉十七卷（浙江汪启淑家藏本）》。

④ （清）永瑢等：《四库全书总目》卷三十《经部三十・春秋类存目一・〈春秋直解〉十五卷（浙江汪启淑家藏本）》。

⑤ （清）永瑢等：《四库全书总目》卷三十七《经部三十七・四书类存目・〈孟子说解〉十四卷（浙江汪启淑家藏本）》。

⑥ （清）永瑢等：《四库全书总目》卷四十六《史部二・正史类存目・〈史记琐琐〉二卷（山东巡抚采进本）》。

威、执着追求真知的理论勇气。与之同时，郝敬力倡经世实学，强调知识和学问就在日常生活之中，学者治学必须与现实人生相契合。郝敬的见解，得到明末清初启蒙思想家黄宗羲的肯定。

不虚饰，不伪善，不阿谀，正是传统时代士人最可宝贵的品质之一。对此，有人称赞郝氏豪放不羁之个性、率真执着之学风，实为一种人生境界，在学术上已入超拔之域，“此先生教人于喜怒哀乐既发之时，返观未发时气象，所以变化气质，而复其本然之性。与罗豫章静中观喜怒哀乐未发气象，虽有先后之殊，一则于静时做工夫，一则于动时做工夫，正相济而不相悖也”①。以故，“郝敬之书独能脱尽陈腐”②。纵观明清时期，由于君主专制主义臻于顶峰，像郝敬这样直抒胸臆、真诚为学的士人诚为一股清流。他们烘焙着中华文化的元气，使之不致丧失。

三、理学家胡承诺

清代湖北，在理学上取得成就者，除了“居庙堂之高”的熊赐履，还有 “处江湖之远”的胡承诺。两人均系清初顺（治）康（熙）年间的学问名家，胡氏年岁稍长。

胡承诺（1607—1681），字君信，号石庄，天门人。家学渊源为胡氏日后致力于学问之道创造了条件，“予之先世皆以讲习义理为业，饮于乡者四世而五宾。广文、太仆两公起家服官，惟是六经之旨修诸身而见诸事，详在家传，子孙世守之。嗣父属疚之日，犹以岁一读《性理通鉴》为训”③。明崇祯九年（1636年），胡承诺考中举人。清初，“谒选吏部，以老丐归。闭户不出，卧天门巾柘间，穷年诵读，于书靡所不窥，而深自韬晦。生平无讲学之名，而析理至精，考道至切，持身至峻，论

① （清）潘世恩：《正学编》卷八《郝楚望先生》。

② （清）永瑢等：《四库全书总目》卷九《经部九·易类存目三·〈周易阐理〉四卷（浙江吴玉墀家藏本）》。

③ （清）胡承诺：《绎志》卷十九《自叙篇第六十一》。

事至平”[1]，心无旁骛、远离尘嚣、埋首书本，堪称纯粹的学者。

《绎志》乃胡氏代表作，总计61篇，洋洋20余万言。时人高度评价该书，声称“体之可以淑身心，可以治天下”[2]。在胡氏眼中，勤奋好学、以知识充实自己是人之为人的一大优长，是人立于天地之间、无往而不胜的一大利器。这种知识本体论，根植于儒家重视学问、强调教育的传统文化之中。然而胡氏将人与物的区别确定为知识的学习，却是一大思想创获。这就不难理解，为什么《绎志》将“志学篇”列为卷首。不过，胡氏谈论的学习不是一般性的知识讲授，不是简单的书籍阅读，而是特指“修身、齐家、治国、平天下”的大学问。生命有限而学习不止，保持终身学习的良好习惯不仅是一个人提升自我、成为君子的关键所在，而且对于权力的掌驭者而言，拥有丰富的知识，构成了透析事理、治理国家的重要前提。

因此，胡氏主张学贵践行，学习的目的是发挥济世功效。在他看来，宋明学者大多崇尚空谈、不务实事，仅仅满足于巧舌如簧、纵论古今，而不脚踏实地、真心做事，这样的学者除了自娱于情感的宣泄，其所知所学于事无补甚且有害。为了避免党争（明季一大社会现象），胡氏甚至提出：“君子之用心也，议论不必太深，深一层即有一层之障蔽；是非不必刻入，刻一层即有一层之颇僻。”[3]

值得注意的是，胡氏生活于明清易代之际，可他既不为明帝殉情，也不为清帝效忠。学以致用，同时审时度势，胡氏的分寸恰到好处。

关于天下之治或天下之乱，胡氏认为一国之君负有主要责任。不过，人非圣贤，孰能无过，帝王也有这样或那样的缺点。因此要有制度约束，“大臣在前，史官在侧，人主一言一动皆有绳束，不能优游悦怿、乐亲帷幄”。尤其应该强调经筵之制，那些进讲的学者必须恪尽职守，

① （清）唐鉴：《学案小识》卷三《翼道学案·天门胡先生》。

② （清）唐鉴：《学案小识》卷三《翼道学案·胡石庄先生》。并参刘玉堂等：《中国地域文化通览·湖北卷》，北京：中华书局，2013年，第275页。

③ （清）胡承诺：《绎志》卷三《言行篇第六》。

改变帝王慵懒的学习态度，不能“学问有劝而无惩，有喜而无畏，有嗜好而无怵惕，是以人君之学不可辟讳凶咎、削去规箴也”。担任帝师之人，也要严格筛选。胡氏的这些主张，与那些刻意维护君权神授、片面要求臣民“存天理灭人欲”的理学家大不相同。

当然，胡氏思想本身的局限性也较为明显。他长期僻居乡间，少有交游，对社会变迁的新气象感受不深，所强调的仍是圣贤之学，不脱“敦崇六艺，翼彼儒林”之轨范。[①]恰如史家所评定的那样：“晚著《绎志》。绎志者，绎己所志也。……皆根柢于诸经，博稽于诸史，旁罗百家，而折中于周、程、张、朱之说”[②]，是一位究心于传统学问的老夫子。

四、史家章学诚与湖北方志纂修

众所周知，章学诚（1738—1801）是清代最优秀的史学家之一。章学诚，字实斋，号少岩，浙江会稽（今浙江绍兴）人。相关文献称，他从小多病，但异常刻苦，常常读书至深夜时分。章氏七次参加科举，直到四十岁才中举人，次年即乾隆四十三年（1778 年）取得进士出身。他曾负责国子监的典籍工作，主讲定州定武书院、保定莲池书院、归德文正书院等。有意思的是，章学诚曾在途中遇到盗贼，所带书稿全部丧失，这一经历使其日后养成保留副稿的习惯。

史载章学诚喜读书、好辩论，与时贤名流多有交集，且恃才自负、眼界高远。所著《文史通义》不仅仅是中国传统史学理论之经典，更为重要的是，它从方法论的角度阐发了“文史不分家”的中国固有知识体系和学术立场。此外，章学诚对地方志的纂修及中国地方志学发展为一门独立学科贡献良多。由于多种原因，章学诚的一生坎坷不平。嘉庆五年（1800 年），贫病交加中的章学诚双目失明，次年便离开人世。

① （清）胡承诺：《绎志》卷十九《自叙篇第六十一》。

② 赵尔巽等：《清史稿》卷四八〇《列传二百六十七·儒林一》。

在学术上，章学诚虽非湖北籍人士，但对湖北方志纂修有重要贡献。章学诚与湖北渊源很深。其父章镳是乾隆年间的进士，在湖北应城当知县。学诚 14 岁时随父亲来到湖北。他好学不倦，但科举之途一直不顺。乾隆三十年（1765 年），章学诚第三次落榜。经人引荐，拜于翰林院编修朱筠门下。朱筠明确告诉他，科举不是他的长项，考不取也没什么了不得，关键是要踏实做学问。朱筠藏书丰厚，让章学诚大开眼界。与此同时，他又广交学友，与邵晋涵、洪亮吉、汪辉祖等人切磋学问。恰如文献所称“继游朱筠门，筠藏书甚富，因得纵览群籍，与名流相讨论，学益宏富”[①]。乾隆五十三年（1788 年），经人介绍，章学诚进入湖广总督毕沅的幕府。两年后，毕沅邀请章学诚担任《湖北通志》总纂。毕沅是状元出身的学者型官员，对章学诚的才识相当欣赏。

章学诚一生主持修纂多个地方的志书，以湖北地方志最多，包括《荆州府志》《天门县志》《麻城县志》《石首县志》《广济县志》等，其中《湖北通志》意义独大。从章学诚草拟的该书体例看，包括：

纪二：《皇言纪》《皇朝编年纪》；

图三：《方舆图》《沿革图》《水道图》；

表五：《职官表》《封建表》《选举表》《族望表》《人物表》；

考六：《府县考》《舆地考》《食货考》《水利考》《艺文考》《金石考》；

经略四：《经济略》《循绩略》《捍御略》《师儒略》；

传五十三：《序传》《正史补遗传》《褒祀乡贤传》《宋陈规德安御寇传》《开禧守襄阳传》《嘉定蕲难传》《傅王裴孙诸传》《张刘二王萧曾梅尹传》《鲁刘曹谭诸传》《邓王丁吕诸传》《莘朱郭刘诸传》《陈燕蒋储诸传》《徐刘魏寇诸传》《辜何熊蔡诸传》《李宋黎王诸传》《张萧胡李诸传》《王向彭傅诸传》《汉阳胡氏黄陂陈氏传》《黄冈王氏传》《瞿九思郝敬传》《江陵张氏公安袁氏传》《黄安喻氏传》《蕲水周氏传》《李时珍尹

① 赵尔巽等：《清史稿》卷四八五《列传二百七十二・文苑二》。

宾商传》《孝感程氏传》《黄梅石氏传》《汉阳李氏天门胡氏应城卢氏传》《汉阳萧氏传》《三耿二顾传》《顾李卢雷陈传》《黄安吴氏传》《复社名士传》《明季寇难传》《贺逢圣邱瑜方岳贡传》《吴余態沈胡崔传》《姚张屠叶传》《平流寇余孽传》《平土寇传》《殄吴逆余党传》《平夏逆传》《黄冈陈氏传》《顾天锡传》《刘湘煃传》《理学传》《文苑传》《忠义传》《孝友传》《义行传》《艺术传》《列女传》《仙释传》《前志传》。

毫无疑问，为了写作《湖北通志》，章学诚作了大量的准备工作，构思缜密，分类恰当。遗憾的是，章氏《湖北通志》没有最终成稿，现存遗稿数十篇。关于章氏对方志学之开创性贡献，梁启超予以充分肯定，“能认识方志之真价值，说明其真意义者，则莫如章实斋”。此为不刊之论。

民国年间，章学诚的著述被汇编为《章氏遗书》刊行于世，被称为“浙东学派”的殿军。最早关于章学诚的传记及研究，是近代日本学者内藤湖南。内藤氏的《章实斋先生年谱》对胡适刺激很大，让他认识到章氏史学的价值，也出版了一本同名的著作。近代钱基博对章氏之学非常重视，专门撰著《文史通义解题及其读法》。国学大师钱穆在《中国史学名著》中，也高度评价章学诚，说他不站在史学立场来讲史学，而是站在整个学术史的立场来讲史学。如同他讲文学，也不是站在文学立场，而是站在一个更大的学术立场来讲文学。这是章学诚眼光卓特之处，是我们在分析章氏之学时应该特别注意的地方。

五、实学及汉宋之学

清代湖北学术界，除了朝野鼓吹理学的两大名家熊赐履、胡承诺，还有一批致力于经世的实学家，如刘子壮、卢纮、鲁之裕、袁铣、陈銮等人。

刘子壮（1609—1652），字克猷，号稚川，黄冈人。文献称：“子壮世居团风镇。少慧颖，读书一目数行。属文奇肆。弱冠登崇祯庚午乡荐”，可谓少年得志。然其中年遭遇事变，蹉跎二十年，最终苦读诗书，于清顺治六年（1649 年）参加清廷入关后首次科举会试，结果高中一甲头名，成为清代首位状元，授翰林院修撰。至此，刘氏人生可谓峰回路转，由坎坷一变而为坦途。

身为状元的刘子壮，学兼经史，擅长八股文章，其文章多选入方苞奉旨编纂的《四书文》，成为科举试子的作文范本。恰如《四库全书提要》所论："子壮制艺，与熊伯龙齐名，雄厚排傲，凌轹一时，其诗、古文亦以气胜。然精华果锐已消耗于八比之中。年仅四十三而卒，未能于登第之后复殚心于古学，纯以天姿用事，往往或失之粗豪。"英年早逝，使刘子壮永远丧失了在学问上精进之可能，"鸿才硕德，未竟其用"。人们常将他与同榜第二名的熊伯龙相提并论，"熊刘不独文名相抗，诗亦颉颃。熊诗豪壮，刘诗秀逸，究各有佳处不同"[①]。两人同为楚人且同榜题名，私交笃深。

作为孝子，刘子壮对母亲一往情深，"稚川七龄丧母，每念及，辄泣下，故以屺思名堂"[②]。其著作结集之名，亦称之为《屺思堂文集》《屺思堂诗集》。

虽则刘子壮崇奉理学，但他不是腐儒之辈。刘氏具有敏锐的洞察力，关切现实社会，其策论慧眼独具，多为朝廷采纳。这一点，从其殿试时的策论即可知晓。面对顺治帝关于满汉如何和谐共处的问题，刘氏答曰："夫帝王以天下为一家，则满汉皆一家也"，主张"满人尚质，以文辅之；汉人尚文，以质辅之"。通观此论，虽系书生之议，却系真知灼见，对于清代处理满汉关系至为紧要。实际上，终清一世，满汉关系一直是相当棘手的政治议题，以致辛亥革命前夕，军机大臣张之洞乃至慈禧太后的临终遗言，均谈及此话题。

耐人寻味的是，身为状元的刘子壮对科举之制展开深入批判。这种批判是从历史变迁的角度展开的，因为古往今来，圣明君主必须有名士

① （清）丁宿章：《湖北诗征传略》卷十六《黄冈・刘子壮》。

② （清）丁宿章：《湖北诗征传略》卷十六《黄冈・刘子壮》。

相辅佐，以故求贤纳士是长治久安之策。他以尧舜汤武求贤若渴和刘备“三顾茅庐”为例，指出“此时未有制科，而其所取之士如此。其士固异，其取之也亦不同，其所以相与有成也，亦自非后之所能及。至士出于取，取立以法，则宾师之位虚而道德之意微矣”。在没有科举制之前，君王取士灵活多变，卓有成效；实行科举之后，日益变成程式化的僵化政策，取士效果大不如从前。言下之意，科举之制必须改革。应该说，刘氏此文不仅逻辑严密，而且思想锋芒相当尖锐。

与主张改革科举相关联，刘子壮认为祖宗成法应当根据具体情况进行调整，凡是恪守祖宗成法、不思进取之人，都是无能的庸人。无所作为的官场作风，看似省力、方便，却会造成难以预料的灾害。应该说，刘子壮勇于变革的思想在当时是相当可贵的。

卢纮，字元度，号澹岩，蕲州人。生卒年不详。顺治六年（1649年）进士。曾任新泰知县、桂林同知，后升任苏松督粮道、长芦盐运使。尝纂修《蕲州志》，得到钱谦益的称许。著有《四照堂文集》。他在地方为官经年，熟悉世事民情，所撰之文多为治理方略。

关于民众为“盗”的问题，卢纮认为弄清楚源流至关重要。在卢纮看来，盗贼的根本原因不是天灾，也不是兵革，而是统治者举措失当、胥吏妄为，民众不堪忍受，于是起而为盗，导致社会混乱。每当此时，官府动辄采取武力镇压的手段，结果“治盗”变为“滋盗”。包括剿抚并举、保甲连坐等方案，“皆治其流，而非治其源”。治源的根本在于振刷吏治。在赋税征收方面，除了正供，不得任意加派、巧取豪夺，使百姓陷于困顿，杜绝“剥民之肤、朘民之膏而不止”的现象。[①] 只有吏治清明、百姓生活无忧，才会达到“弥盗”的目的。

作为践行实学的官员，卢纮力倡仁政的思想还体现在许多方面。例如，官府通过垦荒招抚流民，废弃逃人之法[②]；在论及盐政时，主张国

---

① （清）卢纮：《弭盗议》，载于（清）沈粹芬等辑：《国朝文汇》甲集卷八《卢纮》。

② （清）卢纮：《屯田议》，载于（清）贺长龄辑：《皇朝经世文编》卷三十四《户政九·屯垦》。

利、民利、商利三者兼顾[①]；关于备战储粮，提出兼顾平时与战时两种状况[②]。凡此，足称见识过人。

鲁之裕（约 1662—1722），字亮侪，麻城人。史载：其父鲁重光“累官云南永顺镇总兵，有异政。父卒，子裕寄籍太湖。年五十五，中康熙庚子江南乡试。由内阁中书出知河南确山、永宁二县，寻授赣州知府，升湖北下荆南道，移直隶清河道，署布政使”。鲁氏个性鲜明，“之裕气概豪迈，所至侃侃自将，不随上官俯仰”。任职湖北时，“免太和山（武当山——引者）香税三千余两，请蠲沔阳州积荒地丁缺额银七万余两，创设安、襄、郧三郡书院，修复诸葛武侯隆中草庐、羊杜岘山祠及阳春白雪台诸古迹”。不惟湖北，他在其他地方任职，均著有政声，最后以老病致仕。卒年 81 岁。大器晚成，却成为一代名宦，此与其学养大有干系。时人称：“之裕之学无所不窥，尤精水利。所著《式馨堂文集》，多见采于《皇朝经史文编》。尝撰《下荆南道志》，详核典雅称善。”[③]工诗文及纂辑经史源流诸书，约 200 余卷。此外，他还参与《长芦盐法志》的编修。

经世实学是鲁之裕学问之本色，突出体现在水利治理方面。他曾实地考察黄河、淮河、运河之现状，对水利问题有深刻认识，是名副其实的学者型官员。值得注意的是，鲁氏另有《急溺琐言》一文，是其治水实践的经验总结：开篇即言“水之治也不一，其术有疏、有浚、有塞”；“三者之施也不一，其用有生地、有故道、有河身、有减水”[④]，充满辩证思想。该文还涉及诸多堤防的技术细节，是后人考察清代河工的重要文献。

---

① （清）卢纮：《盐法议》，载于（清）贺长龄辑：《皇朝经世文编》卷五十《户政二十五 · 盐课下》。

② （清）卢纮：《储饷议》，载于（清）贺长龄辑：《皇朝经世文编》卷七十二《兵政三 · 屯饷》。

③ 光绪《黄州府志》卷二十一《人物志 · 宦绩下 · 国朝 · 麻城县》。

④ （清）鲁之裕：《急溺琐言》，载于（清）贺长龄辑：《皇朝经世文编》卷一〇二《工政八 · 河防七》。

袁铣，生卒年不详，字金溪，麻城人。[①] 嘉庆辛未年（1811 年）进士，授翰林院编修，擢监察御史、礼部给事中，为官清廉正直。后辞官回鄂，主持江汉书院，“教人以勘破义利关为下手工夫。学者翕然从之，出其门者多有闻于时”。[②]

在袁氏讲实学、务实事的行为中，吁请停罢捐纳最具特色。所谓捐纳，就是有钱人家通过捐献钱财或谷米，换来一个实授官职或候补头衔，借机抬高身份。每逢战乱或灾荒年景，朝廷财政紧张，往往大开捐纳之门。许多无耻之徒仅凭贡献钱谷就可成为国家官僚体系的一员，然后借由手中权力或名声，贪赃枉法、横行无度。那些有真才实学但财力不济者，只能屈居社会底层，空有满腹诗书。因此，捐纳堪称清代秕政之一。鉴于此，嘉庆二十五年（1820 年），袁铣呈递《请停捐例疏》，一时耸动视听。

这篇奏章的特异之处，是列出了确凿的事例和数据。他指出嘉庆朝十余年间，开捐所得仅 30 余万两，相比之下，后宫冗费、热河行宫和圆明园两处例银的开支，一年却高达百万。因此，开源节流、杜绝铺张浪费，才是解决财政困难的正确做法。捐纳不仅所得无几，反而败坏官场风气。

陈銮（1786—1839），字芝楣，又字仲和，江夏人。嘉庆二十五年（1820 年）一甲三名进士（探花），授翰林院编修。

令人瞩目的是，陈銮长期在两江总督林则徐、陶澍麾下任职，深受器重。林、陶二人都是经世派官员，以故陈銮的学风及行事皆以务实见长，办事实心、不辞劳瘁。无论身处所地、所任何职，陈氏均有一番作为。

道光十九年（1839 年）陶澍因病解职，陈銮代署两江总督兼江南河

① 按，一说袁铣，字楚珍，号金溪，麻城人。参见（清）黄叔璥：《国朝御史题名》，不分卷；（清）王家相：《清秘述闻续》卷十三《同考官类一》。

② 闵尔昌：《碑传集补》卷十《袁铣传》。

道总督，不久病故，朝廷追赠太子少保衔，依尚书例优恤。著有《耕心书屋诗文集》，辑有《先正格言》《楚名臣言行录》等，另有《盐法志》未完稿。曾协助陶澍编辑《海运全案》，由幕友魏源题跋。

在陈銮的为政生涯中，查禁鸦片是一大亮点。当时，吴淞口距离海关甚远，鸦片走私猖獗。陈氏署理两江总督期间，采取各种措施杜绝偷运，对运销和吸食鸦片的人予以严惩。史称他在任期间“于查禁鸦片烟章程，筹商尤密，立法惟严”。[①] 在某种程度上，陈銮的禁烟行动，是后来林则徐虎门销烟的先声。

众所周知，清代实行民族歧视和压迫政策，对思想言论控制极严，屡兴“文字狱”，造成士人噤若寒蝉，转而埋首于故纸堆中，形成以考据训诂见长的“乾嘉学派”。反观湖北学术界，以考据训诂著称的硕儒较少。当然也有少数“汉宋兼治”的学者，程大中、秦笃辉就是例证。

程大中，生卒年不详。字拳时，号是庵，应城人。乾隆二十二年（1757 年）进士。“始官蕲州。学博，旋主河东书院，与蕲黄人士讲切至密”。曾任青溪知县。著有《四书逸笺》《在山堂全集》等。

在学问方面，程氏涉及广泛，以博学著称于世，“殚心稽古，淹通经史”；而且勤于思考，不囿于前人之见，每有新见。其代表作是《四书逸笺》，收入《四库全书》。该书包括《论语》2 卷、《学庸》1 卷、《孟子》2 卷，每书均有附录或附记。综而观之，“凡记孔孟及诸贤遗事二十三则，记帝王遗事六十八则，通记人物遗事五十一则。有杂记，亦记人物杂事七十一则。皆颇见考据。”[②]

对朱熹的学问，程氏大表赞叹。他广泛收集文献，细心研究，对朱熹的著作认真校正，体现了心仪朱子学、发扬朱子学的抱负。尤其是，他不为前贤护短，勇于指出朱熹的失误或错漏之处，这才是真心诚意地崇敬圣贤的态度。

---

① 李柏荣著，陈新宪校点：《魏源师友记》卷二《陈銮》，长沙：岳麓书社，1983 年，第 29 页。

② （清）周中孚：《郑堂读书记》卷十三《经部七之下·四书类二》。

比程大中稍晚，另一位著名鄂籍学者是秦笃辉。两人均重视程朱理学，且在竭力维护之际，勇于指陈先贤之过失。秦笃辉，字山子，号榆村。汉川人。贡生。史载："笃辉风裁整峻，抱负宏深。"号称孝子，"幼孤，事母至孝"。爱好读书，"长季一毡坐读，人罕识其面。学有心得，目慎独为宗"。勤于写作，"著《墨缘馆集》三十二种。其《易象通义》《经学质疑录》《警书》《平书》等编，尤足辅翼经传、有功圣学。引掖后学，多所成就"。①

关于《经学质疑录》（该书40卷）的学术价值，清代著名学者吴其濬（字沦斋）这样评价："秦子此书，通经之学也，于科举正大有裨益，存乎人之善取耳。"至于秦氏提出的若干与朱熹不同的观点，则属于学术分歧，仍是同道中人。秦氏敢于直言，在著述时勇于披露朱熹的不足；又认为秦氏并未背离孔孟之道，其批评的言论恰恰说明他宗奉朱子，以正本清源为旨趣。这似乎是清代学界对秦氏这样的学者所抱持的基本态度。

作为一名博学而敏思的学者，秦氏对经学提出了自己的看法："经有二乎？曰：无二。经学有二乎？曰：有之，汉学、宋学其大较矣。汉儒去古未远，学有家法。盖自郑、孔出，而粲然大备，然每涉冗杂。宋儒之钩元提要，疏通证明，何可少哉！何可少哉！但古注亦多可采之处。要而论之，汉学，经之四体也；宋学，经之心也。非四体，无以证经之全；非心，无以抉经之奥。"这表明，欲系统探究经学之精奥，必须汉宋兼治、相得益彰。秦氏治学心态，正因为没有屈从于经学先辈的卑屈心理，所以才通过剖析经学诸家，提出了若干重要思想，例如理学不能僵化，应该顺势而变；郡县制取代封建制，乃历史进步之现象；天理与人欲不能截然对立，等等。凡此，均有其历史价值。

对程朱理学提出批评的，还有彭菘毓。彭菘毓，字于藩，号渔帆，别号江湖渔叟，江夏（今武昌）人。道光十五年（1835年）进士，官至

① （清）丁宿章：《湖北诗征传略》卷十《汉川·秦笃辉》。

云南迤西道。著有《求是斋文存》等，曾修纂《江夏县志》。史载："渔叟官滇，徽治行卓然。尤以诗文鸣于时。著有《渔舟纪谈》《求是斋全集》。余事作词，亦复秀逸奇宕，自成一家。"[①]彭氏重视实学，力主变革，反对溺女婴，尤其对"存天理、灭人欲"之论加以鞭挞，提出"理欲相因"论，令人称奇。

另有一些重要学者，如数学家李潢、天文学家刘湘煃、生物学家陈大章、生物学家李元等，详见本卷《科学与技艺》一章，此略。

① （清）黄燮清：《国朝词综续编》卷十五《彭崧毓》。

第四章　教育与科举

人文昌盛是湖北历史的重要特点，它们与我国其他地域文化一道，共同谱写了中华文明史的绚烂华章。重视教育是儒家优秀的文化传统，它在湖北文化的历史进程中得到了多方面的体现。明清时期，以学校和科举为轴心的教育事业全面铺陈开来，官学及私学均称发达，科举事业畅旺，湖北人才辈出。

第一节　官学系统

中国文化传统的一大亮点，便是对教育的极其重视。明清时期对教育的重视，在许多方面超过前代，是中国历史上学校教育最为兴盛的时期之一。湖北的情形与之相仿，府、州、县各级学校类型完备。明清时期的官学，在中央一级有国子监，即太学，在地方有儒学，细分为府学、州学、县学。

一、官学机构

官学是传统教育的重要组成部分。诚如史载：“郡县之学与太学相维，创立自唐始，宋置诸路州学官，元颇因之，其法皆未具。迄明，天下府、州、县、卫所皆建儒学，教官四千二百余员，弟子无算，教养之法备矣。”又称：“科举必由学校，而学校起家可不由科举。学校有二，曰国学，曰府州县学。府州县学诸生入国学者，乃可得官。不入者，不能得也。入国学者，通谓之监生。举人曰举监，生员曰贡监，品官子弟曰荫监，捐赀曰例监。同一贡监也，有岁贡，有选贡，有恩贡，有纳贡。同一荫监也，有官生，有恩生。”[①] 其中，“府州县学诸生入国学者，乃可得官。不入者，不能得也”一句，突显了读书与做官之间的密切关系，强化了“学而优则仕”的传统理念。毫无疑问，传统时代的学校教育，最根本的功用便是为国家培养后备官员，学问之道成为从政之道的附庸。清承明制，教育体制也不例外。史载：“府、州、县、卫儒学，明制具备，清因之。世祖勘定天下，命赈助贫生优免，在学生员官给廪饩。”[②] 廪饩，就是官府提供给官学生员的膳食津贴，泛指在校学生的生活补贴。这笔开支，分为两类：在京城的官学生员，其廪饩由户部负责；地方上的府州县学生员，其廪饩由所在地的地方官府负责。

明代权力最大的管理教育的官员，叫督学或提学，是中央派驻各行省主持院试、考核学官的官员，负责地方各级学校教育的督查工作。督学的正式设置，是在明正统元年（1436 年），是年任命了第一批提调学校官，亦称为提督学校官、提学宪臣，简称督学、提学官，共 13 人，其中就有湖广布政司检校程富，受命为监察御史，专职管理湖广教育之事。[③] 受其节制的地方教育官员，最高级别者叫儒学提举使，官署为儒学提举司，隶属布政使司。值得注意的是，这一机构在元代便已设立。史载：“至元二十四年，既立国学，以故孔子庙为京学，而提举学事者仍以国子祭酒系衔。其各处行省所署之地，皆置儒学提举司，统诸路府州县学校、祭祀、教养、钱粮之事，及考校呈进著述文字。每司置提举、副提举各一人；吏属，吏目一人、司吏二人。”[④] 从现有文献看，明代从中央到地方的官学完整地保留了元代之制。

后朝承袭前朝，是中国制度史变迁的惯常路数。当然，继承中也有变更。例如，元代在北京孔庙设立的最高学府叫京学，明代叫国子监。又如，明代的地方官学更为完备：府学、州学、县学是主体，府学的长

① 《明史》卷六十九《志第四十五 · 选举一》。

② 《清史稿》卷一〇六《志八十八 · 选举一》。

③ 尹选波：《明代督学制度述论》，《学习与探索》1999 年第 5 期。

④ 《续文献通考》卷九十八《职官考 · 诸提举 · 提举学事司》。

官叫教授，州学的长官叫学政，亦称学正，县学的长官叫教谕；府州县学均设训导一职，府学 4 人，州学 3 人，县学 2 人。另有专门教育武臣子弟的学校，包括都司儒学、行都司儒学、卫儒学，各设教授 1 人、训导 2 人。除此之外，还有都转运司儒学，级别等同府学。在土司所在的少数民族地区，也设有儒学，以期普及儒家思想、使教化之举措收到实效。[①] 此外，在地方官学中还有医学、阴阳学等门类。医学、阴阳学的教官有官职，无俸禄，从属人员配置相同，其名称因府、州、县而不同：医学，府设从九品的正科 1 人，州设典科 1 人，县设训科 1 人；阴阳学，府设从九品的正术 1 人，州设典术 1 人，县设训术 1 人。

明代官方积极办学，缘自明开国皇帝朱元璋对学校教育高度重视。朱元璋将其视为教化之本，而教化是巩固统治之先决条件。因此，教育的地位不可贬低，必须大兴学校。按照他的思路，师生在学校的首要任务是“讲论圣道，使人日渐月化，以复先王之旧”[②]。这是遵从孔儒之术治理天下的策略。值得注意的是，朱元璋强调根据古训，严格按照礼、乐、射、御、书、数的知识门类“设科分教”，希望培养具有真才实学的人才。为了强化朝廷的教育理念，又针对国子监颁定“学规”，针对地方官学颁定 12 条《禁例》，刻于卧碑，放置于明伦堂之旁，以起到警示作用。“无地而不设之学，无人而不纳之教”，说明明代的学校不仅数量很多，分布极广，而且生源来源广泛。再结合“教官四千二百余员，弟子无算”的师生人数，可以肯定明代官学的规模颇为庞大，为前代所不及。在学校待遇方面，明代政府竭力保证师生们生活无忧，使他们避免困于生计，能够专心致志地读书，所谓“师生月廪食米，人六斗，有司给以鱼肉”；教师另有俸禄，“学官月俸有差”。显然，明代官学兴盛的原因，除了来自最上层坚定的办学导向，还有丰裕的物质基础。

---

① 《明会要》卷四十一《职官十三·儒学（仍元官）》。

② 《明史》卷六十九《志第四十五·选举一》。

生员——老百姓所称的秀才，是经过相应的资格考试，进入府学、州学、县学等地方官学学习的儒生。由于他们在学校的生活来源由官府提供，因此这些生员又被称为廪膳生员。随着入学人数激增，定员以外入学的儒生便称为增广生员，在地位上比廪膳生员稍低。自从出现了增广生员，地方官学的学生人数便有了扩充。基本情形是：府学，廪膳生员 40 人、增广生员 40 人；州学，廪膳生员 30 人、增广生员 30 人；县学，廪膳生员 20 人、增广生员 20 人。其后，办学规模日益扩大，增广生员的名额也不能满足需求，于是又增加入学儒生名额，这批人称为附学生员。附学生员出现的时间点，是明英宗正统十二年（1447 年）。顾名思义，附学生员附于诸生之后，自然是生员中地位最低的。史载："生员虽定数于国初，未几即命增广，不拘额数。宣德中，定增广之额：在京府学六十人，在外府学四十人，州县以次减十。成化中，定卫学之例：四卫以上，军生八十人；三卫以上，军生六十人；二卫、一卫，军生四十人；有司儒学，军生二十人。土官子弟许入附近儒学，无定额。增广既多，于是初设食廪者，谓之廪膳生员；增广者，谓之增广生员。及其既久，人才愈多，又于额外增取，附于诸生之末，谓之附学生员。凡初入学者，止谓之附学，而廪膳、增广以岁、科两试等第高者补充之。非廪生、久次者，不得充岁贡也。"①

可见，在官方鼓励教育、大兴学校的时代背景下，大量适学的青少年进入学校接受正规教育。鉴于人数过多，必须分门别类，通过考试提高进阶的门槛。此外，这里提到的"卫学"，就是上文的"卫儒学"，其学生称为军生，与一般儒生不同。官学的文武之别，正与科举的文武之分相对应。

二、掌管教育的官僚群体

明代开国皇帝对学校教育的大力提倡，在很大程度上刺激了湖北教

① 《明史》卷六十九《志第四十五・选举一》。

育的振兴。仅从管理教育的官员看，虽然儒学提举使是制度层面的地方最高行政长官，但在具体实施过程中也有若干变化。

殆自嘉靖年间开始，湖北官学的管理官员多为湖广按察司副使，例如郭持平、崔桐、郭登庸、杨抚等人。郭持平，字守衡，江西万安县人，军籍。据《皇明贡举考》等文献记载，郭氏是江西乡试第93名，会试第279名。正德十二年（1517年），考取进士，为第三甲第221名，当时的第三甲共有231名。虽然同为丁丑科进士，崔桐比郭持平的功名更高。崔桐，字来凤，号东洲，直隶海门人。正德十一年（1516年），37岁的崔桐考试成绩优异，为丙子科应天乡试第一名举人，即解元。翌年，又考取第一甲第三名进士，即探花，授翰林院编修。值得一提的是，崔氏出身于官宦世家，曾祖父崔镛、祖父崔润、父亲崔崑均为朝廷命官。史家对崔桐始终保持不尚浮华的学者本色予以高度评价。

除了按察司副使，湖北学务官员还有湖广按察司佥事，如王慎中等人。王慎中，字道思，号南江，又号遵岩居士，福建晋江县人。他天资聪慧，4岁就能背诵诗词。嘉靖五年（1526年），年仅17岁的王慎中考取进士。王慎中极富文学之才，与归有光、唐顺之合称“嘉靖三大家”，时人视为嘉靖八才子之首。王氏推崇语言质朴、内容丰富的唐宋古文，反对前、后七子复古之风，被视为唐宋派的旗手。这样的学问家任职湖北，主管教育，其影响之大不可低估。

万历时，提调湖北学政的官员又有新变化，如提学佥事、提学副使、提学参议等，陈允、董其昌、王圻、尹嘉宾、王在晋等人曾出任相关职务。其中，董其昌是著名的明代政治家和艺术家，官至南京礼部尚书。董其昌，字玄宰，号思白、思翁、香光居士，直隶华亭县（今上海松江）人。万历十六年（1588年），参加戊子科顺天乡试，为第三名举人。翌年，为己丑科第二甲第一名进士，授翰林院庶吉士，后成为万历皇帝长子朱常洛的讲官。当帝师后的第4年，即万历二十六年（1598年），任湖北广按察司副使。万历三十二年（1604年），为湖广提学副使。董氏在山水画方面有很深造诣，书法杂糅王羲之、柳公权等名家，自成一体，影响深远。康熙帝酷爱其书法，一生临摹甚多。王圻，字元翰，号普始，南直隶嘉定县（今属上海）人。他于嘉靖四十四年（1565年）考取进士。在御史任上，与首辅张居正发生矛盾。后辞官，归隐乡村，在淞江之畔植梅万株，以明其志，人称“梅花源”，自号“梅源居士”。王圻“以著书为事，年逾耄耋，犹篝灯帐中，丙夜不辍”[①]，著述宏丰，有《续文献通考》《两浙盐志》《三才图会》等著作流传后世；他藏书甚富，与宋懋澄、施大经以及俞汝楫并称松江四大藏书家。尹嘉宾，字孔昭，号澹如，南直隶江阴县人。万历三十七年（1609年），参加己酉科应天乡试，为第一名举人。翌年，考取庚戌科进士，为第三甲第237名。旋由中书舍人升迁兵部郎中，后擢湖广提学副使，卒于任上。作为管理教育的官员，尹嘉宾擅长写诗，书法亦佳。不过，在明代负责湖北学务的官员中，最不像教育官员者可能就是这位尹嘉宾。从相关史料记载看，尹嘉宾出身贫寒，但气度非凡，每每饮酒高歌，豪放洒脱，颇有侠道之风骨。尹嘉宾天分极高，虽考取进士，但与一般的书呆子大不相同，“生平不多读书，如昔人所谓不甚求解者”。文如其人，字如其人，“文不经思，潦草捉笔，短章断行皆有新意。字画瘦劲，晚更杂篆、隶出之”。因为不拘泥于书本，所以每有创见，“好为新说解字，酒后以指画肚，辄撰说某字云何。或就而诘之，坦腹一笑而已”，对于旁人的批评也从不怀恨在心，而是坦然面对、一笑置之。[②]这种性格，自然喜欢“兵部郎中”一职，而对于就任湖广提学副使并不感兴趣。虽然如此，一旦受命，则义无反顾，恪尽职守，最后竟然死于任上。

与尹嘉宾类似、曾在兵部挂职者，还有王在晋。王在晋，字明初，南直隶太仓州人。此人系万历二十年（1592年）壬辰科进士。他在天启年间，曾任兵部尚书，全权负责辽东战事，但时人对其眼光、胆识皆评

---

① （清）黄叔璥辑：《南台旧闻》卷十六《杂录》。

② （清）钱谦益辑：《列朝诗集》之《丁集》卷十三下《尹提学嘉宾》。

价甚低，说他“精勤有余，而笔舌叓自迅利，然沉雄博大之未能”[①]。很难想象，这样的一个能力平庸的人在湖北学官任内能有多大作为。在传统时代，官员的品行与能力往往是政事有否起色的关键因素。

进入清代，负责湖北学务的官员主要是学政。但最初不是学政，而是督学道，“湖广初分设湖北督学道、湖南提学道。顺治十八年，改为通省提学道。康熙四十二年，始以翰林视学，为学院。雍正三年，湖北、湖南各设一员”。首任湖北督学道是王尔禄，史载：“王尔禄，字天赐，直隶清苑人。前癸未进士，顺治二年任。”[②]王尔禄是明朝进士，具体登第时间是崇祯十六年（1643 年）。掌管湖北学务之前，他曾担任湖广按察使司佥事、分守武昌道。官至太仆寺卿、刑部左侍郎。

清代的学政，是“提督学政”的简称，通常由翰林学士或进士出身的京官担任。史载：“初制，直隶、江南差御史，余省专设提学道一人。后直隶、江南、浙江俱用翰林，余省以部郎及参议、道、知府为之，仍称学道。雍正四年，定各省学政俱为学院翰林、部郎并差，由部属差者，加以编修、检讨衔。御史开列，详都察院。”可见，雍正之前掌管地方官学的职位并未确定，或御史，或提学道，或翰林，或部郎、参议、知府。直到雍正四年（1726 年），朝廷才统一规定学政人选的对象。学政的职守是“掌一省学校、士习、文风之政令”[③]，包括督察学校、主持考试、选拔人才等。每一行省设学政 1 名，听从总督、巡抚调遣，与布政使、按察使地位相等。晚清废除科举，学政随即裁撤，改设提学使司，有提学使 1 人，官秩正三品。

众多的教育官员是一个独特的官僚群体。这一群体的素养、见识与能力，在很大程度上决定了一个地区教育事业的水平。如同明代一样，清代负责湖北学务的官员，在经历、风格等方面各不相同。例如，王懿

① （明）茅元仪：《督师纪略》卷二。
② （清）法式善：《清秘述闻》卷十《学政类二 · 湖广省 · 湖北督学道》。
③ 《清文献通考》卷八十五《职官考九 · 直省官员》。

修，字仲美，安徽青阳县人。乾隆三十一年（1766年）进士，选庶吉士，授编修，入直上书房，成为庆郡王永璘的老师。后转任陕西、广东等地乡试考官和广西、湖北等地学政。嘉庆时，成为内阁学士、礼部尚书，充任上书房总师傅。嘉庆十四年（1809年），加太子少保，典会试。由于王氏品性端方，谦和勤谨，深得嘉庆皇帝眷遇。嘉庆二十一年（1816年）去世后，谥文僖。[①] 嘉庆时，出任湖北学攻的官员中，沈维鐈是代表性人物之一。沈维鐈，字子彝，浙江嘉兴县人。嘉庆七年（1802年）进士，选庶吉士，授编修。主修《全唐文》《西巡盛典》《一统志》。入直懋勤殿，纂辑《秘殿珠林》《石渠宝笈》。清嘉庆二十一年（1816年），出任湖北学政，"禁习邪教，以端士风"。其后，他的仕途经历多与教育有关，如典福建乡试、督顺天学政、督安徽学政。史称："维鐈居官廉，屡视学，所至弊绝，风清振拔，多知名士。宣宗知之，期满连任，擢工部侍郎。"在学问上，"维鐈学以宋儒为归，谓典章制度与夫声音训诂当宗汉人，而道理则备于程朱，务为身心有用之学。校刊宋儒诸书以教士，时称其醇谨焉，祀乡贤祠"[②]。

明清时期，出任湖北学务官员者多系进士出身，也有状元。龙启瑞，字辑五，号翰臣，广西临桂县人。道光二十一年（1841年）高中一甲第一名进士（状元），授翰林院修撰。先任顺天、广东乡试考官，后任湖北学政，擢升江西布政使。在湖北学政任内，著有《经籍举要》一书，作为儒生致力学问的入门指导书。他声称：身为学政，有三件要事须认真办理，"一曰防弊，二曰励实学，三曰正人心风俗"。龙启瑞状元出身，是名副其实的学问家。他精研音韵之学，著有《古韵通说》，启瑞在著作中认为："集古韵应当既不拘于定论，也不偏执于私见，参之古书，以求其是而已。其论本音，论通韵，论转音，皆确有据，依而以论，通说总之，故以名其全书焉。"龙氏著有《尔雅经注集证》三卷以

① 《清史稿》卷一三八《列传一百三十八》。

② 《清史稿》卷三七六《列传一百六十三》。

及《经德堂集》十二卷。[①]

与龙启瑞同处道光时期的湖北学政，还有吴其濬、朱凤标。吴其濬，字季深，一字瀹斋，号吉兰，河南固始县人。吴其濬不仅是嘉庆二十二年（1817 年）的状元，而且是河南省在清代的唯一状元；吴其濬不仅做过湖北学政，而且当过湖广总督；吴其濬不仅官至礼部尚书、兵部右侍郎，是一名位高权重的官员，而且还是著名的植物学家，撰有《植物名实图考》38 卷、《植物名实图考长编》22 卷，均系中国植物学的名著。有意思的是，吴家兄弟都是著名的教育官员，“父烜、兄其彦，并由翰林官至侍郎，屡司文柄。其濬初以举人纳赀为内阁中书，嘉庆二十二年，成一甲一名进士，授修撰。二十四年，典试广东。其彦亦督顺天学政，词林称盛事。道光初，直南书房，督湖北学政，历洗马鸿胪寺卿、通政司副使，超迁内阁学士”[②]。朱凤标，字桐轩，号建霞，浙江萧山县人。道光八年（1828 年）乡试中举，道光十二年（1832 年），考取第一甲第二名进士（榜眼），授翰林院编修。道光十九年（1839 年）入直上书房，转而出任湖北学政。朱凤标经历道光、咸丰、同治三朝，官至兵部尚书、上书房总师傅、工部尚书，兼翰林院掌院学士，拜体仁阁大学士。卒后，赠太子太保，谥文端。

兄弟均是学富五车之士，且其中一人曾担任湖北学政者，除了吴其濬，还有朱士彦。朱士彦，字修承，扬州宝应县人。嘉庆五年（1800 年）乡试中举，嘉庆七年（1802 年），考取壬戌科一甲第三名进士（探花），授翰林院编修。后出任湖北学政，其后累迁侍读学士，入直上书房，成为内阁学士，官至工部尚书、吏部尚书、兵部尚书。朱士彦是水利专家，著有《河渠志》。他死后，道光帝“诏嘉其性情直爽，办事公正，赠太子太保，赐其四子举人、副榜、贡生有差，谥文定”[③]。朱士

① 《清史稿》卷四八二《列传二百六十九》。

② 《清史稿》卷三八一《列传一百六十八》。

③ 《清史稿》卷三七四《列传一百六十一》。

彦之父朱彬是清代著名的考据学家，因此，朱士彦受家学浸润甚深。其弟朱士达、朱士廉均为进士，兄弟三人均系进士出身，一时传为佳话。其弟朱士达曾任湖北布政使，朱家可谓与湖北颇有缘分。

咸丰时，出任湖北学政者，有冯培元、孙家鼐等人。冯培元，字因伯，浙江仁和县人。他自幼丧父，由母亲含辛茹苦养大成人。为了报答母亲抚育之恩，他发愤读书，于道光二十四年（1844 年）考取第一甲第三名进士（探花），授翰林院编修。咸丰二年（1852 年），由侍讲擢升湖北学政。不久，太平军攻打武昌，冯培元与清军守城。太平军士气高昂，以迅疾的攻势夺取武昌。冯培元无奈之下，投井自尽。此前，冯培元刚到湖北上任，便想把母亲由浙江接到湖北奉养。但听闻岳州被太平军攻陷，急忙派人送书信给母亲，让她暂缓行程。母亲回信，告诫他："如果有变，见危授命，大节不可夺。其遵吾教！"冯培元手捧书信，泪流满面。咸丰三年（1853 年）正月，太平军撤离武昌，清军向荣部入城，将冯培元的遗体收殓安葬。史载："事闻，文宗以武昌之陷合城文武殉难，恤典特优，赠侍郎，建专祠，予骑都尉世职，谥文介。后，两子学瀚、学澧皆赐举人。"[①] 孙家鼐，字燮臣，号容卿、蛰生，别号澹静老人，安徽寿州（今淮南寿县）人。咸丰九年（1859 年），考取己未科第一甲第一名进士（状元），授翰林院修撰，旋擢湖北学政。光绪时，与翁同龢同为光绪帝的老师。光绪二十四年（1898 年）京师大学堂（今北京大学）成立，为第一任管学大臣。官至工部尚书、礼部尚书、体仁阁大学士、学务大臣，与张百熙等制定《奏定学堂章程》，是晚清教育改革的代表性人物之一。宣统元年（1909 年）病逝，赠太傅，谥文正。

同治时的洪钧，光绪时的张仁黼，均当过湖北学政。洪钧，字陶士，号文卿，江苏吴县人。同治七年（1868 年）考中戊辰科第一甲第一名进士（状元），授翰林院修撰，旋擢湖北学政。官至兵部侍郎、内阁学士、总理各国事务衙门大臣，曾出任德、奥、俄、荷四国公使。这

---

① 《清史稿》卷三九九《列传一百八十六》。

位著名的外交家精通德文、英文，于经史颇有研究，撰著《元史译文证补》30 卷，是元史研究的重要成果。他与名妓赛金花的婚姻（赛氏随他出使欧洲，人称“公使夫人”），也是近代中国的一大新闻。张仁黼，字劭予，河南固始人。光绪二年（1876 年）进士，选庶吉士，授翰林院编修，入直上书房。旋即出任湖北学政一职，“以《朱子》《小学》《近思录》训士”[①]。后来，累迁洗马，充日讲，官至吏部侍郎。史家对其颇有好评：“劭予久直上书房，历官吏、学、兵、工诸部侍郎，以气节称。指摘津要，无所顾忌。而爱才下士，出于至诚。人有片长，誉之不去口。性至孝，奉太夫人，讳以毁。卒于家。工书法，精鉴藏，诗不轻作，偶一为之，意真词雅，饶有清音。”[②]

与众多状元出身的湖北学政相比，孔祥霖的背景更为特殊，因为他是孔子第 75 代孙，是孔子世家大宗户凝远堂后裔。其曾祖孔宪圭是袭封衍圣公孔昭焕的第四子。孔祥霖，字少霑，号达吾、恫民，山东曲阜县人。光绪元年（1875 年）中举，光绪三年（1877 年）考取进士。光绪十七年（1891 年），任湖北学政。光绪二十九年（1903 年），调任山东省总理学务处。这意味着，孔祥霖在湖北学政任上度过了 12 年的光阴。这一时期，几与张之洞督抚湖北相始终。也就是说，张之洞在湖北大兴教育的举措，是经由孔祥霖之手具体落实的。值得一提的是，身为湖北学政的孔祥霖、礼部侍郎郭嵩焘、江西学政陈宝琛、御史赵启霖等人曾上书，请以王夫之、黄宗羲、顾炎武从祀，后来得到恩准，“帝命并祀之”[③]。孔氏后来擢升河南提学使。

能够出任湖北学政的人，基本上都是进士出身，是熟谙学问之道和教育规范的官员。大名鼎鼎的晚清湖广总督张之洞，在同治年间曾当过五六年的湖北学政，对湖北的教育状况及社会民情有深切了解。这就不

① 《清史稿》卷四四一《列传二百二十八》。

② 徐世昌：《晚清簃诗汇》卷一七〇《张仁黼》。

③ 《清史稿》卷九十一《志六十六·礼三·吉礼三》。

难理解，办教育（书院改制、建立新式学堂、力倡游学）是张之洞“湖北新政”的重要内容，与兴实业、练新军一起，构成清末湖北洋务新政三足鼎立之势。

除了地方主导教育的最高长官，还有学正、训导等负责实际事务的官员。例如，同治《随州志》记载，该州的学正，明代有27人，清代有39人，其身份呈现多样性，大部分是举人，也有贡生、优贡、廪贡。随州的训导，明代有37人，清代有35人，其身份也不相同，有岁贡、贡生、廪贡、举人、廪生、增生、优贡。再如同治《竹溪县志》记载，该县掌管教育的官员主要是教谕和训导。竹溪县的教谕，明代有24人，清代有33人，出身不一，有贡生、岁贡、举人、选贡、拔贡、廪贡、恩贡、副榜。该县的训导，明代有24人，清代有34人，分别系举人、岁贡、选贡、例贡、贡生、廪贡、拔贡。由此可见，只有考取科举的人，才有资格充当地方官学的管理者，尽管科举成绩差别很大。

三、学宫·学额·学田

明清官学的教育地点，称为学宫，有大成殿、明伦堂等建筑。如光化县学宫，其历史沿革自宋代起便有记载。宋哲宗元符三年（1100年）洪中孚重修，勒碑为记。明洪武五年（1372年），在土城中新建。万历元年（1573年），学宫迁到城内聚奎街北，建有大成殿、东西两庑、棂星门、泮池、启圣祠、名宦乡贤祠、忠义孝弟祠、节孝祠、护文祠、神厨宰牲所、明伦堂、进德修业斋、号房、馔堂、教官宅、左儒学仓、右祭品库及射圃厅。清顺治八年（1651年），知县扈申忠率庠生魏希元等人重修。康熙二十年（1681年）金玉相、四十年（1701年）王悰等各有补修。乾隆五年（1740年），知县袁中立重修大成殿，监生朱士选捐钱二千余缗。嘉庆二十四年（1819年），郑缨重修明伦堂。道光十一年（1831年），县令张宝荣补修。二十三年（1843年），知县海顺重修后殿。[①]

① 光绪《光化县志》卷二《学宫》。

再如南漳县学宫，该县历任官员均高度重视，或重建，或维修，都将维护学宫作为必不可少的政绩。学宫位于县治东，宋代绍兴二十七年初建，后毁于兵灾。明宣德中重建学宫。此后，正统、弘治、正德、隆庆、万历、天启等时期，多任知县先后建成明伦堂、进德斋、复礼斋、蜚英阁、大成殿、东西庑、仪门、棂星门、化龙池、受福井、堂斋、射圃亭、殿庑露台、泮池和启圣祠。清代康熙、雍正、乾隆、光绪诸朝，官府继续维护和新修学宫设施不辍。[①]

地方官学有这么多的建筑，势必占地较多，规模可观。地方官学的建筑基本上格局相同，一般都有大成殿、明伦堂、泮池、棂星门以及忠义节孝祠、乡贤名宦祠等，但在细节上各地也略有差别。

建造学宫的意义何在呢？史称："至圣万世师表，天下建学宫以崇祀也。学宫即黉宫，而又为士子泮游之地，故一郡一邑之中，各有所创建者。殿宇崇高，宫门宏敞，俾闾阎知所仰止，而日趋名教中也。"[②]也就是说，学宫是官方学校，既是祭祀孔子及诸多先贤的庙宇，也是实施儒学教育、培养人才的场所，具有祭孔和育才的双重功能。如果考虑到学宫内设有可用于练习射箭的射圃，那么可以说，现代教育关于德、智、体全面发展的理念在明清时期的传统中国已得到体现。

明代光化县儒学训导王绍撰有《重修儒学记》一文，对学宫的作用及价值有深刻体悟。在这篇鸿文中，身为地方官学的管理者，王绍情真意切地指出，大明王朝是文化昌盛的大时代，教育事业超迈古人。为使文化持久繁荣，必须重视学校教育，让圣贤之学深入人心。王氏认为，古往今来，孔子"垂范百王、师表万世"，孔儒先圣的学说是人世间之大道，是社会和谐美满的前提。孔儒之学维系民族文化的命脉，尊孔风气决定教育事业的成败。因此，学习"六经"等经典是所有学校教育之根本。离开了这一点，将会导致灾难性的后果。光化县虽然只是一个普

① 民国《南漳县志》卷八《学校志一·学宫》。

② 同治《郧西县志》卷七《学校志·学宫》。

通的县份，但应将建官学、兴教育作为首要县政，还应该行动起来，修复学宫，将教育光化子弟的职责落到实处，“俾庙学常新，诗书之教不泯，而朝家崇尚之意亦不得而弛，然后可也。苟视为文具，则国有常宪，而圣人在天之灵亦有所昭鉴焉”[①]。如果在教育事业方面有所懈怠，将会遭到天谴。毫无疑问，光化县训导王绍的所思所想代表了明代官学管理者们的共同心声。

官学有名额限制，史称“学额”。也就是说，并不是所有的儒生都能入学，要经过一番考试，才能获得学额，成为生员。因各地办学条件不同，学额多少也不一样。与明代相比，清朝在地方官学的入学名额方面更加灵活，具有变通性。此外，学额的分配也与官学的级别有关。

总体上，清代官学有大学、中学、小学各级学校。史载：“（顺治）四年，定直省儒童入学额数：大学四十名，中学三十名，小学二十名。至十五年，又定直省取进童生：大府二十名，大州县十五名，小县四五名。”[②]不过，这只是一个粗略的框架，实际上有许多变化。从嘉庆《湖北通志》的内容看，湖北官学分为府学、大学、中学、小学 4 个等级，不同等级的学校拥有的学额也不一样。具体情形如下：

府学 16 所，包括江夏县学、武昌县学、兴国州学、天门县学、沔阳县学、孝感县学、黄冈县学、石首县学、蕲水县学、黄陂县学、襄阳县学、黄梅县学、京山县学、江陵县学、公安县学、监利县学。府学的学额（能够入学的学生名额），分文童和武童：在每次岁试、科试之后，录取文童 20 名；在每次岁试之后，录取武童 20 名。不同地区的廪生、增生名额又不一样，例如兴国州学、沔阳州学可以招收廪生 30 名、增生 30 名，其他地区的府学要少 10 名，即只能招收廪生 20 名、增生 20 名。

大学 17 所，包括嘉鱼县学、蒲圻县学、大冶县学、汉阳县学、广

---

① 正德《光化县志》卷二《学校类》。

② 《清文献通考》卷六十九《学校考七・直省乡党之学一》。

济县学、安陆县学、云梦县学、应城县学、汉川县学、黄安县学、潜江县学、麻城县学、钟祥县学、宜城县学、枣阳县学、郧县学、蕲州学。跟府学一样，分文童和武童：每次岁试、科试之后，录取文童15名；每次岁试之后，录取武童15名。廪生、增生的名额也有差别：蕲州学可以招收廪生30名、增生30名，其余的同类官学只能招收廪生20名、增生20名。

中学15所，包括咸宁县学、崇阳县学、通城县学、松滋县学、枝江县学、东湖县学、罗田县学、应山县学、当阳县学、谷城县学、恩施县学、归州学、均州学、随州学、房县学。跟府学、大学一样，每次招生分文童、武童：岁试、科试之后，录取文童12名；岁试之后，录取武童12名。廪生名额和增生名额不完全一致：均州学、随州学可以招收廪生30名、增生30名，恩施县学只能招收廪生12名、增生12名，其余的同类官学可以招收廪生20名、增生20名。

小学16所，包括南漳县学、兴山县学、巴东县学、建始县学、光化县学、竹山县学、利川县学、保康县学、远安县学、通山县学、竹溪县学、长乐县学、宣恩县学、宜都县学、来凤县学、鹤峰州学。考试之后，分文童、武童录取，但各地录取名额存在差别：建始县学、长乐县学，每次岁试之后，可以录取文童7名、武童7名；宣恩县学、来凤县学、利川县学，每次岁试之后，可以录取文童3—4名、武童3—4名。其余地区的同类官学，每次岁试、科试之后，可以录取文童8名；每次岁试之后，可以录取武童8名。廪生、增生的名额也不一样。具体情形是：宣恩县学、来凤县学，可以招收廪生2名、增生2名；鹤峰州学、长乐县学，可以招收廪生4名、增生4名；利川县学，可以招收廪生8名、增生8名；其余地区的同类官学，可以招收廪生20名、增生20名。

以上这些学额仍然不是固定之数，在实际办学过程中还会有增减。以恩施为例，明代施州卫学，文童15名，武童15名；廪生40名，增生40名，一年一贡。清雍正七年（1729年），施州卫改为恩施县，廪生、增生各减 20 名，二年一贡，文童、武童名额不变。乾隆元年（1736 年），实行改土归流。乾隆四年（1739 年），“议准另编新号，将府属新设之宣、来、咸、利四县，酌进一二名，暂归恩施县学管辖。五年，乐用六佾，每学额设乐舞生四十名，免府县试。三十六年，按县置学，以恩施县学训导员缺，拨改为宣恩县学员缺。旧附恩施之考试各生，俱归各县自辖。宣、来、咸、利四县，未设廪、增额数。利川人文较盛，应将恩施县原额廪、增各二十名，俱减为十二名，以八名拨入利州。至设立府学，应将恩施县学文武原额十五名内量减三名，建始县学文武原额八名内量减一名，拨入府学。于是，每届额取文学十二名，武学十二名，廪生十二名，增生十二名，仍定二年一贡”。乾隆六十年（1795 年），恩施县“增广学额一次，大学加取五名，中学加取三名。其取进六名以上者，增额三名；四五名者，增额二名；二三名者，增额一名”。此后，恩施县在嘉庆、道光、咸丰、同治各朝都有“增广学额”之举。①

这些写入地方志书的学额，为我们提供了一个大致的办学规模。客观而论，明清时期湖北各级官办学校的招生人数非常有限。如果考虑到同时期人口的迅猛增长，就可以想象这样的结果：许多有资质的孩童不能进入学校学习，这在很大程度上妨碍了教育的普及，也限制了人才的培养。

官学的办学经费来源多元化，既有官方资金，也有个人襄助，还有学田收入。其中，学田收入是主要的经费来源。仅以枣阳县的官学学田为例，略加说明。枣阳官学至明万历四十年时才由知府下令置办学田。学田主要来自查没隐匿的民田以及出资购买。枣阳曾查得数家隐田，本欲将此转为学田，但因距离学宫有上百里之遥，不便收租，只好另行出资在县南和县西分别购田 170 亩和 150 亩作为学田，年收租谷 200 石。到清代顺治七年，县中清查学田尚有近 200 亩。经知县招垦荒地，共得到熟田 58 亩，每亩纳租谷 1 斗，共收租谷 5.8 石，可折银近 3.4 两，用

① 同治《恩施县志》卷五《学校志・学额》。

于赈济贫困学生。此外，还有王家冈、方家湾、鹿头店、蒋家垱、优梁河等处田地总计约 147 亩，年收租银 10 两。雍正五年，知县又增学田 13 余亩，收租银 1.7 两。[①] 由此可以统计枣阳学田大致资产和收益状况，即拥有学田 413 亩，其中 200 亩以每亩纳租谷 1 石计算，年收租谷 200 石，余下田亩共收租银 15 余两。

这样详细描述学田来历的记载，在明清文献中并不多见，尤其是这段文字还详细记录了学田的数额大小和租银多少，非常难得。细读其文，可以发现：知府、知县等地方官员是确保学田来源的最重要因素。只有学田确定下来，官学的办学经费才会有保障。因此，官学的成败，在很大程度上维系于学田的兴废。如果地方官员不作为，那么，学田的荒废将对官学教育带来致命的损害。

四、教材、从祀及社学

既然是官办学校，官府自然对教学内容有所规范。顺治九年（1652 年），清廷谕令："责成提调教官、课习生儒，并严禁坊贾刊刻淫词琐语。礼部题准：嗣后直省学政，将《四子书》《五经》《性理大全》《资治通鉴纲目》《大学衍义》《历代名臣奏议》《文章正宗》等书，责成提调教官课令生儒诵习讲解，务俾淹贯三场，通晓古今，适于世用。坊间书贾止许刊行理学政治、有益文业诸书，其他淫词琐语通行严禁。"[②] 这样的行政命令往往不能落实于实际的教学过程中，它只是从大的方面指明了教学的主要内容，无非是儒家经典之类的圣贤之书。细检文献就可发现，明清时期的各级官学一直没有统一的近现代意义上的"教科书"，从中央到地方都是如此。

上举嘉庆《湖北通志》记录了若干官学的使用书籍，包括《日讲四书》《周易折衷》《三礼义疏》《朱子全书》《十三经注疏》《性理经义》

① 乾隆《枣阳县志》卷九《学校·学田》。

② 《清朝文献通考》卷六十九《学校考七·直省乡党之学一》。

等等，这些书籍也不是湖北全部官学机构的通用书。例如，枣阳县的官学所用之书计有 20 余种，包括《世祖上谕》69 册、《御纂训饬士子文》1 册、《御纂周易折衷》1 部、《钦定书经传说汇纂》1 部、《钦定诗经传说汇纂》1 部、《钦定春秋传说汇纂》1 部、《御纂性理精义》1 部、《御纂朱子全书》1 部、《御纂大学衍义补》1 部、《御注孝经》1 部、《御颁五子近思录》1 部、《御颁十三经注疏》1 部、《御颁明史》1 部、《御颁廿一史》1 部、《御纂资治通鉴纲目》1 部、《御纂渊鉴古文》1 部、《圣谕广训》1 本、《御纂书经》1 部、《御纂诗经》1 部、《御纂春秋》1 部、《御纂性理》1 部，另有《钦定四书文》《钦定学政全书》《钦定外官相见仪注》《钦定大清律例附解》《钦定吏部满汉官品级考》《钦定铨选满汉官则例》《钦定处分则例》《钦定中枢政考》《钦定军卫道理表》《钦定三流道理表》《钦定工程做法》《钦定简易册结式》《钦定训饬州县条规》《钦定康济录》。[1]

再如，郧县官学所用书籍（“颁发学宫经籍”）便与枣阳官学不完全一样，数量也少些，具体书目包括：《日讲四书》（每部 1 函）、《周易折衷》（每部 1 函）、《书经说传汇纂》（每部 2 函）、《诗经传说汇纂》（每部 2 函）、《春秋传说汇纂》（每部 2 函）、《三礼义疏》（每部 24 函）、《孝经注》（每部 1 函）、《性理精义》（每部 1 函）、《十三经注疏》（每部 12 函）、《二十一史》（每部 50 函）、《明史》（每部 12 函）、《朱子全书》（每部 4 函）、《通鉴纲目》（每部 8 函）、《资治通鉴纲目三编》（每部 4 函）、《唐宋文醇》（每部 4 函）、《渊鉴古文》（每部 4 函）、《四书文》（每部 2 函）。值得注意的是，除了这些纸质书籍，郧县官学还将奉旨颁布的学宫碑文列入教育内容，具体包括：顺治九年（1652 年）《颁勒学校卧碑文》，康熙二十二年（1683 年）《御制训饬士子文》，雍正二年（1724 年）《御制圣谕广训》《御制明伦堂论》《钦定乐器图》，雍正六年（1728 年）《平定青海告成太学碑文》，乾隆九年（1744 年）《祭祀

① 乾隆《枣阳县志》卷九《学校・书籍》。

乐章》，乾隆十四年（1749年）《平定金川告成太学碑文》，乾隆二十年（1755年）《平定准噶尔告成太学碑文》，乾隆二十四年（1759年）《平定回部告成太学碑文》，乾隆四十一年（1776年）《平定两金川告成太学碑文》，嘉庆七年（1802年）《御书平定三省纪略》。[①]

宣恩县的学宫经史典籍也有与众不同之处。其教学所用书籍包括：乾隆七年（1742年）奉颁《明史》112本；乾隆十一年（1746年）奉颁的书籍共有6种，分别是《御纂朱子全书》30本、《钦定周易折衷》11本、《钦定书经传说汇纂》24本、《钦定诗经传说汇纂》24本、《钦定春秋传说汇纂》24本、《御纂性理精义》5本；乾隆三十三年（1768年）准礼部颁发《御制诗文集》83本；乾隆四十五年（1780年）奉颁书籍6种，分别是《御制朋党论》1本、《御制乐府》1本、《御制补笙诗乐谱》2本、《钦定工部城垣做法》1本、《钦定工部简明做法》1本、《钦家工部则例总目》21本；道光五年（1825年）奉颁书籍2种，分别是《钦定大清通礼》12本、《湖北通志》63本；嘉庆元年（1796年）正月起至二十五年（1820年）十一月止奉颁《上谕》31本；道光元年（1821年）正月起至十年（1830年）十二月止奉颁《上谕》30本。[②]这份书单最引人注目之处，是将皇帝的上谕也纳入官学的教育内容，说明官学的办学原则必须服从皇权专制的国家意志。

官学所在之地，往往有多通石碑，以起到警示教员、生员的作用。这些石碑，主要有卧碑、敕谕碑等。例如，枣阳官学的碑碣不止一通，具体包括：顺治十四年（1657年）所立的“御制卧碑”，康熙二十五年（1686年）所立的“御制孔子赞碑”，康熙二十八年（1689年）所立的“御制四贤赞碑”。另有顺治年间所立石碑1通、康熙年间所立石碑5通、“科甲碑”1通，还有元代、明代石碑多通，即元泰定年间石碑4通、明天顺年间石碑1通、明嘉靖“宸翰碑”2通、明嘉靖“敬一箴

① 同治《郧县志》卷三《学校·书籍》。

② 同治《宣恩县志》卷六《建置志·学校·颁发学宫经史典籍》。

碑”1通、明嘉靖“程氏四箴碑”1通、明弘治“修学宫碑”1通、明万历“修学宫碑”1通。

在这些官办学校的石碑中，最重要的是卧碑。因为卧碑上的文字是皇帝对学校教育的最高指示。清顺治九年（1652年），颁布各类官学师生必须牢记在心、实力讲求的办学方针，强调“朝廷建立学校，选取生员，免其丁粮，厚以廪膳，设学院、学道、学官以教之，各衙门官以礼相待，全要养成贤才，以供朝廷之用。诸生皆当上报国恩，下立人品”。这就是广为人知的所谓《卧碑文》。

《卧碑文》的训令共有八条，内容如下——

一、生员之家，父母贤智者，子当受教父母；愚鲁或有为非者，子既读书明理，当再三恳告，使父母不陷于危亡。

一、生员立志，当学为忠臣、清官。书史所载忠清事迹，务须互相讲究。凡利国爱民之事，更宜留心。

一、生员居心忠厚，正直读书，方有实用，出仕必作良吏。若心术邪刻，读书必无成就，为官必取祸患。行害人之事者，往往自杀，其生常宜思省。

一、生员不可干求官长，交结势要，希图进身。若果心善德全，上天知之，必加以福。

一、生员当爱身忍性。凡有司官衙门，不可轻入。即有切己之事，止许家人代告，不许干与他人词讼。他人亦不许牵连生员作证。

一、为学当尊敬先生。若讲说，皆须诚心听受。如有未明，从容再问，毋妄行辨难。为师亦当尽心教训，勿致怠惰。

一、军民一切利病，不许生员上书陈言。如有一言建白，以违制论，黜革治罪。

一、生员不许纠党多人，立盟结社，把持官府，武断乡曲。所作文字，不许妄行刊刻。违者，听提调官治罪。[①]

按照规定，国内各地各级官学，都要将这些训令刻在石上，树立于学校内明伦堂左侧的显眼位置，以便学校师生时常观摩、体会。

显然，这些学校用书及学宫碑文统统贯以“钦定”“御纂”“御颁”“御制”字样，说明是官方认可的书籍及碑文，不是那些坊间私人的刻本。对官学教材的严格审定，是为了在思想意识方面牢固树立官学化儒家所确定的为人立世的准则，培养朝廷安邦济民所需要的人才。诚如顺治帝上谕：“帝王敷治，文教为先。臣子致君，经术为本。自明末扰乱，日寻干戈，学问之道阙焉未讲。今天下渐定，朕将兴文教、崇经术，以开太平。尔部传谕直省学臣，训督士子，凡理学道德、经济典故诸书，务研求淹贯，明体则为真儒，达用则为良吏。果有实学，朕必不次简拔，重加任用。”[②]

明清时期的官学还非常讲究“祀典”，即对古代圣贤大儒的祭祀。祭祀的对象除了孔子，还有多位先哲。凡是官学，莫不如此。仅以巴东县的官学为例，予以论述之。孔子排在祭祀的首位是理所当然的，因为汉代以降，儒家学说就是历朝历代治国理政的基本原则。在大成殿的孔子神位两旁，有所谓“四配位”，即四位圣人，背东向西的两位为复圣颜子、述圣子思子，背西向东的两位为宗圣曾子、亚圣孟子。另有十二位先哲，东、西方位各有六位。史家称：“以上哲位，宋以前皆称封爵。明嘉靖九年，改称先贤某子。”东西庑供奉多位先贤，均系清同治二年（1863年）礼部核改奏定通行的人物。在东西两庑从祀的先贤，唐、宋、元、明、清各朝均不相同。大体上，前代祭祀多被后世传承，且陆续增加从祀人物。

在东庑从祀的先贤共计七十一位，如从祀于唐代的先儒公羊高、先

① 《清朝文献通考》卷六十九《学校考七·直省乡党之学一》。

② 《清史稿》卷一〇六《志八十八·选举一》。

儒伏胜、先儒孔安国、先儒郑康成等三十七位，从祀于宋代的先贤周敦颐、先贤程颢、先贤邵雍、先儒张栻、先贤司马光等五位，从祀于明代的先儒真德秀、先儒后苍、先儒欧阳修、先儒陆九渊等七位，从祀于清代的先儒范仲淹、先贤县亶、先贤牧皮、先贤乐正克等二十二位。

在西庑从祀的先贤共计六十九位，如从祀于唐代的先贤左丘明、先儒穀梁赤、先儒高堂生、先儒毛苌等三十八位，从祀于宋代的先儒韩愈、先贤张载、先贤程颐、先儒吕祖谦等四位，从祀于元代的先儒许衡、先儒董仲舒等二位，从祀于明代的先儒胡安国、先儒蔡沈、先儒吴澄、先儒杨时等九位，从祀于清代的先贤公都子、先贤公孙丑、先儒诸葛亮、先儒黄榦等十六位。

据县志记载，东西两庑的先贤神位规制与大成殿内的十二位先哲相同。官学学宫里供奉的先贤神位在不同的时期是不一样的，从祀先贤之制始于唐代。唐代确立的先贤神位最多，其后各朝各代均有因袭，不断增加先儒人数。宋、元、明三代，增加的从祀先贤不多。到了清代，又增加了较多的先儒神位。以故，清代学宫从祀的人数是最多的。学宫从历史上数以万计的圣贤先儒中，选择数十、数百位人物放置于官学中，让师生景仰、效仿，成为自己人生的榜样。这样的做法，符合传统时代官学教育的宗旨，是人才培养的有效途径。不唯如此，尊重儒家先贤，也就是尊重儒家思想与文化，这是安邦治国的重大策略。更为重要的是，将这么多的人物神位按等级摆放于官学的大成殿、东西两庑，实际上确立了官方认可的文化传统，换言之，确立了应该发扬光大的学统和道统。学统不存，道统必亡，而道统的存续决定于学统是否断裂，能否扩张。这就意味着，官学与祀典，学统与道统，是紧密结合在一起的，在很大程度上制约着王朝的兴衰、国运的隆替。

社学是独立于大中小学之外的一种官学，在官学系统中层次最低。社学的入学者基本是幼童，年龄 8—15 岁。社学的孩子如果出类拔萃、表现良好，就有可能增补为儒学生员。

先看明代的情形。社学在明代建国之初就已出现，设置的具体时间是洪武八年（1375 年）。据文献记载："洪武二年，诏天下立府州县学。八年，诏立社学，谕中书省臣，曰今京师及郡县皆有学，而乡社之民乐睹教化，宜令有司更置社学，延师儒，以教民间子弟，庶可导民善俗。则是，置社学、延师儒，皆有司责也。"①明代湖北社学最多的州县是景陵县，计有 87 所，远比其他州县要多。例如，兴国州的社学有 26 所，随州有 19 所，竹山县有 15 所，夷陵州有 11 所，竹溪县有 9 所，应山县有 8 所，安陆州有 8 所，通山县有 7 所，宜城县有 7 所，蒲圻县有 5 所。②这种差异性，既与地方官员的重视程度有关，也与当地人口结构（孩童所占比例）有关，更与当地的社会经济条件有关。值得注意的是，由于不可细究的多种因素，明代社学并不是一直存在，所以官府多次加以重建，以备培育人才之需。

到了清代，社学依然存在。《清朝文献通考》关于康熙、雍正年间社学的记载可资参照。如康熙九年（1670 年），"令各直省置社学、社师。凡府、州、县每乡置社学一，选择文艺通晓、行谊谨厚者，考充社师，免其徭役，给饩廪优膳。学政按临日，造姓名册，申报考察"③。再如，雍正元年（1723 年），"定各州县设立社学、义学之例。旧例，各州县于大乡、巨镇各置社学。凡近乡子弟，年十二以上、二十以下，有志学文者，令入学肄业。至是，复经审定，将学生姓名造册申报。学正按临时，如有能文入学者，社师优赏。若怠于教习、钻营充补者，褫革"④。

在历史文献中，湖北社学的记载较为简略。例如，建始县的社学有 2 所，1 所在东乡大水田，"系文童黄中理捐建，并置买义田一分，价值钱壹千壹百伍拾千文，每年租谷、杂粮肆拾余石"。另 1 所在南乡金莺子店，"系生员黄光罂捐建，并置买于家坝义田一分，共大小三十一坵，

① （清）黄六鸿：《福惠全书》卷二十五《立义学》。

② 张建民：《湖北通史·明清卷》，武汉：华中师范大学出版社 1999 年版，第 598 页。

③ 《清朝文献通考》卷六十九《学校考七·直省乡党之学一》。

④ 《清朝文献通考》卷七十《学校考八·直省乡党之学二》。

价值钱壹千贰百捌拾肆千文，每年收京斛租谷肆拾余石。嗣又续捐太平山义田一分，价值钱伍佰伍拾千文，每年收京斛租包谷拾捌石零”[①]。不难看出，社学就是民间自主办学的一种形式，规模不大，但起到了提振教育、教化乡民的作用。对此，当地县志亦称，百姓道德观念需要引导，“故先王于学校之外，复广设社学以教之，俾穷乡僻壤之众皆得亲诗书而聆弦诵。即有不率者，亦可与化为善良。是以有裨于世道人心，助政教所不逮者甚大也”[②]。

社学在清代的办学情形并不稳定，而是时兴时废。例如，康熙《安陆府志》记载：府城之社学，“一在南门外，一在山川坛右，俱废”；潜江县之社学，“一在县西河街，一在县关王庙前，今俱废”；沔阳州之社学，“在城二，在乡二，俱废”。[③] 雍正《应城县志》关于社学的记载只有三个字——“久未置”。[④] 这一点跟明代完全一样，似可说明社学在官学系统中的地位不是最重要的。

第二节　私学系统

与官学同时存在的教育机构，还有私学。私学包括私塾、义学、书院等门类。在某种程度上，私学的长久存在弥补了官方教育资源严重不足的“缺口”。

一、私塾与义学

私塾由来已久，是中国传统的民间教育机构。从其名称可知，它由私人创办。创办者基本上是读书人，在自己的家中授课。富贵人家由重金延聘教师，到宅第教育子弟。进入私塾的学生，年龄偏小，多在6—8

① 同治《建始县志》卷二《建置志·书院（附社学）》。

② 同治《黄陂县志》卷三《学校志·社学》。

③ 康熙《安陆府志》卷六《学校志》。

④ 雍正《应城县志》卷四《学校志》

岁，主要接受启蒙教育，即识字。明清时期的私塾，所用课本包括《三字经》《百家姓》《千字文》《千家诗》《弟子规》《幼学琼林》《古文观止》以及日用类书等。因为将来要参加科举考试，所以还要学习四书五经，练习诗文写作。在有祠堂的地方，平日里就是私塾的教育场所。在私塾授课的老师，其报酬是学生们上交的钱物，史称“束修”，相当于拜师礼，以示对老师的尊重。最早有十条腊肉之义，后来泛指老师的酬金。在中国人的眼里，说某某人“读过私塾”，是表示有文化的意思，是一种身份的象征。

明清时期的湖北，自然有很多私塾。主要分为蒙馆、经馆等类型。蒙馆以识字为主要教学任务，属于幼童发蒙阶段的初级教育。家境贫穷的子弟，多选择进入蒙馆就学。经馆的招收对象，大多是已有识字基础，或年龄稍长，或家境优渥的学生，其教学目的是培养通经致仕的人才，简言之，就是为科举考试服务。由于各种原因，关于私塾的历史文献留存甚少，阻碍了后世学者深入研讨私塾。今人编修的湖北若干县市教育志，为我们提供了粗略的历史记忆。

例如襄阳县的私塾概有 3 种办学形式：其一，散学，即儒士自创私塾，招收本地孩童，“束修”面议，一般根据家庭经济条件、课业状况来决定；其二，馆学或东家学，即富裕人家聘请老师到家中授课，“束修”由东家全包；其三，棚东，即有一人牵头，招揽学生入学，老师的“束修”由入学学生家庭分摊，交给这位“邀馆”者。襄阳县的私塾，既有蒙馆，也有经馆。汉阳县的情形大体相仿，蒙馆、经馆都有。值得注意的是，汉阳县的蒙馆是由乡村中的几户人家合伙聘请老师，入学的孩童人数较多。该县的经馆专门教授年长的学生，人数往往有数十名。武昌县的蒙馆，又叫“泥巴馆”“短学”，盖因入学的农家孩童在农忙时务农，农闲时上学。新洲县的私塾与之类似，名叫“犁耙馆”。

私塾的教学方式不外句读和背书。如果犯错，则要遭受体罚，通常的做法是罚跪、打板子，或打屁股，或打手心。练习书法也是私塾的教学内容之一。经馆的教学要求比蒙馆要高，常常有命题作文。私塾的老师虽然严厉，但没有升级或留级的制度。遇到传统节日，如端阳、中秋、春节等，私塾会放假。在农忙时节，如果家里的劳动人手短缺，在私塾读书的学生可以向老师申请回家帮忙。如同官学一样，私塾从来没有统一的教材。不仅教材五花八门，湖北私塾的“束修”也不一致。一般情形下，农村的私塾，“束修”是米谷；城镇的私塾，“束修”是银钱。交纳的时间，有按季交的，有按年交的。因为家庭条件差别较大，有提前交的，也有拖欠的，以至于老师亲自上门讨要。逢年过节，还要请老师吃饭，或给老师送礼，如开学时的“贽敬礼”，初一、十五的“圣人钱”等。附带提及，新洲县私塾的“束修”多为实物：学生每年交付大米 1 斗（约 14 斤）、食油 1 斤、食盐 1 斤、柴草 100 斤；岁末，年幼的学生须上交稻谷 5 斗至 1 石（70—140 斤），年长的学生须交 1—3 石（140—420 斤）；另有上学礼、端午礼、中秋礼，每人须送 1 斤肉钱。①

与私塾相仿的民间学校，还有义学。客观而论，义学是明清时期较为普遍的办学形式。清康熙四十一年（1702 年），朝廷“定义学、小学之制。京师崇文门外，设立义学，特赐御书匾额。五城地方各设小学，延塾师教育。有成材者，选入义学。凡义学、小学，每年廪饩共三百两，于府县按月支给”②。康熙五十二年（1713 年），“议准令各省府州县多立义学，延请名师，聚集孤寒生童励志读书”。康熙五十四年（1715 年）上谕：“朕每年春，行幸水淀，近见民生粗安，但移风易俗莫过读书。况畿辅之地，王化所先。宜穷乡僻壤，皆立义学。该抚即遍示庄村，俾知朕崇文好学深意。”③可见，康熙帝对义学相当重视，强调“穷乡僻壤，皆立义学”，指明了义学是朝廷认可的基础教育之一，对于提高识字率、培育良好的社会风气至为关键。

① 参见周积明主编：《湖北文化史》上册，武汉：湖北教育出版社，2006 年，第 621—625 页。

② 《清朝文献通考》卷六十九《学校考 · 直省乡党之学》。

③ （清）素尔讷：《学政全书》卷七十三《义学事例》。

雍正帝、乾隆帝也提倡义学，如雍正上谕称："各直省现任官员自立生祠、书院，令改为义学，延师授徒，以广文教"；乾隆元年，兵部侍郎署四川巡抚王士俊奏请"顺天府大、宛两县旧设义学，扩充新建，凡愿就学者，不论乡城，不拘长幼，肄业其中"。经部议，除准王士俊所奏之外，皇帝还要求对于立志读书但家境窘迫的学生，"该府尹酌给薪水，以多方成就之。至建修房屋、师生膏火等费，应于存公银两内酌量奏请"[①]。大体上，义学属于私人办学性质，创办者有士绅、商人，也有地方官员。义学属于地方性的基础教育，入学者多为6~11岁的孩童，主要任务是识字读书。在一定程度上，义学解决了那些想读书却读不起的贫寒子弟的上学问题。

由于资料残缺，尚无法对明清时期湖北的义学进行全面论述。就数量而言，明清时期湖北义学最多的地方是襄阳。襄阳县的义学情形为：立诚义学，位于吕堰驿西兴龙寺；养正义学，位于吕堰驿玉皇阁；陶氏义学，位于陶王岗；杨湾义学，位于双沟；刘湾义学，位于下泥河；槐坡义学，位于槐坡；万寿义学，位于黄龙；旺洲义学，位于大旺洲；大湾义学，位于双沟；白庙义学，位于石牌港；陈氏义学，位于陈家营；双沟义学，位于双沟镇；王岗义学，位于泰山庙；鄢家埠口义学，位于鄢家埠口；法龙义学，位于欧庙法龙寺；樊城义学，位于十字街；凉泉义学，位于清凉寺；薛氏义学，位于牛南薛氏宗祠；夹河洲义学，一在古营城玉皇庙，一在寇集华严寺；王氏义学，位于王家营；郭店义学，泰山庙；张氏义学，位于石堰；赵氏义学，位置不详。[②]显然，襄阳县的义学多半设在祠堂和庙宇之中，这是较为普遍的做法。

二、义田及宾兴膏火

明清时期，无论官学、私学，办学经费大多来自学田。私学的学

① （清）素尔讷：《学政全书》卷七十三《义学事例》。

② 参见周积明主编：《湖北文化史》上册，湖北教育出版社2006年，第629—630页。

田多称义田。何为义田？义田之兴，至少可以上溯到汉代，宋代有较快发展，其经营目的主要是为了接济族人或乡村贫困户。明清时期，义田也资助贫困家庭的子弟读书，是学田的别称。史称："古者，士皆授田。自井田废，而田私于农，故士遂无授田者。后世君子，于私田之公于族者曰义田，义田之给于士者曰学田，傥亦古者士田之遗意欤。是非特资其身也，盖将养其廉耻，以为德业之助。"①

清代房县的文献记录了该县义学的义田分布。房县义学的义田分布于东、西、南、北四乡，似可说明该县的义学在乡间普遍存在。义田的种类呈现多样化的状态，有旱田、水田、山地，数量虽然不多，却是义学赖以存续的倚靠。

在少数民族地区，也有义学的设置。同治《咸丰县志》在"建置志"下，将"学校""义学"并列，表明义学是独立于官办学校之外的教育机构。从其记述看，咸丰县的义学有浓厚的官方色彩。咸丰县共有三所义学，包括两所"丁寨义学"、一所金峒司义学。两所"丁寨义学"分别是建于道光二十年（1840 年）的培英书院，以及咸丰十年（1860 年）设于禹王宫的广育义塾。将书院归入义学，说明关键不在名称，而在其性质是民间办学。

咸丰县的另外一所义学金峒司义学，系乾隆五年（1740 年）"奉文"设立，每年拨给藩库银十六两作为膏火。二十四年（1759 年），知县张禹将籍没的水田一分，拨归义学所有，每年可收租谷 16 石多。三十九年（1774 年），知县潘宪武亦将籍没的官荒归入义学。②从"奉文"、领取藩库银以及学田的来源俱由知县介入等方面看，金峒司义学应该是一所官方主导的义学。因为，义学虽然主要以民间办学力量为主，但也不乏官方介入或具备半官方背景。在土司地区设置义学，是清初中央政府的既定方针。史载："康熙四十四年，议准贵州各府州县设立义学，将

① （清）恽敬：《大云山房文稿》之《初集卷三 · 沙陇胡氏学田记》。

② 同治《咸丰县志》卷五《建置志 · 学校 · 义学》。

土司承袭子弟送学肄业，以俟袭替。其族属人等，并苗民子弟愿入学者，亦令送学。该府州县复设训导，躬亲教谕。”翌年，“议准黔省府州县卫俱设义学，准土司生童肄业，颁发御书‘文教遐宣’匾额，奉悬各学”。康熙五十九年（1720 年），“议准广西土属共十五处，各设义学一所。该抚选择本省之举人、贡生学品兼优者，每属发往一员，教读土属愿学子弟。如有文艺精通者，先令就近流官州县，附考取进。其名数，俟该抚酌量人文多寡定额，具题定议。至义学师儒，果能兴行教化，人才蔚起，该抚据实保荐，酌量议叙”[①]。显然，这一决策虽然针对贵州土司、广西土司，但同样适用于其他土司地区。例如，乾隆时就有专门针对湖广少数民族地区设置义学的敕令：“乾隆十年，议准湖广城绥九峒并青坡司瑶寨等十处，各于适中之地设立义学一处。于所属生员内，择其文行兼优者充补馆师，以司教读。每年各给廪饩银一十六两，在地丁银内动支。应需馆舍，准将绝产房屋查明拨给。”[②]所以，咸丰县金峒司义学就是依令而行的结果。

如上所述，义学的兴办使部分贫寒子弟能够获得读书的机会。明清时期，此类助学机构还有宾兴馆。“宾兴”一词出自《周礼》，郑玄注称：“以乡三物教万民而宾兴之。一曰六德，知、仁、圣、义、忠、和；二曰六行，孝、友、睦、姻、任、恤；三曰六艺，礼、乐、射、御、书、数。物，犹事也。兴，犹举也。民三事教成，乡大夫举其贤者能者，以饮酒之礼宾客之。”[③]可见，宾兴是周代的地方官员荐举贤能之人的方法。荐举之际，还要设宴招待，故有“以饮酒之礼宾客之”的说法。实行科举制度后，“宾兴”逐渐变成地方官宴请应试之人，同时也指称“乡试”。后来，“宾兴”其意进一步扩展为助考助学的社会公益行为。用于宾兴的钱财，来自地方官员和士绅的倡捐。有的地方用义捐得

① （清）素尔讷：《学政全书》卷七十三《义学事例》。

② （清）素尔讷：《学政全书》卷七十三《义学事例》。

③ （汉）郑玄注、（唐）贾公彦疏：《周礼疏》之《附释音周礼注疏卷第十》。

到的钱财购置房产，称为宾兴馆。宾兴馆平日时用于出租，遇有乡试、会试，则拿出部分租金资助那些贫寒子弟。例如，咸丰县宾兴馆就设在城内，“咸旧无宾兴，乡试维艰。前令彭公督率绅耆分劝八里，得数千金，遂置业，以垂永久。迄今应文武乡试者资斧不缺，人有观光之志，文风亦蒸蒸日上矣”①。宾兴馆的建制，可从宣恩县的情形一窥究竟：正屋3间，过厅3间，前门1所，后门1所，小屋3间。②

书院的办学经费，来源较为复杂。有的书院主要依靠官方拨款，有的书院则依靠民间集资。以宣恩县的龙洞书院为例，其经费主要来自义田。龙洞书院的义田，是为了解决宾兴、膏火，即助学经费。宾兴、膏火，都是资助贫困学生读书的学租，时人常常将两者合在一起，统称“宾兴膏火”。龙洞书院的义田，其来源主要有两种途径：“买”和“当”。

“买”，即通过买卖购置田产，使之成为书院的义田，时人称为“买业”。由当地士绅出资购买田产，然后捐给书院作为义田的做法，在明清时期较为普遍。从类型上看，义田既有水田，也有地基、园圃；既有熟田，也有荒地。书院文献中有名有姓的士绅，显然是热爱家乡教育事业、富于公益精神的人物。

“当”，即通过典当方式，使田产转化为书院的义田，时人称为“当业”。契约文书是明清时期极为普遍的法律文书，是确定人们在经济交往过程中责、权、利关系的重要凭证。宣恩县的书院义田，基本上是通过签订契约的形式得以购置的，有买卖契，也有典当契。完成契约交易的支付手段，包括租谷和银钱，租谷有稻谷和包谷。撇开这些具体的经济行为，我们从县志中看到了那些虽然陌生但却令人敬佩的士绅们的义举。在某种程度上，正是这些士绅，维护着地方教育、教化及秩序，使明清时期的地方社会能够正常运转。

---

① 同治《咸丰县志》卷五《建置志·学校·宾兴馆》。

② 同治《宣恩县志》卷六《建置志·宾兴馆》。

有的地方将“宾兴”“膏火”合称，有的地方则将两者分开。例如，来凤县的历史文献就有“宾兴田土”和“膏火田土”两项记载。[①]因为来凤县文献同时载有“学署田土”“书院田土”，所以，可以将宾兴、膏火这两项田产视为助考助学以及接济贫困生的专门款项。当然，促成这项公益助学项目的主要人员，仍然是当地的官员和士绅。这在明清时期不是孤立现象，而是随处可见的情景。

三、书院的官方化

虽然私塾、义学都属于私学，但是，明清时期私学的主体却是书院。书院不是明清才有的教育机构，它兴起于唐代，到宋代得到了大发展。不过，明清时期是考察中国书院史的关键阶段。书院在明清继续存在，而且数量有所增加。

大体上，明代湖北书院的发展历程可分为两个时期：前一个时期，是从洪武到成化年间；后一个时期，是从弘治到崇祯年间。

在洪武到成化的百余年间，湖北书院数量很少，新建书院只有6所，按照时间顺序依次为：钟祥的郢门书舍，曹国公李文忠创建于洪武年间；襄阳的鹿门书院，襄阳人任显宗创建于永乐年间；石首的城南书院，都御史汪浩创建于景泰年间；麻城的龙溪书院，麻城人周充建创建于天顺年间；江夏的芹南书院，提学副使薛刚创建于成化年间；远安的新城书院，知县刘英创建于成化年间。另有前朝遗留下来的4所书院，分别是：嘉鱼的义学书院，咸宁的相山书院，襄阳的隆中书院，武昌（今鄂州）的龙川书院。

同样是百余年的时间，在弘治到崇祯时期，湖北的书院却得到了较快的发展。初步统计，这一时期湖北的书院概有51所。有2—5所书院的地方列述如后。麻城5所：白杲书院、辅仁书院、道峰书院、东溪书院、经正书院；蕲水5所：南门书院、孙公书院、宋公书院、云

① 同治《来凤县志》卷八《建置志·学校》。

路书院、大成书院；武昌4所：雉峰书院、东皋书院、凤台书院、崇文书院；襄阳3所：凤栖书院、冽泉书院、武侯书院；蕲州3所：凤麓书院、崇正书院、阳明书院；郧县3所：郧山书院、五贤书院、龙门书院；蒲圻2所：凤山书院、大宗书院；东湖2所：墨池书院、六一书院；宜都2所：北山书院、青峰书院；江夏2所：濂溪书院、江汉书院；钟祥2所：濂溪书院、大观轩书院；罗田2所：塔山书院、白公书院；安陆2所：江汉书院、碧霞书院。只有1所书院的地方，分别是：黄陂的二程书院，荆门的象山书院，随州的白云书院，崇阳的高堤书院，当阳的北山书院，石首的崇正书院，通城的青阳书院，孝感的两湖书院，光化的文忠书院，黄梅的调梅书院，兴国的叠山书院，黄冈的问津书院，黄安的天台书院和监利的大观书院。在明代，湖北还有13所书院有讲学活动，但是它们的创建时间均不能确定。这些书院包括潜江3所：江阳书院、同仁书院、中州书院；麻城2所：白云书院、明德书院；景陵2所：梦野台书院、东湖书院；以及嘉鱼的乾山书院，黄冈的东坡书院，罗田的养正书院，京山的敬业书院，随州的白石书院和江陵的阳春书院。

相比之下，清代湖北书院的发展状况好于明代。清朝初期的顺治到康熙年间，湖北新建书院多达22所，这一数目大大超过明代初期。在这22所书院中，钟祥有2所：甘棠书院、魁阁书院；黄冈有2所：坪江书院、古株书院；江夏有2所：紫荆书院、勺庭书院。其他地方只有1所书院，包括汉阳的晴川书院，汉川的紫阳书院，麻城的万松书院，襄阳的凤山书院，沔阳的复中书院，蕲水的蕲阳书院，竹山的上庸书院，黄安的仙湖书院，京山的涂山书院，潜江的传经书院，宜城的紫峰书院，枣阳的青山书院，江陵的荆南书院，长阳的佷山书院，均州的古南阳书院和房县的穆清书院。①

应该指出，雍正年间是清代书院发展的关键时期。因为雍正帝明确鼓励创办书院，这跟明代朝廷多次禁毁书院的做法形成鲜明对比。例

① 参见罗新：《湖北历代书院考》，《江汉论坛》1988年第10期。

如，明嘉靖十七年（1538 年），朝廷有“申毁天下书院”之主张。[①] 最严重的时期是万历年间。当时，首辅张居正对书院没有好感，认为“圣贤以经术垂训国家，以经术作人。若能体认经书，便是讲明学问，何必又别标门户、聚党空谈？今后各提学官督率教官、生儒，务将平日所习经书义理，着实讲求，躬行实践，以需他日之用”。为了达到这个要求，张居正明令“不许别创书院，群聚徒党，及号召他方游食无行之徒，空谈废业，因而启奔竞之门，开请托之路。违者，提学御史听吏部都察院考察奏黜，提学按察司官听巡按御史劾奏，游士人等许各抚按衙门访拿解发”。[②] 众所周知，张居正权倾天下，他对书院的看法自然变成了实际的打压措施。毫无疑问，张居正的惩治手段激化了社会矛盾，直接造成明代后期的东林党争。

所谓东林党争，是指以东林书院为枢轴的一批官员和儒生，与干涉朝政的宦官集团之间的政治斗争。明万历三十二年（1604 年），顾宪成等学者重新修葺位于江苏无锡的东林书院，在此讲学论道。这所书院，原本是宋代学者杨中立讲学之地。在“东林三君”顾宪成、赵南星和邹元标的号召下，许多朝野人士汇集于东林书院，被时人目为东林党人。这些讲学听课之人，不仅研讨学问，而且指陈时政，大胆抨击当朝权贵，结果触动了“阉党”利益。当时，阉党首领魏忠贤十分痛恨东林党人，他唆使明熹宗于天启五年（1625 年）诏令天下烧毁书院，杨涟、左光斗等许多东林党人遭到杀害。直到崇祯帝上台，才为东林党人平反昭雪，东林书院得以修复重开。但是，经过这一番折腾，明代书院变得一蹶不振。

时过境迁，清代帝王对书院似乎充满信心，认为创兴书院是官学之外培养国家所需人才的举措，只要引导得当，就可以为我所用。这一认识，雍正帝以上谕的形式刊布天下，他希望“书院之设有裨益于士习民风而无流弊”。雍正帝振兴书院的决心是很大的。他认为许多书院徒有

---

① （明）雷礼：《皇明大政纪》卷二十三，戊戌嘉靖十七年五月。

② （明）张居正：《张太岳先生文集》卷三十九《请申旧章饬学政以振兴人才疏》。

其名，颇多“浮慕虚名”，应该摒弃“浮嚣奔竞之习”，培养有真才实学的人才。只有这样，创办书院才有意义，才能“兴贤育才”。除了声明一番道理，雍正帝还提出了具体的办法。其一，他下令省会所在地创办书院，可以“各赐帑金一千两”，得到中央财政的支持。如果经费不足，还可从“存公银内支用”，地方财政划拨款项予以补足；其二，责成地方官员落实教育举措，强调“封疆大吏等并有化导士子之职，各宜殚心奉行”，[①]明确指出了书院官办化的方向。虽然此前的书院也有官方力量的介入，例如明初湖北新建的书院，但是从未有如此明确的制度安排。这道上谕的影响力是强大而深远的，因为自此以后的清代书院，民办属性大为降低，官办色彩越来越重。

雍正时，湖北新设书院有5所，襄阳占2所（鹿门书院、乳泉书院），另外3所是：崇阳的桃溪书院，麻城的养蒙书院，兴山的秭城书院。乾隆时期，湖北新建书院多达43所，达到历史最高峰。显然，这是雍正帝重视书院的必然结果。

纵览乾隆时期的这43所书院，可谓遍及湖北各州县，成为官学教育的一大补充。在某种程度上，研究湖北书院史，清代的乾隆朝是重中之重。按照书院的数目，从多到少依次为：黄冈5所：育英书院、白石书院、温泉书院、回车书院、淋山书院；来凤3所：岐阳书院、朝南书院、桂林书院；沔阳3所：玉带书院、聚奎书院、纪恩书院；荆门3所：龙泉书院、汉上书院、内方书院；蒲圻2所：龙门书院、朝阳书院；南漳2所：沮漳书院、凤山书院；广济2所：梅川书院、沧浪书院；长乐2所：五峰书院、湾潭书院；咸宁1所：淦川书院；兴国州1所：富川书院；通山1所：罗峰书院；黄安1所：萃英书院；蕲州1所：麟山书院；安陆1所：汉东书院；云梦1所：梦泽书院；应城1所：蒲阳书院；随州1所：摘珠书院；应山1所：永阳书院；钟祥1所：兰台书院；天门1所：天门书院；枣阳1所：春陵书院；谷城1所：筑阳书院；光

①（清）素尔讷：《学政全书》卷七十二《书院事例》。

化1所：复文书院；竹溪1所：五峰书院；郧西1所：西津书院；江陵1所：龙山书院；石首1所：绣林书院；枝江1所：丹阳书院；恩施1所：凤山书院。

湖北书院的设立，自乾隆朝之后便不再出现大幅增长势头。从嘉庆到道光年间，湖北新建书院只有17所。黄冈的书院仍然保持发展态势，新建3所：白云书院、龙潭书院、举水书院。长阳新建2所：清江书院、九峰书院。其他地方新建书院只有1所：汉阳的崇正书院，孝感的观山书院，大冶的金湖书院，归州的丹阳书院，恩施的南郡书院，沔阳的集诚书院，广济的文明书院，当阳的董公书院，咸丰的蔚文书院，远安的沮江书院，巴东的信陵书院，鹤峰的鹤鸣书院。

尽管新建书院的数量有所减缓，但是在清代湖北的教育格局中，书院依然扮演着重要角色。湖北在清代还有26所明代遗留下来的书院，罗列如后。黄冈2所：问津书院、河东书院；钟祥2所：文昌书院、郢门书院；武昌2所：寿昌书院、龙川书院；东湖2所：墨池书院、六一书院；江夏1所：江汉书院；汉阳1所：凤山书院；荆门1所：象山书院；麻城1所：龙溪书院；安陆1所：碧霞书院；郧县1所：龙门书院；公安1所：竹林书院；蒲圻1所：新溪书院；通城1所：青阳书院；阳新1所：叠山书院；黄陂1所：望鲁书院；罗田1所：义川书院；蕲春1所：凤麓书院；黄梅1所：调梅书院；监利1所：大观书院；松滋1所：山谷书院；宜都1所：清江书院；孝感1所：西湖书院。

除此之外，清代湖北还有20所书院，不知道具体创办时间。其中黄冈3所：停骖书院、文昌书院、蒋公书院；房县2所：育英书院、三闾书院；江夏1所：清风书院；嘉鱼1所：凤鸣书院；利川1所：钟灵书院；通山1所：镇南书院；江陵1所：南平书院；黄陂1所：甘露书院；沔阳1所：仁凤书院；罗田1所：古塔书院；枣阳1所：沧浪书院；竹山1所：秋江书院；保康1所：东山书院；远安1所：鸣凤书院；东湖1所：邱公书院；建始1所：五阳书院；恩施1所：崇化书院。[①]

通观明清时期，书院的性质较为复杂。当将书院纳入私学范畴时，我们主要是考虑到它的起始原本是个人办学行为。从中国历史上看，个人兴学具有悠久的传统，孔子就是典型代表。虽然不能将孔子的教育实践视为书院之始，但是，书院的初衷却有孔子兴学的深刻印痕。就源起而言，说书院是一种私学绝对是成立的。随着历史的演进，书院在唐宋以降变得不那么单纯了，出现了官办、官私合办、私办等多种形式。官方介入的力度和施加的影响亦呈加大之势。确切地说，自清代雍正朝之后，书院已实现重大转型，逐渐形成以官办为主、私办为辅的局面。这就不难理解，为什么在清末的教育改革中，张之洞等封疆大吏投入相当多的精力进行所谓的"书院改制"，力图将官方化的书院改造成具有近代气息的新式学堂。换言之，这些改制的书院，原本即是官方掌控的教育机构。从这个角度看，晚清洋务大吏张之洞不仅在实业发展方面强调官办，而且在教育改革方面同样强调官办。[②] 总之，把握清代书院的官办化过程，有助于我们深刻体味晚清新政所具有的浓厚的官僚色彩。

如上所述，清代书院的发展得益于朝廷的提振，但也因此沾染了浓厚的官方色彩。湖北来凤县的书院，基本上就是官府主导的教育机构。如岐阳书院，乾隆七年（1742年）由知县于执中捐建；乾隆十三年（1748年），知县范汝轼在原有基础上重修；乾隆二十一年（1756年），知县林翼池再次重修；嘉庆二年（1797年），知县康又民将书院移至东门外的桐子园，并更名为朝阳书院，旧书院改作孙公（士毅）祠，嘉庆六年（1801年）又改为文昌宫。搬迁重建后，书院规模扩大，前庭为二层的奎星楼，中庭为讲堂，后院设有三间院师寝息场所，左、右两侧各有十间斋房。再如朝南书院，乾隆七年（1742年），由知县于执中捐

① 参见罗新：《湖北历代书院考》，《江汉论坛》1988年第10期。

② 参见陈钧、任放：《张之洞经济思想散论》，《历史研究》1991年第5期；《张之洞经济伦理思想探真》，《历史研究》1993年第4期。

建。再如桂林书院，乾隆十年（1745 年）县丞蒋灏捐建；乾隆四十一年（1776 年），巡检沈怀枫翻建重修；嘉庆九年（1804 年）又增修讲堂；同治五年（1866 年），下三里绅首募集资金重修。还有育凤山义学，咸丰八年（1858 年）邑人田有粮捐建；同治二年（1863 年），其子附贡田耕心增修，并捐置学田。[①]

可见，除育凤山义学外，来凤县的书院皆由知县创建，参与其事者还有县丞和巡检。地方官员直接插手书院的设置，说明官方不仅要牢牢掌控府州县学的官学体制，而且对原本不属于官方范畴的相关教育资源也极为关注，尽可能纳入权力轨范。其目的无非是遏制不利于王朝统治的异端邪说，使儒生成为正统思想的接受者和传播者。不过，知县利用手中职权直接创办书院，在一定程度上有利于教育的普及。值得注意的是，修志者将非官方的育凤山义学置于“书院”条目之下，也说明时人将书院与义学同等看待，都是正规官学之外的附属教育机构。补充说明，清代恩施县的凤山书院、崇化书院、成山书院，均系义学改建。仅举凤山书院为例，“凤山书院，旧为义学，乾隆时知府吕世庆倡建，以县民张姓等互争田地归作膏火”[②]。

相比之下，建始县的书院记载较为详细。其书院名为五阳书院，原在城外松树坪，以县中的朝阳、建阳、当阳、景阳、巫阳等五处地名而得名。乾隆二十年（1755 年），知县邱岱将书院迁移到北门内的文昌祠旧址，创建斋房、学舍，共计大小十间，并捐里七垭官荒租钱作为膏火。书院后来因为年久失修，无法使用。直到道光二十一年（1841 年），知县袁景晖商请县中绅耆李如桂捐资重建，修建考棚、自讲堂、斋房、东西号舍以及射圃、官厅、亭阁、箭道等，共计大小四十余间房屋，石脚号棹凳六十四副，并订立章程。每年由官府延请品学端正之士主讲，每月进行官、师两课。师课考取超等的学生，赏给膏火银二钱；列在特

① 同治《来凤县志》卷八《建置志·学校》。

② 同治《恩施县志》卷五《学校志·义学》。

等前八名的，赏给膏火银一钱。官课的奖赏则由官员自己确定。[1]

五阳书院每月进行官课和师课。在清代，书院的学生每3个月要参加一次由官员出题的考试，叫官课，又称为期考；每个月要参加由书院院长出题的考试，叫师课，又称为月考。参加官课、师课考试成绩优异者，会得到膏火银之类的奖赏。在财务方面，书院的银钱、租谷的收支状况，交给两位“公正首士”管理。这两人系由众人“公举”产生，每年推举一次。年终之时，要进行财务清查，以防贪污。除此之外，书院的膏火银来自“官荒租钱”，即闲置官田的田租收入。五阳书院的形制与规模，可以作为明清书院的一个参照。它有40余间房舍，包括了书院考棚、讲堂、斋房、号舍、射圃等主要建筑，应该算是比较大的书院。五阳书院现位于建始县人民政府大院内。庆幸的是，作为湖北省文物保护单位，它在历经风雨后，终得以完整保留。

与来凤县、建始县的书院相比，设于省城的江汉书院堪称湖北书院之代表。江汉书院的初创者，是明代万历年间的湖广提学副使葛寅亮，他在府城武昌文昌门内建立了这所著名的湖北书院。葛寅亮，字水鉴，号屺瞻，浙江钱塘县（今属杭州市）人。万历二十八年（1600年），葛氏考中浙江乡试第一名举人。翌年，又考取辛丑科二甲进士，授南京礼部主事。万历四十四年（1616年），走马上任湖广提学副使。后升任湖广参议，官至南京尚宝司卿、左通政。南明时期，官至工部尚书。隆武二年，即清顺治三年（1646年）十月，隆武政权被清军剿灭，葛氏万念俱灰、绝食而亡。生前，他曾仿照《洛阳伽蓝记》的体例，撰写《金陵梵刹志》。

入清之后，江汉书院并未因创办者的反清立场而遭毁弃。恰恰相反，江汉书院被确定为重要书院，只是校址出现了变动，迁往武昌忠孝门内的巡道岭（今武昌粮道街武汉中学）。正如上引雍正上谕所言，江汉书院的运营得到了来自中央财政和地方财政的双重支持，实际经费

① 同治《建始县志》卷二《建置志·书院》。

达银 5 000 两。为了保障江汉书院一直拥有充足的办学经费，官府将这 5 000 两银子交给典商生息，每年可以获得数百两的生息银。在学额方面，江汉书院原定招生名额为 60 名。因不能满足适学儒生的需求，只得扩招，后来增加为 240 名。书院之内，有十贤祠、德教祠、题名碑等。与十贤祠供奉多位儒家先贤不同，德教祠供奉那些对书院建设有功劳的人士。书院学生一旦金榜题名，其姓名就会刻在题名碑上，希冀永志不忘，成为后学者的榜样。

在课业安排上，江汉书院既有官课，又有师课。因为是官办书院，所以总督、巡抚、知府、知县等地方官员都会安排时间主持官课，书院的师课则由书院负责人每月安排一次。咸丰年间，书院毁于太平军战事。同治元年（1862 年），湖广总督官文集资重建。

清末，张之洞督鄂，大刀阔斧地进行教育改革，史称“书院改制”。具体做法是：不仅在课程上增加天文、地理、兵法、算学四门，而且将江汉书院、经心书院、两湖书院合并为两湖大学堂。废除科举之后，张之洞花费专款 4 万余两，将两湖大学堂改建为两湖总师范学堂，拟定学额 1 200 人（实际招生 700 余人），故有“千师范”之称，成为两湖地区最大的新式学堂。

第三节　科举考试

谈论明清时期的教育，必然涉及科举考试。在某种程度上，培养学生参加科举、并取得功名，构成了明清教育最具功利性的教学目的。科举考试并不是明清时期才出现的。它最早在隋朝便已出现，到唐代逐渐成熟，到宋代日益完善。进入明清时期，科举制得到最大限度的发展。

一、选贤任官的机制

表面上看，科举考试是为了甄选不同层次的人才，是优胜劣汰法则的鲜明体现。实际上，科举考试的真正目的是选择人才进入国家的官僚体系。因此，科举制既是一种教育制度、考试范式，又是一种人才竞争机制，是国家选官制度。考取科举的儒士，都是国家的后备官员，具有担当实职、为国效力的资格。这一资格，在传统时代恰恰是许多读书人所不具备的。明代选举大概有四种途径，“曰学校、曰科目、曰荐举、曰铨选。学校以教育之，科目以登进之，荐举以旁招之，铨选以布列之，天下人才尽于是矣”[①]。其中，科举是重心。在明代，人们高度重视科举，以故“科目为盛，卿相皆由此出”。读书就是为了做官，做官的极致就是出阁拜相，成为皇帝一人之下、万人之上的“卿相”。创办学校、培养人才，最终都是奔着科举而去，“学校则储才以应科目者也”。这表明，教育的价值在于科举考试，在于通过科举考试使各类人才浮出水面，等待朝廷任命使用。简言之，教育的目的是培养合格的考试者。于是，明清各级官学成为各类考试的集中场合。

明清时期的官学教育有各类考试。那些进入府州县学的学生，首先要参加岁试。顾名思义，岁试就是按年考核，又叫岁考。参加完岁试后，没有被淘汰者再参加乡试。乡试又叫科考，能够参加乡试者算是正式参加了科举考试。按照科举先乡试、次会试、末殿试的三考顺序，乡试可以视为科举考试的第一关。那些还没有参加乡试的官学学生，被称为生员，也就是老百姓口中的秀才、相公。

每一次的岁试结果，都分为六个级别。进入第一等的学生，可以升为廪膳生员。进入第二等的学生，可以升为增广生员。除此之外，第一等、第二等的学生还有其他奖励。排名在第三等的学生，保持原来的生员身份。对于那些排名第四等、第五等、第六等的学生，官学管理者会采取各种惩罚措施。例如，对排名第四等的学生实施体罚，多为打板子。对排名第五等的学生，采取下调生员级别的方法，以示惩戒。也就是说，原来的廪膳生员降格为增广生员，原来的增广生员降格为附学生员，原来的附学生员降格为青衣。这里的青衣不是指梨园青衣，而是特

---

① 《明史》卷六十九《志第四十五·选举一》。

指官学系统中级别最低的生员。至于排名殿后的学生，即第六等的学生，受到的处罚最为严重：取消他们的入学资格，从官学自动退出。不过，许多地方的岁试都没有将学生分为六个等级，可能是因为这样的划分在标准上不易掌握，而且过于烦琐。大多数地方的岁试，其通行的做法是分为三等。

在岁试之后，并不是所有能够继续学习的学生都会参加乡试。无论岁试的结果是分为六等还是三等，能够抬脚迈入乡试考场的人，仅限于那些在岁试中排名第一等和第二等的学生。因为这是科举考试的第一关，因此参加乡试的学生被称为科举生员。

客观而论，明清官学和科举的制度安排是有弹性的，这一点从岁试不一定要按照规定分为六等就可知晓。再如，虽然官方规定只有进入官学的学生，才有可能进入科举考试的环节。但是，仍然有少数没有读过官学的学生，能够参加科举。每逢乡试之年，提学官考选一、两个官学以外的聪敏童生，与诸生一同进场乡试，考中了即获举人资格，不中就再等提学官岁试，合格后进入官学，他们就是所谓的充场儒士。[①]科举制的灵活性还体现在录取名额上，诚如上引文献所谓“及求举者益众，又往往于定额之外加取，以收士心”。增加是变化，减少也是变化，并无僵硬的规范，往往视实际情况而定。例如，明代万历时，首辅张居正明令减少生员人数，对科举造成冲击。史载：“神宗时，张居正当国，遂核减天下生员。督学官奉行太过，童生入学，有一州县仅录一人者。其科举减杀可推而知也。”[②]不过，纵观明清数百年间，像张居正这样实行“科举减杀”的举措较为少见，官学和科举在这一历史时期获得了长足发展。

如上所述，明清时期科举考试的顺序依次为乡试、会试、殿试。乡试不过，没有资格参加后面的两次考试。通过了乡试，但会试不过，则

① 《明史》卷六十九《志第四十五·选举一》。

② （清）秦蕙田：《五礼通考》卷一七一《嘉礼四十四·学礼》。

没有资格参加最高级别的殿试。通过乡试的学生，称为举人，俗称孝廉、老爷等。乡试的第一名，称为解元。通过会试的学生，称为贡士。会试的第一名，称为会元。顺利通过乡试、会试的考生，如果通过了殿试，则被称为进士。按照规定，殿试分为三甲。其中，第一甲录取三名，第一名叫状元，第二名叫榜眼，第三名叫探花。俗语所谓“洞房花烛夜，金榜题名时”，形象地反映了传统时代千千万万读书人的人生理想。也有不经过严格的科举考试而获得功名者。例如，明清时期有岁贡、选贡、恩贡、细贡、拔贡、副贡、优贡、例贡等，都是因为特殊原因造成的“同等学力者”。

需要说明的是，清代是满蒙权贵把持的王朝，长期实行民族歧视政策。满人、蒙古人根本不需要通过科举考试，便可以获得相应的特权。因此，清廷一方面不鼓励满人、蒙古人参加科举，另一方面，为了笼络汉族知识分子，规定殿试第一甲的三个名额全部给汉人，故有“旗人不占鼎甲”“满人不点元”等说法。

二、科举人才的地区性差异

明清时期的湖北，学校教育的中心就是培养科举之士。有关明清湖北科举中试的人士，在民国《湖北通志》中留下了较为详细的记载。参与该部志书的史家声称：“论湖北之人才，春秋楚为首，三国时次之，明又次之。”湖北籍人士中，明代“相业则杨溥、张居正，名臣则张瓒、王轼、陈金、邹文盛、孙交、周弘禴、郭正域，谏诤则仵瑜、杨涟，清廉则吴琳、鲁铎、王兴福，将略则刘天和、梅国祯、熊廷弼，忠节则贺逢圣、张同敞，理学则李承箕、耿定向，文章则李维桢、王廷陈”，可谓人才济济。与此相比，清代选才采取“科举、杂途并进”，卖官鬻爵之风盛行，“取之也滥，而其用之也不专”。[①]

由此观之，修志者充分肯定明代是湖北人才辈出的时期，背后的原

① 民国《湖北通志》卷一二三《选举表一·人物志序》。

因是科举昌盛。入阁拜相之人，文臣武将之选，都是经过科举考试产生出来的人才。相比之下，清代湖北的人才状况逊于明代，原因也在于科举事业不如前朝。值得注意的是，作为民国初年的史家，却对科举制度表达了较为鲜明的眷恋情感，认为那些指责科举制度的人，是不了解这一制度的妙处。也就是说，人才必须通过考试甄别出来，在这一点上，科举制度是很好的制度。至于国家政治的好坏，取决于如何使用人才，此与科举无关。

尽管《湖北通志》的编纂者认为清代的科举不如明代，但仅以进士人数而论，根据《湖北通志·选举表》的资料统计，清代湖北的进士人数比明代要多。明代湖北考中进士的人数为 1 119 人，清代湖北进士人数则为 1 262 人，超过明代百余人。再从殿试的情形看，清代湖北人士考试结果相当优异：考中第一甲者 10 人，在全国排名第五，仅次于江苏、浙江、安徽、江西。荣登第一甲的 10 人中，状元 3 人，榜眼 3 人，探花 4 人。他们分别是：顺治己丑科（六年，1649 年）状元刘子壮（黄冈人），嘉庆辛未科（十六年，1811 年）状元蒋立镛（天门人），嘉庆己卯科（二十四年，1819 年）状元陈沆（蕲水人）；顺治己丑科（六年，1649 年）榜眼熊伯龙（汉阳人），嘉庆辛酉科（六年，1801 年）榜眼刘彬士（黄陂人），道光戊戌科（十八年，1838 年）榜眼金国钧（黄陂人）；雍正癸卯科（元年，1723 年）探花杨炳（钟祥人），嘉庆丙辰科（元年，1796 年）探花帅承瀛（黄梅人），嘉庆庚辰科（二十五年，1820 年）探花陈銮（蕲州人），道光癸巳科（十三年，1833 年）探花蒋元溥（天门人）。[①]

需要注意的是，无论明代还是清代，黄州府都是湖北考中进士人数最多的地区。该府在明代有进士 321 人，在清代有进士 335 人，清代比明代要多。黄州府在明代和清代都不是湖北政治中心所在地，但其教育水平却高过省城所在的武昌府，令人深思。当然，作为明清湖北的政治

① 张建民：《湖北通史·明清卷》，华中师范大学出版社 1999 年版，第 619—620 页。

中心，武昌府的科举事业堪称发达，在明代的进士人数仅次于黄州府，计有 232 人。清代，进士人数仅次于黄州府的，不是武昌府，而是汉阳府，共产生进士 284 人，武昌府有进士 265 人，位列第三。不过，汉阳府与武昌府仅一江之隔，可视为政治中心之腹地。这从一个侧面反映出一个历史现象——在传统时代，政治中心往往是教育中心。

举业最盛的黄州府，明代其所辖各州县的进士人数由多到少的排名是：麻城 100 人，黄冈 87 人，蕲州 38 人，蕲水 34 人，黄梅 20 人，黄陂 17 人，广济 11 人，罗田 7 人，黄安 7 人。清代各州县的排名有较大变化：黄冈 122 人，蕲水 54 人，黄安 39 人，麻城 42 人，黄梅 22 人，蕲州 21 人，广济 21 人，罗田 14 人。黄冈、麻城、蕲水是黄州府教育发达的地区，虽然麻城有所下滑，但黄冈、蕲水都有较大进步。相比之下，黄安在清代有较大突破，从明代排名最后跃升至第 3 名。

视角转向政治中心所在地的武昌府。如果将所辖州县按进士人数多寡排名，明代的顺序是：江夏 64 人，兴国 36 人，蒲圻 35 人，崇阳 28 人，嘉鱼 22 人，咸宁 17 人，武昌 12 人，大冶 9 人，通山 7 人，通城 2 人。清代是：江夏 112 人，武昌 50 人，兴国 34 人，蒲圻 25 人，咸宁 13 人，大冶 12 人，嘉鱼 7 人，崇阳 5 人，通山 4 人，通城 3 人。江夏（今武昌）、兴国、蒲圻是明清两代教育发达的地区，其中江夏的教育事业在清代有较大进展。在清代，武昌（今鄂州）进步较快，由明代的第 7 名跨越到清代的第 2 名。清代排名第二位的汉阳府，所辖各州县的进士人数是：孝感 79 人，黄陂 73 人，汉阳 72 人，沔阳 38 人，汉川 22 人。孝感、黄陂两县的中举人数竟然超过府城所在的汉阳，令人称奇。

在明代，除了黄州府、武昌府，其余各州县进士人数超过 10 人者，计有：汉阳府之汉阳 35 人；德安府之孝感 32 人、应城 24 人、安陆 22 人、随州 13 人；承天府之京山 37 人、沔阳 31 人、潜江 25 人、钟祥 22 人、景陵 22 人；荆州府之江陵 70 人、石首 42 人、公安 30 人、监利 15 人、夷陵 14 人；襄阳府之襄阳 39 人。没有一县超过 10 人者，仅有郧阳府。

在清代，除了黄州府、汉阳府、武昌府，其余各州县进士人数超过10人者，计有：德安府之云梦34人、安陆22人、应山18人、应城16人；安陆府之天门53人、钟祥34人、潜江21人、京山11人；荆州府之江陵49人、监利25人；荆门州之荆门11人。

纵观明清时期湖北考取进士的状况，应该说鄂东地区的教育最为发达，其次是江汉平原，最落后的地区是鄂西。造成这种格局的原因相当复杂，既有自然地理的因素，更与政治、经济等人文地理因素密切相关。

三、科举出身的政坛人物

科举制度的弊端是显而易见的，如科举考试科目和内容严格局限，禁锢了考生思想，遴选出的人才多缺乏进取精神和创新意识等。但是科举制度在封建时期也具有一些积极意义。如在政治方面，科举选才，扩大了统治基础，破除了世家大族的官场垄断；在行政方面，行政人员文化素质较高，有利于提升行政效率；在文化方面，弘扬了儒家文化，促进社会重学风尚等。不可否认的是，在传统时代，通过朝廷认可的官方考试进入仕途依然是千百万寒门子弟摆脱贫贱、跻身上层社会的最佳途径。隋唐以降的中国社会之所以能够保持变迁的活力，其原因之一即为社会垂直流动的路径一直没有中断。即使那些仅仅通过乡试、没有通过会试的儒生，也成为基层社会的精英分子，他们构成了所谓“士绅”阶层的最多数。

如上所述，科举考试就是一种选官制度，成绩优异者自然进入国家官僚体制之中。在明清时期，涌现了大批湖北籍的科举出身的重要官员。

在传统时代，尚书是朝廷重臣，是中央各部门之首脑。能够担任这一职务，基本上是能力出众之人。

明代，官至吏部尚书的湖北人，概有6位：张天佑（江夏人），洪武二十六年（1393年）进士；郑继之（襄阳人），嘉靖四十四年（1565

年）进士；周嘉谟（汉川人），隆庆五年（1571 年）进士；何宗彦（随州人），万历二十三年（1595 年）进士；李长庚（麻城人），万历二十三年（1595 年）进士；贺逢胜（江夏人），万历四十四年（1616 年）进士。

官至户部尚书的湖北人，概有 8 位：王轼（公安人），天顺八年（1464 年）进士；雍泰（咸宁人），成化五年（1469 年）进士；孙交（安陆人），成化十七年（1481 年）进士；邹文盛（公安人），弘治六年（1493 年）进士；耿定向（黄安人），嘉靖三十五年（1556 年）进士；王延瞻（黄冈人），嘉靖三十八年（1559 年）进士；姚明恭（蕲水人），万历四十七年（1619 年）进士；方岳贡（谷城人），天启二年（1622 年）进士。

官至礼部尚书的湖北人，概有 6 位：杨溥（石首人），建文二年（1400 年）进士；袁宗皋（石首人），弘治三年（1490 年）进士；张居正（江陵人），嘉靖二十六年（1547 年）进士；李维祯（京山人），隆庆二年（1568 年）进士；刘楚先（江陵人），隆庆五年（1571 年）进士；贺逢胜（江夏人），万历四十四年（1616 年）进士。

官至兵部尚书的湖北人，概有 7 位：刘俊（江陵人），洪武十八年（1385 年）进士；李承勋（嘉鱼人），弘治六年（1493 年）进士；刘天和（麻城人），正德三年（1508 年）进士；戴金（汉阳人），正德九年（1514 年）进士；方逢时（嘉鱼人），嘉靖二十年（1541 年）进士；熊廷弼（江夏人），万历二十六年（1598 年）进士；方岳贡（谷城人），天启二年（1622 年）进士。

官至刑部尚书的湖北人，仅有 1 位，即王之诰（石首人），嘉靖二十三年（1544 年）进士。

官至工部尚书的湖北人，也只有 1 位，即刘一儒（夷陵人），嘉靖三十六年（1557 年）进士。

与明代相比，清代官至尚书级别的湖北人偏少。吏部尚书 1 人：熊赐履（孝感人），顺治十五年（1658 年）进士。户部尚书 1 人：余国柱

（大冶人），顺治九年（1652 年）进士。礼部尚书 1 人：王泽宏（黄冈人），顺治十二年（1655 年）进士。兵部尚书 1 人：涂天相（孝感人），康熙四十二年（1703 年）进士。刑部尚书 2 人：涂天相（孝感人），康熙四十二年（1703 年）进士；金光悌（英山人），乾隆四十五年（1780 年）进士。工部尚书 2 人：吴正治（江夏人），顺治六年（1649 年）进士；李先复（江陵人），康熙时进士。

应该指出的是，尚书之中的极少数人还兼任大学士。自从朱元璋废除丞相制度之后，明代再无丞相之职位。为了协助皇帝处理大小事务，便设立了大学士之职位，其地位高于尚书。入阁办事的大学士之首领，称为首辅，其重要性相当于从前的丞相。明代成为大学士的湖北人，概有：杨溥，礼部尚书兼武英殿大学士；袁宗皋，礼部尚书兼文渊阁大学士；张居正，礼部尚书兼武英殿大学士；何宗彦吏部尚书兼建极殿大学士；贺逢胜，礼部尚书兼文渊阁大学士；姚明恭，户部尚书兼文渊阁大学士；方岳贡，先后出任户部尚书、兵部尚书，兼文渊阁大学士。

清代也没有丞相之职，重大决策从雍正朝开始都出自军机处，以故军机大臣是朝中重臣。但是，内阁大学士仍然身居高位。满、汉大学士各设二人，职衔正一品。清初，有 3 位湖北人官至尚书，兼任武英殿大学士，他们是吴正治、余国柱、熊赐履。

除了尚书、大学士这种高品秩的官员，另有许多进士出身的湖北人担任朝中大官或地方官员。例如，官至都御史的湖北人，麻城邹来学，明宣德八年（1433 年）进士；应城陈金，明成化八年（1472 年）进士；嘉鱼吴廷举，明成化二十三年（1487 年）进士。官至吏部侍郎的湖北人，云梦许兆椿，清乾隆三十七年（1772 年）进士；黄梅帅承瀛，清嘉庆元年（1796 年）进士。官至刑部侍郎的湖北人，黄陂刘彬士，清嘉庆六年（1801 年）进士；汉阳邱树棠，清嘉庆七年（1802 年）进士。官至漕运总督的湖北人，襄阳樊雄楚，清乾隆四十三年（1778 年）进士；武昌陈忠孚，清嘉庆六年（1801 年）进士。在各地担任重要职务的湖北人更多，例如，广济刘天衡，明隆庆五年（1571 年）进士，官至山西按察使加太仆卿；黄州李钧简，清乾隆五十四年（1789 年）进士，官至顺天府尹；松滋彭承尧，乾隆二十五年（1760 年）进士，官至四川提督；蕲州陈銮，嘉庆二十五年（1820 年）进士，官至两江总督，等等。

应该说，这些科举出身的朝廷官员，大多数是博学、勤政的称职官员。他们读书致仕，奉公尽职，为江山社稷贡献了自己的心血和才智，没有辱没家乡父老寄予的希望，为湖北带来了荣光。

第五章　文学与艺术

文学艺术是人类文明的核心内容之一，是不同的族群在不同的时空舞台上培育出的人类精神之花。离开了文学艺术的创造与欣赏，人类的社会生活将会无比单调乏味。在荆楚文化八千年的发展历程中，文学艺术构成了地域性文化的标志。明清时期是湖北文学艺术发展的重要时期，出现了包括公安派、竟陵派在内的众多杰出作家及文学作品。与之同时，在音乐、戏剧、书法等领域也获得了令人流连忘返的成果。

第一节　激扬文字

从长时段观照湖北文学的发展历程，必须承认明清时期是一个高峰。其显著标志，便是出现了具有广泛影响、在中国文化史上占有重要一席的文学流派——公安派、竟陵派。文学流派的形成固然是荆楚文化层累演进造成的结果，但也不可否认，其异军突起也是时势使然。除了公安、竟陵傲睨一世，还有魏观、王廷陈、吴国伦、高岱等一批可圈可点的作家。

一、魏观·王廷陈·吴国伦·高岱

元末明初，在文坛上崭露头角的湖北籍人士首推魏观。《明史》称："魏观，字杞山，蒲圻人。元季隐居蒲山。太祖下武昌，聘授国子助教，再迁浙江按察司佥事。吴元年，迁两淮都转运使。入为起居注。奉命偕吴琳以币帛求遗贤于四方。"可见，早在朱元璋最终翦灭众多对手、建立明帝国之前，魏观便以其出众之才学，奉命征召入宫，成为辅佐朱元璋的要员。与此同时，他为新生政权到处奔波、延揽才俊。迨至大明王朝建立，魏观得到重用，担负起教育皇子的重任，“洪武元年，建大本堂，命侍太子说书及授诸王经”；继续访求人才，充实官僚队伍，“未几，又命偕文原吉、詹同、吴辅、赵寿等分行天下，访求遗才，所举多擢用”。洪武三年（1370年），魏观迁任太常卿，“考订诸祀典，称旨。改侍读学士，寻迁祭酒”。仿佛一帆风顺，不经意间却栽了跟头。翌年，魏观“坐考祀孔子礼，不以时奏，谪知龙南县。旋召为礼部主事”。洪武五年（1372年），在廷臣举荐下，魏观出任苏州知府，仕途出现“柳暗花明又一村”的转机。

虽为书生，但魏观却有经世之才。在他前往苏州上任之前，前任陈宁为政苛毒，人称“陈烙铁”。上任伊始，魏观便雷厉风行地剔除旧弊、实施新政，“观尽改宁所为，以明教化、正风俗为治。建黉舍，聘周南老、王行、徐用诚与教授贡颖之定学仪，王彝、高启、张羽订经史，耆民周寿谊、杨茂、林文友行乡饮酒礼。政化大行，课绩为天下最”。鉴于此，朝廷打算将魏观调任四川行省参知政事。消息传来，苏州府百姓齐声要求留任，魏观遂未成行。不过，祸福相依，未可尽知，这一番深得民心的挽留也为后来魏观惨遭腰斩埋下了伏笔。史载：“初，张士诚以苏州旧治为宫，迁府治于都水行司。观以其地湫隘，还治旧基。又浚锦帆泾，兴水利。”张士诚是朱元璋的死敌，魏观的行为虽然有理有据，却无意间犯了大忌，遭到奸臣的诬告，“或谮观兴既灭之基”。[①] 朱元璋马上委派御史张度核实，张度回禀确有其事，蔑称“兴灭王之基、开败国之河”。[②] 龙颜大怒，魏观被诛，一同被杀者还有高启、王彝等文人，史称“魏观案”。后来，朱元璋有后悔之意，命人将魏观归葬故里。

魏观虽系能吏，却以诗才名世，“观读书蒲首山中，勤苦弗辍，性喜吟咏，触物感兴，陶写自如。乃构亭，曰梅初，以寄志焉。元吕忠肃

① 《明史》卷一四〇《列传第二十八·魏观》。按，关于魏观、王廷陈、吴国伦等明代湖北籍文学家的论述，参见刘玉堂等：《中国地域文化通览·湖北卷》上编第七章第二节（潘洪钢执笔），中华书局2013年版，第280—282页。

② （明）李绍文：《皇明世说新语》卷八《谗险》。

公读其诗，叹赏，荐于朝……”[①]遗著有《蒲山牧唱》4卷，收录“五七古律通二百四十篇”。[②]时人评价甚高。他不仅诗才卓异，而且气宇轩昂，实为人中龙凤，“先生之心广大而高明，先生之才笃实而端重。其学博，其辞赡。其所履任，率有成绩。事至，不择利害而为之，有古大臣君子之风”。

应该说，魏观过人之才是他受到帝王青睐的重要原因。洪武二年（1369年）十一月某日，虽是冬季，但气候温暖，明太祖突发兴致，诏令宫中文士危素、詹同、吴琳、宋濂、魏观游玩于内苑燕紫阁，让他们每人赋诗一首，“以述今日之乐”。魏观落笔即成，诗曰：深冬晴暖动逾旬，内苑游观诏侍臣。五色庆云开凤尾，九重丽日绕龙鳞。和鸾喜奉彤车御，式燕惭叨紫禁宾。淑气已从天上转，人间无地不阳春。这首颂圣诗得到明太祖的肯定，“上览之，大喜”。[③]一方面，魏观的才华及干练受到朱元璋的赏识，他也因此得到重用，与明朝开国儒臣刘基、宋濂等人平起平坐；另一方面，将君主专制推到极致的朱元璋绝不允许任何人（包括身边的重臣）挑衅皇权，哪怕有一丁点儿的轻慢都不能容忍。魏观的下场，再次凸显传统时代专制主义充满血腥味的暴戾性格，文化人往往成为权力祭坛上的牺牲品。

由于朱元璋大开杀戒，以专权独断为能事，以故明初的文坛一片阿谀之声，绝少自由洒脱之士。影响所及，湖北再无魏观，亦不见其他值得大书特书的文人。大约到了明朝中叶，在皇权体制稍有松动、社会生活出现新变化的时代背景下，方才涌现王廷陈、吴国伦、高岱等在文学史上有一定影响的鄂籍文人。

王廷陈，字稚钦，黄冈人。父亲王济曾担任吏部郎中。史载：“廷陈颖慧绝人，幼好弄。父挟之，辄大呼曰：大人奈何虐天下名士！”如

---

① （明）廖道南：《殿阁词林记》卷六《廱学·侍读学士拜祭酒魏观》。

② （明）高儒：《百川书志》卷十六《集·国朝》。

③ （明）陈继儒：《佘山诗话》卷下。

此顽劣的本性，伴随王廷陈终生。正德十二年（1517年），他考取进士，入选庶吉士，“益恃才放恣。故事：两学士为馆师，体严重。廷陈伺其退食，独上树杪，大声叫呼，两学士无如之何，佯弗闻也”。不唯如此，他竟然敢于冒犯君威，“武宗下诏南巡，与同馆舒芬等七人将疏谏。馆师石珤力止之。廷陈赋《乌母谣》，大书于壁以刺，珤及执政皆不悦。已而疏上，帝怒，罚跪五日，杖于廷。时已改吏科给事中，乃出为裕州知州”。被赶出京师之后，王廷陈对知州事务完全不放在心上，堪称玩忽职守，“廷陈不习为吏，又失职怨望。簿牒堆案，漫不省视。夏日，裸跣坐堂。皇见飞鸟集庭树，辄止讼者，取弹弹之。上官行部，不出迎……”视官场如儿戏，庶几与武宗相当！后来，有人疏告“廷陈不法事，收捕系狱，削籍归”。武宗早逝，继位者是嘉靖帝，但“世宗践阼，前直谏被谪者悉复官，独廷陈以詈吏议不与”。结果，他以布衣之身终老。

嘉靖十八年（1539年），朝廷诏修《承天大志》，“巡抚顾璘以廷陈及颜木、王格荐。书成，不称旨，赐银币而已”[①]。看来，嘉靖帝对这部方志不太满意。这里提到的颜木，是湖广应山人，进士出身，与王廷陈并称“楚中二杰”，[②]官至亳州知州；王格，是湖广京山人，进士出身，官至河南佥事。就修志而言，此三人皆一时之选，系难得之楚材。

终身荒唐、游戏人生的王廷陈（“多奇气，然好狎游”[③]），的确是明代官场的一个另类。醉心老庄，逍遥自适，恃才傲物，遗世独立，这种人生姿态透露了传统时代文化人内心深处的孤独和悲怆。就王廷陈而言，其青史留名固然与其狂悖之行径有关，更是因为其才情万丈、诗文一绝，恰如史家所言“廷陈才高，诗文重当世，一时才士鲜能过之”。[④]诗言志，王廷陈的胸壑间流淌着一股清新脱俗之气，表达了绝不

① 《明史》卷二八六《列传第一百七十四·文苑二·王廷陈》。

② （清）丁宿章：《湖北诗征传略》卷二十四《随州·颜木》。

③ （明）蒋一葵：《尧山堂外纪》卷九十五《国朝·王廷陈》。

④ 《明史》卷二八六《列传第一百七十四·文苑二·王廷陈》。

与世俗为伍的心志。他还著有《梦泽集》38卷。①

应该说，在精神气质上，王廷陈与明代优游湖北的李贽有相通之处，更与公安、竟陵一派寄情山水、自命清高的文学趣味颇为相似。

继王廷陈之后，湖北籍文人跻身一流作家者，当数吴国伦。史载吴国伦科举有成，较早进入明朝官僚体系，且有为政之才；他与权奸严嵩划清界限，因此遭贬；他才华横溢，著有声名。吴氏号称兴国才子，与同乡司守谦齐名。当然，吴国伦的才气不限于“乡贤”，而是具有全国性影响。

吴国伦“善属文，与李攀龙、谢榛、王世贞、宗臣、徐中行、梁有誉齐名，时称七才子”②，这便是明代文学史上著名的“后七子”。时人称：“是时，都下有七才子：刘李攀龙、谢榛，吴王世贞、宗臣、徐中行，南越梁有誉，而国伦则楚才也”；“诸人多少年，才高气锐，互相标榜，七才子之名播天下”。③

“后七子”中，吴国伦年寿最高，享年71岁。他曾主持著名的白鹿书院，“远近之士翕然宗之，文章为海内推重”，诚为学术领袖，“国伦以诗名天下，四方缀学士奔走其门，填街塞巷”。④

由于天资聪颖，兼备写作才能，以故吴国伦著述丰厚，计有《秦汉书疏》《陈张事略》《甔甀洞稿》《甔甀洞续稿》《训初小鉴》《春秋世谱》等。加之他游历甚广，遂广为人知。

明代湖北籍卓有声名的文人，尚有许多。例如，与吴国伦几相同时的高岱，便是一例。明人所编《古今词统》称：“高岱，字伯宗，号鹿

① 按，一说23卷，参见（清）陈田：《明诗纪事》之《戊籤卷三·王廷陈》。《四库全书总目》卷一七二《集部二十五·别集类二十五》亦载《梦泽集》23卷，标明“安徽巡抚采进本”，并称“其集一刻于淮安，再刻于苏州，此本为其从孙追淳知颍州时所刻，乃第三本也”。

② （清）梁维枢：《玉剑尊闻》卷三《文学》。

③ （明）过庭训：《本朝分省人物考》卷七十六《湖广武昌府·吴国伦》；乾隆《曹州府志》卷十五《人物志·乡贤》。

④ 光绪《永明县志》卷三十六《人物志·儒林》。

坡，京山人。”高岱系嘉靖庚戌进士，官至刑部郎中。他与吴国伦一样，遭到权奸严嵩的打压，贬为景王府长史。文献称：“岱好读书，多论议，著《鸿猷录》《樵论》《楚汉余谈》《西曹集》。弟启嵒，皆有才名。”[①]其诗才得到文坛一致肯定。不唯如此，高岱亦颇具史论之才，他曾纵议元末明初之转捩，多有惊人之语。在“文史不分家”的传统知识体系中，杰出诗人也往往深具洞察世事变迁的史家目光。

二、“独抒性灵”的公安派

客观而论，不是魏观、王廷陈，也不是吴国伦、高岱，而是公安派将明代湖北文学史的地位提升到了一个新的高度。

在某种程度上，公安派的崛起是对明初文坛“台阁体”的反叛。这种所谓的“台阁体”是由当朝权贵文人一手把控的写作程式，代表人物是身为内阁大学士的台阁“三杨”（杨士奇、杨荣、杨溥）。他们的作品尽是一些歌功颂德、吹嘘拍马之类的文字，缺乏昂然向上的生命力，导致文坛死气沉沉。针对这股酸腐气的创作路数，先后有前后七子奋起反击。“前七子”包括明代弘治、正德年间（1488—1521）的李梦阳、何景明、徐祯卿、边贡、康海、王九思、王廷相七人。他们都是进士出身，在文学创作理念上有着大致相同的追求，对“台阁体”深恶痛绝。“后七子”是指明代嘉靖、隆庆年间（1522—1572）的李攀龙、王世贞、谢榛、宗臣、梁有誉、徐中行、吴国伦。前后七子恰如大河之水，前后贯通、汹涌击荡，对明代文化界产生了重大影响。他们高举“文必秦汉、诗必盛唐”的大旗，反对一味献媚造作的“台阁体”，力求引领新风尚。问题的复杂性是，前后七子落入了矫枉过正的窠臼。从逻辑上讲，“文必秦汉、诗必盛唐”是向先贤致敬的一种姿态，是尊奉经典的一种取向，本身没有任何错误。但是，过于拘泥于秦汉之文、盛唐之诗，有意矮化自我，不敢稍有超越之思，这便是作茧自缚，不利于创新和进步。

① 万历《承天府志》卷十一《人物》。

于是，无论是“台阁体”还是前后七子，都不能给明代文坛注入强劲的革新力量，都呼唤一种大胆新奇的创造手法。正是在这种时代的大背景下，公安三袁脱颖而出，成为文坛的骄子，让人们终于看到了文学变革的希望。

令人惊奇的是，公安派的三位代表人物是同胞兄弟，都是明代万历年间的湖广公安县（今属湖北）人。这一现象，在中国文学史上极为罕见。其中，兄长是袁宗道，二弟是袁宏道，三弟是袁中道。当然，这三兄弟的文学地位有高下之别。

兄长袁宗道（1560—1600），字伯修，号玉蟠，又号石浦。天资聪颖，“生而慧甚，十岁能诗，十二列校。见乡先达祠，曰吾终当俎豆其间”。27岁那年，他考取会试第一名，随即殿试二甲第一名进士，充任翰林院庶吉士。其后，担纲东宫讲官，授翰林院编修，官至右庶子。文献称，“居官，省交游，简酬应，萧然栽花、种竹、扫地、焚香而已。每有月，则邀同学诸公步至射堂看月，率以为常。耽嗜山水，燕中山刹及城内外精蓝无不到，远至上方小西天之属，皆穷其胜”。身为东宫讲官，他“鸡鸣而入，寒暑不辍”[①]，导致罹患重疾，年仅41岁便撒手人寰。袁宗道坚守义利之道，为官十余载，从不贪图钱财，以致他死后的棺材都是门生捐款置办，家眷回归故里的盘缠也是通过出卖生前书画几砚方才凑齐。

清贫如洗的袁宗道心存高远，他在京期间，二弟宏道入京为官，三弟中道入太学，“乃于城西崇国寺蒲桃林结社论学”，一时名流云集，“往来者为潘尚宝士藻、刘尚宝日升、黄太史辉、陶太史望龄、顾太史天峻、李太史腾芳、吴仪部用先、苏中舍惟霖诸公。先生见地愈明，大有开发”。针对当时天下文人高谈阔论妙悟之学，却少有修行之举，袁宗道不以为然。这表明，博学慎思的袁宗道并不执着于一家之学说，而是出入三教之间，杂糅其精粹，参悟于现世。秉持通观的立场，作为

① （明）袁中道:《珂雪斋集》卷十六《文·石浦先生传》。

兄长的袁宗道对两位胞弟“语以心性之说”，三人“亦各有省，互相商证”，每获切磋之乐。这种手足之间在知识及思想上的相互激励，其意趣难为外人所尽知。

习儒参禅的知识素养，集中体现在袁宗道的文学及艺术创作上，“诗，清润和雅，文尤婉妙。然性懒不多作”；“先生书法遒媚，画山水人物有远致。作小词、乐府，依稀辛稼轩、柳七郎风味”。[①] 著有《白苏斋类集》，因为仰慕白居易、苏轼，遂将书斋命名为“白苏斋”。另有《传奇》二种，不传于世。在创作理论上，袁宗道认为“口舌，代心者也。文章，又代口舌者也。辗转隔碍，虽写得畅显，已恐不如口舌矣，况能如心之所存乎？故孔子论文，曰：辞达而已。达不达，文不文之辨也。唐虞三代之文，无不达者。今人读古书，不即通晓，辄谓古文奇奥，今人下笔不宜平易。夫时有古今，语言亦有古今。今人所诧谓奇字奥句，安知非古之街谈巷语耶？”鉴于此，他主张：“古文贵达，学达即所谓学古也。学其意，不必泥其字句也……大抵古人之文，专期于达，而今人之文，专期于不达。以不达学达，是可谓学古者乎？”[②] 文学创作者固然要学习前人的作品，但其基本立场应该立足于当代，用当代的语言进行书写，以求文辞通达，力戒泥古不化。这一见解，深刻影响了公安派的文学观念。

文学成就最高的，当推二弟袁宏道。袁宏道（1568—1610），字中郎，号石公，“少时即具倍年之觉。年四岁，着新履，舅龚孝廉呼，谓之曰：足下生云。先生即应声曰：头上顶天。孝廉大骇”[③]。少年时，结社为文，颇有名声。万历二十年（1597 年），进士及第。历任吴县知县、礼部主事等。为官期间，堪称能吏，颇有革旧布新之气象。只是，袁宏道对当官并不感兴趣，他的志向始终在山水田野之间、在文字酬唱

---

① （明）袁中道：《珂雪斋集》卷十六《文·石浦先生传》。

② （明）袁宗道：《白苏斋类集》卷二十《杂说类·论文上》。

③ （明）袁中道：《珂雪斋集》卷十七《文·吏部验封司郎中中郎先生行状》。

之际，遂辞官，云游天下，专意著文。

影响袁宏道思想及创作的关键人物，概有二人：一是兄长袁宗道。二是后世称之为“异端思想家”的李贽。值得注意的是，公安三袁皆与李贽有来往，但李贽最器重袁宏道。史称：兄弟三人“游楚中诸胜，再至龙湖晤李子。李子语人谓：伯也，稳实；仲也，英特，皆天下名士也。然至于入微一路，则谆谆望之先生，盖谓其识力、胆力皆迥绝于世，真英灵男子，可以担荷此一事耳！”①

玩世者，古往今来少之又少，达到极高境界，一般凡庸之辈难以企及。出世者亦属高人，多有非凡之心态，其行径超越俗世，没有决绝之意志也无法做到。谐世者基本上属于现实主义者，讲求经世学问，宣扬仁义道德，切于实用但超拔不足。最后一种是适世者，游走于儒释道之间，与世间俗务保持距离，但又拥抱生活、贪恋生命。这种洒脱而有法度的“自适”人生，就是袁宏道为之倾倒的生活样态。适世者的自适，利己而不害群，自由而不越矩，既不像玩世者那样行为乖张，也不像出世者那样遗世独立，更不像谐世者那样过于务实、难免有些许俗媚气。相较而言，适世者恰到好处，人生十分惬意，进退自有方圆。

这种打通儒家与禅意之界域的思想立场，自由驰骋于现实与理想之间的人生姿态，铸造了公安派不同于明代“台阁体”、前后七子的风骨，即以文学创作为手段抒发人生感悟，以自然之景为精神寄托之映像，大胆汲取大众文化的语言养分，希冀拓展雅文化的表达空间。总之，在公安派这里，中国文学进入了一个新境界。

三弟袁中道（1570—1626），字小修，或曰少修。在年龄上，袁中道比大哥小 15 岁，比二哥小 7 岁。大哥去世时，年仅 25 岁。中道早慧，“十岁，著《黄山雪》二赋，五千余言”。有侠气，“长通轻侠，游于酒人，以豪杰自命。逐舟西陵，走马塞上，穷览燕赵、齐鲁、吴越之地，足迹几半天下，而诗文亦日进”，堪称一位意气风发的翩翩才俊。

① （明）袁中道：《珂雪斋集》卷十七《文·吏部验封司郎中中郎先生行状》。

他以李贽为师（著《禅宗正统》1卷），志存高远，睨傲万物，常有孤寂之感怀，“归学李龙湖，有志出世。操觚废举，怀利刃切泥之叹。久困锁闱流离世，故有忧生之叹”。一如上文所揭示的那样，公安派并无厌世弃世之态，尽管对现实人生的缺憾或伤痕有着清醒认识，却依然拥抱生活，走科举入仕之常道。洒脱如袁中道者也不能免俗。万历三十一年（1603年），考取进士，授直隶徽州府教授，迁国子监博士，后任南京吏部主事、南京吏部郎中，“旋乞休，以疾卒”，实际上死于任上。相比两位兄长，袁中道活得最长，享年55岁。比较袁氏三兄弟的才学，时人称袁中道“其才不逮中郎，而过于伯氏”。① 又称，明代“不作传奇而作散曲者”概有23人，其中便有袁中道，所谓“袁孝廉逸才月露”是也。② 有《珂雪斋集》《珂雪斋近集》《袁小修日记》等行于世。其中，《珂雪斋集》在清代被列为“全毁”书目，《珂雪斋近集》被列为“抽毁”书目。

毫无疑问，公安派文学主张的灵魂是“性灵说”，其根本的特点是率真无邪、直抒胸臆，为人处世与著文写作的风格都是自由奔放、无拘无束。这一思想脉络的形成，与李贽有着直接关系。袁中道曾为李贽作传，对李贽的思想及作为相当佩服。③

在中国文化史上，李贽的价值体现在“反叛者”的角色上。李贽对阳明心学相当赞同，因为阳明心学冲破了官方编织的程朱理学的思想网络，从而为心灵的解放提供了哲学的理据。正是因为被正统的思想界视为异端，李贽被捕入狱，惨死囚牢之中。李贽虽死，但其思想却深刻影响了明代文化的发展。例如，公安三袁就坚定地捍卫“性灵说”，将其视为人生意义之准绳，强调“性之所安，殆不可强，率性而行，是谓真人”。④ 具体到写作上，应该“独抒性灵，不拘格套。非从自己胸臆流

---

① 乾隆《当阳县志》卷七《人物志·侨寓·明》。

②（明）吕天成：《曲品》卷上。

③（明）袁中道：《珂雪斋近集》卷七《李温陵传》。

④（明）袁宏道：《袁中郎全集》卷十六《识张幼于箴铭后》。

出，不肯下笔”[①]。如果说公安派有什么理论宣言的话，那么只有袁宏道《叙小修诗》堪当此任。[②]

在这篇长文中，公安派的全部精神旨趣得到了深入的阐发。因此，凡是研究公安派文学风格的学者，必须对这篇文章予以特别关注。此外，为了实践“性灵说”的创作，公安三袁特别推崇民间文学，对大众文化格外青睐。因为在他们看来，民间文学（俗文学）蕴藏着饱满的情感和逼真的生活故事，没有太多虚矫之气。正是在这种意义上，有学者指出公安派为明清小说的兴起奠定了基础：

> 明清小说是继楚辞、汉赋、唐诗、宋词、元曲之后，中国文学创作的又一丰碑。《中国图书总目》收明清小说713种，《中国通俗小说书目》收明清小说670种，合计1 300余种，蔚为大观。从文学创作形式的角度看，明清小说继承了汉魏以来神异故事、唐宋传奇以及宋元说话的传统，结构上讲究章回，以诗词为标题，故又称章回小说。明清小说是一种通俗文学，与广大百姓的生活息息相关，写人状物比戏曲更直白。它以市井细民为阅读对象，以描写世态度人情为旨趣，一扫“台阁体”的呆滞沉闷和前后七子“拟古主义”的因袭模仿，展示出一种活泼泼、火辣辣的生命力。明代中晚期市民文学的理论表现是李贽的“童心说”和公安三袁的“性灵说”，它们带有某种挣脱程朱理学束缚的思想解放的意味。[③]

三、“独往冥游”的竟陵派

继公安派之余绪，明代文坛复有竟陵派之突显。此派领军人物钟惺、谭元春皆为湖北竟陵人，遂有此称。应该说，公安、竟陵两支文学劲旅的出现，堪称明代湖北文化史之奇观，也对整个中国文化史产生了

① （明）袁宏道：《袁中郎全集》卷一《叙小修诗》。

② （明）袁宏道：《袁中郎全集》卷一《叙小修诗》。

③ 冯天瑜、杨华、任放编著：《中国文化史》，北京：高等教育出版社，2005年，第213页。

重要影响。虽然“性灵说”是公安、竟陵高举的文学旗帜，但两者在创作风格上不尽相同。

钟惺（1574—1642），字伯敬，号退谷，别号退斋。钟惺出生于天门皂市，最后卒于皂市，但他的祖籍是江西永丰。在科举道路上，钟惺先后中过秀才和举人。万历三十八年（1610年）36岁时，考中进士。历任工部主事、南京礼部郎中、福建提学佥事。除了喜欢广泛阅读，钟惺还喜爱行走天下。著有《隐秀轩集》《史怀》等。

谭元春（1586—1637），字友夏，号鹄湾，别号蓑翁、寒河。天门新堰乡人，可以说是钟惺的同乡。但是，与钟惺相比，谭元春的科举道路却相当不顺。他中乡试时，已经41岁。但他从未放弃举业，可惜的是，他于崇祯十年（1637年）第三次赴京参加会试途中，不幸逝世，享年51岁。虽然谭元春比钟惺小十余岁，但两人于万历三十二年（1604年）相识后，便成为志同道合的朋友。两人合编诗选，辑为《唐诗归》《古诗归》。谭元春的个人著述包括《岳归堂集》《谭子诗归》《谭友夏合集》等。值得一提的是，清代史学家章学诚曾为天门谭氏立传，称：“天门谭氏，明中叶有生员祜，始有闻。祜有子晚立。晚立六子，长元春，见《文苑传》，第四元方，第五元礼，第六元亮，皆著名。”[①]

大体上，竟陵派的文学创作主张在钟惺《诗归序》中得到了较为集中的表述。诚如文中所说“真诗者，精神所为也。察其幽情、单绪、孤行，静寄于喧杂之中，而乃以其虚怀定力，独往冥游于寥廓之外”。这便是竟陵派力求达到的写作境界，是其终极的精神旨趣。谭元春也发出类似感怀：“夫人有孤怀，有孤诣，其名必孤行于古今之间，不肯遍满寥廓，而有一二赏心之人，独为之咨嗟彷徨者，此诗品也。譬如狼烟之上虚空，袅袅然一线耳。风摇之，时散时聚，时断时续，而风定烟接之时，卒以此乱星月而吹四远。彼号为大家者，终其身无异词，终其古无

① （清）章学诚：《湖北通志检存稿》卷三《天门谭氏传》。

异词，而反以此失独坐静观者之心，所失岂但倍也哉！”[①]

在某种程度上，竟陵派的性灵追求走入了孤芳自赏的境地。这般创作境地因为过于冷傲、生僻，日益成为思想和创作的另一种枷锁，扼杀了文学勃勃的生气。按照这样的路数写出来的诗文，一般人很难读懂，往往有不知所云之叹。因而，可以肯定，竟陵派的许多作品，能够读懂的人很少。因为语意过于艰涩，而且朗读起来相当拗口。但是，正是这种自视甚高的姿态，正是这种“语不惊人死不休”的写作手法，是竟陵派刻意坚守的文化立场。故作清高的文风，到头来害了自己，使竟陵派的诗文作品成为不为人们所理解的文学“另类”，其结局只能是凋零一途。

著名学者钱钟书曾批评竟陵派：“竟陵派钟谭辈自作诗，多不能成语，才情词气，盖远在公安三袁之下。”但他也并未完全否定竟陵派的所作所为，指出“以作诗论，竟陵不如公安；公安取法乎中，尚得其下，竟陵取法乎上，并下不得，失之毫厘，而谬以千里。然以说诗论，则钟谭识趣幽微，非若中郎之叫嚣浅卤。盖钟谭于诗，乃所谓有志未遂，并非望道未见，故未可一概抹杀言之”。[②]

应该说，钱氏的评价堪称公允。竟陵派之弊端，时人已有讥评，后世亦复不屑。不过，因袭竟陵文风者大有人在，例如晚明作家刘侗，湖北麻城人，字同人，号格庵，进士出身。其所撰《帝京景物略》堪称代表。客观而论，竟陵派的文化史地位不如公安派那么高，原因很复杂。其中不可回避的一点是，写作手法的晦涩是导致竟陵派文学作品流传不广的重要因素。

四、吟咏风土的竹枝词

竹枝词实为民歌之一种（一说由巴蜀民歌演变而来）。其缘起的确

① （明）谭元春：《谭友夏合集》卷八《序·诗归序》。

② 钱钟书：《谈艺录》（补订本）第29篇《竟陵诗派》，北京：中华书局1984年版，第102页。

切时间尚不能肯定，体裁基本上是七言诗。由于竹枝词描写的内容主要是社会底层众生相，以故它的语言朴实而直率，没有多少雕琢的成分，而且朗朗上口、易于传诵。概如清人所谓“竹枝咏风土，琐细诙谐皆可入。大抵以风趣为主，与绝句迥别”。又称，“柳枝专咏柳，竹枝泛咏风土。竹枝词古人间有专咏竹者，乃引柳枝之例，然不过偶一见耳，非原旨也”[①]。也就是说，竹枝七言与绝句七言仍然有区别，“竹枝词须善采风土，雅俗共赏为上”[②]。就此而言，竹枝词具有浓郁的区域文化色彩，对于后世的研究者探索历史时期的风土民情颇有参考价值。人们通常指称唐代诗人刘禹锡是竹枝词的大家，其“东边日出西边雨，道是无晴却有晴”最为流行。刘禹锡之所以喜欢创作竹枝词，与他曾任夔州刺史有关。史称：“竹枝本出巴渝。唐贞元中，刘梦得在沅湘，以其地俚歌鄙陋，乃作新词九章，教里中儿歌之。其词稍以文语缘诸俚俗。若太加文藻，则非本色矣。”[③]至少从唐代开始，不少文人创作了大量的竹枝词，成为社会文化史的珍贵史料。

明清时期的湖北，竹枝词的创作较为兴盛，这或许与湖北在地理上毗邻巴蜀大有干系。据悉，宋代诗人范成大曾有《归州竹枝歌》，内有“东邻男儿得湘累，西舍女儿生汉妃”之句。无独有偶，大文豪苏辙亦有《竹枝词》，起首便是“舟行千里不至楚，忽闻竹枝皆楚语”。不过，竹枝词的大量创作是在明清时期。明代文人高岱《竹枝》云：“郎在荆门妾在家，年年江上望归槎。荼蘼种得高如妾，纵有春风枉着花。”沈明臣《楚竹枝》写道：“少女才如出水荷，也将高髻绾青螺。佳期不肯轻相许，只唱扬州水棹歌。”[④]这两首诗都抒写男女之情，遣词造句平实无华，颇得竹枝之妙。

---

① （清）王世祯：《师友诗传续录》。

② （清）彭端淑：《国朝诗话补》。

③ （清）郎廷槐：《师友诗传录》。

④ 按，本节所录竹枝词，均引自雷梦水、潘超、孙忠铨、钟山编《中华竹枝词》第 4 册《鲁豫鄂湘粤桂琼》之湖北部分，北京古籍出版社，1996 年。

在文人的歌咏中，地方特产常被写入诗中。例如，张养重《竹枝词》：“蕲州竹簟凉于水，黄陂葛巾细于纱。晚来更挽高高髻，唤买街头水桂花。”姚鼐《汉口竹枝词》：“扬州锦绣越州醅，巨木如山写蜀材。黄鹤楼头望灯火，夜深江北估船来。”显然，从这些竹枝词中，我们可以获得商品流通的大量信息，这对于研究社会经济的变迁相当重要。除了进入市场的商品，还有普通民众的日常饮食，也可从竹枝词中得以窥见：“青林湖口鲫鱼肥，紫石砂头野鸭飞。采得鲜菱归换米，儿家元住沔阳西。”清人胡本棨的这首《广济竹枝词》还提到了“客到莫嫌人事薄，沙湖莲肉雨山茶”；“羽扇轻拈飏翠钿，松萝茶罢进兰烟”，都是当地人惯用之食品。清人刘士璋《襄阳竹枝词》也提及：“舸峨艑小帆齐收，齐泊汉江江不流。买得宜城新贩酒，瓦盆篷底脍槎头。”槎头，即槎头鳊，是一道美味的下酒菜。渔夫们喝着宜城酒，品尝着鳊鱼，尽情享受人生片刻的欢娱。龙舟竞赛是相沿已久的民俗，且看清人杨晋《武湖竹枝词》：“茜红裙子衬青衣，夹桨船开水面飞。插戴山花映双颊，荆林庙里赛神归”；“漫天夏潦野莲香，出水菖蒲一尺长。斗罢龙舟扶醉散，泊船柳下趁新凉”。花开时节，人们相邀月下赏花，足称一大乐趣，恰如上引《襄阳竹枝词》所云：“襄阳城外大堤西，灼灼桃花柳作梯。满地月明人未散，沿街听倡白铜鞮。”

在歌咏武昌的竹枝词中，船只及渔夫的形象多次出现，如清人陆费瑔《齐安杂咏》：“三江渡口津鼓声，布帆叶叶剪江行。行人休唱公无渡，道士矶头石壁横”；“铁笛新翻水调腔，樯乌樯燕语双双。开帆正值西风紧，朝发三江暮九江”；“九皋古渡月黄昏，沙际归人争渡喧。隔岸烟笼樊口树，一星渔火蓼花村”；“渔家生计养鱼苗，榉柳阴中认荻标。好是洑流风定处，一竿青竹皂囊漂”，江岸人家的生活场景仿佛重现于眼前。武昌城中，东湖阔大雄奇，堪称江城一大风水宝地。清代文人多有东湖竹枝词之咏叹，如刘士璋《东湖竹枝词》：“范家湖隔大河西，侬爱东湖来寄栖。三月浪花青草渡，十分春色绿萝溪”；“南湖新涨碧窗虚，杏子枇杷熟夏初。罥网银鳞新上市，西陵五月卖鲥鱼”；

“提篮入市打渔翁，丝网滩前泊短篷。货得银刀沽豆酒，船头歌唱月明中”，总之离不开水、鱼、船、酒这几类文化符号，这不正是“千湖之省”的文化氛围和韵致么！那时的东湖不仅自然风光旖旎，而且游人甚多，恰如万端友《东湖竹枝词》所谓：“横塘秋水送烟鬟，画桨双双去复还。笑倚疏帘看踏月，家家齐上磨盘山”；“银釭万盏玉轮孤，衔尾舟轻比画图。全仗夷光歌舞地，东湖不肯让西湖”，欲与西湖一争高下，可见气势不凡。

必须指出的是，男女情爱是竹枝词的主题之一。清人黄家骥《鄂州竹枝词》全篇都是痴情男女的缠绵悱恻，读罢不禁为之喟叹：

武昌对岸汉阳城，门户家家旧有名。
妾唱棹歌郎打桨，朝朝江上踏波行。
洞庭东下水如油，郎去通商妾自忧。
贩茶莫过湖南道，贩米莫出沔阳州。
江水来自峨眉山，汉水来自嶓冢间。
江水汉水合流处，侬与阿郎常往还。
妾住鲵鱼套内套，郎住龟山头上头。
只隔中流一条水，相见相思不解愁。
鹦鹉洲前鹦鹉飞，黄鹤楼头黄鹤归。
妾为鹦鹉郎为鹤，愿得千秋常不离。

这些发自内心的表白，基本上是生活用语，只不过稍稍有些文字上的押韵和加工。在这里，歌谣的色彩相当突显，丝毫没有虚情假意，没有矫揉造作，更没有卖弄学问、故作高深之酸腐气。它源于底层生活，植根于百姓心间，虽然粗糙但却真诚，能够引导后人重返历史现场。

毋庸置疑，在留传至今的湖北竹枝词中，最著名者当推清人叶调元数以百计的《汉口竹枝词》（道光刊本），涵盖市廛、时令、后湖、闺阁、杂记、灾异等内容，称得上是清代汉口“浮世绘”。例如，嘉道年间的汉口，毒品泛滥成灾，“卖烟不敢挂招牌，暗地机关刷满街。发卖铺君丸戒引，戒烟人是吸烟来”；“破房歪炕一灯燃，过瘾人来辣两肩。几口呵完押气爽，带头捋下押衣钱”。杂技艺人靠手艺为生，“走索车坛尽女娃，十人到有九人麻。看钱丢罢还求赏，手捧铜锣到处扠”；“近来耍戏更新鲜，教法能将畜类传。猴子狗熊顽棍棒，雀儿老鼠打秋千”。

清代汉口位列天下名镇，世风所袭，女性相当开放，所谓“热闹场中总到临，莫教豪兴让男人。西施颜色东施貌，两样人材一样心”；“月湖堤上报花开，游女都从汉口来。谱上群芳终日看，息夫人庙伯牙台”。时称：“汉有游女，余风未殄。烧香也，看会也，龙船也，下湖也，看戏与看花也，地方稍有胜举，逐队成群，出头露面，谈笑无忌，饮啖自如，一任轻浮子弟评肥量瘦，眉语目挑，恬不为怪。”此情此景，与乡下女子判若天壤。在这种商业繁盛之地，贫富差距相当巨大，仅以棺材为例：“富人棺椁讲繁华，花板中心选菊花。其次对墙见许厚，一年一度漆来加”。对比之下，“贫人棺椁极平常，十二园花狠可装。最下不须茔葬具，替他收验自新堂”；“临丧无复泪滂沱，白布头巾脚后拖。殉葬衣冠都草草，棺中只有石灰多”。市井喧嚣中，少不了倚门卖笑，“鸨儿夜立路三叉，小语挨身把客拉。舍得青钱一二百，一时看遍院中花”；“一声剥啄启双扉，帘幕深深引蝶飞。漫讲留厢先纂局，青钱数百打茶围”。据悉，“鸨子引客，曰纂局；过夜，曰留厢；仅吃茶而去，曰打茶围”。

此外，商帮、乞丐、戏曲、饮食、房舍、火灾、年节等等，叶氏均辑入竹枝词，堪称嬉笑怒骂皆成文章也，勾勒了一幅相当逼真的汉口市井文化的历史长卷。如果说，叶氏竹枝词反映的是汉口开埠前的市井百态，那么，汉口开埠后的社会变迁及其新气象也浓缩在众多新编竹枝词中。[1]

稍晚于汉口的沙市，是晚清湖北三大通商口岸之一。在明代已显露风华，“争说琵琶同饭甑，由来措大鲫鱼多。前明已著繁华句，今日重看较若何”。明人王启茂（湖北石首人，汤显祖弟子）在万历末年曾有《沙市志感》，诗云：“记得当年踏碧沙，沙津无物不繁华。舟船夜贯千门酒，楼阁春藏十里花。世乱蜀江希贾客，民穷荆俗减琵琶。重来胜地增惆怅，坐对空林数暮鸦。”[2] 王启茂另有《江陵竹枝词》：“繁华尽说比苏杭，谁见西湖多屧郎。近日便河桥下水，也绕画舫泛秋光。”[3] 这表明，沙市在晚清开埠之前，已具备不容小觑的商业实力。

光绪间刊本《荆沙竹枝词》（作者竹孙氏）较完整地展示了沙市的社会风貌，亦印证了竹枝词作为历史资料的独特价值。与汉口一样，沙市烟毒遍地，“地方官与副爷来，火把灯笼道子开。不但上街巡盗贼，更抓烟馆带枪回”；“欲采新闻此处听，铺陈洁净一灯青。偏多体面人皆到，烟馆真成议事厅”；“人头大。煮公烟，每盒挑来百二钱。洗脸泡茶真爽快，一家赈放两三千”。作为商业重镇，沙市汇聚了不同地域的商帮，“受人欺压极堪怜，本地无帮苦莫伸。汉上湖南都好斗，著名最是武帮人”；“广土公膏归粤客，红花白蜡办川民。几多绸铺由零翦，大半发财蔡店人”，可见省内省外的商人都来到了沙市。

其中，不同行业实力有别，“杂货行同山货行，两行生意略相当。独他杂货排场远，白蜡川糖是大庄”；“典当生涯属西老，篾条花土尽黄帮。江西漆铺兼银匠，挑水人尤霸一方”。鉴于沙市是棉布业中心，以故“庄布行都聚一堆，清晨看布赶场来。怕从夹贵街前过，机户成堆挤不开”；“庙与州帮两处传，装花载布上西川。每天各号寻生意，泊得成林柏木船”。在激烈的市场竞争中，外地商帮充当了商界主角：“毕竟

① 任放：《竹枝词所见清末民初汉口城市空间与功能的扩张》，张建民主编：《10世纪以来长江中游环境、经济与社会变迁》，武汉大学出版社2008年版。

② 顺治《江陵志余》卷四《古迹志·沙头》。

③ 乾隆《江陵县志》卷五十三《艺文·诗·七绝》。

客帮最有才，不同本地店难开。只需有块招牌幌，便好各行扯得来。”

各帮商人引人注目之处，除了经营本身，还有虔诚敬神（尤其是在神诞日），“六月六日王爷会，西帮一日敬三回。川河真是银钱薮，不坏船只定发财”；“赵公诞日人争祭，做会各行最认真。世上本来钱最好，阿谁不肯敬财神”。与此同时，各帮商人与地方官府建立了良好关系，成为维系一方安宁的重要力量，“官场最重十三帮，凡事相邀共酌量。轿子跟班都挤满，旃檀庵里接官忙”。这里提到的旃檀庵，正是沙市十三帮公所之所在。伴随商品流通、资本出入、市场繁盛，沙市的社会生活亦丰富多彩，“人来人去不停留，一带长桥豁远眸。酒肆茶寮都爽亮，开怀争上水边楼”；“茶摊命棹西洋镜，顽意多般集便河。真是赏心闲散处，戏场各庙聚人多”。

每逢重要年节，往往都有民间戏班的表演，这是传统社会大众文化的重点所在，“春祈秋报各方同，土地人多供奉隆。二八月间迎赛盛，搭台唱戏竟成风”；“一年两度各为东，赴会归来作醉翁。挤满大街听坐唱，家家门口点灯笼”；“惹得游人逐队来，品头题足聚成堆。布棚下面听围鼓，贪看佳人不走开”。不同的戏班轮番表演，“班子人分上下河，近来名角恨无多。汉腔偏是客帮重，调爱荆河本地哥”。通常情况下，戏台多在寺庙，“酬神各庙常多戏，惟有忌辰锣不开。今日有无台演戏，老郎庙首看牌来”；“文庙一年戏两台，监生相伴秀才来。奎星照耀文星显，剧演燃灯席始开”。听戏观剧，历来是基层民众宣泄内心情感、寻求社会认同的重要渠道。

由上可见，竹枝词原本民间歌谣，其艺术养分来自鲜活而多样的社会生活，贴近民众的审美需求，往往能够真实地反映地域文化的特色。历代文人骚客往往参与竹枝词的创作，在某种程度上提升了竹枝词的文学水平，但追求艺术真实的诉求丝毫没有减弱，从而确保了竹枝词作为一种独特的历史载体的延续性。

第二节　韵味悠长

除了文学创作，明清时期的湖北在其他的艺术门类方面也取得了长足进展。其中，戏曲的发展是重要内容。必须强调的是，韵味悠长的戏曲文化为人们感知荆楚文化的魅力提供了鲜活的历史舞台。

一、汉口：商业与戏曲

众所周知，明清时期的汉口是天下四大商镇之一。各地人员在汉口频繁出入，在文化上便造成了文化杂糅的特质，不仅影响到汉口方言、饮食、服饰、建筑、婚丧等方面，而且影响到汉口的艺术发展。

当时，在汉口经商的著名商帮如徽商、晋商、甬商、粤商等，为了长久的各自利益，纷纷修筑会馆公所。这些装饰华美的深宅大院，绝不仅仅是商人们招待同乡、谈论生意、存放货物、休息栖息之所，而是具有多方面的功能的文化中心。例如，会馆是调解商业纠纷、凝聚商人力量、民主协商各项事宜的场所，如同“议会”；会馆内部专门设置神诞日戏曲演出的大舞台，如同“剧院”。又如，会馆是商人出资所修，雕梁画栋，到处是艺术精品，包括木雕、石雕，各类雕像，以及书法作品（对联、题匾）等。由于汉口吸纳东西、贯通南北，因此这些艺术形式呈现了不同地域的文化特色，它们碰撞在一起，逐渐产生了新的艺术成果，构成了“汉派”文化的重要内容。时至今日，人们每每感叹“汉派”文化不易归纳总结，不易提炼升华，恰恰是因为它很“杂”，是全国各地文化之融汇，是五湖四海风味之浓缩。反过来，如果不是因为汉口位居全国商业中心，如果不是因为天南海北、蜂拥而至的“杂”，也没有汉口的大发展，更没有“汉派”文化之生成。诚如一首竹枝词所云：“吴讴楚调管弦催，翠鬓红裙结伴来。除却寒风和暑雨，后湖日日有花开。”[①]历史的悖论正在于此：如何兼顾本地与外地、传统与现代、东方与西方之“杂”，是继承历史传统、创造性打造现代“汉派”文化的前提。

谈论汉口历史的人们，最喜欢提及汉口“八大行”。实际上，历史文献所谓的“八大行”，只是概称，是用“八”表示“多”，因为明清时期的汉口商业绝不仅仅有盐、米、茶等八大行，生意红火的行当也不仅仅局限于这八大行帮。不过，这些行业的商人们在精神层面有一个共同点，就是信奉神灵。除了日常的祈祷和遥祝，每到神灵的生日来临，商人们必定出手大方，延请戏班唱戏。例如，汉口某些行帮的商人在沈家庙供奉关帝，每年都会搭台唱戏，以表敬意。留传至今的汉口竹枝词这样写道：“沈家庙里戏酬神，一节入官二百文。求福人多还愿众，戏台押得一包银。”注家曰：“庙供关帝，愿戏颇多。管台者率以一本得钱二百，闻其押银五百两，亦异事也。俗以五百为一包。”[②]从银两的支付情形看，商人们可谓毫不吝啬，愿意用钱财换取神灵的护持，让自己的生意越来越兴旺。

有些行帮的商人敬奉岳神，岳神的生日是农历三月廿八日。这一天，商人们要请徽班唱戏。事先，商人出资搭建戏台，一般会搭在寺庙前面的广场上，可以容纳更多观众，使现场气氛更加热闹。所谓“岳神诞日进香来，人海人山挤不开。名是敬神终为戏，逢人啧啧赞徽台”。注家曰：“东岳庙在旷野，三月廿八日庙前搭徽台演戏。”[③]请徽班唱戏还体现在别的场合。例如，天符大帝的生日在农历五月。天符大帝生日来临之际，汉口的商民前往寺庙，将天符大帝的神像隆重抬出，在街区巡游。与此同时，商人们出资组织龙船竞赛，以增添喜庆色彩。在汉口米厂一带，商人们延请徽班唱戏，百姓簇拥台下，伸颈细观，叫好声不

① （清）叶调元：《汉口竹枝词》卷四《闺阁》总第145首。引见徐明庭辑校《武汉竹枝词》，湖北人民出版社1999年版，第74页。（以下仅注“引见徐明庭书”及页数）

② （清）叶调元：《汉口竹枝词》卷一《市廛》总第24首。引见徐明庭书，第35—36页。

③ （清）叶调元：《汉口竹枝词》卷二《时令》总第69首。引见徐明庭书，第48页。

断。另一首汉口竹枝词透露："各帮台戏早标红，探戏闲人信息通。路上更逢烟桌子，但随他去不愁空。"[①]这似乎能够说明清代汉口商人会馆的演戏较为频繁，为普通百姓听戏看戏提供了便利。据悉，清乾隆五十年（1785年），汉口盐商巴莲舫在自己出资修筑的豪华名园——红薇山馆大宴宾客。他邀请"京档吴伶"表演戏曲，席间演奏"十番法部"（道教音乐）。[②]

表演戏曲的地点，除了商人会馆，还有"梨园"（戏园子）。有一首汉口竹枝词这样描述戏园："酒如泉涌客如蝇，彩帐锦屏布几层。演彻梨园归去好，官衔写满纸糊灯。"[③]戏园的演员的衣着装扮不同于寻常百姓，"娈童傒仆更优俳，五五三三处处偕。白纸扇头行草字，吴绫套裤锦镶鞋"。[④]值得注意的细节在于，将"优俳"（戏曲演员）与"娈童傒仆"放在一块，从一个侧面反映了戏曲演员的社会地位并不高。

除了商帮请戏，一般稍有资财的人家办理红白喜事，也会邀请戏班子到场，正如竹枝词所述："丧仪喜事及良辰，乐户安排鼓吹新。酒席一般同贵客，上流口腹下流人。"[⑤]关于汉口戏班子，残存的历史文献中多少有迹可寻。大约在清代嘉（庆）道（光）之际，祥发、联升、福兴等都是声名响当当的戏班子。在时人眼中，"梨园子弟众交称，祥发联升与福兴。比似三分吴蜀魏，一般臣子各般能"。这些戏班子之所以有名，是因为它们拥有顶尖的演员。名角之于戏班，之于戏曲，头等重要。这首竹枝词有一条注解相当重要，其称："汉口向有十余班，今止三部。其著名者，'末'如张长、詹志达、袁宏泰，'净'如卢敢生，'生'如范三元、李大达、吴长福（即巴巴），'外'如罗天喜、刘光华，

① （清）叶调元：《汉口竹枝词》卷五《杂记》，总第209首。引见徐明庭书，第94页。

② 皮明庥、吴勇主编：《汉口五百年——新编汉口丛谈》，武汉：湖北教育出版社，1999年，第66页。

③ （清）徐志：《汉口竹枝词》第17首。引见徐明庭书，第8页。

④ （清）徐志：《汉口竹枝词》第15首。引见徐明庭书，第8页。

⑤ （清）叶调元：《汉口竹枝词》卷五《杂记》，总第174首。引见徐明庭书，第84页。

‘小’如叶濮阳、汪天林，‘夫’如吴庆梅，‘杂’如杨华立、何士容。”[1]从这里，可以得知当年红透汉城的戏曲名家是哪些人。尽管这类信息不够完整，但也能够想象出当年这些人物出现在舞台上时的风采。

当时，活跃于汉口戏曲界的名角很多。例如，清人竹枝词指出：“小金当日姓名香，喉似笙箫舌似簧。二十年来谁嗣响，风流不坠是胡郎。”注家曰：“德玉、福喜俱姓胡。”由于没有相关资料，这位“小金”已无从知晓其姓甚名谁，但“喉似笙箫舌似簧”一句，却令人能够体味其声腔之细腻婉转，必定是一位“金嗓子”。

至于胡德玉、胡福喜两位，均是当红艺人。恰如时人所谓：“巧将情态揣香奁，一曲崇台值一缣。写出柔肠真寸断，不须别恨赋江淹”；“风前弱柳舞纤腰，宛转珠喉一串调。情景逼真声泪并，祭江祭塔与探窑”。注家曰：“此闺旦之大戏也。二胡及张纯夫均臻其美。”戏好，人美，情真，收入也相当可观（“一曲崇台值一缣”）。

有一首竹枝词专门讲述胡德玉之精湛演艺，云：“德官演戏总精良，活捉张三更擅场。行走如风身不动，鬼魂不信是人装。”注家曰：“德玉工于苦戏，掩袂娇啼，动人心魄。《活捉》一事，尤为出色。然非余德安之丑，亦不能作对手。”与他配戏的是名丑余德安。作为主角，胡德玉的艺术造诣达到了人鬼莫辨的境地，“行走如风身不动，鬼魂不信是人装”。这种评价绝非一般演员能够担当得起。

胡德玉、胡福喜都擅长扮演旦角，与之齐名者，还有张纯夫，只可惜没有后者的更多讯息。另有花旦名角，例如张红杜、叶双凤，均在竹枝词中留下了身姿与步态：“洋蓝褂子白缣裙，杨柳腰肢叹十分。一剪秋波飞座上，侬非老斗亦销魂”。注家曰：“花旦张红杜（一作张红桂或张红豆）俗呼‘人参叶’、叶双凤俗呼‘黄安’，皆能以媚眼撩人。”戏曲界中，既有花旦，也有武旦。其中，武旦姚秀林、王金铃、程颉云格外引人注目，“绣甲珠冠雉尾飘，弓鞋三寸月牙翘。百回舞跃氍毹上，

---

① （清）叶调元：《汉口竹枝词》卷五《杂记》，总第 211 首。引见徐明庭书，第 95 页。

不羡春莺织柳条”。[1] 据悉，清代乾嘉之际，名伶李翠官、台官号称“汉上两美”，擅长剧目有《杨妃醉酒》《潘尼追舟》《玉堂春》等，每逢演出时，都是数以千计的观众在台下喝彩。当时的戏曲名角还有双红、韵卿等人，不细述。[2] 时光如梭，光华已逝，但这些戏曲名家却在汉口的历史记忆中存留了下来，弥足珍贵。

二、各类唱腔及门类

明清时期的湖北戏曲，涌现了不同的唱法、声腔和表演程式，类型相当多样化。在某种程度上，这一现象体现了戏曲文化的发达。

就曲调而言，不能不提及梁山调。梁山调属于汉族板腔体系，源自四川东北之梁山县灯戏。明清时期在湖北广泛流行，深受百姓喜爱。梁山调的剧目基本上是对子戏、折子戏，角色分生、旦、净、丑。梁山调声腔为咿咿腔，板式有八板、横板、大字板、小字板等，伴奏乐器以瓮胡为主。大体上，梁山调进入湖北是在清乾隆年间。有意味的是，梁山调的传入与汉水密切相关。明清时期，汉水这条长江最大的支流成为鄂、陕、豫、川四省交界地带商品物流、人员往来的重要通道。在船行万山之际，梁山调沿着汉水落户湖北，具体地点是湖北荆门、钟祥。传入湖北之后，在演出过程中，又逐步得到改造，成为湖北风格别致的地方戏曲之一。确切地说，梁山调进入湖北后，与荆襄地区的花鼓戏等民间戏曲相杂糅，顺汉水上溯，在郧阳山区形成颇有艺术魅力的郧阳花鼓戏。鄂西北的郧阳花鼓戏，又叫八岔戏，实际上是荆门、钟祥一带的梁山调之变种。这一方面表明地方戏曲并不“纯粹”，有着较为复杂的成分，随历史时空的转移而变易；另一方面，也说明明清时期的社会流动相对频繁，有较大的自由度，从而为民间文艺的拓展创造了有利的条件。

---

① （清）叶调元：《汉口竹枝词》卷五《杂记》，总第 214—219 首。引见徐明庭书，第 96—97 页。

② 皮明庥、吴勇主编：《汉口五百年——新编汉口丛谈》，湖北教育出版社 1999 年，第 66 页。

因为汉口是汉水流域的商业中心，因此梁山调自然传入此地，成为汉口民众相当熟悉的戏曲品种。在汉口竹枝词中，有这样的记述："芦棚试演梁山调，纱幔轻遮木偶场。听罢道情看戏法，百钱容易剩空囊。"注家曰："梁山调所扮，皆淫媟之事。"[①] 这首并不起眼的竹枝词披露了两条历史信息：一是演出场所并不正式，"芦棚"应该是比较简陋的演出舞台。二是演出内容"皆淫媟之事"，直白地讲就是男女偷情之类的低俗小调。但是，这恰恰是历史的真实状态。从这里，我们看到了明清时期的汉口，除了固定演出的"梨园"，还有民间临时性的演出场所——"芦棚"或"草台"。这种民间舞台，上演的节目当然不能以高雅相称，但却是普通民众娱乐消遣的一大去处。

在清人撰写的汉口竹枝词中，就有记载这种"草台"的篇章，其内容云："河岸宽平好戏场，子台齐搭草台旁。浓妆岂为梨园到，半倩郎看半看郎。"注家曰："野地演戏谓之草台，旁搭高厂以安妇女，谓之子台。优伶未到，游女先来，富阃名娼依次而坐。淫词艳曲，荡目动心。浪蝶狂蜂，品香论色。习俗之敝，至此极矣。"[②] 古往今来，民间文艺的"谈情说爱"是无可回避的现象。在某种程度上，"情爱"主题恰恰是民间文艺的生命力所在。非常受普通民众欢迎的花鼓戏，在汉口的戏曲界便很有市场。一首竹枝词写道："俗人偏自爱风情，浪语油腔最喜听。土荡约看花鼓戏，开场总在两三更。"[③] 台上台下，所歌所演、所作所为者无非一个"情"字。所谓戏剧人生，莫过于此。

言及花鼓戏，必须指出它是楚剧的前身。与汉剧一样，楚剧的定

① （清）叶调元：《汉口竹枝词》卷三《后湖》总第 119 首。引见徐明庭书，第 66 页。

② （清）叶调元：《汉口竹枝词》卷四《闺阁》总第 143 首。引见徐明庭书，第 73 页。

③ （清）叶调元：《汉口竹枝词》卷武大《杂记》，总第 222 首。引见徐明庭书，第 98 页。按，清代官方禁演花鼓戏，但屡禁不绝。例如，道光帝曾注意到江浙地区之情形，"又浙江、江苏接壤地方，春间多开花鼓戏场，其始不过祀神报赛。恃在法所不禁，遂至男女猥杂，搬演淫亵戏剧……"谕令"务期净绝根株"。参见《宣宗成皇帝实录》卷一四五，道光八年戊子十月丙戌。

名是在民国初期。此前，楚剧就叫黄孝花鼓戏，是在鄂东地区高跷、竹马、采莲船等民间文艺的基础上逐渐形成的一个湖北地方戏种。从名称看，楚剧最早的中心舞台是在黄陂、孝感一带。论者指出：大约在清代道光年间，“鄂东的‘哦呵腔’与黄陂、孝感一带的乡音土语融合，从而形成独具特色的地方剧种黄孝花鼓”。光绪年间，黄孝花鼓戏班子（如艾九爹、张面带领的两个草台戏班）进入汉口茶馆，从事商业性演出。后来，又在汉口德租界的清正茶园正式登台，影响日益扩大。[①]

在汉口戏曲演出的排练及过程中，除了梁山调使用的瓮胡，常见的伴奏乐器还有胡琴（俗称二胡）、月琴、鼓、板等。一如竹枝词所记载的那样，“月琴弦子与胡琴，三样和成绝妙音。啼笑巧随歌舞变，十分悲切十分淫”。注家曰：“唱时止鼓、板及此三物，竹滥丝哀，巧与情会。”[②]在唱腔方面，汉口百姓既能听到梁山调的咿咿腔，也能听到西皮、二黄等多种声调，可以说大饱眼福和耳福。这些艺人嘴中唱出的曲调，经过岁月的积淀，变成了竹枝词的文字。所谓“曲中反调最凄凉，急是西皮与二黄。倒板高提平板下，音须圆亮气须长”。注家曰：“腔调不多，颇难出色。气长音亮，其庶几乎？”[③]显然，不同戏曲进入汉口发达的商业社会，无形中刺激了汉口民众的听戏热情，培养了难以数计的各类“票友”：“灯前幻影认成真，热了当场看戏人。一把散钱丢彩去，草鞋帮是死忠臣。”注家曰：“俗谓高兴曰热，赏识者曰忠臣。”[④]戏曲的生命力扎根于民间，这些“草鞋帮”是中国文艺常葆艺术青春的源泉。

从清人竹枝词中寻觅汉口戏曲的踪迹，还可得到依稀可辨的相关印象。限于篇幅，仅举两例：其一，戏曲演出时，为了不出乱子，一般会延请看门人维持秩序。这些看门人不好惹，“把门汉子狠如罴，酒戏开

① 严昌洪：《武汉历史文化风貌概览》，武汉出版社 2017 年版，第 154 页。
② （清）叶调元：《汉口竹枝词》卷五《杂记》，总第 212 首。引见徐明庭书，第 95 页。
③ （清）叶调元：《汉口竹枝词》卷五《杂记》，总第 213 首。引见徐明庭书，第 94—95 页。
④ （清）叶调元：《汉口竹枝词》卷五《杂记》，总第 223 首。引见徐明庭书，第 98 页。

场士客齐。丑煞旁人贴对子，眼中虽饱肚中饥”。注家曰：“酒戏有人守门，其强入而靠壁者谓之贴对子。”从这条注释可以知晓，有人即使没有弄到门票，也要瞅准机会进入剧场，背靠墙壁观看演出。这类人自然是标准的戏迷。其二，有一名来自湖南的艺人高十，本名高秀芝，隶属的戏班叫“人和班”。此人不仅扮相俊美，而且能够豪饮，加之手掌长约六七寸，在当时的汉口名震一时。对这样一位难得的艺人，竹枝词自然要记录其形象，所谓“座有歌郎酒易干，应酬却比上台难。风流蕴藉谁称最，惟有湖南高十官”；“嫣然一笑总胡卢，春笋尖尖捧玉壶。长爪倘容搔背痒，蔡经何必羡麻姑”。注家曰：“湖南人和班高十，名秀芝，美目巧笑，爪长六七寸，善饮不乱，应酬酒席，雅静宜人。”[①] 虽然传世文献相当稀少，但清人竹枝词的片言只语已经足以映现清代汉口戏曲的流光溢彩。

翻检明清汉口演艺的历史，除了戏曲名角，还有无数终日为生计发愁的民间艺人。明清时期的汉口，便有以卖唱为生的“唱婆子”。竹枝词写道：“黑漆包头白粉腮，竹筐携去店门开。等闲爱听清平调，十个金钱唱一回。”史称：“大智坊各行寓中，商贾杂处。时有少妇，青衣布素，手挈竹篮，入市若缝纫者，实善歌小调也，名曰‘唱婆子’。”[②] 看上去是裁缝，实际上是卖唱的营生。之所以如此遮遮掩掩，恐怕与卖唱者身份卑微有关。当然，也不否认这些卖唱者兼擅缝补之类的手艺。在日常生活中，这种卖唱者不乏其人，所谓“旧谱重翻古意新，千回百转露全身。殷勤相劝杯中酒，明日谁家烛下人”。[③] 一些残障之人除了沿街乞讨，也靠卖唱为生。一首竹枝词写道：“挂灯壁上宣歌本，拄杖街心唱旧闻。半是码头为领首，手拿签子逗钱文。”注家曰：“落魄者、瞽目

① （清）叶调元：《汉口竹枝词》卷五《杂记》，总第 201、221 首。引见徐明庭书，第 94、95、98 页。

② （清）徐志：《汉口竹枝词》第 13 首。引见徐明庭书，第 8 页。

③ （清）朱在镇：《汉上竹枝》第 1 首。引见徐明庭书，第 11 页。

者，每夜于街上唱歌本，码头上持竹签替彼醵钱。”[1]这类演唱小曲的地方，一般多在人来人往的街巷、码头、茶馆。

可以肯定地说，明清时期的汉口茶馆往往是民间曲艺演出的重要场合，“无数茶坊列市阛，早晨开店夜深关。粗茶莫怪人争嗑，半是丝弦半局班”。注家曰：“女唱，曰丝弦；屠户、菜佣聚集而唱，曰局班”。[2]连屠夫、菜贩都可以到茶馆卖唱，可见民间小曲的演出样式各异，无所谓科班不科班。当时汉口的后湖一带，是茶馆云集之所，亦是民间小曲滋生繁茂的沃土。竹枝词云：“清茶寂寞殊无味，要听丝弦怕熟人。能使两难成两美，地方最好早逢春”；“欲把深情寄与哥，当场无奈熟人多。琵琶遮面秋波溜，郎自吃茶侬自歌”。[3]

丝弦，主要指弹拨乐器，如琵琶、筝、扬琴、二胡、京胡、月琴、三弦等中国传统乐器。在乐音绕梁之际，妓女亦栖息其间，所谓“沿湖茶肆夹花庄，终岁笙歌拟教坊。金凤阿香都妙绝，就中第一简姑娘”。注家曰：“有名歌妓不一而足，其最出色者尽为予友及同乡娶去，不敢形之笔墨，然皆小曲有余、乱弹不足。声雌气陷，固巾帼之常也。简姑，陈姓，修眉广额，姿格清疏。小曲，韵叶筝琶，声迟以媚。乱弹，神完气足，有金石音，无脂粉气，可谓歌院魁杰也。”又云：“茶香烟雾袅灯光，为恋清歌不散场。四座无言丝肉脆，望湖泉外月如霜。”注家曰：“望湖泉，今改络石泉。他馆亦卖夜茶，未有如此热闹者，以有简姑在也。”[4]其中，“丝肉脆”句之丝，指以丝弦组成的弹拨乐器；肉，指人声，概因古人有“丝不如竹，竹不如肉”之谓也。这两首竹枝词都描绘了一个姓陈的歌妓，其艺名为“简姑”，另有“金凤”“阿香”等人，均是著名的小曲艺人。她们在茶馆卖艺，歌以茶沁，茶以人美，成为汉口茶馆一道风景。另有记述望湖泉之竹枝词，所谓“望湖泉里听笙

① （清）叶调元：《汉口竹枝词》卷五《杂记》，总第 195 首。引见徐明庭书，第 90 页。

② （清）叶调元：《汉口竹枝词》卷一《市廛》总第 37 首。引见徐明庭书，第 39 页。

③ （清）叶调元：《汉口竹枝词》卷三《后湖》，总第 114、117 首。引见徐明庭书，第 64—65 页。

④ （清）叶调元：《汉口竹枝词》卷三《后湖》，总第 115—116 首。引见徐明庭书，第 64—65 页。

歌，半是衣冠半绮罗。歇着数乘空轿子，惹他门口聚人多”。注家曰：“茶坊前有空轿者，聚人必多。”[①]可见，喝茶听戏是汉口茶馆文化之特色。

如上所述，汉口是汉水流域最大的商业中心。依凭这种优越的经济地位和自由包容的文化氛围，汉口能够吸纳来自不同地区的艺术品种和各类从艺人员。限于资料，仅举数例：其一，清代汉口的民间文艺中，包括马戏与皮影戏。有竹枝词为证：“后湖喧闹是三春，把戏新奇影戏真。不怕有人偷看我，归来怕有打围人。”[②]其二，剪纸艺术成为贫家女子的收入来源。一首竹枝词记载：“涂家孝女养孀亲，剪纸成花巧夺春。手执惊闺沿户卖，货郎谁识木兰身。”注家曰：“其人黑面微麻，言笑端谨，立志养母，不肯字人。”[③]惊闺，又叫惊绣，是一种有铃铛的小鼓，俗称“波浪鼓”或“拨浪鼓”。肩挑担子，手摇拨浪鼓沿街叫卖，是货郎的形象写照。这位姓涂的麻脸女子，装扮成货郎的模样，上街兜售自己的剪纸作品。她不肯嫁人，一心奉养守寡的母亲，是一位遵守孝道、自食其力的苦命女子。其三，杂技表演已经在清代汉口出现。对此，竹枝词的记述相当清晰：“走索车坛尽女娃，十人到有九人麻。看钱丢罢还求赏，手捧铜锣到处扠。”看来表演杂技的都是年轻的女孩子。另有动物表演杂耍，“近来耍戏更新鲜，教法能将畜类传。猴子狗熊顽棍棒，雀儿老鼠打秋千”。[④]这些行走于江湖的艺人，阅尽人间悲喜，感受人生冷暖，守护着民间文艺最可宝贵的根脉。

当然，除了大汉口，湖北其他地方的民间艺术也有不同程度的发展。仅以汉口所系的汉水流域而论，便有不容遗漏的艺术传承。例如，乡村农人在劳动时哼唱的歌曲，便是带有浓厚泥土味儿的民间文艺。根据历史文献的记载，在郧阳地区，人们“结茆编竹，耕山犁水，终岁勤

---

① （清）叶调元：《汉口竹枝词》卷四《闺阁》总第146首。引见徐明庭书，第74页。

② （清）施襄：《竹枝词十二首》第7首。引见徐明庭书，第123页。

③ （清）叶调元：《汉口竹枝词》卷四《闺阁》总第125首。引见徐明庭书，第67—68页。

④ （清）叶调元：《汉口竹枝词》卷三《后湖》总第120—121首。引见徐明庭书，第66页。

动。栽种则击鼓讴歌，出入则肩挑背扛”。[①] 竹溪县，“播种芸耨，或以鼓锣督工，一唱百和”。[②] 又如，襄阳府宜城县，“耕氓好楚歌，居室多编竹，以代陶瓦”；每逢农历四月八日，“各寺为浴佛会。是月，农家新尝麦，始布谷，田歌盈陇畔”。[③] 这种边劳动边歌唱的艺术形式，既可以缓解田间耕耘带来的劳累和疲乏，又可以活跃劳动的氛围，起到怡情怡性的作用，甚至可以在欢笑声中提高生产效率。它逐渐演变为近现代的薅草锣鼓，成为鄂西地区的民歌样式之一。

薅草锣鼓的内容包括历史故事、生活趣事等，当然少不了男女情爱，诚如民谚所谓“无郎无姐不成歌”。例如，兴山县有一首《栀子花五瓣开》：栀子花五瓣开，三瓣正的两瓣歪。正的送给情姐，两瓣歪的是自己戴，看我良心在不在。另一首《阳雀飞过洞庭湖》也是情歌：家鸡公野鸡母，阳雀飞过洞庭湖。洞庭湖里有一个吴幺姑，去年许我香袋儿，不知今年又如何？一绣香袋绣当头，要绣狮子滚绣球，绣球滚在郎怀里，郎说欢喜姐说愁……像这样通俗易懂、开口就来的民歌，抒发了普通百姓最真挚的情感，也最能打动人心。一般来讲，薅草锣鼓采取众人合唱的方式，有人领唱，有人帮腔，称为“叠唱”。经过历史的演绎，薅草锣鼓形成了一定的程序性和时序性，也就是说，在开工、休息、吃饭、收工时唱法不同。大体上，早晨唱花名，上午唱古人，午后唱雀名，下午唱交情。锣鼓也因时间段不同而有区别，上午有斗歇锣鼓、二歇锣鼓，下午有头歇锣鼓、二歇锣鼓、三歇锣鼓，“一鼓催三工”的说法表明击鼓而唱的确能够鼓舞人们的劳动热情。因为有着深厚的历史传承关系，因此这些薅草锣鼓保留了珍贵的历史语言素材，例如兴山民歌就被视为“巴楚古音活化石”，有所谓“兴山三度特性音程”。[④] 令人欣慰的

---

① 同治《郧阳志》卷一《舆地志 · 风俗》。

② 同治《竹溪县志》卷十四《风俗》。

③ 同治《宜城县志》卷一《方舆志 · 风俗》。

④ 梁莹莹：《鄂西南兴山县薅草锣鼓艺术特点探析——以〈中国民歌集成〉（湖北卷）1032、1035、1038、1040、1047 首为例》，《福建论坛》（人文社会科学版）2009 年专刊。

是，兴山民歌已被列入国家级非物质文化遗产保护目录之中。

众所周知，中国的许多少数民族都能歌善舞。像鄂西这样的地区，有包括歌舞在内的丰富多彩的民间艺术。除了上面提及的薅草锣鼓（阳锣鼓），还有打丧鼓、唱孝歌（阴锣鼓）。这类记载在历史文献中到处都是，仅举两例：竹溪县举办丧事时，“细民家亲朋或醵钱击鼓赛歌，谓之守夜，犹是挽唱之遗”。[①] 又如长乐县，“家有亲丧，乡邻来吊，至夜不去，曰伴亡。于柩旁击鼓，曰丧鼓。互唱俚歌哀词，曰丧鼓歌。丧家酬以酒馔，盖亦守灵之遗意，而变之无节者也”。[②] 阴阳两界，击鼓而歌，或可互通声息，让亡灵安息。

有些外地戏曲因缘巧合，在湖北落地生根。例如，越调本是河南地方戏曲，传入湖北之后，变成湖北越调。关于越调起源，有不同说法。一种说法是，越调本为“月调”，是古代中国戏曲“平、背、侧、月”四种调门之一。另一种说法是，明末李自成起义军曾进驻襄河（汉水别称）一带，义军中的陕北子弟会唱梆子戏，遂流传下来，成为最早的越调。这一说法由艺人口头相传，缺乏文献材料的佐证。较为可靠的说法是，清乾隆年间越调已在河南南阳地区流行开来。

尽管李自成义军传播梆子戏无从考证，但是一个不争的事实是：湖北越调在鄂西北汉水流域相当流行，人们乐于将湖北越调称为襄河越调、谷城越调。清代，湖北越调戏班集中于汉水沿线的襄阳、谷城、老河口一带，咸丰年间有十余个戏班。同治年间，著名戏班同春社的演员锤子、滚子、扯子、钻子等艺人都是名角。其后，著名的戏班尚有襄阳谷城庙滩的玉林班，南漳开镇的丰盛班，宜城小河的秀林班，孝感的同兴班，以及历史悠久的活跃于荆州钟祥郢中镇、洋梓镇、冷水镇、石牌镇等处的清戏围鼓班。

不能否认，越调与秦腔、山陕梆子戏有重要关联，而且主要分布于

① 同治《竹溪县志》卷十四《风俗》。

② 光绪《长乐县志》卷十二《风俗志·丧祭》。

汉水流域的河南、陕西、湖北。大体上，湖北越调诞生于襄阳是可以成立的。襄阳在历史上扮演着南北通道的角色，是南船北马的水旱码头。明清时期，西北商人经过汉水来往于秦楚之间，襄阳是其中的一个商业中转站。纵观汉水流域的许多地方，都建有山陕会馆，表明晋商势力对于汉水商道的依赖性很强，也表明西北文化伴随晋商足迹进入了湖北社会。所谓“艺人走旺地，商路即戏路”，符合历史事实。从文化地理上看，陕西同州府、汉中等州县与湖北相关州县存在着历史文化的姻亲般的关系，在语言、习俗、文艺等方面都有高度的相似性。形象地说，秦声与楚调的融汇，催生了新的艺术品种，促进了汉水流域不同地方的文化交流和发展。湖北越调现存的曲目中，与同州梆子有关联的多达上百个。

越调的乐器是象鼻四弦，所以越调又称“四股弦”。湖北越调因其唱腔高亢，又叫高腔越调，属于板腔体结构，目前已被列入国家非物质文化遗产名录，是汉剧之外湖北第二大剧种。湖北越调有生、旦、末、净等多个角色，行当齐全，音域宽广。与河南小越调不同，湖北越调称为大越调，两者的区别在于后者唱腔的丰富性和音调的地域性，尤其是尾音翻高、激越嘹亮。

在明清时期的汉水流域，水运、码头、商帮、物流的相互关联，使民间文艺穿梭其间，得到了传承和发展。汉剧的定名及定型，是在民国初年。然而，汉剧的历史却可以上溯明清时期。彼时，楚调、汉调、楚腔、汉戏、二黄、湖广调、黄腔、皮黄等，均指汉剧。汉剧的形成与发展，与汉水流域南北文化的交融有关，也与江汉平原的风土民情紧密相连，是明清以降出现的新剧种，对中国戏曲史有巨大的推动作用。万历时，公安派健将袁中道曾在沙市游玩。在笔记中，他记述了听戏的细节：“至天皇寺，看十方堂时，墙已渐葺。往晤朱上愚，遇宝方从苏云浦舍回，并得苏书。晚赴瀛洲、沅洲、文华、谦元、泰元、诸王孙之饯。诸王孙皆有志诗学者也。时优伶二部间作，一为吴歈，一为楚调，吴演《幽闺》，楚演《金钗》。予笑曰：此天所以限吴楚也。”[①]于此可以推测，汉剧在明万历时已经形成。据扬宗拱《汉剧丛谈与续汉剧丛谈》：“由明万历前后至清道光末年，楚调、楚曲、郢曲之称沿用不变。楚调艺人聚集之所，在汉口有‘楚班公所’，其所在地为楚班巷，建国后仍在。”[②]

据清人著述，二黄发源于湖北的黄冈、黄陂，又称湖广调。例如，嘉庆年间的张祥珂《偶忆编》记述：“戏曲之二黄，自湖北始，谓为黄冈、黄陂二县。”道光年间的杨静亭《都门纪略》亦称：“近日又尚黄腔。黄腔始于湖北黄陂县，一始于黄冈县，故曰二黄腔。”[③]创始于鄂东的汉调（又叫二黄，统称汉调二黄），在清代乾嘉之际由黄州移民带入汉水中上游地区，成为鄂西北（郧阳府）、陕南地区（兴安府）相当流行的曲种。由于这两个地方山峦起伏，以故二黄被称为“山二黄”。汉调二黄系由汉水流域的西皮、二黄融合而成，以故多称“汉调”，声腔保留皮黄之名。日后，汉调二黄成为陕南仅次于南路秦腔（汉调桄桄）的大型戏曲种类，包括木偶戏、皮影戏、人演大戏三种形式。清代道光年间，汉调二黄趋于极盛，戏班众多，广受欢迎。史载：“汉调即皮黄，导源于黄陂、黄冈二县，亦曰二黄。皮黄者，以二黄为正宗，西皮或若为之辅。盖二黄为汉正调，西皮则行于黄陂一县而已，其后融合为一，亦不可复分。”[④]

在此，有必要申论襄阳在湖北戏曲史乃至中国戏曲史上的独特地位。这与其处于汉水商道之要津密切相关。在明清时期，有所谓“襄阳腔”，与秦腔、昆腔、枞阳腔、弋阳腔构成中国戏曲最重要的几个腔种，影响遍及全国。

---

① （明）袁中道：《珂雪斋集》之《外集卷十·游居柿录》。

② 严昌洪：《武汉历史文化风貌概览》，武汉出版社 2017 年版，第 151—152 页。

③ 引见张晓虹：《汉水流域传统音乐文化形成的历史地理背景》，《黄钟（武汉音乐学院学报）》2016 年第 1 期。并参见罗常培：《从昆曲到皮黄》，《中国人与中国文》，开明书店 1945 年版。

④ 民国《巴县志》卷五《礼俗·风俗》。

就音乐元素之间的相互影响而言，襄阳腔与秦腔关系紧密，因为它的演唱及伴奏不同于南曲变体，而属于弦索腔系，用梆子击节，不用箫笛伴奏。这显然受到了秦腔的影响。襄阳腔后来发展为汉调，今日所见汉调剧目《雷神祠》，便有襄阳腔的唱腔。大致在清雍正年间，襄阳腔传入云南。现今的滇剧由秦腔、襄阳腔、枞阳腔组成，其中襄阳腔有完整的宫调式唱腔。论者指出，襄阳腔与秦腔、枞阳腔相互借鉴、同时流行，最为突出的地方是它们均有吹腔的唱腔，是典型的南北复合腔种。①

上文提及皮黄，实为西皮和二黄的简称。毫无疑问，西皮与楚调有着如胶似漆的关系。明清时期，湖北人把戏曲的唱腔叫作“皮”，一段唱就是一段皮。据此，西皮应该是秦腔进入湖北之后，湖北人起的名字，指称西秦的梆子唱腔。有人指出：

> 西皮虽然很晚才见诸记载，但它在襄阳腔时期，应该已经出现了。滇剧西皮早期就被当地直呼为“襄阳调”，可见是从襄阳腔里吸收来的。襄阳腔也像秦腔、枞阳腔一样分为两路，一为由西秦腔影响而形成的西皮一路，一为由枞阳腔影响而形成的吹腔一路。襄阳腔影响扩及湖南、广东、云南、贵州、四川后，被称做“湖广腔”，则湖广腔影响的地区唱腔也都应该分做两路。以后吹腔演变为二黄腔，西皮也被湖北人慢慢叫出了名，于是二黄、西皮统一出现在襄阳腔的传承调——楚调里。②

这种“湖广腔”之“湖广”二字反切为“黄”，以故楚调又称为“黄腔”。应该说，将皮（西皮）、黄（二黄）合在一起演唱，是楚调的一大发明，并创制了皮黄声腔系统。相关文献记述：“皮黄以二黄为主

① 廖奔、刘彦君：《中国戏曲史》第 4 卷，山西教育出版社 2000 年版，第 53—56 页。
② 廖奔、刘彦君：《中国戏曲史》第 4 卷，山西教育出版社 2000 年版，第 78 页。

宗，西皮若或为之辅。盖二黄为汉正调，西皮则行于黄陂一县而已。其后融合为一，亦不可复分。”[①]皮黄的兴盛大约在清道光年间，逐渐取代了昆剧独霸天下的地位。史称：“国初最尚昆剧，嘉庆时犹然。后乃盛行弋腔，即俗呼高腔（一曰高调者）。其于昆曲，仍其词句，变其音节耳。……道光末，忽盛行皮黄腔，其声较之弋腔为高而急，词语鄙俚，无复昆弋之雅。初唱者，名正宫调，声尚高亢。同治时，又变为二六板，则繁音促节矣。”[②]于此，亦可见戏曲界所谓“雅”“花”（俗）之别矣。道光之后的咸同年间，皮黄更上一层楼，“文宗在位，每喜于政暇审音。尝谓西昆音多缓惰，柔逾于刚，独黄冈、黄陂居全国之中，高而不折，扬而不漫。乃召二黄诸子弟为供奉，按其节奏，自为校定，摘疵索瑕，伶人畏服。咸丰庚申之乱，京师板荡，诸伶散失。穆宗嗣位，乃更复内廷供奉焉”。又云：“先是，京师诸伶多徽人，常以徽音与天津调混合，遂为京调。然津、徽诸调，亦均奉二黄音节为圭臬，脚本亦强半相同，故汉、津、徽调皆可通。文宗后，益有取于汉黄，而诸人固能合众长为一者也。”[③]于此可见，中国戏曲的发展与热爱艺术的权贵之间存在着复杂的关系。

例如，唐明皇（玄宗）因其艺术才华被尊为梨园鼻祖，是中国戏曲的奠基者。又如，乾隆八十大寿之际，徽班进京促进了京剧的诞生，此一事件成为中国戏曲发展的里程碑。再如，咸丰帝、同治帝对二黄的青睐，导致皮黄腔超过昆腔，使中国戏曲的发展进入了一片新天地。徽班进京之后，迨至嘉（庆）道（光）年间，北京的戏曲舞台逐渐出现了由汉调艺人传入的西皮唱腔。再往后，西皮与早已进入北京的二黄融为一体，皮黄戏终于占据都城舞台的中心。补充说明的是，由于大量楚调艺人加入徽班，因此出现了“班曰徽班，调曰汉调”的奇妙组合，恰如时

① 徐珂编撰：《清稗类钞》第11册，《戏剧类·皮黄戏》，中华书局1986年版，第5016页。

② 徐珂编撰：《清稗类钞》第11册，《戏剧类·戏剧之变迁》，中华书局1986年版，第5012页。

③ 徐珂编撰：《清稗类钞》第11册，《戏剧类·文宗提倡二黄》，中华书局1986年版，第5017页。

人所称“二黄之尚楚音，犹昆曲之尚吴音，习俗然也”。[①] 史载：“嘉庆以还，京师苏班日就衰微，徽班乃遂铮铮于时。班中上流，大抵徽人居十之七，鄂人间有，不及徽人之多也。其初入都，皆操土语，侨居数代，变而为京音，与土著无异。伶界最重门阀，而徽、鄂人后裔之流寓在京者，大抵均世其业，称为世家。诸家姻娅相连，所居皆在正阳门外五道庙一带。”[②] 这则材料揭示了在京城的戏班中，徽鄂合作经营徽班的事实，而且两者之间有通婚关系，加之家族内部子承父业的传统，以故早期京剧的发展壮大与湖北籍艺人关系甚深。

上引清代竹枝词已有楚调的记述，其中涉及皮黄的内容格外珍贵。据悉，留传至今的清代楚调剧本，尚有汉口三元堂、文升堂、文雅堂刻印的《新镌楚曲十种》中的《英雄志》《李密降唐》《祭风台》《临潼斗宝》《青石岭》五种。

历史上，汉剧又被归入“乱弹”之列。与昆腔的规范严谨、典雅细腻相比，乱弹的一个显著特征是“杂”，具有自由开放、博采众家的宽广文化胸怀，擅长将昆腔、京腔、弋阳腔、皮黄腔、秦腔、罗罗腔等各种戏曲元素熔于一炉，然后根据不同地域文化，发展出独特的戏曲品种。这样不拘一格的兼容并包精神，反而成就了“乱弹”，使其风头盖过字正腔圆、婉转优美的昆曲。汉剧便是这样一种“乱弹”系列的地方戏曲，明清以降获得了广大民众的喜爱，成为现代湖北第一大戏。在湖北民间戏谚中，鄂东有“一清二弹”之说，鄂北有“一清（清戏）二黄（汉戏）三越调”之论，民间口头禅则有“开黄腔”之语，都是汉剧之别称。正是具备了这种“俗”之风格，才使得“花部”超过“雅部”，成为人民群众喜闻乐见的鲜活戏曲。这恰恰表明戏曲的生命力扎根于民间，“大抵今剧之兴，本由乡鄙。山歌樵唱，偶借事以传讴，妇解孺知，

① 廖奔、刘彦君：《中国戏曲史》第 4 卷，山西教育出版社 2000 年版，第 83—84 页。

② 徐珂编撰：《清稗类钞》第 11 册，《优伶类 · 徽班世家》，中华书局 1986 年版，第 5101—5102 页。

本无心于考古。故剧词自为一类，过雅转觉不伦。本事全出稗官，正史绝无所采。或用平话之称谓，或遵昆曲之排场，积久相沿，遂成定例矣”。[①]

从名称上看，汉剧虽然有多种叫法，但应该与“汉调”直接相关，系从“汉调”衍生而来。清代文献称：“道光时，京城所称四大徽班，曰三庆，曰四喜，曰春台，曰和春。此四班实不起于道光朝。盖三庆最早，乾隆八旬万寿，自安徽来京。徽人多彼时所谓新腔，因以前多汉调也。”[②]

叶德辉《重刊〈秦云撷英小谱〉序》指出：“自明季逮国朝嘉道间三百年来，京师吴越皆昆曲流行。弋阳则与湖广调并行于江西、湖南北、广西，然仍以湖广、陕西两腔为两大宗派。湖广行于南方，陕西遍于北地，由其戏文浅俚，闻者易知，士大夫乐其俳优，社会简便于习惯，故聆音之君子亦有取焉。咸同之交，徽人程长庚、楚人余三胜，于湖广调中精求所以调声运气之法，一唱三叹，听之使人荡气娱神，世称京二黄。二黄者，黄冈、黄陂，在荆、湘亦称为汉调。二黄既炽，昆曲遂微，独秦声以甘凉之雄，犹称劲敌。论者谓声音之道，与世运相转移。汉调之夺昆腔，为文化将退之渐；秦声之胜汉调，为人心不静之机……”这番感叹，既可看出叶氏精于戏曲之道，又可觉察明清戏曲变迁的主要脉络。尤其是，叶氏从戏曲声腔之兴替，点明背后的时代大变迁，可谓目光如炬。在叶氏笔下，“汉调”频繁出现，似可理解为用“汉调”指代楚调已成为时人之常识。这种语言使用的习惯，为汉剧的定名创造了条件。

在京剧形成过程中，湖北籍艺人贡献良多。例如，清代著名的汉剧名角、崇阳人米应先（1780—1832）。米氏，又名喜子，字石泉，号桃林，擅长汉调老生，人称“米戏馆”，素有“湖广名优”之盛名。清嘉

① 徐珂编撰：《清稗类钞》第11册，《戏剧类·今剧之始》，中华书局1986年版，第5012页。

② 崇彝：《道咸以来朝野杂记》，北京古籍出版社1982年版，第74页。

庆十七年（1812年）进京（一说乾隆末年），进入春台班（四大徽班之一），成为“搭班”艺人。按照惯例，搭班系指艺人进入某一班社参加演出，有口头约定，讲明演出剧目、薪酬及跟班时限；搭班者必须严守班社规章，不得擅自离开或罢演。米氏专演关公，他拿手的剧目有《走麦城》《战长沙》《古城会》《破壁观书》等，艺绝京师，促进了西皮、二黄之风行。他在春台班演出20年，成为台柱，后劳累过度、时常吐血。嘉庆二十四年（1819年）返回湖北崇阳，在洋泗桥建宅入住、授徒传艺，间或抱病登台，拜访者络绎不绝。当时的鄂南、赣西、湘北的汉剧名角，率多出自其门下。

在传统时代，文有孔子，武有关羽，均为人们崇敬的圣人。米氏长年出演关公戏，戏里戏外持敬如一。他身材高大、嗓音洪亮，舞台形象庄重威严，不轻易睁开双目，全以声腔取胜。相传当年在北京三庆园演关公戏，只是略施水粉，不涂红脸，坐在一旁捏脑门。快要上场时，将一壶酒一饮而尽，穿好戏服、戴上髯口，用左手水袖遮面，到台前再抖开水袖。此番亮相，恍如关帝显灵，令台下观众起身拜倒。另有一次，京官们在北京西河沿正乙祠聚会，特邀米氏演出。结果，喝酒上场的“关公”令在场官员纷纷离席、恭敬侍立。在晚清北京的梨园先贤祠中，程长庚将米氏牌位放置最前，充分说明其对京剧艺术的伟大贡献。[①]

与米应先齐名者，还有罗田人余三胜（1802—1866）。余氏，本名开龙，字启云，原本汉剧末角，清道光初入京，先后搭班春台班、广和成班，改唱老生，与程长庚、张二奎并称“老生三鼎甲”，成为京剧形成过程中的重要人物。他将汉调皮黄、徽戏二黄、昆曲、秦腔等艺术熔为一炉，创造了一种流畅的京剧“花腔”（旋律丰富的唱腔）。京剧《李陵碑》等剧目中的反二黄唱腔，即出自余氏。不唯如此，余氏对徽剧由旦角为主变为以生角为主，发挥了关键作用。在京剧语言（以“湖广

① 参见陈志勇：《徽班汉伶第一人——米应先》，《文史知识》2006年第1期；《徽班汉伶米应先生平及家世考——兼论米应先对京剧形成的贡献》，《戏曲艺术》2007年第2期。

音”读“中州韵”）的塑造上，余氏功不可没。在余氏的努力下，“汉派”薪火相传：由余三胜——谭鑫培（武昌人）——余叔岩（余氏之孙）——杨宝森（北京人），成为京剧老生唱法的主流。

谈论明清湖北戏曲，清戏是重中之重。论者指出，清戏是湖北人创造并在湖北境内流传的第一个曲牌体大剧种。具有完备戏曲舞台样式的清戏的出现，标志着湖北地方戏曲剧种的正式确立，是湖北戏曲发展史上的里程碑。在渊源上，清戏系明代四大戏曲声腔之一的弋阳腔的后裔青阳腔，于明万历年间传入沙市而逐渐形成。公安派的袁宏道曾向友人诉苦，其中就包括听青阳戏：“歌儿皆青阳过江，字眼既讹，音复干硬”，听之痛苦不堪。[①]在诗中亦表示青阳调不好听，所谓“一片春烟剪縠罗，吴声软媚似吴娥。楚妃不解调吴肉，硬字乾音信口讹”[②]。这种初期的粗糙在日后的戏曲实践中得到了改进。

湖北清戏的演唱风格是一人主唱、众人帮腔，在乐器上以锣鼓伴奏为主，不备管弦。这是湖北清戏与唐宋大曲、北曲以及昆曲的最大区别。从流行区域看，湖北清戏主要于黄冈、汉阳、德安、襄阳等府县流传，只是在发音吐字、行调吟唱方面因地域差异而稍有不同，形成五种调式，即宫调式、商调式、角调式、徵调式、羽调式。清戏戏班众多，剧目丰富，每逢演出之时，敲锣打鼓甚是热闹。所到之处，气势宏大，加之台风严谨，戏词雅驯，格调工整，被称为“高尚戏”“文雅戏”。清戏艺人喜穿长衫，以故民间尊称清戏戏班为“先生班”。清戏的观众，既有普通百姓，也有文人骚客。清戏的兴盛，一直延至咸丰年间。[③]

三、楚藩与文艺

言及明清湖北文艺，不能不谈到明代藩王府。朱元璋建立明朝，为了江山社稷的长治久安，大肆分封诸子到全国各地为王。当时，分封到

---

① （明）袁宏道:《袁中郎全集》卷二十三《与沈伯函水部》。

② （明）袁宏道:《袁中郎全集》卷三十二《竹枝词·其十一》。

③ 苏英杰:《湖北清戏——湖北第一个曲牌大剧种》,《戏剧之家》2009年第2期。

武昌的藩王号称天下“四大藩王”之一，权势如日中天。按照朝廷礼制，藩王无论大小，都拥有自己的仪卫司，相当于现今的仪仗队。凡是举行重大活动，仪卫司都要负责全程的礼仪规范。仪卫司所辖有精通音乐的乐户，属于藩王专有的戏班子。这些乐舞人员数量庞大，由王府供养。他们平日里练习歌舞，随时以备调用。现今武汉市武昌区水陆街旁边，就是明代藩王的“御菜园”，是专门蓄养歌舞艺人之所。楚王爱听芦笛，便命人在湖中（今武昌区沙湖）广种芦苇，取其膜，制作笛簧。此湖因此被称为“歌笛湖”。月明之夜，泛舟湖上，听人吹笛，那种水天一色、笛声清越之美景，无不令人陶醉。御菜园早已消逝于岁月的喧嚣中，然而它与明代湖北艺术之间的关系却令人遐想。

地方藩王作为皇室宗亲，接受帝王封赐，驻守于全国各地。在生活待遇上，这些王爷荣华富贵，无不极尽享乐之事。很难想象，如果没有歌舞和音乐，这些藩王们的生活会是怎样的一种情形？其实，有些藩王本身就是艺术迷。例如，驻守湖北荆州的辽王，堪称典型的痴迷艺术的权贵。喜爱设计和建筑，亦是辽王的审美情趣之一，赋诗饮酒，又有美人钟鼓，自然少不了音乐歌舞的映衬。

因为对戏曲、诗词和音乐的执着，辽王与许多歌舞艺人建立了亲密的关系，其中既有权色交易的内容，也有男女情爱的成分。①

辽王府中的歌舞艺人，有男有女，女子为歌姬，男子为娈童，应为实情。明代礼部尚书、曾在湖北为官多年的徐学谟，曾有诗文专记其事：“头陀生者，故辽藩弄儿。国亡后，祝发入道，为襄阳罗者所得。余哀其穷，释焉。”②在腥风血雨的宫廷政治斗争中，辽王下场悲凉。

时人朱宪㸅写有《哀黍离》的系列诗篇，多是咏叹辽王歌舞之事。例如：“华房晏起惜春宵，曲密深沉醉细腰。记得风流贤守句，西宫隐

① 参见（明）钱希言：《辽邸纪闻》。

② （清）陈诗：《湖北旧闻录》卷十五《藩镇二·明代藩王·辽王》。引见姚勇、邱巍、杨晓兰点校本，湖北人民出版社 1999 年版，第 645 页。

隐出鸾箫”（曲密、华房）；“湘帘尘暗锦屏空，香迹年深藓迹重。春风似怜红袖尽，乱移花影入房栊”（苏州房）；“亭间鸟迹印陈尘，素花含香色自新。惆怅东风更无主，一枝和蝶领残春”（素春亭）；“幽亭掩映柳阴西，遗墨犹存太史题。莺语不知时世变，丁守犹在旧枝啼”（听莺亭）；“日涉名园未厌频，会心鱼鸟自相亲。谁知落阱排君者，便是东篱送酒人”（成趣园）。[①]华美幽雅的建筑，歌声绕梁的演出，全都成为破碎的回忆和无尽的感伤。重要的也许不是辽王的被贬和王府的凋零，而是这样深度介入艺术领域的藩王值得后人思考明代艺术史某些不为人知的奥秘。

诗人笔下反复咏叹的这种世态炎凉情形，不仅发生在平日里的政治风暴中，而且出现于王朝更迭的社会动荡之际。明末张献忠的队伍攻入湖北，攻占蕲州。文献记载：张献忠“下令围王府，尽掠其所见女乐”[②]。于此可知，荆王府中平日里蓄养了不少的歌舞艺人。

明末诗人谈允谦在诗作中描述荆王府日日笙歌的场景：“夜晏未已鸣朝钟，日午君王梦正浓。一承顾盼殊恩宠，萧艾亦与椒兰同。竹生禁地能高洁，疏疏为节密为叶。截成长笛声裂云，织作冰纹簟如雪。几多花鸟册妃嫔，累朝老树封将军。箫鼓喧阗应钟镈，满城日夕流天乐。静如琴瑟人不闻，赐妃素手弹珠阁。中开七府列烟霄，出入宾从车马高。吹竹弹棋吴越客，斗鸡走狗燕秦豪。一水荷花三十里，画舫烟波动衔尾。晓夜笙歌何处来，王孙泛舟雨湖里。食禄岁支万与千，王家谁复惜金钱。阀阅相沿习华侈，蕲阳佳丽非他比……游人歌舞不能归，夜半城中钥未下。朝朝长捧千年杯，谁知乐极有哀来……”[③]

不知道荆王是否如辽王一样精通艺术，但荆王在音乐和歌舞的开销

① （清）陈诗：《湖北旧闻录》卷十五《藩镇二·明代藩王·辽王》。引见姚勇、邱蕤、杨晓兰点校本，湖北人民出版社1999年版，第642—643页。

② （清）陈诗：《湖北旧闻录》卷十五《藩镇二·明代藩王·荆王》。引见姚勇、邱蕤、杨晓兰点校本，湖北人民出版社1999年版，第661页。

③ （清）顾景星：《白茅堂集》卷十一《雷雨中饮谈长益读其诗走笔赠之》附谈允谦《麟山歌》。

上却是毫不吝啬，可谓挥金如土。明末乱世，张献忠部占领藩王府第、驱使艺人的事例不止一处。例如张献忠攻占荆州，惠王府中有两名色艺俱佳的女子因为不肯驯服，而遭屠戮。史载："张献忠至荆州，召惠府乐户数十行酒。内有琼枝者，色艺出群。献忠命之歌。曰：我虽贱，岂肯以歌侑贼觞！毅然弗从。以刃挟之。曰：汝技止此耳。我不畏死，奈我何哉！献忠脔之喂犬。同时，有曼仙者，献忠亦召至，极呈技能，刻意逢迎。献忠大悦，宠幸无比。献忠将寝，必豪饮，曼仙侍。是夕，曼仙置毒于酒，满斟以奉。献忠妮之，手挽其颈曰：汝先饮此。却之不得，立饮而毙。献忠始觉，碎磔其尸。"[①]

像琼枝、曼仙这类乐户艺人被杀之事，史籍多有记载。因为是野史、笔记、诗文之类的文献，尚不足征信。更何况，上引材料对张献忠农民起义军多有谩骂诬蔑之辞，今人引用时应当格外警觉。不过，从各种类型的材料看，可以肯定的一点是：明代各地藩王府均有专门的歌舞艺人，而且人数不少，其生活、演出之费用概由王府负担。

在这里，有必要提及末代楚王朱华奎。朱华奎可以说是一位命运悲惨的藩王。身为明太祖八世孙，华奎出身豪门，是楚恭王之子。崇祯十六年（1643 年），张献忠率部攻陷武昌，抓住了朱华奎，命人将其沉入长江，楚藩宗人亦大多死于刀斧之下。尽管命运多舛，但是这位末代楚王也曾有过显赫一时的华贵时光。曾几何时，朱华奎的女儿出嫁，所用乐队人数庞大。郡马入府时，"彩爆阗衢，鼓乐前行"。华奎赐食郡马，改奏悠扬欢快的乐曲。郡马进入郡主宫，"敲金钟，左廊下奏乐；再敲，右廊下奏乐，然后才是升殿成礼"。[②] 从婚礼的仪式看，音乐伴奏占据了重要内容，说明楚王府内部的艺人队伍庞大，而且训练有素。附带提及，王府蓄养的乐户除了歌舞艺人，还有杂技艺人，例如楚王府为

---

① （清）陈诗：《湖北旧闻录》卷十五《藩镇二·明代藩王·惠王》。引见姚勇、邱蕤、杨晓兰点校本，湖北人民出版社 1999 年版，第 667—668 页。

② 皮明庥、吴勇主编：《汉口五百年——新编汉口丛谈》，湖北教育出版社 1999 年版，第 65 页。

就有一位色艺俱佳的南京女子蓝七娘，她擅长荡秋千和“蹴球”。

四、湖北四大曲艺

还有一些重要的文艺品种值得一提，例如湖北著名的四大曲艺，即湖北大鼓、湖北评书、湖北小曲、湖北道情。

湖北大鼓，是北方大鼓艺术传入湖北后形成的一种地方曲艺。北方大鼓，别称鼓书，由唐宋时期的“变文”（说唱兼备）转化而来。清代，北方流行京韵大鼓、河西大鼓等，乐器主要有小鼓、三弦、云板。大约在清道光末年，山东、河南等北方大鼓艺人来到汉口。为了迎合湖北民众的口味，他们学习、运用黄陂口音说唱，逐渐在荆楚大地流行开来。

湖北评书，就是用湖北方言讲故事的一种地方曲艺。评书，是全国各地都有的一种曲艺，因方言不同而有区别。湖北评书的源头大约可以上溯到明末清初。当时，江南最著名的说书艺人是柳敬亭。南派说书艺人尊称他为“柳祖”，目为开山师爷。重要的是，柳敬亭曾在武汉地区说书，这对湖北评书的孕育肯定有促进作用。论者称，明崇祯八年（1635年），汉阳通判袁焻修筑汉口堤防时，便有说书艺人胡某行走于民工之中，其表演颇受欢迎。清嘉道之际，在汉正街一带，有说书艺人周在溪演说《红楼梦》；另有来自河南的说书艺人丁海洲（一称“丁铁板”）、龚柏庭（一称“鬼打响”）来到汉口，表演《五女兴唐》《八窍珠》《大红袍》《薛刚反唐》等评书类节目。因其表演时要击打小鼓，所以观众称其表演为“打鼓京腔”。丁氏、龚氏不仅在汉口演出，而且招收湖北本地的艺徒。[①] 应该说，这一举动是湖北评书发展史上的重要事件。这些湖北籍的艺徒在出师后，扬长（说）避短（唱），索性不要鼓、镰之类的伴奏乐器，一人登台，专事言说，论及精彩处，在案桌上猛击一下惊堂木，将演出推至高潮。关键是，湖北说书人不用北方腔调（京腔），改用湖北方言（黄陂腔），从而开启了原汁原味的湖北评书新

① 严昌洪：《武汉历史文化风貌概览》，武汉出版社2017年版，第157页。

时代。

湖北小曲，主要包括汉口的“汉滩小曲”和流行于汉水流域天门、沔阳（今仙桃）一带的“天沔小曲”，前者以折子戏为主，后者边敲碟子边演唱，颇具特色。这两种小曲均由明清时期的湖北俚语俗调演变而来，有浓厚的草根气息。清末，两者逐渐融合，民国初年定名为“湖北小曲”。

湖北道情，又叫沔阳道情，系清乾隆年间道情艺人进入沔阳演出后的产物。道情作为地方曲艺，在全国很多地方都有出现，乐器以渔鼓、简板为主，所以又叫渔鼓。渔鼓的制作材料是竹筒，演奏时左手抱着渔鼓，右手拍打鼓面。简板又叫云板，也是用竹子制成，两根为一副，演出时用手夹击。沔阳渔鼓的风格是以唱为主，说白为次。唱词有七字句等，表演者分单口、对口。清嘉庆时，最著名的沔阳渔鼓艺人有“三根半筒子”，具体指皮思金、皮思银、张洪显、刘泡四人。目前，湖北四大曲艺均被列入国家非物质遗产保护名录，值得珍视和传承。

附带提及，黄梅戏起源于湖北、发展于安徽，后来成为全国有影响力的五大戏曲剧种之一。大体上，黄梅戏的源头系湖北与安徽交界、以黄梅县为中心的大别山一带的采茶调。清乾隆年间（一说清末），传入毗邻的安徽，与当地民间曲艺结合，用安庆方言演唱，逐渐形成一种新的戏曲，时称怀调或怀腔。后来，又吸收青阳腔、徽调等艺术元素，成为以安庆为中心的安徽主要的地方戏曲。

五、沧桑老戏台

不可遗漏的是，有些著名的表演场地（戏台）应该进入人们的视野。曾几何时，在这些或存或废的戏台上，出演了多少令人目不暇接的精彩剧目，留下了多少令人感慨万分的唱词声腔。

在历史的沧桑巨变中，存留至近现代的老戏台为数不多。明清时期的有些戏台，具体的构建年代已无从辨识。

石牌关帝庙戏楼，位于钟祥县西南的石牌镇，建造年代不详。据现存于镇政府院内的乾隆十九年《重修风台前后佛殿碑记》，石牌镇“汉水潆洄，方山耸翠，水陆舟车辐辏云集，一带烟火迷离，不少数千户”，表明此地曾是重要的商业市镇，吸引了不少戏班前来唱戏。戏楼横梁题有“乾隆四十二年重修”字样。建筑风格是歇山式砖木结构，高 9 米，宽 9 米，深 12 米。

福主万年台，位于浠水县策湖区福主乡。具体建筑年代不详。相传系外地商人乘船而来，为祈求神灵保佑，乃出资修建福主寺，内设唱戏所用的万年台。戏台是歇山式砖木结构，基座高 2 米，空高 8 米，宽 7 米，深 10 米。上场之门，上悬“去往”牌；下场之门，上悬“今来”牌。横梁浮雕是二龙戏珠，楹联内容是“八脚妆成，宛尔君臣父子；一声鼓出，居然儿女夫妻”，系清乾隆时的进士胡坦斋所拟，由其弟子、翰林潘绍经书写。戏台正中的墙壁上，悬挂着清道光四年（1824 年）景德镇商人赠送的彩色瓷屏 16 扇，上面绘有各色人物和故事。由于此处乃商路所系，外通皖、赣，内通黄梅、黄冈、黄安、蕲春、蕲水、麻城、罗田、广济等县，因此每年的农历三月十五日（财神会）、五月十二日（关帝诞辰）、八月二十四日（福主诞辰），各路商人云集，戏班应邀演出，热闹非凡。民国初年，汉剧天字科班的学徒满师出科，曾在此汇报演出。

解家河天齐庙戏台，位于随县解家河天齐庙前。具体修建年代不详。戏台梁柱刻有“乾隆壹拾贰年柒月谷旦新建”字样。歇山式重檐砖木结构，台基高近 2 米，空高 3 米，前台宽 5 米，深近 5 米，左右耳台宽 1 米余；后台宽近 8 米，深近 4 米。

可以断定年代者，基本上是清代的戏台。恩施关圣庙戏楼（又叫大观阁），位于恩施城南门外的山上，俯瞰清江。清初，明代忠臣何腾蛟举兵抗清，重建此庙。修庙时，在正殿相对的地方建有戏楼。砖木结构，歇山式，空高 3 米余，宽 6 米，深近 5 米，两侧有耳楼，两厢有看楼。曾归施南府的清军所掌控。民国初年，南剧艺人张玉福曾在此主持双庆科班。

青苔东岳庙戏台，位于随县青苔佛山沟东岳庙内。此庙始建于清雍正三年（1725 年）。明清时期，佛山沟有一条通往河南桐柏县的商道。戏台系单层亭式木结构，台基高近 2 米，空高近 3 米，分前后台。前台宽 5 米余，深近 5 米；后台宽近 7 米，深近 3 米。两边的耳台宽 1 米余。

沙市川主宫戏楼，位于沙市荆江大堤北侧的川主宫内。该宫系川帮商人于清乾隆年间修建。戏楼是歇山式砖木结构，与正殿相对。台基 2 米余，空高 3 米余，宽 6 米，深近 5 米；后台与两边的耳台，共宽 18 米，深近 4 米。戏台正中高悬“和声鸣盛”匾额，横梁有三龙朝阳的浮雕，托梁有 6 组戏曲人物的雕像。戏台两侧建有观众看戏的楼座，相距 12 米，各长 20 米。戏楼背面墙上，有“锦粲荆江”“祥钟峨岭”的题字，很有气势。

白霓戏台，位于崇阳县白霓镇街头远坡堰三圳口，因其与白霓桥相向而视，故有此称。大约在清康熙年间，因风水而建。清嘉庆年间，米喜子从北京回崇阳探望母亲，曾在此与汉调戏班联袂上演《云长取长沙》。晚清时，富户孙为尚捐资修复。戏台三面环水，基座用石块垒起，高出水面 2 米。戏台宽 5 米，深 4 米，砖木结构，六角亭造型。戏台上有朱漆装饰的《文王访贤》等图画。上场之门，上书“东升”；下场之门，上书“西降”，对仗工整。两侧楹联的题字为“千年文武衣冠在，一片□□雅颂声”，横匾是“今知是昔”，戏里戏外，意味深长。演出之时，孙氏家人在水上搭看台，普通民众则在桥上岸边观戏。

晓关禹王宫戏楼，位于宣恩县晓关镇，乃清同治三年（1864 年）所建。空高 3 米余，宽近 6 米，深近 5 米。戏台正中，有彩色大禹壁画。戏楼前的观戏场子全用石板铺陈，可容两千余人。该戏楼是恩施地区南戏班的固定演出场所。晓关镇另有万寿宫、武圣宫、川主宫，均建有戏楼。

咸丰城隍庙戏楼，位于咸丰县城北的鼓路坡。建造年代不详，但不会晚于清代。该庙坐北朝南、依山而建。走入庙里，经过戏楼下面的通道，可入正殿。戏楼用16根大木头柱子支撑。戏台宽6米余，深近8米。左右两边有耳楼。两侧有看楼座。台下有20级石阶，长约10余米，是观戏之所。据悉，咸丰县的天元班、连升班，来凤县的双庆班，湖南龙山的同庆班，湖南桑植的新华班，曾到此演出。戏台横梁刻有《教子》《四郎探母》《描容起程》《庄子试妻》图案。

明清时期，宗族获得了长足发展。修建宗祠是宗族力量的显现，也是身份标识。在一些宗祠之中，也修建了戏台。例如，吴氏祠戏楼，位于黄安（今红安县）八里湾铺。戏台横梁有"吴氏六世祖趾公后裔同建，光绪壬寅四月"的字样。戏楼与议事厅相对，中间为观众席，可容五六百人听戏。空高3米余，宽近6米，深5米余。两侧耳楼与左右看楼联通。看楼装饰三国演义中的戏曲人物。值得注意的是，戏台前面的压板上有浮雕"武汉三镇图"，有上武昌城、黄鹤楼、汉口码头、汉口西洋楼房、江边帆船、轮船等。据此推测，吴氏家人可能与武汉地区有某种亲缘、商贸、文化等方面的关联。又如，余家祠戏台，位于兴国州（今阳新县）境内。始建于清同治九年（1870年）。两侧有看台，可容千余观众。

大规模移民浪潮的出现，是明清时期长江流域社会变迁的重要特征。"江西填湖广"运动带来的不仅是大量的人口，也有商人、会馆和戏曲。江西商人在湖北许多地方都建有江西会馆，这些会馆大多附设戏台。例如，牛首江西会馆戏楼，位于襄阳县城西汉水北岸之牛首镇，不知道始建于何时。明清时期的牛首镇，乃襄阳地区最繁华的商业集散地，各路戏班纷纷来此演出。

又如，盛康江西会馆戏楼，位于谷城县西南盛康镇江西会馆内，建造年代不详。戏楼是双层歇山式砖木结构，高9米余，宽6米余，深近10米，与正殿相对。两侧有耳楼，墙上刻有"江西"二字。正殿横梁题有"乾隆……""江西……"，字迹模糊。

樊城抚州会馆戏楼，位于樊城沿江中路的抚州会馆遗址。这座会馆是江西临川商人所设，坐北朝南。现存清嘉庆七年（1802年）的《奉宪永禁》碑，碑文记述抚州会馆及戏楼建于嘉庆之前，具体时间不详。戏楼为飞檐斗拱塔式砖木结构，有“峙若拟岘”匾额。分前台、后台：前台基高2米，空高近3米，宽9米余，深近5米；后台空高、宽与前台相同，近3米。

白桑红庙戏楼，位于郧县白桑区原柏营大队，与红庙相对，故有此名。建造年代不详。该戏楼砖木结构，歇山式飞檐，空高3米，宽5米，深近4米。

与江西商人相比，山西商人（晋商）势力更大，山陕会馆遍布全国。明清时期，湖北最大的戏台应该是位于汉口汉正街循礼坊夹街之后的山陕西会馆戏台。汉口山陕会馆始建于清康熙二十二年（1683年），咸丰年间毁于太平军战事，同治九年（1870年）复建，光绪二十一年（1895年）告竣，前后施工长达25年，工程浩大，华美无双。后毁于侵华日军之手。明清时期，晋商位居全国十大商帮之前列，富可敌国。晋商在全国各地建有许多山陕会馆，汉口山陕会馆是规模最大的一个。曾几何时，汉口山陕会馆有7座戏台，分别位于正殿前、正殿两侧，以及财神殿前、天后殿前、七圣殿前、文昌殿前。财神殿另建有戏台房。这些戏台有匾额18块，楹联9副。最盛时，会戏于每日中午12点开场，散戏于每日下午四五点开场，甚至数台戏同时演出。

在那些偏远之地，民众听戏的热情同样高涨。例如，卯洞许真君庙戏楼，位于鄂西来凤县卯洞镇许真君庙内。该庙又名万寿宫，即江西会馆之别称。它是江西商人于清乾隆二十年（1755年）构筑，嘉庆二十一年（1816年）重建。戏楼空高3米余，宽5米余，深5米余，与正殿相对。由于卯洞是湘、鄂、川三省交界的地区，酉水与洞庭湖相通，因此湖南常德、津市的艺人常来此演出。湖北本地的南剧戏班也在此演唱《东吴招亲》《金牌》等连台戏。除了许真君庙，尚有禹王宫、三王宫、三里宫，均有戏台附属其中。

从遗存的老戏台中，人们可以看到许多当年戏班艺人在演出间隙留下的题壁，其中蕴藏着不少有价值的历史信息。牛首江西会馆，尚存大量戏班题壁，如“乾隆四十年得胜班”“乾隆四十六年润（闰）五月初五日一乐也永盛班”“六合班众人”“襄邑全盛班”“魁盛班”“愈庆班”“玉林班”“荣春班”“光绪廿三年六月郧邑三合班”等。

石牌关帝庙戏楼，留存若干戏班题壁，如“嘉庆八年金翠班”“嘉庆九年湖南长（常）德府武陵县泰瑞班”“道光二年六月廿四日永泰班”“道光十二年七月十二日洪福班”“咸丰六年协成班”“咸丰六年太和班”“同治六年襄阳洪兴班”“光绪四年三月十三日连生班”“光绪廿四年三月十三日继泰班”“光绪三十三年郢南高升班”“光绪三十四年洪兴班”“光绪三十四年鸿泰班”等，表明这里的戏曲文脉传承不辍。尤其是，清代咸丰年间石牌镇开办汉调科班。汉剧四旦李彩云的师傅李四喜、傅心一的父亲傅友才等，均在此接受专业训练、满师出科。

解家河天齐庙戏台后台墙壁上留有若干题记，如“光纪台嘉庆二八”“□班友于道光二年已故”“初三日反楚国”“河南泌阳县大二黄同乐班”“天津殷苏仙三生双合班”“汪小生东岳班在随州”“河南唐谷□□□长盛班罗戏老少江湖□□”等，表明曾有来自天津、河南等地的戏班在此登场。

白桑红庙戏楼后台留有清代戏班题壁，如“大清光绪三十年二月众乐班，浙江县司令任泰升戏主，老少江湖七十二名。夜戏《对罗衫》《湘江会》《祭风台》《花田错》”，可见这是来自浙江的戏班，班主是任泰，有艺人 72 名，是个大戏班。又如“同议班在此一乐也，明斗、明堂、明周、明岗、明同、明敌、明寿、明生、明先、明江、明荣、明梅、明花、明居、明醉、明择、明连、明武、明玉”，这些应为艺人之名。在左边墙上画有脸谱、刀剑、旗帜，上书“光绪十年郧西德胜班”等文字。

盛康江西会馆戏楼也有戏班题壁，如“谷城聚成班　一本玉伟（虎）坠　二本祭凤（风）台　三本三义□　四本□□□　五本七星灯　六本鱼藏剑　道光捌年拾月廿一日立”，这是清代道光年间本地戏班的剧目目录。又如，“郧阳三盛班　道光一年四月初一日在此一乐也”；“四

川集玉班 道光六年三月十七日提（题）”；“光绪二十六年三合班”；“房县道光四年伍月廿伍日泰和班”，以及“淅邑同顺班”“全太班”“象（众）乐班”“隆泰班”“泉乐班”“湖北长春班”等，说明曾有众多戏班到此演出。

青苔东岳庙戏台残留若干戏班题壁，如“光绪同兴班南漳杨长发”“古申六合班”等。其中，最有价值者是这样一副题壁：“豫宛小郡贾保宽同庆班：一抹（末）□□□、二净□□□、三生罗德昌、四旦王明鸷、五丑张金渌、六外许国保、七小高店林、八铁（贴）张富生、九夫张彩禄、十杂彭富奎、打鼓王又棠、上手尹形文。”[①] 从这里，我们得以了解来自河南的同庆班的班主是谁，以及各类角色的艺人名单。这是一份极为珍贵的戏曲史资料。

① 关于湖北老戏台的叙述，参见中国戏曲志编辑委员会、《中国戏曲志·湖北卷》编辑委员会：《中国戏曲志·湖北卷》，文化艺术出版社1993年版，第453—460页。

第六章　科学与技艺

科学技术史是人类文明史的有机组成部分，它是现代学者撰写文化通史不可遗漏的内容。在不同的历史时期，湖北在科学技术方面都有突出表现。从现有文献看，明清时期的湖北文化呈现全方位扩展的态势，其中包括在科学技术领域取得了一系列的成果，有的成果不仅在国内首屈一指，而且在世界上名列前茅。除了李时珍等杰出人物在医药学、数学、天文学、生物学方面取得突出成就之外，这一时期的湖北在农田水利、建筑工程、工艺美术等领域也有相当不俗的表现，能够大体反映本地区在科学与技艺上的历史水平。

第一节　术业有专攻

具体而言，在科学技术领域，明清湖北的亮点是涌现了若干重量级的人物。除了医学家李时珍等“鄂东名医”，明清时期的湖北在科学技术领域还有若干值得书写的地方，包括数学、天文学和生物学。在此，重点论述湖北籍的4位科学家，他们是数学家李潢、天文学家刘湘煃、生物学家陈大章和李元。

一、李时珍及其《本草纲目》

纵观明清湖北的科学技术领域，最令人瞩目的成就无疑是医学家李时珍撰写的巨著《本草纲目》。李时珍是明代最伟大的医学家，与扁鹊（春秋战国）、华佗（东汉）、张仲景（东汉）合称中国古代四大名医。

李时珍（1518—1593），字东璧，自号濒湖山人，蕲州（今湖北蕲春）人。关于李时珍的生卒年，学界尚有争议，这里采纳的是较为流行的说法。李时珍出生于医生世家，这或许是他以医学为终身职业的最大原因，另一个原因恐怕是他多次参加科举而不中。李时珍的祖父是铃医。所谓铃医，就是民间懂医术之人，又叫走方郎中、走乡医、串医、走乡药郎等，通常的形象是背着药箱，手摇铃铛，行走于江湖之上。李时珍的父亲李言闻。李言闻，生卒年不详，字子郁，号月池，曾任太医院吏目，是当地的名医，著有《四诊发明》《蕲艾传》《人参传》《痘疹证治》《医学八脉注》等医书，对第二子李时珍的人生道路有直接影响。

因为系医家的后代，所以李时珍很小便跟随父亲采集药材，对医药之道有切身体验。每当父亲为别人看病时，李时珍在一旁观察、学习。日积月累，李时珍在年轻的时候便成为当地的名医。武昌的楚藩王曾邀请李时珍担任藩府的医生，后举荐其到南京的太医院供职。这两段为官的经历都很短。李时珍不谙官场套路，也讨厌官场习气，坚决辞官不做，回到家乡从事自己喜爱的医学事业。不过，在藩王府和太医院的时候，李时珍有机会阅读大量医书，看到了更多的医学标本，增长了见识，这对他日后撰写《本草纲目》有很大帮助。辞官回家之后，李时珍在蕲州新筑一座命名为“红花园”的房屋，成为他从事医学研究的固定居所。《本草纲目》的写作便是在此完成的。书稿写成后，李时珍的三个儿子（建中、建元、建木）、两个孙子（树宗、树声）都参加了校对和图例绘制工作，他的弟子庞宪（号鹿门）也参与其中。由于多种原因，《本草纲目》在李时珍生前并未正式刊行。除此之外，李时珍还撰写了众多医书，如《濒湖脉学》《濒湖医案》《濒湖集简方》《奇经八脉考》《五脏图论》《三焦客难》《命门考》等，但大多亡佚，殊为可惜。

李时珍去世后，就葬在“红花园”的近旁，守护着案几上《本草纲目》散发出的那一缕墨香。清代学者曾为之写传。[①] 在这篇传稿中，非常清楚地点明了李时珍写作《本草纲目》的缘由。一言以蔽之，就是前

① （清）顾景星：《白茅堂集》卷三十八《传·李时珍传》。

代的医书有太多的错误，需要正本清源，拿出一部分类准确、定性恰当的实用性医书。

诚如《明史》所说："品类既烦，名称多杂，或一物而析为二三，或二物而混为一品，时珍病之。"[①] 他在遗书中恳请皇上重视此事，"特诏儒臣补著，成昭代之典"。从这里不难看出，李时珍对自己呕心沥血完成的著作是有很高期许的，换言之，是颇为自信的。因为，这样一部巨著，是建立在长年累月精心钻研的基础之上的，是建立在广泛考察的社会实践基础之上的，是建立在家学深厚且有丰富的医疗经验的基础之上的。果不其然，《本草纲目》成为中国医学史上的经典之作。附带提及，当李时珍之子将父亲的遗稿进献朝廷后，得到了万历帝的重视。应该说，正是万历帝敕令《本草纲目》正式刊行，从而流传开来。有意思的是，李时珍年轻时屡试不中，不承想长子李建中考取举人，出任四川蓬溪县知县，自己因之被援例敕封为文林郎。在科举至上的传统时代，这对李时珍而言算是一种安慰吧。

李时珍的写作脉络以《神农本草》为正源，以宋代唐慎微《证类本草》为蓝本，着手修正过去遗留下来的一系列错误之处。他对《证类本草》是持批判态度的，认为它"瑕疵不少"。那么，宋代以降，为什么没有人做这项补正的工作呢？原因较为复杂，至少有三点不容忽略：一是承担这项工作的人，必须是精通医药的专家，一般的学者根本无法着手；二是身为医家，必须对历史文献有相当的了解，对历来的说法进行认真的整理，这需要耗费相当多的时间和精力，不是一般人愿意做的事情；三是要想推陈出新，拿出一部真正超过前人的著作，必须走出书斋，深入民间，寻访名医，探讨医术，实地勘察，搜集标本，获得真切的体认。只有满足这三条，才能完成整理传统医药学的繁重任务。以此观之，李时珍无疑是不二人选。从个人的素养看，李时珍的才、学、识完全符合这项伟大的创新工作。从上述李时珍的遗书看，其抱负之大亦

① 《明史》卷二九九《列传第一百八十七·李时珍》。

令人敬佩。从更高的层次上讲，是历史选择了李时珍，是历史形塑了这一个令后世景仰的李时珍。

在近30年的时光中，李时珍边撰写、边修订，最终得以成稿，惠及千秋万代。这是一部承袭前人劳动成果的医书，这是一部富于创新、全面超越的巨著，近200万字，插图1 126幅，记载药材1 892种，较之从前增加375种。其中，植物类药材分量最大，总计1 095种，超过全书所记药材总数的一半。李时珍将植物类药材分为草部、谷部、菜部、果部、木部等5部。自古以来，植物类药材都是中国传统医学（通称“中医”）的主体，其中“草部”尤为重要，所以中医的药材又概称为“中草药”。此外，《本草纲目》还收录了动物类药物444种，矿物类药物275种。

李时珍的一大贡献，是确立了崭新的药物分类方法，即书名所示“纲目”，形成纲举目张的缜密系统。史载：李时珍“搜罗百氏，访采四方，始于嘉靖壬子，终于万历戊寅，稿凡三易。分为五十二卷，列为一十六部。部各分，凡六十。标名为纲，列事为目”[①]。从大的分类上看，《本草纲目》分为16部，包括水、火、土、金石、草、谷、菜、果、木、服器、虫、鳞、介、禽、兽、人。各部之下，另有分类。如木部，分为香木、乔木、灌木、寓木、苞木、杂木；草部，分为山草、芳草、湿草、毒草、蔓草、水草、石草、苔草、杂草。同一药物，也采取“纲目”结构予以论述，便于人们检索，快速掌握药物之间的关系。例如，“粱”是纲，赤粱米、黄粱米是目。在具体的分类过程中，李时珍按照从微至巨、从贱至贵的原则，强调人为万物之灵，有较为显著的进化论色彩。论者指出：

> 首先他将属于无机物的水、火、土、金石排在最前面，然后将生物中的草、谷、菜、果、木居中，最后才是动物类：虫、鳞、

① （明）李时珍：《本草纲目》卷一上《序例上》。

介、禽、兽、人各部，这就是从微、贱到巨、贵的具体体现，大体上表现了自然界从无机到有机，再进化到生物的客观过程。更有意义的是，在动物类药中，虫、鳞、介、禽、兽、人各部的分类，又大体符合现代关于动物由单细胞至多细胞，由无脊椎动物至脊椎动物的进化观点。在当时被视为神圣动物的龙、凤，李时珍仍然按它们在自然界本身的位置，将它们分别归入鳞、禽部。猩猩则被列入兽中最高级的寓类怪类之中，人则被作为万物之灵放在最末。正如现代研究者所指出的那样，以16世纪生物学的水平来衡量，无疑地，它是生物界的杰作，应该说是已具有类似进化论的思想萌芽。李时珍就是我国生物界最早具有这种思想的科学家。①

在李时珍眼中，世界万物的变化有一定的顺序。长久以来，龙一直被当作神圣之动物，拥有翻云覆雨、撼动天地的神奇能量，是天子的象征，皇帝的官服称为龙袍，足见其地位十分显赫。然而，这种世俗之见并未影响李时珍的物种排列。龙被列入鳞部，比龙的等级要低的凤却被列入鳞部之后的禽部，而猩猩，更被置于禽部之后的兽部中的最高一级，“可见李时珍心目中的‘贵贱’是指进化上的高低而言”。② 在李时珍这里，科学就是良知。

按照物种之不同，设置条目，是李时珍的创见。针对不同种类的药材，李时珍都开列释名、集解、正误、修治、气味、主治、发明、附方等项，介绍药物的别名、产地、加工、功能、方剂，一目了然，非常实用。对这种纲目体的写作方式，时人给予高度评价：“予开卷细玩，每药标正名为纲，附释名为目。正始也，次以集解，辩疑正误，详其土产、形状也；次以气味、主治、附方，著其体用也。上自坟典，下及传

① 卢嘉锡总主编，金秋鹏主编：《中国科学技术史·人物卷》，科学出版社1998年版，第542页。

② 卢嘉锡总主编，席泽宗主编：《中国科学技术史·科学思想卷》，科学出版社2001年版，第458页。

奇，凡有相关，靡不备采。如入金谷之园，种名夺目；如登龙君之宫，宝藏悉陈；如对冰壶玉鉴，毛发可指数也。博而不繁，详而有要，综核究竟，直窥渊海。”[①] 论者在谈论中国古代科技典籍分类体系时，提及《本草纲目》等著作，并总结道：“中国古代知识分类的特征是一种人本位模式，即以事物相对于人的关系作为区分的主要依据。因而它具有极强的伦理性（把人的信仰伦理观念外在地同某些事物联系起来）、直观性（以事物外在的，可以被人所直接感知的形态作为区分的依据）、功用性（按事物对于人的功用来区分）、非结构性（不反映事物间逻辑关系）。典籍分类便是最好的反映。”[②]

尤其是该书辑录的药方，多达 11 096 种，其中 8 000 余种是李时珍自己拟定的。令人称奇的是，许多方子今天仍有效用。例如，活血化瘀的药物——三七，便是李时珍发现并记载下来，至今仍在使用。又如，李时珍最早论述了用冰块外敷退热的方法，讲求中医的辨证方法，“伤寒阳毒，热盛昏迷者，以冰一块，置于膻中，良。亦解烧酒毒”[③]。论者指出：李时珍在《本草纲目》中“经常阐发临床用药经验，并进而推导药物生效的机理”；“李时珍通过论药，经常表达他的某些医学见解。他对一些疾病的认识已达到了相当精确的程度，如一氧化碳中毒、寄生虫病患者的癖嗜等。对某些医学上有争议的问题，如脾、三焦、命门、脑等，李时珍也都表达了他个人独特的见解。他认为脾就是胰脏，又提出了肾间命门说，认为命门和三焦是一体一用的关系。李时珍提出的‘脑为元神之府’，表明中医对脑子与思维关系的认识有了新的进展”。[④] 又如，李时珍对鹅肉性凉的说法不以为然，他分析其药理，指出：“藏

① （明）王世贞：《〈本草纲目〉序》，康熙《湖广通志》卷一〇二《艺文志·序》。

② 卢嘉锡总主编，席泽宗主编：《中国科学技术史·科学思想卷》，科学出版社 2001 年版，第 412 页。

③ （明）李时珍：《本草纲目》卷五《水之一（天水类一十三种）·夏冰》。

④ 卢嘉锡总主编，廖育群、傅芳、郑金生著：《中国科学技术史·医学卷》，科学出版社 1998 年版，第 401 页。

器曰：苍鹅食虫，主射工毒，为良。白鹅不食虫，止渴为胜。时珍曰：鹅气味俱厚，发风发疮莫此为甚，火熏者尤毒。曾目击其害。而本草谓其性凉，利五脏。韩懋医通谓其疏风，岂其然哉！又葛洪肘后方云：人家养白鹅，白鸭可辟食射工，则谓白鹅不食虫不发病之说亦非矣，但比苍鹅薄乎云耳。若夫止渴，凡发胃气者皆能生津，岂独止渴者便曰性凉乎？参苓、白术散乃治渴要药，何尝寒凉？”[①]不拘泥于成见，勇于提出新说，显示了李时珍对于科学的认真态度。

作为后世了解中国医药学的权威性指南之书，《本草纲目》当之无愧。出于尊重前人研究成果的学术道德，李时珍在该书的最前面开列了一份参考书目，名为“历代诸家本草”，计有《神农本草经》《名医别录》《吴氏本草》《唐本草》等，共计41种，这是李时珍写作《本草纲目》的主要参考文献。

除此之外，李时珍还参考了其他文献，概有三类：其一，“引据古今医家书目”。他声称：“自陶弘景以下唐宋诸本草，引用医书凡八十四家，而唐慎微居多。时珍今所引，除旧本外，凡二百七十六家。”其中计有《黄帝素问》《唐玄宗开元广济方》等。其二，“引据古今经史百家书目”，他指出：“自陶弘景唐宋以下所引用者，凡一百五十一家。时珍所引用得，除旧本外，凡四百四十家。”其中计有《易经注疏》《诗经注疏》《史记》《汉书》《唐小说》《三苏文集》等，正史稗文、笔记小说，无所不包，视野宏阔。其三，“采集诸家本草药品总数”，[②]一一详细列出，不掠人美，显现了恪守规范、品性淳良的学者本色。如此详尽的参考文献（多达800余种），不仅反映了李时珍严谨的态度、渊博的学识和高尚的人品，而且为后世勾勒了一条中国医药学的学术脉络，为中医确立了基本的知识框架，指明了未来的发展方向。

需要强调的是，李时珍是一位知行合一的医学家，他特别重视社

① （明）李时珍：《本草纲目》卷四十七《禽之一（水禽类二十三种）·鹅》。

② （明）李时珍：《本草纲目》卷一上《序例上》。

会实践的作用，擅长将书本知识与亲身体验相互比对，以事实验证各种关于药物的说辞，从不轻信前人之论，体现了一位科学家所具有的求真务实的本质特性。论者称，李时珍在写作《本草纲目》的过程中，批判“长生久视”“辟邪”之类的胡言乱语，揭露“羽化登仙”“仙方”“神药”的骗人面纱，充满朴素的无神论思想。与此同时，李时珍的自然哲学观也有着明显的唯物主义倾向，例如他强调万物化生本于元气，认为世间的所有变化不离阴阳，宇宙造化符合五行相生相克之原则，谈论医道离不开天人合一。① 这一切，都与中医强调辨证、系统的方法论有关。

此外，李时珍之父与蕲州儒士顾问（字日岩）相交甚深，李时珍遂拜顾问为师，这对李时珍熟谙理学之道颇有影响。他在《本草纲目·凡例》中说：“唐宋本所无，金元、我明诸医所用者，增入三十九种，时珍续补三百七十四种。虽曰医家药品，其考释性理，实吾儒格物之学，可裨尔雅、诗疏之缺。”这表明，宋明理学提倡的“格物”方法论对李时珍有深刻影响。讲求实际、不喜空谈，是李时珍的一贯作风。对此，明代学者王世贞洞若观火：“兹岂仅以医书觏哉，实性理之精微，格物之通典，帝王之秘箓，臣民之重宝也。”② 王氏之评价，已明确指出《本草纲目》不是一般意义上的医书，而是贯穿理学思想、经世致用的重要典籍，具有超出医学范畴的文化史价值。

兹举两例以证之：其一，在生物学方面，李时珍“指出了环境对生物的影响和生物对于环境的适应以及遗传与相关变异的现象等”；其二，在化学方面，李时珍“叙述了从马齿苋中提取汞，从五倍子中制取没食子酸，以及用蒸馏、蒸发、升华、重结晶、风化、沉淀、干燥和烧灼方法制药等”。③ 李约瑟也充分肯定《本草纲目》具有多学科的价值，赞叹“李时珍在和伽利略—维萨留斯的科学运动完全隔离的情况下，能

① 唐明邦：《李时珍评传》，南京大学出版社 1991 年版，第 258—316 页。

② （明）王世贞：《〈本草纲目〉序》，康熙《湖广通志》卷一〇二《艺文志·序》。

③ 卢嘉锡总主编，杜石然主编：《中国科学技术史·通史卷》，科学出版社 2003 年版，第 765 页。

在科学上获得如此辉煌的成就，这对任何人来说都是难能可贵的。……李时珍非常出色地讨论了蒸馏法及其历史、预防天花的牛痘接种、水银、碘、高岭土和其他物质在治疗中的用途等等”，称赞该书是“明代最伟大的科学成就”。[①]

坚持长年行医，亲自诊断病患，也是李时珍注重实践的具体表现。据文献记载，他医术高明，有着丰富的治疗经验。仅举两例：其一，“李时珍治宗室富顺王孙，嗜灯花，但闻其气，即哭索不已。诊之，曰：此癖也。以杀虫治癖之药丸，服一料而愈”；[②]其二，这件事传到了楚藩王那里，“楚王闻之，聘为奉祠，掌良医所事。世子暴厥，立活之”[③]。

尽管是皇皇巨制，也难免存在这样或那样的缺憾。《本草纲目》亦有若干错漏的地方。以故，后世学者纷纷对这部名著进行补充或修正。例如，清乾隆三十年（1765年），药物学家赵学敏撰写《本草纲目拾遗》10卷，更正《本草纲目》错误之处多达三十余条，表明作者有高超的辨药才能。以发展的眼光看问题，是赵学敏追求真理、敢挑权威毛病的出发点。他在《本草纲目拾遗·小序》中声称：“夫濒湖之书（《本草纲目》——引者）诚博矣！然物生既久，则种类愈繁。俗尚好奇，则珍尤毕集。故丁藤陈药，不见本经。吉利寄奴，惟传后代。禽虫大备于思邈，汤液复补于海藏。非有继者，谁能宏其用也？”

与赵学敏同时代的另一医家汪君怀，曾仿照《本草纲目》的体例，撰写《草药纲目》，在篇幅上几与《本草纲目》相当，可惜早已亡佚。千百年来，中国的传统医学就是在李时珍、赵学敏、汪君怀这样一批热爱医学且医术高明的医学家手中不断发展壮大的。

---

① （英）李约瑟著，王铃协助，袁翰青、王冰、于佳译：《中国科学技术史》第1卷《导论》，科学出版社、上海古籍出版社1990年版，第151页。按，关于《本草纲目》化学制药的技术分析，参见后德俊《湖北科学技术史稿》，湖北科学技术出版社1991年版，第295—300页。

② （清）魏之琇：《续名医类案》卷四十七《小儿（癖病）》。

③ （清）顾景星：《白茅堂集》卷三十八《传·李时珍传》。

值得注意的是，《本草纲目》刊行后，对其进行整理扩充的人有很多。例如，明末姚可成等人编纂《食物本草》22 卷，就是将《本草纲目》关于食物的记载汇聚在一起，补充一些内容。清代进行这类工作的学者更多。在清代，像上述赵学敏、汪君怀沿着《本草纲目》的学术脉络进行汇编整理或拓展性研究者大有人在，这极大地推进了本草学的发展。[①] 这类书籍深浅不一，有的只是简单摘抄，有的增加内容，有的别有新义。

自明代万历帝谕令刊刻之后，《本草纲目》一而再、再而三地得以刊行，从中获益者何止千万！不唯如此，《本草纲目》通过各种渠道流传到海外，被外国人视为医学珍宝。《本草纲目》传到日本后，被日本医学界奉为圣典。据悉，江户幕府首任征夷大将军德川家康对《本草纲目》十分崇敬。与中国毗邻的亚洲国家，例如朝鲜、越南等国的医药学，在很大程度上也受到了《本草纲目》的影响。清顺治十三年（1656 年），拉丁文版《本草纲目》在维也纳出版。清康熙十五年（1676 年），意大利文版《本草纲目》在米兰出版。清雍正十三年（1735 年），法国神父兼汉学家杜赫德《中华帝国全志》在巴黎出版，《本草纲目》被编入此书。《中华帝国全志》的全称是《中华帝国及其所属鞑靼地区的地理、历史、编年纪、政治和博物》，被誉为法国汉学三大奠基作之一。杜赫德的著作出版后，以英、法、德、俄等多种译本畅行于欧洲，引发巨大轰动。如此大范围的图书发行，自然造成了多方面的影响，例如达尔文在《物种起源》中，曾多次引用《本草纲目》，称其为 16 世纪中国的百科全书。英国现代科技史家李约瑟在研究中国科学技术史之际，亦征引《本草纲目》的资料，高度称赞该书是中国博物学的“无冕之王”。[②] 毫无疑问，李时珍是超越国界的世界文化名人。作为科学家的李

① 卢嘉锡总主编，廖育群、傅芳、郑金生著：《中国科学技术史 · 医学卷》，科学出版社 1998 年版，第 405—406 页。

② 卢嘉锡总主编，金秋鹏主编：《中国科学技术史 · 人物卷》，科学出版社 1998 年版，第 543 页。

时珍，其人其书在医学史、文化史乃至思想史上的价值，永远值得人们铭记在心。

二、鄂东四大名医

李时珍生活的鄂东地区，在明清时期属于教育发达之区，黄州府的进士人数一直居于湖北各府前列。不唯如此，鄂东也是医学发达之区，有所谓“鄂东四大名医”之说。这四大名医除了李时珍，还有庞安时、万全、杨际泰。其中，庞安时是宋代人，在此简述其成就，万全是明代人，杨际泰是清代人。

庞安时（约1042—1099），字安常，自号蕲水道人，蕲水（今湖北浠水）人。此人家世殷饶，且是医学世家。但其行为举止异于常人，年少时放浪形骸，中年幡然醒悟，闭门读书，尤喜钻研医学，涉猎门类相当广泛。其所著《伤寒总病论》无疑是名著，然而此书所论不限于伤寒，也论及内科、儿科、妇科等门类。被冠以“北宋医王”之称。

万全（1499—1582），字密斋，罗田人。万全最擅长的医术领域是妇科、儿科、痘疹。他著有多种医书，包括《万氏女科》《幼科发挥》《痘疹世医心法》等，后汇编为《万密斋医学全书》，洋洋150余万字。

关于妇科，他著有《万氏女科》一书。该书分别五章予以阐发。这五章是《调经章》《崩漏章》《种子章》《胎前章》《产后章》，既有病理学的深入分析，又有详细的治疗方法。他针对不同的妇科症状，开列不同的方剂，常有药到病除的神效。如芩连、栀柏，清经之药也。丁桂、姜附，温经之药也。参术、归茯，补虚之药也。川芎、香附、青皮、元胡，行滞之药也。牡蛎、赤石、脂棕榈、仄柏叶，固滑之药也。升麻、柴胡、荆芥、白芷，升举之药也。随其症而用之，鲜有不效者矣。妇人经候不调有三，一曰脾胃虚弱，二曰冲任损伤，三曰脂痰凝塞。治病之工，不可不慎。在“不及期而经先行”条目下，万全列举了6种情形。[①]

对症下药，辨证治疗，无论中医、西医，均视为重要方法论。中医尤其注重由表及里，系统考察，调理气血，颐养身心，此为西医所不及。万全的妇科之道，充分体现了中医的神奇和魅力。

万全亦是著名的儿科专家，他配制的“万氏牛黄清心丸”，是治疗小儿惊风的良药。他著有《幼科发挥》，论及胎疾、脐风、变蒸、幼疾、五脏主病、肝经主病、肝所生病、心经主病、心所生病、脾经主病、脾所生病、肺脏主病、肺所生病、肾脏主病、肾所生病，体现了完整的医疗理念，充满中医特有的辩证法思想。[②]

关键在于，万全不仅有自己的一套医学理论，而且有丰富的治疗经验。尤其是，万全在治疗痘病方面颇有办法。史载：万全“业幼科，尤精痘疹。隆庆间，著有《痘疹心法》十二卷行世。议论切当，幼科家尊信之，其书盛行于世”[③]。他曾记载自己亲历的多则医案，反复验证处方正误的不同结果。[④]

在《痘疹世医心法》一书中，万全记录了大量的医案，殊为珍贵。中医强调望、闻、问、切，其中观察病人的形状（望）十分重要。万全治痘，便强调运用“望”的方法。[⑤]尤其是，他将自己的从医经验，以及前人的应验方法，简化为许多四句一首的诗歌，以便人们记诵及运用。可见，那些医道不通、医理不明、医术不精之人，虽然名义上是从医者，但却不得病患要领，其结果必然延误治疗、加重病情，害人又害己。此外，从其诗赋的写作，亦可看出万全拥有很高的文学才华。何止于此？万全虽为医家，但对经史子集诸学均有涉猎，学养浓厚，以故地

① 参见（明）万全：《万氏女科》之《调经章》。药方仅供学术研究，不是用药指南。

② 参见（明）万全：《幼科发挥》卷上《胎疾》。

③ （清）王宏翰：《古今医史》之《续增明·万全》。

④ 参见（明）万全：《痘疹世医心法》之《世医心法卷二·发热证治歌括（凡一十九首）》和（明）万全：《痘疹世医心法》之《世医心法卷二·发热证治歌括（凡二十二首）》。

⑤ 参见（明）万全：《痘疹世医心法》之《世医心法卷一·痘疮节要总括论》。

方官府赐予“儒医”之匾。

不可遗漏的是，万全还是一位养生专家。他著有《养生四要》，提出完整的养生理论：“养生之法有四：曰寡欲，曰慎动，曰法时，曰却疾。夫寡欲者，谓坚忍其性也。慎动者，谓保定其气也。法时者，谓和于阴阳也。却疾者，谓慎于医药也。坚忍其性，则不坏其根矣。保定其气，则不疲其枝矣。和于阴阳，则不犯其邪矣。慎于医药，则不遇其毒矣。养生之要，何以加于此哉！”[①]针对人们诸多不健康的生活习惯，万全强调必须予以纠正，以免疾病缠身。例如，饮食没有节制，喝酒没有节制。[②]

因为品性端方、医术高明，万全被时人目为“神医”，清康熙帝尊称其为“医圣”。清代医家对其极为崇拜，域外的朝鲜、日本、越南等国的医学界也赞许有加。《万密斋医学全书》收入《古今图书集成》，其所著医书多被收入《四库全书》，影响深远。

杨际泰（1780—1850），别名杨济泰，字平阶，广济（今湖北武穴）人。地方文献称杨际泰为“诸生”，没有说明其功名，似可反映他没有考中举人，但强调他“精于医”。[③]鄂东素有医学传统，许多家庭都有从医背景。与“鄂东四大名医”的其他几位一样，杨际泰也是世医之家出身，有家学积淀。他从小尾随在父亲左右，学习相关的医药知识。稍长，在父亲的督导下，专心研读大批医书。功夫不负有心人，杨际泰擅长将书本知识与从医实践结合下来，不断总结经验教训，最终成为一代名医。他精通内科、外科、妇科、儿科，几乎是传统医学领域的全才。

杨氏将医疗心得写入《医学述要》一书，多达数十万言。该书于清道光十六年（1836年）刊行于世，广受好评。这本书不仅具有很强的实用性，而且富于理论创新，诸如“医学四诊”“医门八法”、脉象理论

① （明）万全：《万氏家传养生四要》卷一。

② （明）万全：《万氏家传养生四要》卷一。

③ 同治《广济县志》卷八《人物志·方技》。

等，均对中医有重要贡献。杨氏晚年，鸦片烟患在湖北盛行开来，造成严重的社会恶果。身为医家，杨际泰悲愤交加，决意研究断绝吸食鸦片烟瘾的药方。他起草《告乡民书》，点明吸食鸦片有“四耗”“十害”。“四耗”，指耗神、耗精、耗气、耗血。“十害”，包括损精神、耗脂血、废正气、耗钱财、伤性命、增丑态、坏名声、于刑禁、泄机密、入膏肓。据悉，为了研制戒毒药方，杨际泰曾到通商口岸汉口进行考察。后来，杨际泰的戒毒药方解救了许多的“瘾君子”，发挥了良好的社会作用。从这一角度讲，杨际泰是近代中国戒毒事业的开拓者之一。

除了“鄂东四大名医”，湖北还有其他著名的医家，兹不赘述。仅附录明末清初在汉口起步的叶开泰药店，以备参考。叶开泰药店的创始人名叫叶文机，是安徽人。明末，他随父从安徽逃难到湖北，最后在汉口落脚。父亲敦谙医术，遂靠行医为生。父亲去世后，叶文机购置了汉口大夹街的一处房产，以“叶开泰”的名义营业。据悉，这是父亲生前所愿，取“叶氏药铺开张，意在国泰民安”之意。

明崇祯十年（1637 年），叶文机在汉口鲍家巷开设叶开泰药室，应诊兼售药。入清以后，叶开泰稳步发展，成为闻名遐迩的药店。其经营理念是“修合虽无人见，存心自有天知”，以诚信为本，以质量取胜，从不坑蒙顾客。它自制的数百种中药，货真价实，深受民众喜爱，以至民间有“叶开泰的药——吃死人都是好的”“叶开泰——药（要）面子”的赞誉。

需要说明的是，清代的汉口是天下名镇，各路商帮汇聚，药材行是势力较大的商帮。乾隆十年（1745 年），湖北巡抚晏斯盛在《请设商社疏》中指出：“查该镇盐、当、米、木、花布、药材六行最大，各省会馆亦多，商有商总，客有客长，皆能经理各行各省之事。请令盐、当、米、木、花布、药材六行及各省会馆，随力之大小，各建义仓，积谷米数万石，存贮汉镇。”[①] 在后来的清代汉口竹枝词中，药材行也被列入

---

① 晏斯盛：《请设商社疏》，贺长龄辑《清经世文编》卷四十《户政十五 · 仓储下》。

所谓“八大行”之中。因为药商云集，以故在汉口出现了“药帮巷”。这一情形，对于我们了解叶开泰的药业史以及武汉地区名医荟萃颇为关键。

三、数学家李潢

李潢（？—1812），清代著名的数学家，字云门，钟祥人。乾隆三十六年进士。由翰林官至工部左侍郎。博综群书，尤精算学，推步律吕，俱臻微妙。著《九章算术细草图说》九卷，附《海岛算经》一卷，共十卷。[①] 这是李潢最重要的著作，内容共计九大部分，分别是：方田第一（凡三十八问），粟米第二（凡四十六问），衰分第三（凡二十问），少广第四（凡二十四问），商功第五（凡二十八问），均输第六（凡二十八问），盈不足第七（凡二十问），方程第八（凡十八问），勾股第九（凡二十四问）。

李潢的学术脉络上承《九章算术》《海岛算经》两部数学经典。成书于东汉的《九章算术》是中国数学史的扛鼎之作。取名“九章”，是因为它讨论了九大数学问题。唐代科举有“明算科”，要考数学、天文、历法，有相当难度。《九章算术》《海岛算经》都是考试参考书。宋代以降，科举取消明算科，对中国科学技术的发展造成了相当负面的影响。《九章算术》有例题和算法，但缺少释文，以故许多数学家自觉承担起添加注释的工作。其中，《海岛算经》便是三国时代魏国的数学家刘徽的研究成果。该书原本是《刘徽九章算术注》第9卷《勾股章》的扩充，名叫《九章重差图》。唐代刊印时，按第一题“今有望海岛”之句，将书名改为《海岛算经》。刘徽的学术贡献，在于他提出了重差理论，即运用二次、三次、四次测望法。这在测量学上具有界标性的创新意义，超越西方上千年。不过，《海岛算经》后来遗失。直至清代编修《四库全书》，学者戴震将《海岛算经》的文字从《永乐大典》辑出，但

① 《清史稿》卷五一二《列传二百九十三·畴人二·李潢》。

刘氏原图及注释均佚。于是，增补修订的工作再次摆在了清代数学家们的面前。应该说，戴震的辑佚为李潢的研究提供了珍贵文本。

在《九章算术细草图说》的序文中，指出李潢知识渊博，“尤精算学”。在数学领域，李潢对前人提出的立天元一、大衍求一、正负开方等原理均有创发之见。所写专著，“探颐索隐，钩深致远”，是中国数学史上的重要著作。尤其是，李潢认为数学应有图例和释文，以便于知识传播和学术研究。实际上，李潢的这番言论，已超出纯数学范畴，具有宽泛的方法论意义。尤其是，李潢与戴敦元是交谊极深的朋友，两人常在一起切磋学术，恰如史书所称：“与开化戴大司寇简恪公（戴敦元——引者）共究中西之奥，两人皆宗中法，道同志合，交称莫逆。”[①]不幸的是，李潢生前没有见到《九章算术细草图说》的正式刊行。

除了《九章算术细草图说》《海岛算经细草图说》，李潢还著有《缉古算经考注》。《辑古算经》原名《缉古算术》，这是唐代数学家王孝通的著作，被后人列入“算经十书”。这本书将几何问题代数化，首次创立三次多项式方程，遂成名著。鉴于其不可替代的价值，李潢着手进行校释，下了一番深入的考订工夫。对此，史家予以肯定：“唐制，开科取士，独《辑古》四条，限以三年。诚以是书隐奥难通，世所传之长塘鲍氏、曲阜孔氏、罗江李氏各刻本，又悉依汲古阁毛影宋本，只有原术文，而未详其法。且复传写脱误，虽经阳城张氏以天元一术推演细草，但天元一术创自宋元，时人究在王氏后，似非此书本旨。爰本九章古义为之校正，凡其误者纠之，阙者补之，著《考注》二卷，以明斜袤广狭、割截附带、分并虚实之原，务如其术乃止。稿未成，潢殁。后为南丰刘衡授其乡人，以西士开方法增补算草，并附图解，刻于江西省。中喧宾夺主，殊乱其真。裔采取江西刻本，削去图草，仍以原考注刊布。”[②]这本书的刊布，也是在李潢去世之后。

① （清）阮元：《畴人传》卷四十九《国朝·李潢》。

② 《清史稿》卷五一二《列传二百九十三·畴人二·李潢》。

对李潢《缉古算经考注》的创新性，嘉道年间的学者李兆洛给予高度评价。[①]

李潢研究的这几本数学名著，在唐宋以后基本散佚，人们已经无法了解其中的真知灼见。于是，辑校的工作便显得十分迫切，因为它构成了深化相关研究的门径。李潢投身其中，纠偏改错，发前人之未发，终成一代大家，其成就世所瞩目。

四、天文学家刘湘煃

在传统时代，中国的天文学就是天文历算，或叫作天文历法。成书于先秦的《夏小正》，是现存最早的农事历书，是研究中国天文学史的重要文献。它按照十二月的时序，记录先民所观察的天象、气象、物象，体现了观象授时的古老智慧。诚如清代学者所言："《小正》于天象、时制、人、事众物之情无不具纪，洵为一代之巨宪。"[②]中国历史上不同朝代的历算历法，成为后世考察中国天文学进展的坐标。此外，不同时期众多学者的天文学著述，也是研究天文学不可遗漏的文献。时至清代，在中西交汇的历史背景下，中国的天文学又往前推进了一大步。其中，湖北人刘湘煃就是一位著名的天文学家。

因资料缺失，刘湘煃的生卒年不详。据他与梅文鼎的关系推测，应为清康熙、雍正年间的人物。基本的事实是：他是江夏（今湖北武昌）人，字允恭（一称符恭），没有子嗣。[③]此人的行径异于常人：对科举不感兴趣，"喜治历算"，[④]对天文学的爱好几乎达到痴迷程度。为了求得真知，不惜变卖家产，前往外地拜师。史称湘煃。

刘湘煃不远千里去投靠的老师是清代著名学者梅文鼎。[⑤]梅文鼎

① 《清史稿》卷五一二《列传二百九十三·畴人二·李潢》。

② （清）毕沅：《夏小正考注》卷首，《叙》。

③ （清）章学诚：《湖北通志检存稿》卷三《刘湘煃传》。

④ （清）钱林：《文献征存录》卷三《梅文鼎（附刘湘煃）》。

⑤ （清）章学诚：《湖北通志检存稿》卷三《刘湘煃传》。

（1633—1721），字定九，号勿庵，安徽宣城人。梅氏学识渊博，精通天文、历法。[①]

在梅文鼎的指导下，刘湘煃学问大进，“湛思积悟、多所创获”。在天文学领域，刘湘煃的一些见解超过了老师，以至于梅氏感叹“启予者，刘生也”；“教学相长，不虚也”。

刘湘煃的“五星之说”得到老师的称赞，“五星之说”到底是什么呢？对此，清代学者章学诚有更为清晰的记载。他引述刘湘煃的观点：“历法自汉唐以来，五星最疏，故其迟留伏逆，皆入于占。至元郭守敬出，而五星始有推步经度之法，而纬度则犹未备。至于西法，旧亦未有纬度。至地谷，而后始有推步五星纬表，然亦在守敬后矣。今历书所载，有法源法数，并为历法统宗。法源者，七政与交食之历指也；法数者，七政与交食经纬之表也，故历指实为造表之根。今历书所载金水历指，如其法而造表，则与所步之表不合。如其表以推算测天，则又与天密合。是历官虽有表数，而犹未知立表之根也。百年以来，无人觉发。”继而写道：“（刘氏）因著《五星法象编》五卷，以明造表之法，以正历书之误，以补五星之法源，而用表者得知其根。文鼎深契其说，笔为之赞，摘其要语，自为《五星纪要》，今刻于梅氏《历算丛书》。”[②]这表明，关于五星（金星、木星、水星、火星、土星）的系统论述，体现在刘氏《五星法象编》（5卷）之中。对“法原”“法数”的确认，是刘湘煃对天文学的一大贡献。换言之，他确定了金、木、水、火、土五星的位置关系及其经纬度。

刘湘煃在天文学上的另一创见，是提出了“岁轮”说，即金星、水星围绕太阳公转的理论。这便是梅文鼎致友人书信所称：“金水二星，历指所说未彻。得刘生说，而知二星之有岁轮，其理确不可易。”[③]刘

---

① （清）张维屏：《国朝诗人征略》卷三《梅文鼎》。

② （清）章学诚：《湖北通志检存稿》卷三《刘湘煃传》。

③ （清）章学诚：《湖北通志检存稿》卷三《刘湘煃传》。

氏在天文学上的成就，还包括他的一系列研究提高了历法的精确性。史载："湘煃又自以初学必先学步历，而后进于交食。今官步历所用历，草字简略，非熟诣者不能知，况交食乎！夫交食，必已能历算而后可以进推，然亦在知其成法耳。因就康熙五十九年七月朔日食，依时宪法，推《日食算稿》一卷；就康熙五十四年四月望日食，依授时法，推《月食算稿》一卷，以为初学举例，则学历者易于推矣。又欲为浑盖通宪天盘安星之用，以戊辰历元加岁差，用弧三角法，著《恒星经纬表根》一卷及《月离交均表根》《黄白距度表根》各一卷，皆以补新法历书之所未备。"[①] 在中西历法交会的时代，刘氏的历法研究颇有价值。

毋庸置疑，刘湘煃的学术成就主要集中于天文学领域，他是清代最优秀的天文学家之一。但是，他的学识并不局限于此。令人惊叹的是，刘湘煃涉猎广博，在许多学科均有很深的造诣。甚至在书法方面，他也颇有见地，著有《墨池玉牒》，认为："一切书法所论，不过丰神结构，无及人手诀者，于笔法何关？唐以前悉皆口授笔法，故成就甚深。宋元以后无之。此传论笔法，实际发古人手法，以及运神养气之法。"[②] 刘湘煃的聪颖博学，往往被其天文学的光辉所遮蔽。关于其治学领域，史籍有载："天文之外，究及舆地、河漕、食货、兵农、经世要务，皆有著述。"[③]

刘湘煃披阅、点校顾祖禹《读史方舆纪要》和梁份《秦边纪略》后将有关西北地理要籍合编为《秦边纪略异同考》。关于历史研究和历史写作，刘湘煃有精辟见解："天官、地舆、河渠、水利、兵防、刑法、食货之属，一朝损益即有一朝是非。其笔之于书，又有秉笔者用意不同。秉笔者又各视其学力浅深而书之详略，是非乃棼。"

一方面，历史研究要关注国计民生，诸如官制、地理、水利、军

① （清）章学诚：《湖北通志检存稿》卷三《刘湘煃传》。

② （清）章学诚：《湖北通志检存稿》卷三《刘湘煃传》。

③ （清）章学诚：《湖北通志检存稿》卷三《刘湘煃传》。

事、法律、经济等事项，都应该成为史学之课题，它们是考察王朝兴衰的关键所在；另一方面，写史之人各不相同，体现在写作初衷、学术修养等方面，对事物的评判也大相径庭，需要读史者明辨。鉴于此，他撰写《廿一史历志沿关》50卷，以表达自己的史学主张。不难看出，刘湘煃对史学有浓厚兴趣，而且有多方面的研究。在传统时代，农学既是经邦济世之学，又是科学技术之属，以故引起了刘湘煃的重视，认为“颇切民用”。他把王祯、徐光启、袁黄三人的农学著作加以校订，取其精要，合订为1册3卷，体现了注重实学的治学风格。这也是“乾嘉学派”所倡导的学术范式。

由于刘湘煃的治学领域极为宽泛，加之勤于思考、勤于动笔、勤于行动，所以撰写了大量的论著，既有学术专论，也有经世策论。从刘氏《学稼堂存稿》目录看，其生前撰写了数十种著作及文章，分为7大类：

天学部：除了上述关于日食、月食、恒星、月离、黄白、五星的著述外，另有《天时地理各直省北极出地图说》1卷、《答全椒吴荀叔历算十问书》1卷、《论历象之学学者所宜深讨》1篇、《论历学古疏今密》2篇、《天雨豆札子》1篇。

地舆部：除了上述关于地理沿革、顾祖禹《方舆纪要》的论著外，另有《地理要说》1卷、《论历代都会各有所取之故》1卷、《甘凉事宜》1卷、《论地理之学起于三代以前》1篇、《论地理之学不当泥于术数》1篇、《与唐太史黄学博论辨地理从始轻重书》1篇。

水利部：除了上述关于江浦、黄河、农政诸书，另有《凤庐水利》《与靳河督所议各有不同》合共一卷，《上元水利》（有图）、《上元城内沟洫考》合共一卷，《楚北水患源流》1卷、《复晏大中丞相招论凤颍水利书》1卷、《江源考辨禹贡水经之说》1卷、《苏松水利辨宋元以前之疑》1篇、《灵虹水患说》1篇、《赤山湖图说》1篇（有图）、《论淮黄治法之误》1篇、《代江苏巡抚盐政乞缓浚运河札子》1篇、《楚水一得》1篇（有图）、《解张司马奉督河相国招致书》1篇、《辨宋儒南干龙说之误》1篇。

经史部：除了上述《廿一史历志沿关》一书，另有《禹贡义解》1卷、《禹贡类纂》1卷、《列史甲子图表》1卷、《江南先贤事略》1卷、《拟修江南通志法源》1卷、《会典读法》1卷，以及《六书世臣说》1卷（此六书包括顾炎武《日知录》、方密之《通雅》、王旭庄《历法》、薛仪甫《天学会通》、顾祖禹《方舆纪要》、梅定九《历算丛书》）。

兵防部：除了上述关于徽州、秦边之书，另有《删定治平略》（篇卷未详）、《铜鼓营政略》（又名《答游击问》）1卷、《与黄宗夏论黔粤苗疆形势机宜书》（又名《宗夏幕粤西抚提署五次书问》）1卷。

时务部：除了上述关于河南之策论，另有《三楚隐病书》1卷、《杞怀杂录》4卷、《楚地矿山可资鼓铸之议》1卷、《代淮南乞增根引疏》1篇、《代淮南乞暂开泰坝以济楚豫盐运稿》1篇、《代汉匣乞增匣费》1篇、《论古今田制利民深浅》1篇。

游艺部：《应酬杂作》3卷、《墨池玉牒》2卷、《渔庄录集解》2卷、《欹器图说订》6卷。

不知何故，刘湘煃笔耕不辍的书稿基本上没有留存下来。史载："湘煃死，其遗书无一存者。胡虔曰：历算之学，二百年来江左为盛。吾乡方氏、宣城梅氏所述相继，其道大显。方氏之弟子，有揭子；宣梅氏弟子，为湘煃，皆有撰述。子宣之书著录四库，而湘煃书无传，且不闻楚有为是学者。岂非知之者难，故其书不复宝贵耶？呜呼！是可悲已。"[①]

五、生物学家陈大章、李元

陈大章是湖北黄冈人。关于陈大章的字、号，文献记载有出入。例如，另有史籍称"陈大章，字雨山，湖北黄冈人。康熙二十七年进士，官翰林院庶吉士。有《玉照亭诗钞》"[②]；"陈大章，字雨山，号仲夔，

---

① （清）钱林：《文献征存录》卷三《梅文鼎（附刘湘煃）》。

② （清）张维屏：《国朝诗人征略》卷十五《陈大章》。

康熙进士，官翰林，有《玉照亭诗钞》《輷輷敝帚》等集”[①]。父亲陈肇昌（字扶升，号省斋）到广东做官，担任负责教育事务的督学，陈大章跟随父亲前往广东生活。身为父亲的陈肇昌也不是等闲之辈，他是顺治戊戌科第三甲进士出身，官至顺天府尹，著有《秋蓬诗》《南湖居士集》。

陈肇昌对孩子的教育极为重视，在其督导之下，诸子都很成器。在兄弟中，陈大章排行第二。他爱好读书，对经史、诗歌、古文辞颇感兴趣，常与友人研讨学问。康熙戊辰，即康熙二十七年（1688 年）考取进士。令他始料不及的是，康熙帝对陈氏父子久闻大名，亲自召见陈大章，令他入选翰林院庶吉士，成为当年轰动学界的一大事件（“馆阁盛事”）。同样令康熙帝始料不及的是，陈大章对做官不感兴趣。在京为官不久，他即以母亲年迈为由，辞官而归故里，专心致志于孝敬母亲、著书立说。对此，史籍多有记述：“大章馆选后，即乞归养母”；[②]“雨山入词馆，即乞归养母”。[③]

无官一身轻，摆脱了公门琐事的陈大章倾注全副精力研究学问，对《诗经》中提及的物种进行深入分析，完成了多达百卷的《诗传名物辑览》。在此基础上，陈大章撮其精要，删节成《诗传名物集览》12 卷，被公认为生物学史上赫赫有名的经典。[④]因为有这样一部极有分量的著作，陈大章成为闻名天下的学者，在两湖地区经学者中的地位首屈一指。[⑤]

民国著名藏书家刘承干为清代《诗经》研究著作的再版撰写序言中既肯定了陈大章的学术贡献，“国朝经师”“亦称翔核”，又批评了其缺

① （清）丁宿章：《湖北诗征传略》卷十六《黄冈·国朝》。

② （清）丁宿章：《湖北诗征传略》卷十六《黄冈·国朝》。

③ 徐世昌：《晚清簃诗汇》卷四十九《陈大章》。

④ 徐世昌：《晚清簃诗汇》卷四十九《陈大章》。

⑤ （清）阮元：《儒林传稿》卷一《王夫之传（陈大章、刘梦鹏）》。

点，认为他拘泥于朱熹的《诗经集传》，“阂而鲜通”，不能通透。[①] 从学术脉络上看，《诗经》的校释工作属于“乾嘉学派”探讨学问的重点之一。遵循“乾嘉学派”治学路径的清代学者黄本骥在为丁友爱《诗传识名录》作序时[②]，也提到了陈大章《诗传名物集览》，认为“笺释大备”，是可以传之后世的名著。细品之下，发现黄氏言外之意，旨在强调：尽管多位学者在《诗经》生物学价值的挖掘方面做出了很大贡献，但亦有错漏之处，有待进一步完善，这项考订工作来日方长。

陈大章能游走于经史、文辞之间，视野开阔，没有一般考据学者的迂阔之气，诚如时人所谓：“非先生问学兼综百家，其能卓然大成？不予吹毛者之訾议，有如是哉！”[③]

鉴于《诗传名物集览》突出的学术价值，《四库全书》予以收录，时人也给予高度评价：“《诗传名物集览》，陈大章撰。其于毛诗用功颇深，所作《集览》本百卷，凡三易稿而后成此。”[④] 该书“《四库全书》著录。原书本一百卷，此乃其摘录之本。凡鸟四十三则，为二卷；兽七十一则，为二卷；虫二十八则，为一卷；鱼十八则，为一卷；草一百九则，为四卷；木六十九则，为二卷。皆以朱传为宗，次及经传训，故诸史百家即稗官小说亦所不遗而问，附以己意，寻章摘句，条析缕分，可谓搜泽融液，与道大适者矣。惟是征引故实颇近类书，不及姚彦晖《诗识名解》之兼寻文义，推及作诗之意。然核其大致，可取者多，固宜略其芜杂，采其菁英焉”[⑤]。

又称：“此乃其摘录付梓之本。凡鸟二卷，兽二卷，虫豸一卷，鳞介一卷，草四卷，木二卷，盖尤其生平精力所注也。毛诗自陆玑以下，诠释名物者毋虑数十家。此书成之最后，故于诸家之说采辑尤夥。其

① （清）多隆阿：《毛诗多识》卷首，刘承干序。
② 同治《黔阳县志》卷三十四《艺文略·经训》。
③ （清）丁宿章：《湖北诗征传略》卷十六《黄冈·国朝》。
④ （清）张维屏：《国朝诗人征略》卷十五《陈大章》。
⑤ （清）周中孚：《郑堂读书记》卷八《经部五之上·诗类》。

中体例未合者，如释‘鹑之奔奔’，则《庄子》之鹑居、《列子》之性变，以及朱鸟为鹑首、子夏衣若悬鹑之类，无所不引。释‘鸡栖于埘’，则《列子》之木鸡、《吕氏春秋》之鸡跖，《汉官仪》之长鸣鸡，亦无不备载。皆体近类书，深乖说经之旨。又每条首录《集传》大意，以紫阳为主，故如‘鄂不韡韡’，则取岂不光明之义，而驳‘鄂’作‘萼’不作‘跗’之说。为不烦改字，亦过于偏执。至如载宋太宗赐耶律休哥旗鼓勺窊印，则以辽事误作宋事，尤为乖舛。然其征引既众，可资博览，虽精核不足而繁富有余，固未始非读诗者多识之一助也。”[①] 赞扬陈大章“学博卓异”[②]；“所著《诗传名物集览》，多汉儒所未发”[③]；“深于毛诗，所著《诗传名物集览》征引极博”[④]。清人研究《诗经》，谈到杞树，“《小雅》‘南山有杞’，释文引陆玑疏云：其树如樗，一名狗骨”。随即引征李时珍、陈大章之论，“《本草》：猫刺、卫矛，俱名狗骨。李时珍谓：狗骨与冬青相乱。陈大章《诗经名物集览》说：狗骨即今丝棉树”。[⑤] 于此，可以窥见其学术影响力。

当然，对其物种分类也存在商榷之议，“陈大章《名物集览》据通雅以枸榾为猫刺，又以为丝绵树，此等皆不足信”[⑥]。客观而论，陈大章是《诗经》物种分类学研究的大家，在中国生物学史上占有重要一席。

陈大章不仅是研究《诗经》的生物学家，而且是颇有才华的诗人，著有《玉照亭诗集》20卷。其写作水平之高，学界亦有充分肯定，称陈大章“肆力诗、古文辞，才思敏赡，与王西涧齐名，称陈王”[⑦]；“才

---

① （清）永瑢：《四库全书总目》卷十六《经部十六·诗类二》。

② （清）李佐贤：《石泉书屋类稿》卷三《行述行略》。

③ （清）丁宿章：《湖北诗征传略》卷十六《黄冈·国朝》。

④ 民国《当涂县志》之《志余·文存·清》。

⑤ （清）焦循：《毛诗草木鸟兽虫鱼释》卷四《郑风·缁衣第七》。

⑥ （清）胡承珙：《毛诗后笺》卷十七《南有嘉鱼之什》。

⑦ 徐世昌：《晚清簃诗汇》卷四十九《陈大章》。

赡藻速，成一家言，与同里王材任齐名”[①]。

清代湖北人在生物学领域做出不逊于陈大章之成果者，还有著名学者李元。李元，字太初，号浑斋，湖北京山人，其生卒年不详。李元是遗腹子，从小家境凄寒。然而，生活的贫困没有使李元消沉下去，反而激起一股奋发向上的动力。相关文献记载：李元“夜无膏火，则默诵。有遗忘，则爇香炷照之，其苦笃如此”。[②] 功夫不负有心人，李元于乾隆三十六年（1816 年）考取举人。历官四川仁寿、金堂、南充等县知县，一心为民，克勤奉公，颇有政绩。因为身体患病，遂于嘉庆二十一年（1816 年）辞去官职。临时之际，人们发现他没有多少行李，但收藏的图书却多达数万卷。

李元在为官之余，将精力集中于探讨学问。他在四川当知县期间，著有《浑斋七种》，包括《蜀水经》《音切谱》《声韵谱》《寤索》《乍了日程琐记》《通俗八戒》《蠕范》。此外，尚有《春秋君国考》《五礼撮要》《历代甲子纪元表》《西藏志》《葭萌小乘》《往哲心存补编》《日书理学传授表》《检验详说》《拙氏算术缉》《古算术小解》《明文渊海》《吟坛嘉话》等，洋洋大观，其勤勉好学于斯毕见。他另著《易经集解》《阳明年谱考》《浑斋全集》，可惜亡佚不存。终其一生，在学术方面最突出的成就，就是撰写了一部生物学的名著——《蠕范》。

《蠕范》总计 8 卷，在篇章结构上分为 16 门，涵盖理、匹、生、化、体、声、食、居、性、制、材、知、偏、候、名、寿等，是一部不可多得的博物全书。细检《蠕范》，记述鱼、虫、鸟、兽 400 余种，令人叹为观止。清代学者黄汉在撰写《猫苑》一书时，便引征了李元在《蠕范》中的说法。嘉庆《纳溪县志》记述“竹鸡”时，采纳《蠕范》的观点：“《蠕范》云：似鹧鸪而差小，好食白蚁。谚云：家有竹鸡啼，

① （清）丁宿章：《湖北诗征传略》卷十六《黄冈·国朝》。

② 佚名：《清代学人列传·李元》。

白蚁化为泥。”[①] 光绪《兴文县志》亦有类似记载：“竹鸡，鸣呼泥滑滑。《蠕范》云：似鹧鸪而差小，好食白蚁。谚曰；家有竹鸡啼，白蚁化为泥。”[②] 清人丁立中《八千楼书目》《清朝续文献通考》《清史稿》等文献，均辑录此书。

清代学者徐志鼎为《蠕范》作序。在这篇序文中，徐志鼎对《蠕范》之命名进行了词源学的追溯。他对这本书的印象相当不错，他认同别人的看法，即“《蠕范》惟不物于物，乃能物其物，岂非总绝代之离词乎？”这句话的后半截，出自东晋学者郭璞《尔雅·序》“总绝代之离词，辩同实而殊号”，评价相当之高。对李元的学术才能，徐氏也赞不绝口：“太初精博之才，出而为政，于物皆有所济，《蠕范》特格物之一端也。”

面对这样一部恢宏的奇书，多位史家给予了高度评价：“精博奥衍，为空前未有之书。或议其间采纬谶方术语，抑知《淮南》万毕，伊古已然。浑斋学兼汉、宋，并旁通音韵、历算、舆地，凡所甄录，固考古家，不厌其详。要其别择裁断，非无本者所能跂及也。惟后鲜继起，致绝学甫萌芽而遽废绝，为可惜耳。”[③] 史家用“空前未有之书”盖棺定论，对李元的博学多才艳羡不已。[④]

第二节　水利、营造及工艺

为了更加全面地了解历史的真相，我们还要梳理那些在社会经济生活中被民众广泛运用的实用科技。当然，这些实用科技不能简单地冠之以先进的标签。它们或许并不先进，但却是进行生产和维持生活所必需

① 嘉庆《纳溪县志》卷三《疆域志·物产·禽兽之类》。

② 光绪《兴文县志》卷一《舆地志·物产·禽兽之属》。

③ 佚名：《清代学人列传·李元》。

④ 按，史家对李元的博学屡有称赞，祖陈“先生学问赅治，文笔渊雅，著述极富”。（《清代学人列传·李元》）。

的技艺，是人民群众在长期实践中总结出来的经验，有些技艺是历史传承下来的宝贵财富。在此，仅选取农田水利、堤防修筑、相关建筑予以论述。

一、官垸和民垸的修筑

众所周知，水利是农业的命脉。中国自古以来就是一个农业大国，大禹治水的故事典型地表明了中华文明史的农业性格。在传统时代，农田水利发达与否直接关系到农业生产的好坏，甚至王朝命运的安危。曾有学者将基本经济区（水利区）与国运荣枯联系起来，对中国历史的变迁提出了一个水利史的分析框架。[①] 明清时期，中国农业经济稳步发展，尤其是长江中上游区域的经济开发有序推进。在这一过程中，垸田的修筑格外引人注目。

垸田的最早出现不是明清时期，而是宋代以前就已产生。首先辨别一下“垸田”和“圩田”。“垸”，是两湖等长江中游地区在湖泊地带挡水的土堤，用“垸”围起来的农田，叫“垸田”。“圩”，是江淮地区低洼地区防水的土堤，用于御水护田。用“圩”围起来的农田，称为“圩田”。用“垸”“圩”围起来的村落，叫“垸子”“土圩子”“围子”。实际上，“垸”“圩”意思相似，“垸田”“圩田”是近义词，都表示用土堤包围起来的农田，只不过有的是围湖造田的结果，有的是低洼滩地，实际上是带有地域色彩的方言，如同农村小市场，有的称“集”，有的称“（圩）墟”，有的称“市”，有的称“场”。因此，无论垸田、圩田，都可称之为“围田”，都是土地利用的一种方式，也是一种耕作制度和生活形态。

围田之兴，或可上溯先秦时期。就湖北而言，垸田作为水利田的兴起，至迟不晚于13世纪中期的南宋端平、嘉熙年间，“穴口的填塞

① 冀朝鼎著、朱诗鳌译:《中国历史上的基本经济区》，商务印书馆2014年版。

是其兴起的标志”[①]。这是江汉平原开始迈入经济大开发历史进程的重要讯息，到明清时期，随着垸田的普及，江汉平原的经济发展也达到高潮。[②]

明代文献称：“沔居泽中，土惟涂泥，而竟陵、云杜颇多高印之田。民渐芟剔，垦为阡陌。然江溢则没东南，汉溢则没西北，江汉并溢则洞庭、沔湖汇为巨壑，虽尧横流之时、禹未导之日，不是过也。故民田必因地高下，修堤防障之。大者轮广数十里，小者十余里，谓之曰院。如是百余区，其不可堤者悉弃为莱芜，莱芜之地常多于院。”[③]此处之“院”，即“垸”也，取合围之义矣。

清代文献概用“垸”言两湖水利田，例如“民间于田亩周围筑堤，以防水患，其名曰垸。每垸周围二三十里、十余里、三四里不等”[④]；“自京山以下，次潜江，次天门，次沔阳，地形愈洼，众水汇归，南北两岸夹河筑堤。其州县民人纠约邻伴，自行筑堤捍水，保护田庐，谓之曰垸。各垸之田，少者数百亩、千余亩，亦有多至万余亩者”[⑤]。修筑垸堤、开挖垸田，这一工程本身蕴含传统时代的诸多科技成分，因为它涉及勘察地形、组织劳力、设计水闸、测量施工、器材配置、土方运输、堤垸加固、生产效率、居住条件、生活便利程度等问题。

时人称：“泽国多虞。其高原沃壤，无川泽利，亦无荡析患者，县北一隅耳。南历数十里，厥河惟五，郢水自西来。环城而东者，县河也，无甚大患。汉水自西来，贯境而东者襄河。其经流牛蹄，为巨支。通顺（河）旁出狮子，则入口已塞，下流倒漾而进者也。生其间者，各

① 石原、张国雄：《江汉平原的垸田兴起于何时》，《中国历史地理论丛》1988 年第 1 期。

② 参见张国雄：《江汉平原垸田的特征及其在明清时期的发展演变》，《农业考古》1989 年第 1 期；《江汉平原垸田的特征及其在明清时期的发展（续）》，《农业考古》1989 年第 2 期。

③ 嘉靖《沔阳州志》卷八《河防》。

④ （清）汪志伊：《稼门诗钞》卷四《七古·题诗·湖北水利篇》。

⑤ 乾隆《湖北安襄郧道水利集案》卷下，《禀制宪晏各属水利岁修事例》。引见张国雄：《江汉平原垸田的特征及其在明清时期的发展演变》，《农业考古》1989 年第 1 期。

畚筑自固，垸百余，倚堤为命。萃千里洪波，束于狭流，肢分脉绕，仍合一线。不预坚其防，田为沼，民其鱼矣。”[①]其中，既有官垸，也有民垸。恰如乾隆年间湖北巡抚辅德的奏折所称：湖北河汉纵横、湖泊星布，多有堤岸，“内除江夏之金沙洲、荞麦湾、荆门之沙洋、襄阳之老龙等堤，例动生息银岁修，其余俱民自修筑。复于堤内田之四围，各筑小堤一二三尺不等，俗称为垸。经久达部者，谓之部垸，官为经理；未达部者，为民垸。查民垸、部垸，各处毗连。民垸被溃，淹及部垸，且田同一堤，赋属一制，似未便歧视，应概令官为经理”[②]。

实际上，在两湖地区，垸田所在便是水利设施齐全的乡村社区，其内部之结构相当复杂，“至各围垸内出水积水之区，或则有港，或则有塘，或则请建有闸，或则疏通有沟，向系民力岁修。港则设之涵口，塘则立有刓沟，闸则因时启闭，以资蓄泄，以藉灌溉，似可无烦疏浚者也”[③]。这样的水利工程，是今人了解明清时期农业科技水平的重要窗口。

凡事必有正反效应。垸田的普及固然有利于土地利用和农业发展，但其过分膨胀也导致生态系统的破坏，与水争地的后患便是水灾防御功能的衰退。面对扑面而来的洪水，人们只有遭其肆虐，田庐被淹没于汪洋之中，生命及财产损失严重。乾隆年间，曾任湖北巡抚的彭树葵（字觐之，号水南）奏称：“荆襄一带，江湖袤延千余里，一遇异涨，必藉余地容纳。今汉水由大泽口分派入荆，夏秋汛涨。又上承荆门、当阳之水，汇入长湖，下达潜（江）、监（利），弥漫无际。三襄之水，浊而多沙。有力者截流成淤，继且筑堤成垸。人与水争地为利，水必与人争地为害。请饬各州县于冬春之际，亲勘现垸若干，著为定数。此外，禁其

① 乾隆《天门县志》卷六《水利考·堤垸》。

② 陈振痛、熊正文、萧国亮编：《〈清实录〉经济史资料（顺治—嘉庆朝）》之《农业编·贰》，北京大学出版社 2012 年版，第 695 页。

③ 康熙《湖广通志》卷二十一《水利志·长沙府》。

复筑，庶几水患可息。”[①] 这位湖北巡抚“人与水争地为利、水必与人争地为害”的论断，充满历史的辩证法，足以为后世者明鉴。

到清代后期，江汉平原的垸田经济基本上“已进入了停滞状态”。[②] 在此过程中，人们对与水争田导致人地关系的恶化有所觉察，想方设法探索解决之道。垸田情形的恶化，既有盲目扩张的因素，也有工程本身的毛病。清代湖北总督奏称：“楚省江汉经流，湖泽潴汇，百姓多从水中筑垸为田，一有漫溢，遂失生计。……惟汉水自襄阳至汉阳，皆走平原，溢为潜沔，旁无冈阜以为畛域。百姓生齿日繁，圩垸日多。凡蓄水之地，尽成田庐，只留一线江身，两岸筑土堤束之。当筑堤时，不善相度，紧逼水涯，不留尺寸地以予水，故水与堤日相切摩。而所筑之堤，又未夯硪坚实，皆系浮土堆成。累年岁修，因艰于取土，虚应故事，甚至将堤身草皮铲去，以充新土，徒烦民力，无裨实用。是在荆（州）、襄（阳）、安（陆）、汉（阳）诸府，无年不有水患。”[③]

限于篇幅，仅摘录天门垸田修补方案，以收管窥之效。该县总计有3大片堤垸，分别是县河堤垸、襄河堤垸、牛蹄支河堤垸，有垸田数十处。因为盲目开垸，致使水患无穷。时人称：“防下田浸，则湖泄之；旱，则湖溉之。田之良，良以湖。湖不可埂，埂则塗泥壅遏。水闭不行且涸，病在田；水溢不受且泛，病在田。承丈者倪氏享湖之利，渔鱼、取草、蓺莲芡可也，而沼之，而筑之，使需者必纳钱。湖病、田病，因以病民，可乎？夫私征有禁，圈占有禁……”[④] 文中提到的这位倪氏，利欲熏心，盲目围湖垦殖，造成“湖病”“田病”的后果。尽管官方明令禁止私征、圈占，但倪氏之流依然我行我素，私开垸田，给社会经济

① （清）蔡新：《缉斋文集》卷六《墓志铭·光禄大夫总督仓场户部右侍郎水南彭公墓志铭》。

② 参见张国雄：《清代江汉平原水旱灾害的变化与垸田生产的关系》，《中国农史》1990年第3期。

③ 陈振痛、熊正文、萧国亮编：《〈清实录〉经济史资料（顺治—嘉庆朝）》之《农业编·贰》，北京大学出版社2012年版，第693页。

④ 乾隆《天门县志》卷六《水利考·堤垸》。

带来了灾难性影响。为此，人们从技术层面提出了若干修正的方法。[①]只不过事在人为，垸民的自私自利加之监管机制的漏洞，使得这些立意良善的制度安排最终没有付诸实施，成为没有约束力的一纸空文，殊为可叹！

垸田的兴衰映现了历史的二律背反：出于抵御水患而有筑堤兴垸，垸田的极度膨胀又导致水患频仍。于此，后人可总结一条经验教训，即发展经济必须兼顾天、地、人三者的和谐共存，以破坏生态环境为代价的过度开发，最终只会自食其恶果，使经济发展受阻、人民生活维艰、社会秩序紊乱。在此，重温清代湖广总督鄂弥达关于“祛民患”与“从民便”相结合、“寓疏浚于壅筑之中”的见解，十分必要。他曾上书朝廷，阐发自己对于两湖垸田经济的看法。[②]用现代流行语讲，鄂弥达的一番话就是清代两湖农业的科学发展观。

附带提及，明清时期的湖北农田水利，除了垸田的开挖营造，还有堰塘、沟渠的建构。例如，均州，“州南四十里石板滩有堰，灌田数十顷。废圮近百年。万历癸卯，（举人王家业）莅均土，相其宜，重治之。至今水利永赖。刊石于路，曰刺史王公堰”；房县，“稻田灌溉，惟恃塘堰”；远安，“今居民食税衣租，皆赖堰塘。塘离溪河或稍远，则凿沟引笕”；来凤，“前令张董工开凿，为渠三道：一引红崖溪水，灌沙坨坪；一引龙峒桥水，灌桐梓园；正西自伏虎峒导流，牛车坪得溉焉”；光化，“前明时本有大沟小渠，无如淤平，旧址疏浚实难。卑职久客于斯，深悉此害。去秋授篆，首先与绅董筹商，所幸众志相同，一唱百和。富者出财，贫者出力，当于十月开挖，各团首分段监视。卑职不时督催，浩大工程三月告竣”。[③]像这样的规模不等的水利工程，遍及湖北各地。大体上，陂塘工程是丘陵山地较为常见的水利设施，以地表

① 乾隆《天门县志》卷六《水利考·条规》。

② 朱祖延、郭康松主编：《清实录类纂（科学技术卷）》，武汉出版社 2005 年，第 273—275 页。

③ 陈树平主编：《明清农业史资料（1368—1911）》第 3 册，社会科学文献出版社 2013 年版，1043—1046 页。

径流为水源，在低洼之地蓄水成塘，筑堤修闸，在调节农田灌溉方面扮演着重要角色。

二、大堤的修筑和维护

湖北号称“千湖之省”，大江大河横贯其间。水患多于干旱，是自古以来之省情。鉴于此，兴办水利历来是湖北发展经济、保障民生的大事。明清时期的湖北，既有将农田包围起来的垸田堤岸，又有临江临河防御水灾侵袭的防洪堤岸。修筑堤坝，不仅有保护堤内民众生命财产安全的作用，而且有抵御洪水、稳定社会秩序的意义。

当时的人们对如何修筑及加固堤岸，在技术层面提出了一些颇为实用的方法。例如，清乾隆六十年（1795 年），湖北巡抚惠龄奏称：“荆州、沙市濒临大江，向藉大堤保障。近因江流冲激，致紧靠沙市堤岸露有顶冲九处。绅士鲍照等呈请出资，自汪家场起，至拖船埠止，共长二里，添建草坝一座。当即准其兴修。嗣经前任督臣福宁来堤巡视，因恐本地民人不谙工程，建筑未能如法，复咨调南河河工守备包宗尧，带领河兵三名，来荆勘明，大江水性驶悍，草坝难以抵御。随于顶冲处所排钉木桩，另用竹篓装石，沉于水底，上铺柴草。层草层石，积累而上，计高二丈五六尺不等，宽四丈至七丈有余，长九十余丈，于五月初十日工竣。所有人工物料，俱系绅士等自行经理，臣复亲临履看，工程实属坚固。当谕该绅士等，将来秋深水落，准其就近于窖金洲上取土挖芦，以为岁修坝工之用。至守备包宗尧等，在工数月，不辞劳瘁，督率有方，现已饬回，并咨明河臣兰第锡量加拔擢，以示奖励。”[①] 聘请外地精通河工的专家现场指导，不失为讲求工程效率的好方法。再如，清道光二十年（1840 年），湖广总督周天爵上奏，陈述查看江汉水情，拟定疏堵的技术手法。[②]

---

① 陈振痛、熊正文、萧国亮编：《〈清实录〉经济史资料（顺治—嘉庆朝）》之《农业编 · 贰》，北京大学出版社 2012 年版，第 700 页。

② 朱祖延、郭康松主编：《清实录类纂（科学技术卷）》，武汉出版社 2005 年，第 360 页。

堤坝的改造工作对于防御洪水意义重大。当时湖北官方文书中“引坝”“滚坝”“挑坝”“沙堤”“护堤”“护滩”“㪷门”等工程词汇的使用，表明地方官员对水利知识的了解，并能灵活用之于决策。

在明清湖北各府县的防洪堤坝中，地位最为紧要者，当推荆江大堤。俗称“万里长江，险在荆江”，一语道破荆江大堤的维护不仅关切湖北一省之命脉，而且关切长江中下游诸省之安全。荆江大堤，明清时期称为“万城堤”或“万城大堤”，有专门的堤志以记其事项，说明此堤实乃湖北诸堤之首。清代湖北巡抚翁同爵声称：“湖北政治之要，莫如江防。而江防之要，尤在万城一堤。”① 正因为万城堤的工程质量关系重大，不可疏忽怠慢，以故官方特别在岁修时针对“估验”环节，制定详细条规。从这段文字看，万城堤在修筑过程中对技术操作有严格要求，马虎不得。如同其他重要工程一样，明清时期的防洪大堤每年都要按照计划进行维修和养护，称为“岁修”。就万城堤而言，其岁修内容除了“估验”，还有“土工”“石工”“备患”“守讯”等项，旁及摊征、支销、帑项、借款、题名、责成、奖叙、处分、私堤、疏淤、器具等内容，方方面面，巨细无遗。在某种程度上，清代纂修的两部《万城堤志》，堪称防洪大堤在修筑和维护方面的技术宝典。

三、城墙、寺观与会馆

除了上文所谈垸田、堤坝在修筑、维护方面的技术性内容，明清时期的湖北还有许多有裨于民生的实用技术。其中，各类建筑值得关注。传统时代，建筑多称“营造”，如“营造学馆”“宫室营造”之类的表述遍于史籍。最著名者，是宋代李诫《营造法式》，堪称关于建筑设计及施工规范的指南。在此，笔者拟对城墙建筑、宗教建筑、会馆建筑展开论述。

城墙的修筑由来已久，历史文献及考古发掘均有明证。到明清时

---

①（清）倪文蔚原著，毛振培等点校：《荆州万城堤志》，湖北教育出版社 2002 年版，第 2 页。

期，大凡各类政治中心（治所），均有城墙。也就是说，上至京城（北京）、下至府州县城，都重视城墙的修筑，因为它既是军事堡垒，也是权威的象征。明清时期的湖北，府州县城数十座，几乎都有城墙，可谓“无墙不成城”。

荆州，历来是兵家必争之地，以荆州城墙作为考察对象，确为至当。

明清时期的荆州，江陵县附郭，其府城即江陵县城。相传，该城城墙乃三国时关羽所筑，晋朝桓温增修。明洪武时，平章杨璟“依旧基修筑，周一十八里，三百八十一步，计三千三百九十九丈，高二丈六尺有奇”。嘉靖九年（1530 年）重修，有门楼六亘：新东门曰镇流，楼曰宾阳；公安门旧名楚望；南纪门，楼曰曲江；西门旧名龙山，楼曰九阳；小北门曰古漕，旧名维城；大北门曰拱辰，旧名柳门。“城外掘土为池，阔一丈六尺，深一丈许。东通沙桥，西通秘师，北通龙陂水”，这便是护城河。明崇祯十六年（1643 年），张献忠兵抵荆州，命百姓推平其城。清顺治三年（1646 年），巡道李栖凤、总镇郑四维“率兵民完城，垣址如之”。康熙时，奉旨特设满洲将军都统，“领八旗大兵驻防荆州，驻东城；其西为官署、民居，设有间墙”。这是清代八旗驻防各地的制度安排，由此形成大小不等、专供满族军民居住的“满城”。

当时的荆州，下辖公安等县，基本上都有城墙，只是规制逊于府城而已。从中央到地方，城墙的建制亦按照权力的等级依次递减，以体现宗法等级秩序的伦理规范。

公安县城，旧称吕蒙城。明正德年间，地方官周钺“筑土为城”，不久废圮。嘉靖二年（1523 年）知县周臣“奉议叠砖石筑之，以滨江冲决，城渐溃”。后任知县杨云才打算迁移椒园，不果。直到知县高凤翔走马上任，方才最终落实迁建计划，“乃以邹锦衣卫议，复徙祝家冈”，知县张大韶修砌完成。崇祯时，知县赵继鼎扩建。明末，毁于兵燹。清顺治五年（1648 年）知县王百男“建署于旧邑丰湖堤。八年，始移祝家冈之新城”。

石首县城。明弘治时，知县何洽“筑土城”。万历二年（1574 年），巡抚赵贤等人传檄知县张一鲲，“始建砖城，周一千五十六丈，高一丈一尺，女墙四尺加其上，门楼五，池绕城”。明末崇祯时“兵燹倾颓”。清顺治时，知县王大年重修。

监利县城。明正德时，巡抚秦金传檄县丞杜渐“筑土为城”。万历初年，知县李纯朴“奉巡抚檄，始建砖城，周一千八十丈，为门五；为池，深二丈，一面小河，通大江”。明末，“兵火圮毁殆尽”。清顺治六年（1649 年），知县蔺完瑝“率众缮修缺毁，重建城楼”。

松滋县城。史载：“旧无城。明成化间始筑土城，名杨城，周五里，高一丈二尺，为门，建楼有四；池阔二丈五尺，深八尺，北一面临江。”崇祯时，知县何志孟“因四方寇警，具状上闻，修筑砖石”。明末，张献忠部“屠城，荡为平地”。清康熙六年（1667 年），“始议修复，渐次创兴”。

枝江县城。明洪武二十二年（1389 年），设枝江守御千户所，“防容美洞蛮，创筑土城”。成化四年（1468 年），指挥（官名）“李震、许英筑砖城，周千有余丈，高一丈五尺，为门五，各建有楼；池东临大江，西临峻岭”。弘治三年（1490 年），知县李智“开凿，欲通江水绕城，以便舟楫”，后因李智离任而未果。

彝陵州城。城址多变，“旧在江左，宋徙江右，元复徙江左”。明洪武十二年（1379 年），“千户许胜因旧基甃砌，周八百六十二丈，高二丈二尺，为门七，曰东门、曰中水、曰大南、曰小南、曰大北、曰小北、曰镇川，各建有楼；东南北三面皆濠，阔四丈五尺，深二丈，惟西一面临大江”。成化时，知州周正、千户常垕“甃以砖”。明末，毁于兵燹。清顺治十三年（1656 年），游击（官名）“张琦奉委修葺”。康熙六年（1667 年），知州鲍孜“缮修完巩”。

长阳县城。地势险要，“前后有东峰、凤凰诸山，壁立环绕，四面阻塞。西则施州、建始诸水，奔流赴壑，会为清江，东出大河，而治中域焉，诚天然城堑也。宋元筑土城，明因之”。崇祯十六年（1643 年），知县朱方乾“详请修筑，于临江一面甃以石，并建东、南、西门城楼；后山一面，累土为城，覆以瓦”。翌年，“土官唐镇邦率蛮兵攻城，陷之”。明末，再毁于兵燹。清康熙三年（1664年），知县樊维翰修复。

宜都县城。三国时，吴国陆逊“拒蜀于比，筑城，号曰陆城”。明成化时，都御史杨璩“因旧基修筑土城”，知县刘端续修。正德年间，知县徐斌重修，“周围六百五十余丈，高一丈二尺，濠八百余丈，立门五，东曰朝天、南曰迎熏、西曰太平、北曰临川、东北曰合江”。万历时，知县许梦熊“以土城不堪防御，始易以砖石，碑曰许公城”。崇祯时，被义军攻陷。清顺治四年（1647年），“豸寓白羊，城垣尽圮，虎穴其中”。康熙元年（1662年），总督张长庚传檄知县叶代生重修，“创建城楼”。

远安县城。城址有变动，“古城临沮，在南漳界，元迁亭子山下”。明成化时，“筑城东庄，砌以砖石，周八百余丈，高一丈八尺，为东、西、南、北门四，建有楼。千户朱纲增筑护城堤，以防水，池阔二丈、深丈余”。明末，毁于兵燹。清顺治四年（1647年），知县周会隆莅任，竟然“露处山麓”，遂“请修城堞，因河为池。十一年，水涨城圮，知县卢运昌营筑。十五年，复大水，城复圮，知县安可愿重修”。

归州城。城址原在江南。明嘉靖四十年（1561年），“地忽陷裂，城舍倾圮，始迁于江左今丹阳地。周围六里，一千八十一丈五尺，高一丈九尺，为门四，东曰迎和、南曰兴贤、西曰瞻夔、北曰拱极”。明末，毁于兵燹。清康熙三年（1664年），知州曺熙衡“始入城芟集，捐设城门”。

巴东县城。史载：“旧无城。按，巴东前临川江，后耸崇山，自然之城堑也。”

兴山县城。亦跟巴东一样，“旧无城”。明弘治初年，知县刘孜“筑土城”。正德年间，知县谭溥胡、安叶槐继修，“高一丈，厚七尺，周围三百三十四丈，为门三，东曰迎恩、南曰观澜、西曰来远”。嘉靖九年（1530年），知县李廷实“因北山麓增筑土城，砻石为基，辟北门以守御。然山水骤涨，颓修频仍”。明末崇祯，毁于兵燹。清康熙十年，“前知县胥遇殚力经营”。

施州卫城。原为宋代旧城，“即今元妙观及睡师（狮）崖下，因山为之，元仍旧”。明洪武十四年（1381年），指挥（官名）“朱永拓址甃石，周九里有奇，高二丈五尺，东北带清江，南环溪水，皆天然城堑。上设串廊、警铺、女墙，为门四，东曰清江、西曰西顺、南曰南阳、北曰拱北”。清初，“倾颓过半”。

大田千户所城。明洪武二十二年（1389年），“千户郑瑜周石甃筑，周五百丈有奇，阔一丈，高二丈，池深一丈、阔二丈，为东、西、南、北四门”。①

从上引材料看，明清时期荆州的城墙颇有典型性，类型相当齐备（府城、县城、卫城、所城）。大体上，地方官员普遍重视城墙的修筑，尤以知县最为用心。因为作为一县之长，城墙的完备程度决定着城内百姓的安危，更关切自己的前途。不过，社会动荡之乱世（尤其是王朝鼎革），城墙往往成为军事搏斗的牺牲品。这就不难理解，明代荆州城墙在崇祯时大多毁于兵燹，清初才得以复建，有的恢复较早（顺治时），有的重建较晚（康熙时）。细检文献，可以发现明代城墙大多是土墙（夯土而成），后来才逐渐改为砖墙。个中原因，恐怕与地方财政窘迫有关。显然，土墙的成本远低于砖墙。但是，在军事防御功能上，砖墙远胜于土墙。有些州县的城墙，依凭天然的地理优势，自成险要，易守难攻。从结构上看，荆州城墙有的有护城河，有的则没有，可见地理环境对城墙修筑有相当大的影响。从城墙的长、宽、高，以及护城河的宽、深等数据看，修筑工程绝非一日之功，往往耗费一年或数年时间，在人力的调配、资金的投入等方面均须格外用心。值得注意的是，荆州的个别县城与少数民族土司掌控的地区接壤，其城池曾被“土兵”劫掠。

清代城墙不同于明代之处，是在一城之中，新建“满城”，将满汉

① 康熙《荆州府志》卷六《城池》。

隔离。当然，这种“满城”，仅限于少数八旗驻防的重点城市。荆州八旗堪称驻防八旗之劲旅，以故建有“满城”，“国朝将军都统及荆南备兵使，咸驻节于斯，为营为署，莅政之所也”[①]。这是荆州城墙建筑史之特异处，也是今人考察湖北城市史必须注重的地方。

帑银，乃中央财政之储备（一说皇帝私房钱）。清代动辄使用成千上万两帑银，用于修筑荆州府城，说明荆州驻防八旗非同寻常，荆州“满城”非同寻常。参与其事者，除了知府、知县，还有钦差大学士、工部侍郎以及地方大员（荆宜施道、湖广总督），责任可谓重大，不敢掉以轻心。这也透露了荆江大堤（万城堤）的重要性：堤防是否完善，直接关系到荆州驻防八旗、府城百姓的生命财产安全，也与“满城”之安危息息相关。以故，对于明清时期的荆州，修堤与修城互为表里，不可偏废。

宗教建筑本身既是传教之基地，又富于深刻的历史内涵，是文化史不可遗漏的研究对象。明清时期，湖北宗教建筑在数目及规模上较之前代有了显著发展。最典型者当数武当山道观。武当山最早修建的宫观，约为唐代的五龙祠，北宋时升格为五龙观。不过，宋末元初、明末清初的改朝换代，惨烈的战乱使武当道观几乎全部毁弃。明初，明成祖敕谕修建皇家道场，以彰显君权神授之旨，在武当道士孙碧云（南岩宫住持，统领武当道教事务）等人的筹划下，朝廷调动数十万人手，历十余年之艰辛营建，打造了体系完备、建筑精湛的武当山道观。它以金顶太和宫（俗称“金殿”）为中心，以紫金城南天门为中轴线，包括紫霄、南岩、玉虚、五龙、遇真等33处宫观建筑群，各类房屋约8 000间，使武当山成为道教文化及建筑相结合的最高典范，号称“天下第一名山”。以皇室为后盾，一次性动用如此多的人力、花费如此多的钱财、修筑如此多的建筑，这一现象在中外宗教史上相当罕见。武当建筑的一大特

① 光绪《荆州府志》卷八《建置志·序》。

色，便是顺应自然、依山而筑、居险胜奇，洋洋大观。①

除了武当山，明清武汉地区的宗教建筑也值得关注。宝通寺、莲溪寺、归元寺、古德寺是武汉地区佛教“四大丛林”。宝通寺应该是武汉地区最早出现的佛教建筑。宝通寺多次扩建，史称“地位峻绝，风物清闲，寺特据其尤胜处”②。明洪武十四年（1381年），明太祖第六子朱桢以楚昭王的身份来到藩地武昌。他兴建“楚望台”，以示身在荆楚、心系朝廷、遥念父皇之意。与之同时，这位藩王奏请朝廷，修复毁于元末兵燹的洪山寺（始建于南朝齐之时）。因为楚昭王的关切，洪山寺遂具有不同于一般寺庙的尊贵地位。日后，明宪宗敕赐寺名“宝通禅寺”，沿用至今。明末，楚昭王九世孙、璧山侯朱蕴溜加以扩建，规制更张。清代，宝通禅寺多次整修，“金碧洪丽，武昌诸刹第一”。③

位于宝通寺后山上的宝通塔，俗称“洪山宝塔”。一说建于唐代，一说建于元代。鉴于明宪宗亲赐“宝通禅寺”之名，塔名遂定为宝通塔。晚清时，太平军与清军在武昌厮杀，宝通塔被损毁。其后，官府划拨铜料、动工修复。现存的宝通塔，自上而下为七层八面，采用内石外砖、仿木结构，气宇非凡，堪称荆楚佛教建筑之精品。

明清武汉地区另一处佛教丛林，是莲溪寺。莲溪寺建于何时，未有定论。与宝通寺一样，莲溪寺屡毁屡建，现存之寺乃清代之遗存。相

---

① 参见罗媛：《“仙山琼阁”里的装饰艺术——武当山道教建筑装饰纹样研究》，湖北工业大学艺术设计学院设计艺术学专业2014年硕士学位论文；李慧：《武当山道教宫观环境空间研究》，北京林业大学园林学院城市规划与设计专业2014年博士学位论文；赵冰等编著：《武当山景域营造：中华空间营造的巅峰之作》，湖北美术出版社2015年版；杜雁：《明代武当山风景名胜理法研究》，北京林业大学园林学院城市规划与设计专业2015年博士学位论文；鲁潇：《皇权、神话与空间的同构——明代武当山布局研究》，华中科技大学建筑与城市规划学院建筑学专业2016年硕士学位论文；等等。

② （清）陈诗著，姚勇、邱蕤、杨晓兰点校：《湖北旧闻录》中册，武汉：湖北人民出版社1999年版，第1098页。

③ （清）顾景星：《白茅堂集》卷二十六《上元日同因兄燕丘儿子昌访洪山岩公山在城东南五里寺名宝通大司马三韩张公方伯石城徐公修于康熙丁巳戊午岁金碧洪丽武昌诸刹第一》。

传莲溪寺内的竹园，原有楚昭王第三子之塔，今已无存。莲溪寺幽静典雅，树木茂密，有“林章”之称。寺后古树数株，令人遥想当年之胜境。

汉阳的归元寺兴建较晚。清初，浙江籍僧人白光、主峰购地建寺。取佛经之义，定名为归元禅寺。该寺最有名的罗汉堂，始建于清道光年间，建筑风格呈田字形结构。清光绪年间，黄陂工匠父子塑造五百罗汉，功德无量。在某种程度上，罗汉堂的生动造像是吸引人们前往归元寺的主要动因。

由于归元寺不是一气呵成，以故其建筑欠缺整体划一的格局，但也因此错落有致、散而不乱，别有一番韵味，难怪史家给出了“禅关寂静，戒律精严”[①]的极高评价。清代学者型官员赵吉士声称“琳宫梵宇，靡不有八景十景诗”；“自来古刹名蓝，悉有景致昭于目前。或奇峰怪石，古树悬岩，并皆从头点出，一一题唱，以畅天机。今归元不揣荒塞，聊述八景，口占拙偈，尘著慧目，俟高贤不吝斧削，俾林峦毓秀，泉石搀辉，庶不忝法门之辛尔”。这归元寺八景，实指：烟峦叠翠、黄鹤迎门、龙吟八蜡、虎啸双眉、鹦洲涌玉、凤市来仪、半月吞虚、柏林拱瑞。[②]

除此之外，归元寺还有其他奇异的地方。例如，归元寺山门的位置并不在中轴线上，而是偏北向东。又如，韦驮殿也不同寻常，面东偏西，取“烈马回头”“悟逆行正”之意。据民间传说，曾有寺僧贪酒犯戒。当他携酒入寺，经过韦驮殿，抬头望见韦驮怒目圆睁，吓得魂不附体，酒钵失手摔在地上，响声惊动监院。监院大声呵斥：“韦驮护法，惩治业障！”[③]这则故事说明韦驮像之生动逼真，颇有震慑作用。

武汉地区佛教“四大丛林”最晚出现的古德寺，建筑风格完全不同于前面三者，大雄宝殿仿照缅甸“阿难陀寺”建造。它落成于民国初

---

① 同治《汉阳县志》卷二十六《寺观》。

② 严昌洪：《武汉历史文化风貌概览》，武汉：武汉出版社2017年版，第81页。

③ 肖志华、严昌洪主编：《武汉掌故》，武汉：武汉出版社1994年版，第44页。

年，原有黎元洪亲书的“古德禅寺”之匾。

道教方面，最著名者是位于武昌的长春观。长春观屡毁屡建，道风长存。清同治年间，来自武当山的何合春（龙门派传人）发愿重建长春观，得到广泛支持。它依山而建，形成坐北朝南的五重建筑格局，以砖木结构为主，除了灵官殿为硬山式外，其余各殿都采取单檐歇山式，宝瓶玉脊，单檐舒翼，非常富有道教气息。其他道观值得一提者是元妙观，明嘉靖万历年间一再扩建，规模宏大；它坐北朝南，殿堂按“九宫八卦”式排列。

附带提及，明清时期武汉地区的宗教建筑还包括伊斯兰教、天主教、基督教、东正教等在内。第一座伊斯兰教清真寺，兴建于明初，地点在武昌辕门口。清初，武昌修建了金龙巷清真寺。当时，武昌城外也有一座清真寺，位于武昌中和门外，被称为城外清真寺（辛亥革命后改名起义门清真寺）。汉口也有清真寺，约建于清雍正年间。晚清，汉口清真寺扩建，可容上千人做礼拜。至于天主教，大约在明末的武昌，曾有一座天主堂。晚清汉口开埠后，武汉地区出现了若干天主堂，包括：武昌大堤口圣多默堂（清道光年间），汉口圣方济各沙勿略堂（清同治年间），汉口圣若瑟堂（清光绪年间）、武昌圣家堂（清光绪年间）、汉口圣母无原罪堂（清宣统年间）等。与天主教相比，基督教进入武汉地区要稍晚一些，其中英国传教士杨格非（Griffith John）是标志性人物。[①] 武汉地区第一座基督教教堂是位于汉口夹街的首恩堂，修建于清同治年间。数年之后，在武昌昙华林出现了第二座基督教教堂——圣诞堂。与此同时，东正教徒在汉口修建了阿列克桑德聂夫堂。

明清时期商人会馆的出现，不仅在中国经济史上具有重要意义，而且在中国建筑史上亦值得大书一笔。由于明清商帮林立，大多财力雄厚，以故这些客居他乡的巨商大贾在修造会馆时，往往不惜钱财，务使

① 皮明庥、吴勇主编：《汉口五百年——新编汉口丛谈》，武汉：湖北教育出版社 1999 年版，第 245 页。

美轮美奂。众所周知，汉口是明清扬名天下的商业巨镇，其会馆之多，世所罕见。因此，汉口会馆建筑应该予以关注。限于篇幅，仅举江西商人营建的万寿宫和山陕商人营建的山陕会馆。

万寿宫，在白布街，为江西帮会馆。因赣省产瓷，故墙壁屋瓦均以瓷为之，可称一瓷世界焉……殿前为感应亭，亭上悬彩灯一具。人物、楼阁以木为之，精巧罕匹。遍置五色电灯。阶前石栏内，嵌石凿云龙，栩栩欲活。前后两剧楼，均雕刻华丽。后进为憩所，上书“宛在西江”四字。再后为大香深处，曲槛回廊。亭台池沼，各设石棹磁鼓，为游客观坐处。太湖石亦极峭拔，奇葩异卉四时皆备。南北二亭，各绕以曲池，清水萦回。[1]

于此可见，万寿宫的设计构思精纯，营造不惜工本，曲径通幽，不失大气，诚为会馆建筑之精品。不过，在众多的汉口商人会馆中，最为阔绰、规模最大者是山陕会馆，史称“山陕西会馆”。关于其构造详情，可征之于文献。时人称：“山陕，古秦晋姻娅之国，地近而人亲，客远而国亲。适百里者，见乡之人而喜；适千里者，见国之人而喜；适异域者，见似国之人而亦喜。汉上去秦晋益远，秦晋人于汉上益亲，其会而有馆也亦宜。然以两域之从，纷贸于繁博之地，丰获者致力，涓注者竭情，周划者效智，博壮瞻密，馆之规制遂甲于汉上”；“楼阁台殿，鳞次栉比；陂湖近枕桥，巷曲通隙壤；外疏园亭，内织形势；闳阔梯栈，钩连繁称，不能竟者，以图纪”。[2] 这段文字，一方面说明山西、陕西因为地理、历史、人文诸种因素的交织，关系甚密，能够联手经营，遂有雄视天下的山陕商帮；另一方面，也表明该商帮经商有道、在汉口站稳

① 民国《汉口小志・名胜志》。

② 光绪《汉口山陕西会馆志》，通山知县何厚康：《汉口山陕西会馆志序》（光绪二十二年丙申仲夏月）。引见山西省政协文史和学习委员会编：《明清山西商人会馆史料》，中国文史出版社2016年版，第321—322页。

了脚跟，为了显示成功及身份，认真营造栖身之所（会馆），将山陕会馆建成了汉口最具规模的商业中心。

这座著名的商人会馆，始建于清康熙年间，咸丰时毁于兵燹，同光之际修复。史称："西会馆者，为山陕两省士商办公之所，坐落于汉皋循礼坊夹街后，创始于康熙癸亥，被毁于咸丰甲寅，复兴于同治庚午，工讫于光绪乙未"；[①]"（汉口）国朝以来，繁盛称最。庙宇随在竞胜，金碧照耀。惟西会馆规模正大，雅冠众构"。[②]

汉口山陕会馆固然规模宏大、气势逼人，却不是全国山陕会馆中最大的一座。号称清代山陕会馆之最者，位于湖北襄阳。襄阳山陕会馆始建于清康熙五十二年（1713 年），乾隆、嘉庆时均重修。它的具体位置在樊城瓷器街、皮坊街、邵家巷交汇处，邻近汉水码头，距宋代书法家米芾（与蔡襄、苏轼、黄庭坚合称"宋四家"）的故居（米公祠）不远。该会馆的正殿高 12 米、宽 16 米，进深 13 米，供奉关帝神像，旁有关平、周仓侍立像；四柱三间硬山顶，琉璃覆顶；檐柱为阴四角方石柱，其余为木质圆柱，抬梁结构。前殿高 10 米、宽 16 米，进深 14 米，四柱三间，硬山式，琉璃覆顶；十二檀卷棚顶，抬梁结构。正殿、前殿的梁枋均有彩绘，堪称精美。大殿之前，左右各有钟鼓楼。大门口，有一对石狮，另有八字形琉璃彩壁。会馆之内，建有二层戏楼。另有配庙、耳房、鱼池等。[③]不同于汉口山陕会馆毁于兵燹，襄阳山陕会馆至今尚存，只是远不及往昔之胜。

① 光绪《汉口山陕西会馆志》，山陕两省经理首人：《西会馆地理总图记》（光绪二十二年丙申秋七月）。引见山西省政协文史和学习委员会编：《明清山西商人会馆史料》，中国文史出版社 2016 年版，第 322 页。

② 光绪《汉口山陕西会馆志》，冀麟书：《汉口西会馆总图记》（光绪二十二年丙申孟春月）。引见山西省政协文史和学习委员会编：《明清山西商人会馆史料》，中国文史出版社 2016 年版，第 325 页。

③ 华元：《湖北襄阳山陕会馆》，山西省政协文史和学习委员会编：《明清山西商人会馆史料》，中国文史出版社 2016 年版，第 369—370 页。

四、匠心独运的工艺

荆楚大地历史悠久、物产丰饶、匠人辈出，历代都有璀璨夺目的工艺作品，构成了湖北文化史的重要篇章。例如，考古发掘的古代漆器（远至商周），表明湖北既是中国生漆的重要产地，也是中国漆器的发源地之一。迨至明清，湖北各地广泛用漆，漆器成为人们日常生活的必需品。又如，战国时期的“楚式镜”（有方形、圆形两种），达到中国青铜铸镜的最高境界。及至三国时期，武昌（今鄂州）一跃成为中国铜镜制作中心之一。不过，明清时期湖北铜镜的制作已显露衰颓之相，“除传统式样外，双鱼纹、双龙纹、人物故事如柳毅传书等是较新颖的式样。但这时的铜镜制作粗糙，较多的只有纪年铭文而无纹饰。在这一时期，特别是明代，仿造汉镜和唐镜的风气很盛，所仿铜镜多数是汉代的六博纹镜和唐代的瑞兽葡萄镜，仿制铜镜一般形体较小，纹饰模糊不清，已无汉唐铜镜的风采。这个阶段，湖北地区的铜镜制作已经完全纳入中国铜镜制作总体格局之中，地方特色不显，个性全无，可谓乏善可陈”[①]。可见，工艺如同大千世界，也是代有盛衰，具有周期性特征，恰如战国时期的楚国编钟乐舞（精品当数曾侯乙编钟）后世不再重现一样。

当然，也有源自前代、繁盛于明清者，如汉绣。汉绣的起源尚不可考，一说起源于战国楚绣（1982 年江陵马山一号楚墓出土），与湘绣、苗绣同源；一说与三国时刘备迎娶孙夫人有关，但不足信。论者称：“由于考古实物以及史料的缺失，楚绣的历史传承脉络并不完整……楚文化在秦朝以后历经劫难，随着政治、文化中心的北移而逐渐式微。尤其东汉至清初的近两千年间，楚绣的传承脉络已难觅踪迹。三国隋唐基本无考，宋元刺绣中心在汴京一带（汴绣），明代刺绣中心南移至江南一带（顾绣）”；“汉绣的历史传承脉络谱系是从清代开始逐渐清晰起

---

① 刘玉堂等：《中国地域文化通览·湖北卷》下编第二章第一节（刘玉堂、张硕执笔），中华书局 2013 年版，第 396 页。

来，在中晚清时期重新焕发生命力并发展到鼎盛阶段”。[①] 大致能够确定的是，清代汉口跃升为天下四大名镇之首，对汉绣的发展至关重要，尽管“汉绣”之名不全指武汉地区，而是泛指江汉平原，尤以荆沙、武汉、洪湖为制作中心。

论者指出，清嘉庆年间，武昌、汉口已形成刺绣的行业规模。咸丰时，汉口设有官方的织绣局。汉口开埠前后，武昌汉绣业务十分庞大，其中郑氏兄弟来到汉口长堤街开店，带动了大夹街、万寿宫一带绣铺的开张营业。很快，汉口的绣坊势头超过了武昌。光绪时，汉口形成绣花街，在万寿宫附近集聚了数十家店铺，如果加上武昌的工匠，从业者多达两千。清末民初，汉口彩霞公司的绣画、美粹学社的绣字荣获武汉劝业奖进会颁发的一等奖，另有作品获得南洋赛会、巴拿马国际博览会金奖，一时风光无限。民国初年的调查结果，汉口的绣货铺多达 169 家。附带提及，晚清时期，“湘绣”艺人胡莲仙长期游走于湖北沔阳等地，培养弟子、传授技能；武昌著名工匠吴家福在洪湖开设“吴炳昌绣铺”。吴氏先辈曾在武昌青龙巷设置“吴永源绣庄”，为官府制作袍服，声名大噪。[②] 正是这些热爱刺绣、工艺精湛的匠人，打造了汉绣的辉煌。

品鉴汉绣，最赏心悦目之处便是它那浓郁的楚风楚韵，承载着跨越千年的历史积淀，贲张着荆楚先民的文化血脉。楚人尚风，以故飞舞灵动的凤凰是汉绣的“文化图腾”之一；楚人崇火，以故汉绣用色大胆、色彩亮丽，充满生命的活力；楚人敢为天下先，以故汉绣的纹饰和布局

---

① 黄红英:《从汉绣的历史沿革试论非物质文化遗产的传承》,《艺术科技》2016 年第 6 期。

② 叶依子、叶云:《汉绣流考》,《艺术与设计》2007 年第 8 期。关于汉绣的相关研究，可参见岳占君、彭玮:《楚韵悠悠——试述汉绣的文化渊源》,《大众文艺》2011 年第 13 期；王珊珊:《一条绣花街　几世汉绣情》,《纺织科学研究》2012 年第 3 期；冯泽民:《荆楚汉绣》，武汉出版社 2012 年版；夏路:《荆楚汉绣的沿革和艺术特色》,《艺术教育》2014 年第 10 期；窦瑜彬、翟戈、谢敏君:《汉绣的发展历程分析与展望》,《大众文艺》2014 年第 16 期；王易、李彦衡、何静波:《荆楚汉绣研究综述》,《大众文艺》2015 年第 11 期；赵静:《民间艺术汉绣的荆楚文化特质刍议》,《纺织导报》2018 年第 4 期，等等。

蕴藏着难以抑制的豪爽之气。客观而论，汉绣凝聚了楚文化许多的文化符号。当然，汉绣融汇了南北各地的绣法，借鉴了东西各域的技艺，然后立足楚文化厚实的历史基础，打造了一种独领风骚的工艺品格，成为流传至今的传统工艺，成功入选国家级非物质文化遗产保护名录。

汉绣来自民间，反映了平民百姓对美好生活的向往，有着非常质朴的审美情趣。在汉绣作品中，我们能够看到楚辞中反复吟咏的香草美人，可以看到人们喜闻乐见的平安富贵图案，以及四季花卉、鸟兽虫鱼、历史传说、民间故事、家庭和睦等内容，更少不了男女情爱的寄托（如鸳鸯戏水）。必须指出，汉绣既是可以鉴赏的艺术品，也是具有实用价值的生活用品，它从来不是阳春白雪式的珍玩，不是官方钦定的制品，不是任何门派或家族能够垄断的绝技，而是数以千万计的绣女和工匠的寻常劳作，属于百姓日常生活的装饰物。论者称，汉绣在清初传入武汉地区，到了清末民初，“所产的绣品有花轿、旗、伞、桌围、帐、枕套、被面、成衣、鞋帽等等，经历了两百多年的岁月，汉绣保留了40多种传统针法，其全面铺底色，然后用金钱勾花纹的古老技法，是汉绣独有的特点”[①]。又称，“在荆楚民间习惯中，汉绣应用最广泛并且与日常生活联系最紧密的大概分为四大类：生活用品（多用于闺阁陪嫁）、装饰品、宗教礼仪用品、戏剧舞台用品”，汉剧演员的戏服基本上是汉绣作品。[②]汉绣的发展历程，凝聚了无数能工巧匠的心血和智慧，他们绝大多数没有留下姓名，但其人生的芳华却留在了汉绣的针法和色泽之中，令人追怀和致敬。

在艺术表演手法上，汉绣的构图别具一格：喜用不同的圆格、条纹以拼图，形象多有变形、夸张，用色饱满而不浮躁，整体视觉既追求古朴沉稳、又强调真挚热烈。汉绣采取实绣之法，即完全靠一针一线

---

① 刘征：《汉绣与吴氏家族》，《湖北档案》2003年第10期。

② 兰婷婷、孙蕊洁：《荆楚传统工艺美术的传承与应用研究——以汉绣为例》，《大众文艺》2013年第24期。

完成作品，不用底稿，直接刺绣，功夫全在针法上，形成了“铺、压、掺、盘、锁、抢、织、扣”的针法体系。汉绣的色彩富于变化，针脚绵密而厚实，基本上没有褪色之虞。这意味着，在艺术形式的运用和主题思想的表达上，汉绣达到了较高水平，是湖北文化的精品之一。从名称上看，汉绣既是历史地理（荆楚地区）的标识，也是历史文化（荆楚文化）的符号。从艺术创作的生命力看，汉绣来自远古，历经风雨、百转千回，经历传统与现代的融贯和转型，前景光明、通向未来。尽管汉绣曾经名声大噪，但与“四大名绣”（苏绣、粤绣、湘绣、蜀绣）相比，汉绣存在一定差距，有待发掘、继承、推广和创新，进入更高的工艺境界。

除了汉绣之外，湖北在纺织工艺领域的另一代表性作品是“西兰卡普”。与汉绣一样，西兰卡普也入选了国家级非物质文化遗产保护名录。西兰卡普是土家族语言，“西兰”指铺盖，“卡普”指花，即“花铺盖”，通称“土花铺盖”，以突出这是土家族特有的织锦工艺。在土家族的民间传说中，“西兰”是一位聪慧过人的姑娘，她擅长织锦，是土家族民众心目中的织锦女神。作为手工织锦，西兰卡普“是在木制斜腰机式织机上采取通经断纬、反面挑织的方法织成。具有色彩艳丽、图案清晰、质地坚韧、经久耐用等特点，被誉为土家族民间工艺奇葩”①。明清时

① 朱世学：《土家族西兰卡普的源流、特点及功能》，《民族论坛》1994年第4期。关于西兰卡普的相关研究，参见彭永庆、李兴平：《西兰卡普文化的本源与保护》，《民族论坛》2007年第6期；谢运思：《论西兰卡普的土家文化与图形纹样》，《现代装饰》2014年第3期；冉红芳、田敏：《“西兰卡普”：从传统走向现代——土家织锦文化遗产发展中的理性思考》，《中南民族大学学报》2015年第5期；龙柯：《传统手工艺类非物质文化遗产保护路径研究——以土家族西兰卡普织锦为例》，《民族论坛》2015年第7期；刘寒：《西兰卡普的色彩解析——基于湖北恩施来凤县的田野调查》，湖北美术学院设计学专业2016年硕士学位论文；詹一虹、史红玲：《土家族西兰卡普研究：现状与展望》，《湖北大学学报》2017年第1期；史红玲：《西兰卡普多元价值评价与保护传承研究》，华中师范大学国家文化产业研究中心公共管理专业2017年博士学位论文；葛英颖、杨田甜：《从历史发展的角度论土家织锦“西兰卡普”的民族性与时代性特征》，《东华大学学报》2018年第3期；陈昱：《略论恩施土家族西兰卡普织锦的艺术特色与对外传播》，《艺术教育》2018年第17期，等等。

期，土家族遍布川鄂湘山区（或称武陵地区），在此主要讨论鄂西土家族地区的织锦工艺。

在图案选择上，西兰卡普几乎涵盖土家族百姓生活的方方面面，例如花卉、动物、山水、故事等，多以吉祥美满为寓意，表达了普通民众最真诚的人生愿景。各种动植物形象频繁地出现在西兰卡普中，反映了土家族自古而来以农耕为主、兼及渔猎的生活样态，折射了土家族民众在生存条件艰难的山区环境中顽强拼搏的昂然斗志。对太阳的崇拜演变为西兰卡普的特殊纹饰“十”“卐”，经常性地出现于各类生活物品中，例如枕头、门帘、帐幕、衣帽、鞋袜等等，以表示吉祥如意、平安康乐。几何图案较为普遍，如单八勾、双八勾、十二勾、二十四勾、四十八勾等。

论者指出，土家族民众擅长运用几何图案描绘自然万物，例如“‘实比’是一种小兽，有四条运动的腿，有一个垂着双耳的头，臀部翘着一条长而弯曲的尾巴。‘燕子花’是用几何形表现它最有特点的剪形尾羽。‘猴子手’图案中的几何图形，十分传神。‘阳雀花’的腿则是由多种色彩的‘＞’或‘＜’排列而成。‘蛇花’则以规则的小三角形、菱形块排列，配以单边勾、万字流水边来表现蛇的美丽。因此，这些几何图形是土家族织锦艺人们在长期的艺术探索与实践中，对自然万物的美化和取舍，是从自然形态到艺术形态的升华”[①]。此外，万字花、三字花、喜字花等文字类的图案，以及桌子花、椅子花等生活类图案也较常见。色彩搭配也体现了土家族的审美取向。由于土家族尚红、尚黑，所以西兰卡普以红、黑两色为主，素雅而庄重，同时兼有黄、蓝等色，不乏欢快之情、灵动之韵。

必须指出，西兰卡普的历史具有阶段性特征，尤其是清代雍正年间改土归流之后，汉族文化大量浸润土家族文化。土汉文化的交融，无疑增强了西兰卡普的艺术能量，使这朵最能体现土家族文化精魂的工艺奇

---

① 尹发艳：《鄂西土家族织锦西兰卡普的审美特征》，《戏剧之家》2013 年第 11 期。

葩绽放得更加明艳。

此外，湖北工艺作品还包括黄梅挑花、阳新布贴、汉川马口窑陶器、荆州敖氏铅锡刻镂，以及以孝感、鄂州、沔阳为代表的雕花剪纸等等，都是具有历史深厚韵味的文化遗存，限于篇幅，暂不赘述。

在某种程度上，可以说刚健有为、奋发图强、百折不挠是楚文化的“阳刚”一面，自由浪漫、纵情山水、写意人生是楚文化的“阴柔”一面，刚柔并济（刚烈为主、柔媚为次）是楚文化的风骨所在。客观而论，历史时期具有代表性的湖北工艺品，无论是漆器、铜镜，还是编钟、汉绣，都体现了这种“刚主柔次”的楚文化品位和精神旨趣。

第七章　茶与中外交流

作为中国传统的茶产区，湖北茶文化历史悠久。唐代竟陵人陆羽撰写《茶经》，开启中国茶叶著述之先河，成为中国茶叶史的经典。这部茶书也使湖北茶业平添无上风采。宋元以降，特别是清代，湖北茶业进入稳步发展阶段。迨至五口通商，尤其是汉口开埠后，湖北茶文化达至顶峰，形成了一条跨越南北、水陆并行、贯通中外的“万里茶道”，在中外交流史上占据重要一席。

第一节　茶业之兴

明清时期，湖北所在的两湖地区是中国茶叶的主要产区之一。适宜的自然环境为两湖茶业的发展创造了良好条件，诸多州县成为重要茶区。两湖茶叶品种齐全，概有绿茶、红茶、黑茶、白茶诸名目，类别繁多。如果加上外来之茶，则更加可观。其中，红茶在晚清异军突起，成为左右两湖茶业的两大支柱性产品。在此，围绕茶区分布、茶税征解、制茶工艺予以梳理。

一、茶区分布

两湖成为清代中国茶叶的主要产区，与其适宜的自然环境密不可分。两湖地貌类型多样，山地、丘陵、岗地、平原兼备。湖北西、北、东三面被山地环绕，山前丘陵岗地广布，中南部为江汉平原，与湖南洞庭湖平原连成一片；全境地势呈三面高起、中间低平、向南敞开、北有缺口的不完整盆地形态。湖南全境西、南、东三面为山地环绕，北部地势低平，中部为波状起伏的丘陵盆地。湘北有中国著名的淡水湖——洞庭湖。就茶业而言，山地、丘陵和岗地是适宜茶叶种植的主要地貌，两湖地区的大部分地貌均属此三大类。在气候类型上，湖南及湖北均属亚热带季风气候，其中湖北属亚热带季风气候，湖南属中亚热带季风湿润气候。[①] 两湖地区光照充足，热量丰富，雨、热大致同季，有利于农作物生长。就土壤而言，红土和黄土是两湖地区有代表性的地带性土壤，也是最适合茶叶生长的土壤。可见，两湖地区的自然地理为茶叶种植提供了良好条件。史称：荆湖南北路有材木、茗荈之饶。[②] 两湖地区植茶、饮茶的历史相当悠久。《唐书·刘建锋传》《宋史·食货志》《文献通考》等史籍，均有两湖地区岁贡茶叶之记载，这类记载一直延续至明清时期。

就产地而言，清代湖北茶叶生产集中于鄂东南之武昌府，鄂西南之施南府、宜昌府，[③] 两地地形多为丘陵山冈，“各乡之茶，多种于土阜及平原地，而南乡则崇山峻岭，无不产之，金紫山、松峰山、芙蓉坡一带出产尤胜”[④]。当时，湖北全省有 8 县颁发茶引，武昌府竟占有 7 州县，即蒲圻、崇阳、咸宁、通城、通山、兴国州、嘉鱼，另外 1 县是施南府建始县[⑤]。产量方面，湖北在清代前期无可夸耀，“各州县产茶无几，不足本地日用”，以至于“所有茶引无商可给”。[⑥] 迨至晚清，湖北茶叶产量才有大幅度增长。下面分别府属州县，将湖北茶叶产区情形胪列于下。

---

① 中国大百科全书总编辑委员会《中国地理》编辑委员会、中国大百科全书出版社编辑部编：《中国大百科全书·中国地理》，中国大百科全书出版社 1993 年版，第 201、207 页。

② 《宋史》卷八十八《地理志第四十一·地理四》。

③ 清代，湖北其他州县也产茶，但量少质劣，如罗田县、黄梅县、江陵县、远安县等。有些茶产区则呈现式微趋势，如鄂东低山丘陵地区之黄州府本是传统茶区，魏晋时期即有植茶记载，迨至明清时期，该府各县虽亦产茶，但数量、质量均不及从前，且远逊武昌、施南、宜昌诸府。

④ 民国《蒲圻县乡土志》，蒲圻县教育局 1923 年版，第 64 页。

⑤ 《清史稿》卷一二四《食货志·茶法》。按，建始县旧属四川省，清乾隆八年（1743 年）改隶湖北施南府。

⑥ 《清朝通典》卷八《食货八·赋税下·杂税·茶课》。

1. 武昌府

该府所属各州县均产茶，是湖北重要茶区。康熙府志载，兴国州“有果瓜、竹箭、茶茗之利”；通山县“产茶，即以茶为业，犊裈稚髻与估客交易，无纷争”①。章学诚《湖北通忘检存稿》在论及茶叶时，称“山陕需武昌之茶”；“六安、武彝、松萝、珠兰、云雾、毛尖，远来自福建、徽州、六安州，近出于通山、崇阳”②，表明通山、崇阳均为产茶大县。雍正《湖广通志》也有类似记载：“茶出通山者上，崇阳、蒲圻次之。”③

兴国州。据悉，兴国州在宋代以片茶著称，是为数不多的榷茶合同场之一。④《明史·食货志》载，湖广武昌府产茶颇多，其中以兴国州为最。清代，兴国州的茶业虽逊于蒲圻等县，但也不可轻视。光绪州志记载，该州茶叶“多出永福、吉口、双迁等里，谷雨前茶为上”⑤。

通山县。同治县志记载，茶叶“有红、黑二品，随人自为”⑥。清代，该县出产绿茶、红茶、青茶。绿茶产自九宫山、杨芳林、土桥等地，红茶则全县皆出。青茶又名晒青，产自畈泥、横石一带，系谷雨时采摘，经杀青、揉捻、晒干等工序制作而成。

崇阳县。崇阳自宋代即长于植茶，“崇阳在赵宋，茶、绢迭兴”⑦。迨至明清，该县植茶业日益繁盛。嘉庆《湖北通志》引明一统志，称“崇阳县龙泉山前产茶，味甚美，号龙泉茶”。同治县志载，茶树“今四山俱种，山民借以为业”⑧。时人刘镇鼎有《采茶行》组诗，对采茶

① 康熙《湖广武昌府志》卷三《风俗志》。

② 章学诚《湖北通志检存稿·考六·食货考第三》。

③ 雍正《湖广通志》卷十八《田赋志·物产附》。

④ 《文献通考》卷十八《征榷考五·榷茶》。

⑤ 光绪《兴国州志》卷四《舆地志三·物产》。

⑥ 同治《通山县志》卷二《风土志·土产·货类》。

⑦ 同治《崇阳县志》卷四《食货志·物产》。

⑧ 同治《崇阳县志》卷四《食货志·物产》。

女工的茶事予以描绘："山前山后种茶场，春风初试芽旗香。六斑好趁雨前采，背束�篮手提筐"；"采茶须采早，莫待茶芽老。茶老价亦廉，茶早售较好"；"朝采茶暮采茶，山花压损鬓云斜。蚕事未了茶事急，忙煞山中儿女家"。卫道之士进而感叹"近年村家妇女逐队入市拣茶，则风俗之大忧也"[①]。

蒲圻县。蒲圻为湖北产茶大县[②]，产区集中于县北的茗山和县南的羊楼洞，尤以后者为著。民国乡土志记载："茶为出口大宗，蒲邑四乡皆产之。而种植较盛、获利颇多者，厥惟南乡，以其近羊楼洞茶市也。"[③]羊楼洞产茶始自唐代，素有"洞茶"之盛名。迨至元明时期，受边茶贸易发展的刺激，湖北茶叶主要产区由宋代的黄州、圻州、江陵、鄂州、归州、峡州等地转向以羊楼洞为中心的鄂南地区。清康熙年间，官方逐渐放宽汉人到蒙古经商的限制，山西商人遂转型为"旅蒙商"，将内地茶叶等货物销往边境地区。清乾隆年间，山西茶商到鄂南设庄收购，以供边销，加快了该地茶业的发展。后来，广东茶商也到鄂南制办红茶，输往海外。汉口开埠前，羊楼洞已是声名远扬的边茶产区和红茶出口基地。清末民初，蒲圻茶叶种植面积扩大，饮茶广为风行。乡土志记载："茶为蒲圻土产出口大宗，亦日用所必需。然蒲俗，寻常饮料皆茗、荈之类，其龙团、雀舌至贵重者，惟待客一设而已。"[④]

咸宁县。咸宁是产茶大县，明代在绿茶之外，开始制作砖茶，晚清生产红茶，产量很大，同治、光绪县志均有记载。[⑤]文献载："谷雨。茶芽初发，乡间竞事红茶，摘茶、踩茶、焙茶。又值割麦插禾之时，民无

---

① 同治《崇阳县志》卷一《疆域志·风土》。

② 同治《蒲圻县志》卷一《疆域·物产·杂植类》。

③ 民国《蒲圻县乡土志》，蒲圻县教育局1923年版，第64页。

④ 民国《蒲圻县乡土志》，蒲圻县教育局1923年版，第52页。

⑤ 同治《咸宁县志》卷四《食货·物产·货类》。光绪《续辑咸宁县志》卷四《食货·物产·货类》。

暇刻。”[①] 其中又以咸马桥、柏墩所产最佳，“自西洋通商，咸马桥、柏墩地方植茶最广，行户领帖开行，商人贩卖，委员抽取厘税”[②]。柏墩所产砖茶以老青茶为原料，制作精良，曾在巴拿马博览会获奖。

大冶县。明清方志皆记载大冶产茶，集中于天台、汪家岩、吴家岭诸山，尤以县西大、小茗山最有名。[③]

通城县。同治县志所记土产有茶叶，并辑录歌咏款待客人的诗歌，称“尤爱人情礼俗饶，亲朋相见喜粗招。开坛绿酒兼加醴，四碗清茶并着椒”[④]，似可说明冲泡茶叶已成为乡民习以为常的礼节。

嘉鱼县。茶叶生产始自宋代，境内名茶有阳山茶、湖西茶。乾隆县志所记土产有“茶”，同治县志则有茶课银、茶税银之记载。[⑤]

武昌县。明代开始植茶，主要分布于县南低山丘陵地带，“山乡多种于隙地，来年播种茶子数十颗，至次年便生，烈日须用树枝遮之，三年便可采。有雨前、明前、雀舌诸名。土人以嫩为贵，故味清而不腴。产黄龙山巅者名云雾茶，极佳”[⑥]。这里提及的黄龙山，位于县南145里，“秀耸盘纡，泉石甚美，山巅常栖云雾，可占晴雨，产茶名云雾茶”[⑦]，是名噪一时的佳茗。

江夏县。明代，县东九峰山出产茶叶，但清代方志不见载。[⑧]

2. 施南府

该府所属各县（恩施、宣恩、来凤、咸丰、利川、建始）均产茶。同治府志所记物产有“茶叶”。在当地民俗中，人们擅长以花入茶，

① 光绪《续辑咸宁县志》卷一《疆域·风俗·节序》。

② 光绪《续辑咸宁县志》卷四《食货·杂税·茶厘》。

③ 嘉靖《大冶县志》卷二《田赋志·物产·货类》。同治《大冶县志》卷二《山川志·物产》。

④ 同治《通城县志》卷六《风俗》；卷七《土产·货类》。

⑤ 乾隆《重修嘉鱼县志》卷二《风土志第五·土产·货之品》。同治《重修嘉鱼县志》卷二《赋役志第三·贡赋》。

⑥ 光绪《武昌县志》卷三《物产·茶之属》。

⑦ 光绪《武昌县志》卷一《山川》。

⑧ 同治《江夏县志》卷二《疆土志二·山川》；卷五《风俗志十·物产》。

“多产月月红、月桂、荷包花、玫瑰花，山人以此纳茶叶中，其气味香美”①。此外，乡民喜食油茶，“土人以油炸米花、豆干、芝麻、黄豆诸物，和茶叶作汤泡之，名曰油茶。客至，则献之，以致敬。宣、咸、来三邑旅店中，亦有鬻此为生易者，行人便之”②。

恩施县。同治县志所载物产有“茶”。③

宣恩县。宣恩产茶，清人商盘《采蕨》一诗可为佐证，诗云：“夕阳一片踏歌起，社前竞采西岩茶。”④该县茶叶以伍家台茶最有名。其史事略为：乾隆年间，茶民伍昌吕制作的茶叶质量优良，相继得到知县刘澍、知府廷毓的赏识。乾隆帝闻知，遂派人到此监制，并赐伍昌吕金字匾，伍家台茶因此名扬天下。⑤

建始县。明清文献均载产茶，明人周鹍化《业州竹枝词》云：“亦有斤茶免贡输，火前香味最清腴。趁他阳雀未开口，好挈筠篮伴小姑。”道光、同治县志也有茶叶记载，但质量不佳，所谓“产茶而民拙于焙，香者绝少”⑥。

来凤县。同治《来凤县志》之《地舆志》有“老茶口”“茶园坪”地名；《风俗志》则有乡民以油茶“饷客致敬”的记述。大体上，来凤县产茶不多，但也有上等茶。史称“（茶）最佳者造在社前，其次则雨前，叶稍老则茶粗。邑虽种植不多，然间有佳品，旧志所以有云岩、仙洞两种”⑦。

利川县。同治县志所记物产有“茶”。⑧光绪县志记载：“早采者为

---

① 同治《增修施南府志》卷十一《食货志·物产》。

② 同治《增修施南府志》卷十《典礼志·风俗》。

③ 同治《恩施县志》卷六《食货志·物产》。

④ 同治《宣恩县志》卷十九《艺文志》。

⑤ 参见梅莉《明清湖北茶叶及其生产分布》，《湖北大学学报》1994年第2期。

⑥ 道光《建始县志》卷三《户口志·物产·杂产》。同治《建始县志》卷四《食货志·物产·杂产》。

⑦ 同治《来凤县志》卷二十九《物产志·货属》。

⑧ 同治《利川县志稿》卷四《食货志·物产·杂产》。

茶，晚采者为茗，一名荈。产县西南乌洞、东南毛坝者良，产县西南界牌岭者味甘，曰甜茶。”①

咸丰县。据同治《咸丰县志》记载：“茶，谷雨前采取，其味香美。”②

3. 宜昌府

该府地处鄂西山区，所属各州县均产茶，产量颇丰，尤以鹤峰为最，所谓“州中产茶甚多，其味较佳于他邑。近有茶行数家，荆、襄人多入山采买”③。尤其是，宜昌府的植茶历史在湖北最为悠久。陆羽《茶经》将峡州所属远安、宜都、夷陵三县所出之茶，视为唐代茶叶之上品。明清时期，该府所产红茶——宜红茶，其品质仅次于祁门红茶，饮誉海内外。详言之，清道咸年间，广东茶商进入鹤峰、五峰、长阳一带制办红茶，推动了鄂西茶业的发展，渔洋关成为省内著名红茶市场。鄂西所产宜红茶颇受英国茶商青睐，成为国内著名的红茶外销品种。

东湖县。乾隆《东湖县志》所记物产有“茶”。有意思的是，采茶之风甚至浸润到了年节文化之中。史称：“元宵张灯自正月初十至十五日，间有少年数十辈，饰女妆，携篮负篓，作采茶状，且唱且采，历亲友家，各以意作态。”④

长阳县。同治《长阳县志》所记物产有“茶”。当地民间小调颇多歌咏茶事，如“灯火元宵三五家，村里迓鼓也喧哗。他家纵有荷花曲，不及侬家唱采茶”；“三月采茶茶发芽，姊妹双双去采茶。大姊采多妹采少，不论多少早还家”；“三月采茶是清明，奴在房中绣手巾。两边绣的茶花朵，中间绣的采茶人”等，诚可谓“俚而不俗，颇近竹枝，渔洋所称粤风续九，无以过也”。⑤

① 光绪《利川县志》卷七《户役志·物产》。

② 同治《咸丰县志》卷八《食货志·物产》。

③ 同治《宜昌府志》卷十一《风土·物产》。

④ 乾隆《东湖县志》卷五《疆域下·风俗》。

⑤ 同治《长阳县志》卷一《地理志七·风俗·岁时》。

长乐县。该县有悠久的植茶史，唐代出产黄牛峡茶。[1]清代，以盛产红茶闻名遐迩。光绪《长乐县志》称，茶园坡“在石梁司，一在石板保，距城一百一十里，产茶，味甚美”。又称：“邑属水浕、石梁、白溢等处俱产茶，每于三月，有茶之家妇女大小俱出采茶。清明节采者为雨前细茶，谷雨节采者为谷雨细茶，并有白毛尖、萌勾（亦曰茸勾）等名，其余为粗茶。”另有李焕春所撰《竹枝词》，描写一对姐妹采摘春茶的情形，云：“深山春暖吐萌芽，姊妹雨前试采茶。细叶莫争多与少，筐携落日共还家。”[2]

兴山县。光绪《兴山县志》记载：“县境旧无茶。咸丰中，九冲山民李进考始种茶，为县境产茶之始。”[3]

巴东县。巴东介于长江上游巫峡与西陵峡之间的鄂西山区，有良好的生态环境，植茶历史悠久。唐宋以降，该地茶产著称于世。《唐书·地理志》载，归州巴东郡贡葛、茶、密、蜡。该县所产真香茶，是茶之上品。同治《巴东县志》引旧志：“茶名真香。颜元庆《茶谱》云：……巴东有真香……据此可知，巴东茶品旧亦称著海内。今自变乱之后，荒为榛莽，间有采而售者，皆大叶粗梗，兼之烘焙失宜，色味俱恶。然则茶虽本于地力，而兴衰之故亦由乎天时、人事哉。”又称：“今长丰里及在市里之羊乳山产茶，里人于谷雨前采之，色味俱佳。长丰产者尤胜，惜难多得耳。闻之父老，言巴东盛时，民有桐、茶、药、果、蜡、漆之利，野兽窜伏深山，不为民害。迨崇祯壬午以后，迄于壬辰，十年之间百姓死于虎至万余人，重以寇盗杀掠之惨，而邑遂为墟。方今土满人稀，茶荒桐槁，间采檗皮、五倍子货于市……”[4]由此可见，巴东茶业经历了由盛而衰的嬗变过程。

鹤峰州。该州是湖北著名茶叶产区。道光《鹤峰州志》引《世述

① 嘉庆《归州志》卷一《地舆志·土产》。

② 光绪《长乐县志》卷三《山川》；卷八《物产》；卷十二《风俗志·工艺》。

③ 光绪《兴山县志》卷十四《物产志》。

④ 同治《巴东县志》卷十一《物产志·货币》。

录》称，“神仙园、陶溪二处茶为上品”，时过境迁，昔日之上品已不复存在，“今查各处所产无甚分别”。尽管如此，茶业仍然是鹤峰州的支柱性产业。史载：“州属田土苦窳，生殖不饶。山林之产，惟茶利最厚，次则饲猪、种烟，贩出外境，藉通泉货”[①]；“邑土多硗薄，桑、麻、丝、棉诸种仍属未兴，故物产志仍旧，惟葛仙米、芽茶生殖颇饶”[②]。特别值得一提的是，鹤峰出产的容美茶举世闻名。“容美贡茗，遍地生植，惟州署后数株所产最佳。署前有七井，相去半里许，汲一井而诸井皆动。其水清冽，甘美异常。离城五十里，土司分守留驾司、神仙茶园二处，所产者味极清腴，取泉水烹服，驱火除瘴，清心散气，去胀止烦，并解一切杂症，现生产更饶。咸丰甲寅年，高炳之同众公议，遂创首请示设栈，多方经营。由是远客鳞集，城乡悉食其利，而财源渐开矣。”[③]鹤峰州除产传统名茶容美茶外，还是宜红茶的重点产区。光绪《续修鹤峰州志》声称：“近今美利日增，惟茶为最。”论及红茶，称：“邑自丙子年广商林紫宸来州采办红茶，泰和合、谦慎安两号设庄本城五里坪，办运红茶，载至汉口兑易，洋人称为高品，州中瘠土赖此为生计焉。”[④]

除了以上三大茶区，湖北另有少数县域也产茶。如荆州府、黄州府均为传统茶区，唐宋时期达到极盛，清季已呈衰败之势。

荆州府属当阳县，有玉泉山之仙人掌茶，为唐宋时之名茶；江陵县在彼时亦因出产楠木茶、大拓枕茶而著称。[⑤]迨至清代，荆州府属之茶，仅有远安县较为著名。同治《荆门直隶州志》载：“远安茶以鹿苑为绝

---

① 道光《鹤峰州志》卷七《物产·杂产》。

② 同治《续修鹤峰州志》卷首《物产志》。

③ 同治《续修鹤峰州志》卷首《物产志》。

④ 光绪《续修鹤峰州志》卷七《物产志》。

⑤ 乾隆《荆州府志》卷十八《物产·杂植之属》。乾隆《江陵县志》卷二十二《风土二·物产·杂植之属》。同治《当阳县志》卷二《方舆志下·物产》。光绪《荆州府志》卷六《地理志六·物产·杂植之属》。光绪《续修江陵县志》卷二十二《风土志·物产·杂植之属》。

品，每年所采不足一斤，反不如凤山之著名。然凤山亦无茶。外间所卖者，皆出董家畈、马家畈等处，以其近凤山，故曰凤山茶。”① 此外，枝江县、宜都县清代均有少量茶产。②

再如黄州府，陆羽《茶经》言：蕲州茶生黄梅县山谷，黄州茶生麻城县山谷，品与荆州、梁州同。《唐书·地理志》载，蕲州土贡有茶。《宋史·食货志》载，天下设置6处榷茶务，其中即有蕲黄之蕲口。李时珍《本草纲目》载“茶之美者，蕲州之团面”。咸丰《蕲州志》卷三《地理志下·土产》：“云雾茶，出仙人台，味最佳，诸茶莫及。”但是，该志土产细目“货类”却不记茶。黄梅县在清代有茶③，但已失去昔日风光。唐宋时期与蕲州茶同样有名的黄州茶，也令人有夕阳西下之叹。虽然清代《黄州府志》记“茶”，但产值大不如前。乾隆《黄冈县志》、光绪《黄冈县志》仅记“茶供瀹”，茶叶似乎自产自销，没有成为大宗商品。光绪《麻城县志》也仅记“茶供瀹”，再征之民国县志：“麻城产茶之山不一，以龟峰为最佳，山麓附近各地出产亦旺，而品稍逊。盖茶不喜瘦山，山愈高则土质愈瘠，接云雾亦近，故香味清洌可贵。他如天台山、迭峰山、覆钟尖等处，所产均美，惜数量不多，只是供本地之用，故名不远传耳。”④ 可知茶业已衰。黄州府其他县份莫不如是，如康熙《黄安县志》记述，万峰庵僧人“种茶数亩，紫旗绿枪，复以啜客”⑤。乾隆《英山县志》卷四《山川》仅记“茶园岭，县东二十里，旧产茶”。再参考民国文献：“（茶）邑境皆有，但所种不多，仅供本处饮料。近虽有肩挑贩运，亦不甚多。茶味不减六、霍，若能广种，亦生利之一端。苦丁茶。生深山岩石间，枝叶似茶而大，有两种：一叶小

① 同治《荆门直隶州志》卷一《舆地志·物产》。同治《远安县志》卷二《物产·货之属》。

② 同治《枝江县志》卷七《赋役志下·物产·木属》。同治《宜都县志》卷一下《地理·物产·杂产》。

③ 光绪《黄梅县志》卷七《地理志·物产·货属》。

④ 民国《麻城县志续编》卷三《食货志·物产·饮馔之属》。

⑤ 参见梅莉：《明清湖北茶叶及其生产分布》，《湖北大学学报》1994年第2期。

有刺，一叶大而圆，味甘苦，极香。近年山民渐知觅采，价值甚昂，惜无子种，极难觅种。”[1]另如罗田县，光绪《罗田县志》仅记“最上者为雨前茶”[2]。蕲水县，光绪《蕲水县志》载，茶“斗方山及人家诸圃皆出”[3]，所记寥寥。

另如汉阳府，宋代曾是榷茶之地，但清代文献均未记茶，仅民国《湖北通志》记有“汉阳茶”，又引旧志，称“茶茗，旧无称”[4]。黄陂县明代属黄州府，清代雍正七年（1729年）改属汉阳府。同治《黄陂县志》辑录邑人向古所撰《朝阳洞记》，内称“旁有庵名解脱庵，侧种茶数百本，名小岘春”。[5]襄阳府，明代产茶，但清代文献多不记茶。[6]仅襄阳府属均州产“阳羡茶”，该茶“能涤烦热，盖羽衣道流所珍也”[7]，似乎不是大众饮品。

兹根据清末湖北咨议局的相关文献记载，将清代湖北产茶州县及产量表列如下（表7—1）。

表7—1　清末湖北各州县产茶表（单位：斤、担、串）

州县	类别	年产量	州县	类别	年产量
嘉鱼	红茶	二三千斤	南漳	山茶	二万余斤
蒲圻	红茶	十六万五千余担	郧阳	家园	百余斤
	黑茶	十六七万担	竹山	家园	百余斤
崇阳	色茶	二百余万斤	东湖	绿茶	钱万串
	老茶		兴山	雨前	二万八千余斤

---

① 民国《英山县志》卷一《地理志·物产·嗜好科类》。

② 光绪《罗田县志》卷一《地舆志·物产》。

③ 光绪《蕲水县志》卷二《地理志·物产·货之属》。

④ 民国《湖北通志》卷二十二《舆地志二十二·物产一·茶类》。按，乾隆《汉阳县志》卷十《物产》、同治《续辑汉阳县志》卷九《风土·物产类》均不记茶。

⑤ 同治《黄陂县志》卷十五《艺文中》。

⑥ 万历《襄阳府志》卷十四《物产·货品》。乾隆《襄阳府志》卷六《物产》。

⑦ 光绪《续辑均州志》卷三《风土·土产》。

续表

州县	类别	年产量	州县	类别	年产量
通山	次老茶 头红茶	钱六七万串	归州	毛尖	千余斤
			利川	毛尖	四千余斤
兴国	春茶	三万余斤	恩施	绿茶	五万余斤
通城	茶	千余担	鹤峰	红茶	四十万斤
圻水	青茶	千余斤	谷城	家园 女儿红 山梨	二百余斤 二千余斤 百余斤
黄梅	红茶 绿茶	一二百斤			
广济	家园	万余斤	长乐	红茶 白茶	十万余斤 三千余斤
枝江	雨前毛尖	无多			
均州	武当太和茶	无多	长阳	红茶 白茶	六万余斤 无查

资料来源：湖北咨议局《兴茶叶以开利源案》，宣统元年（1909年）十月十三日呈。引见吴剑杰主编《湖北咨议局文献资料汇编》，武汉：武汉大学出版社1991年版，第193页。

上表显示，直至清末，武昌府、施南府、宜昌府作为湖北重点茶区的地位不可动摇。不知何故，一些产茶大县如武昌府江夏、武昌、咸宁、大冶诸县，施南府宣恩、来凤、咸丰、建始诸县，以及宜昌府巴东县均不见载。其他产茶州县，如远安、宜都、黄冈、麻城、黄安、英山、罗田、黄陂等亦不见载。姑且揣测，一是咨议局统计不周，资料缺失；二是某些州县至清末确已无茶可记。但统计所得之资料十分重要，可补方志记述之不足。如咨议局披露之南漳、郧阳、竹山、谷城、广济诸县，地方文献或语焉不详，或遗漏未记。尤其是，南漳、谷城茶叶产量，竟然数以千万计，诚为清末湖北产茶大县。从茶叶品种看，清末湖北有红茶、绿茶、黑茶、白茶、青茶、色茶、老茶、春茶、山茶、家园、雨前、毛尖、女儿红、山梨、武当太和茶，约15种。其中，红茶产量很大，表明茶叶外贸是晚清影响湖北茶业发展的重要因素。家园茶产量最少，年产量在百余斤左右，似乎可视为局限于一县之隅的自产自销产品。唯独广济是特例，所产家园茶年产量在万余斤。某些稀有品种，如枝江雨前毛尖、均州武当太和茶，则产量较少，益显名贵。从茶叶产量看，崇阳最多，年产量高达200余万斤；鹤峰为次，为40万斤。年产量在万斤以上、年产值在万串以上者，均可视为产茶大县，另有蒲圻、长乐、长阳、恩施、兴国、兴山、南漳、广济、通山、东湖诸州县。

此外，湖南茶区往往连成一片，甚至与邻省茶区地气相接。从地理方位看，岳州府属及其周边地区，位于湖南东北部，与湖北茶产区武昌府接壤。湖南茶叶，也是清代汉口茶叶市场的主要货源。

二、茶税征解

鉴于两湖茶业的重要性，唐宋以降，中央政府多次在此设立征税专门机构。宋代实行茶叶专卖制度，有所谓六务十三场之设，全国有6处“榷货务”，两湖占有3处，即江陵府、汉阳军、蕲州之蕲口。元元统元年（1333年）十月，复立湖广榷茶提举司。明清时期，岁征之课，按照省区发引办理，均有定制。如果出现茶引壅积迟滞的现象，各该省管理官员及领引商人将一并受到严厉处分。尤其是晚清，两湖设有盐茶牙厘总局，总揽盐茶厘金的征解。清末厘金骤兴，引制渐废。

茶税征解是清代茶政的核心所在。明清时期继续实行茶引制，兼行票法。茶引分长引、短引、正引、余引、腹引、边引、土引等，例如“长引”准许商人将茶叶销往外地，有效期为1年；“短引”则只能在本地销售，有效期为3个月。史载：“官给茶引，付产茶府州县。凡商人买茶，具数赴官纳银给引，方许出境货卖。每引照茶一百斤，茶不及引者，谓之畸零，别置由贴付之。量地之远近，定以程限，于经过地方执照。若茶无由引及茶引相离者，听人告捕。其有茶引不相当或有余茶者，并听拿问。卖茶毕，即以原给由引赴住卖官司告缴。该府州县俱各委官一员专理。”[①] 同时规定：茶引每引无论精粗，连包照茶百斤为一

① 光绪《钦定大清会典事例》卷二四二《户部·杂赋·茶课》。

引，给半印引目。引价纳完随即发引，照例不许溢额。客商贩茶，不许茶引相离，违者即同私茶，与私盐同罪。经过关津，批验所依例照验，将引由截角，别无夹带，方许放行。茶至各省府州县往卖者，即赴该地方官验明截角发卖。

“截角”很重要：凡领有茶引的商人，必须验引截角，方能贩卖茶叶。光绪《钦定大清会典事例》卷二四二《户部·杂赋·茶课》载：乾隆十三年（1748年）议准，湖北省建始县茶引，由本县截角，给商在本地行销。甘肃省各商领引之后，前赴湖南收买茶斤，运回甘肃。由陆路者，自河南陕州验引，移送潼关秤盘截角。由水路者，自襄阳府验引截角，经过新安、白河、紫阳等州县验引。陕西省榆林府商人，贩湖广安化茶，由水路至襄阳府验引截角，由陆路入山西境至汾州府河西驿，由陕西绥德州查验茶封。该省神木同知衙门额引200道，差人赴湖广襄阳府买茶，验引截角，运回本地行销。江西省额颁茶引内，徽商领引1 035道，赴饶州余干县贩往湖广行销，每于赴司兑课给引之后，知照九江关验明截角。凡伪造茶引、制造假货、私自与外商贸易者，一律按律科罪。

茶税属于杂税之一种[①]，又称茶课，按引征收。《清朝通典》载：“凡商贩入山制茶，不论精粗，每担给一引，每引额征纸价银三厘三毫。其征收茶课，例于经过各关时按照则例验引征收，汇入关税项中解部（间亦有汇归地丁款项内奏报者）。”[②]光绪《续辑咸宁县志》卷四《食

① 因茶税为杂税，故方志家常将其与门摊等税归为一类，如同治《当阳县志》卷四《政典志上·赋役》载：“门摊、茶税、正贡共银二十两一钱八分，除荒银十两九分，实征银十两九分。”茶税亦包括茶行的牙贴税、茶铺（茶馆）的营业税等，如光绪《续修鹤峰州志》卷五《赋役志》载：“州城埠头茶行八贴，五里坪埠头茶行八贴，南村埠头茶行二贴，刘家司埠头茶行一贴，下坪埠头茶行一贴……每贴赋银四钱五分。”再如康熙《安陆府志》卷五《赋役志·起运·摘裁》载，“茶价、祭祀、杂项银一千七百七十五两一钱一厘四毫八丝九忽一微一尘，……不在丁田、门摊、商茶税银三百一十一两六钱九分七厘六毫”；同治《公安县志》卷三《民政志上·田赋·摘裁项下》载，“茶价、杂用共额银叁百贰拾玖两肆钱玖分肆厘柒毫肆丝叁忽”。

② 《清朝通典》卷八《食货八·赋税下·杂税·茶课》。

货·杂税·茶厘》载:“康熙时府志载茶税银七十两,嘉庆通志则载银四十两,此茶引税也。”晚清《湖南财政说明书》则径直将茶税称之为“茶引税”。

按照清代定制,每道茶引征税银1两。嘉庆《湖南通志》卷三十六《田赋一》及晚清《湖南财政说明书》称,长沙、宝庆、岳州、常德4府属茶引240道,征税银240两,另收纸价银八钱二厘。同治《临湘县志》卷四《食货志·杂税》也称,该县茶引25道,茶税银25两。个别产茶县域税率有变化,同治《通城县志》卷八《田赋·杂税·茶税》记载:“每引额征茶税银五两……国朝康熙四年,通山县茶户因擘引射入通城,初犹仅输引税一两,后递增引五道,输茶课银五两。”茶税并非固定不变,而是时有涨跌。

康熙《湖广武昌府志》卷三《田赋志》载:茶税银460两,其中咸宁县茶税银70两,嘉鱼县40两,蒲圻县80两,崇阳县50两,通城县10两,兴国州40两,通山县170两。同治年间,税额有所下降,如同治《蒲圻县志》卷二《政典·赋役·杂税》载,茶税银40两。又如,同治《重修嘉鱼县志》卷二《赋役志第三·贡赋》载,茶税银20两。不同县域税额也不尽相同。例如,同治《建始县志》卷四《食货志·杂税》载,茶税银六两七钱五分。再如光绪《续辑均州志》卷七《户赋·杂税项下》载,茶税银二两四钱,并称“商民出办无定额”。

按照清代户部则例,湖北行230引,额征银230两;湖南行240引,额征银240两。湖南茶引多于湖北,是因为该省产茶区域及产量多于湖北。湖北茶引系咸宁、嘉鱼、蒲圻、崇阳、通城、兴国、通山等7州县请领。“向种茶园户、经纪中,按每引纸价银三厘三毫,征税一两。”均州、荆门州、钟祥县本地铺户、小贩,小篓粗茶每引报税一厘八毫,尽收尽解。

清乾隆八年(1743年),四川建始县改隶湖北施南府,旧行茶18引随带湖北,每引征银二钱五分,课银一钱二分五厘。湖南省茶引,由善化、湘阴、浏阳、湘潭、益阳、攸县、安化、邵阳、新化、武冈、巴陵、平江、临湘、武陵、桃源、龙阳、沅江等 17 州县转给行户坐销。[1] 清前期，茶商皆自陕西带引赴湘采买，本省所颁之引并无客领给发。这一状况在晚清有所改变，湖南本地商人开始跻身贩茶行列。与湖北一样，湖南茶商既要上缴茶引纸价银，又要上缴茶引税银，所谓“行户以为一年护贴，每引征纸价三厘三毫，纳税银一两”[2]；“茶引纸价，按则按引共额解银七钱九分二厘。又按征纸价外，每销一引征茶税银一两，共额银二百四十两”[3]。

晚清时期，茶税种类出现变易，史称茶厘，亦为杂税之一种。清咸丰二年（1852 年）太平天国起义爆发后，长江流域茶道受阻，两湖改行厘金，在羊楼洞设立专局， 并在咸宁、嘉鱼、崇阳、通山等县产茶地方设立分局。

厘金最初实为捐输之变种，源自清咸丰三年（1853 年）太常寺卿雷以諴帮办江北大营时的筹饷之举。清咸丰五年（1855 年），湖南巡抚骆秉璋、湖北巡抚胡林翼等相继在湖南长沙、湖北武昌设立厘金总局。在此过程中，捐输性质的厘捐逐步演变为商税性质（杂税）的厘税。但是，人们仍习惯于将茶厘称之为“茶捐”“行捐钱”等，一如清光绪十三年（1887 年）湖北《酌减茶捐业行厘章程》所示。胡林翼在省城设立盐茶牙厘总局，各州县水陆要道设立局卡，征收各项牙厘，解充军饷，茶厘即其一。茶厘税率仅为 1%，但经年累月，亦堪称地方财政一大财源。

尽管胡林翼规定厘金不用吏胥，以杜贪污。但是，在实际运作过程中，仍有地方官员假公济私。光绪《钦定大清会典事例》卷二四一《户部·厘税·考成》载：“咸丰七年谕：湖北署汉川县知县张祥泰，接管

---

① 茶课征解分坐销、行销，数额不同。以湖北为例，坐销者征税银一两；行销者征税银二钱五分，课银一钱二分五厘。参见光绪《钦定大清会典事例》卷二四二《户部·杂赋·茶课》。

② 《清朝通典》卷八《食货八·赋税下·杂税·茶课》。

③ 晚清《湖南财政说明书》之《入款·茶课税厘类第五·茶引税》，宣统三年（1911 年）湖南清理财政局编印。

该县厘金局，半年之内，抽钱二万五千余串，报解甚属寥寥。张祥泰著即革职，照数追缴，按律惩办。……（十一年）又奏准，办理厘捐，不使吏胥经手，则弊端较少。现在湖南、湖北厘捐，分济本省及各省征剿之饷，无论本籍外籍，但求廉勤不苟者，延请入局，不专令候补人员及地方州县经办，以收实效。……”光绪《续辑咸宁县志》卷四《食货·杂税·茶厘》：“夫厘者，百分而取一，不为不轻也，而综计所取，不下万余金矣。”长沙府属安化茶区设有厘金局，“厘局设小淹，岁入税金约三四十万”[①]。

茶厘抽收税目繁杂，总括而言有箱厘、业厘、行厘三种；细分之，则各有所属。箱厘包括广庄箱、大面箱、洋庄箱、二五箱、小斤箱、花箱箱、茶末、茶梗、茶片诸名目。与箱厘按箱形类别及茶叶类别抽收不同，行厘、业厘的抽收系将茶叶分成若干等级，即按茶叶采摘季节及先后分为头茶、子茶、夏茶、秋茶 4 种等级，分别征收不同额度的税款。两湖茶叶运抵汉口市场，均收落地厘不等，并于正厘外加抽二成。值得注意的是，针对英国茶商手持联单、规避厘捐一事，两湖盐茶牙厘总局规定无论华洋茶商，均需上缴茶厘，箱厘减半，另加二成。清光绪年间，又将行厘、业厘统称为出产税，银钱并征，税目类别及性质一目了然。

对于这项地方税之利弊，时人称：“税额甚微，几同例款。欲求整顿，实亦非易。惟茶厘亦进款之一大宗，近年收数较逊于前，论者动谓印度茶以后，各国接踵而起，西人之种植日多，华商之销场日绌，税项亦因之日短。不知西产之茶色香味究不若中茶之美，诚使中国讲求种茶、制茶之法，事事争胜于西人，何患销路不旺？至于征收之法，全赖各局员随时稽查，留心整顿，务使商家无所偷漏，司巡不致侵渔，则厘

① 辜天佑编：《湖南乡土地理参考书》第 1 册，群益图书社 1910 年版，第 37 页。

务自蒸蒸日上矣。”[①] 论者称：茶厘的出现标志着实行一千余年的茶税制度遂告停废。此言差矣！究其原因，茶厘实为茶税之变种，只是名称有所不同而已。以此观之，晚清《湖北全省财政说明书》将茶税统称之为“茶税厘”，可谓确当。实行厘金制度后，茶引渐至湮没，但原有税额依旧征纳，“湖南近来久未请领茶引，所有前项额征银两向由各该州县摊缴”[②]。茶商负担并未止于此，因为官方往往在正厘之外，又有额数无定的加抽。上引光绪年间的加抽之举，显然是出于拓展省级地方财税之目的，对园户及商人的巧取豪夺。

另据清宣统元年（1909 年）统计，湖南茶税正厘为省平银三十万零八千三百六十七两八钱九分六厘，铜元二万二千七百八十八串八百零八文，加抽省平银六万二千零五十一两九钱四分九厘，加抽部分为正厘五分之一。“抽收之法，洋庄红茶每百斤一律抽正厘银一两二钱五分。其外各种茶视货色之高下，定厘金之等差，牙厘局收厘章程列载綦详。迨光绪二十年户部奏筹饷紧要，将茶、糖厘金一律加抽二成，专供海防饷需，另款候拨，嗣奉文解归俄、法、英、德四国旧案偿款之用。”通观湖南，茶厘各局正厘加抽钱 769 506 175 文，数目不小。[③]

在实行厘金制度的数十年间，相关规定时有变化。清同治十年（1871 年），出台了《重订咸嘉蒲崇城山六县各局卡抽收茶厘章程》，该章程表明，茶厘抽收更加规范，税目更加细密，较之咸丰时的初定章程更显完备。第一，茶厘抽收对象相当明确，仅红茶一项就有 11 类之多，又可细分为广庄、口庄不同类型的茶箱，以及花香茶、米香茶、茶梗、拣皮、打片洗末、半草茶、净草茶等不同类型的茶叶。黑茶也细分为四

① 晚清《湖北全省财政说明书》之《岁入部·盐课税厘·茶税厘》，并参民国《湖北通志》卷五十《经政志八·榷税·茶税》。

② 晚清《湖南财政说明书》之《入款·茶课税厘类第五·茶引税》，宣统三年（1911 年）湖南清理财政局编印。

③ 晚清《湖南财政说明书》之《入款·茶课税厘类第五·茶正厘并加抽》，宣统三年（1911 年）湖南清理财政局编印。

种七类，分别按箱、篓、老茶征税。第二，华洋茶商税负不同，华商照章抽厘，洋商不取厘金，凸显了贸易不平等待遇。第三，对茶秤予以划一，避免弄虚作假，强调用秤以 16 两 8 钱为准，而毛茶使用 32 两夹秤。第四，各茶庄之子庄在湖南采购茶叶，必须交纳过境厘金，否则要补抽业厘、行捐。此外，特别强调湖南红茶运经广东出口，必须注明产地字样，以彰显湘茶之声名。因厘卡林立，厘税繁杂，商民怨声载道，于是清光绪十三年（1887 年），又出台《酌减茶捐业行厘章程》，对茶厘予以削减，涉及头茶、子茶、夏茶、秋茶、红茶等 14 类。这一次，各类茶叶的业厘银、行捐银均有不同程度的削减，但箱厘不改旧章，照常抽取。

清光绪三十四年（1908 年），湖广总督陈夔龙在一篇奏折中坦陈箱厘实为茶厘之重税，严重危害两湖茶业的健康发展，所谓“惟近来茶业疲敝，商情困难，每以箱厘过重为词”。该督同时注意到，牙行贪污中饱，数目惊人，实为茶业一大弊端，亟待整顿。他重申将业税、行税统一命名为出产税，并将箱厘予以部分削减。这一举措较之从前不啻为革新。具体而言，黑茶及红茶之花香、米茶、茶梗等类按章照抽，仅将红茶之广庄、口庄应缴箱厘予以删减。出产税之款项，在茶市开张之前，由行户代园户上缴。而内地茶商到茶区采购茶叶，必须向行栈索取出产税票，以保证出产税金的抽取，杜绝逃税之弊。洋商也不例外，所谓“其有洋商在海关请领三联单赴内地购茶者，毋庸完纳箱厘，亦须向行栈索取出产税票，到局呈验，乃可免厘起运，以免弊混”。于此可见，行栈之牙人扮演着重要角色，既是居间贸易、撮合生意的经纪人，又是准官方身份的税收监管人。但是，清末两湖茶业牙行的管理却并不令人乐观，从事牙行一业者鱼龙混杂，官方疏于督察。以故，该督饬令厘金总局会同茶厘委员及公所董事进行全面清查，重新注册，不准私自开设，以维护茶业正常的营运秩序。[①]

① 民国《湖北通志》卷五十《经政志八·榷税·茶税》。

附带提及，茶厘之征是创立江汉关的直接原因。民国《湖北通志》卷五十《经政志八·榷税·江汉关税务》记载，江汉关税务“设于咸丰十一年，以汉黄德道兼，监督税务。江汉关署设立汉口镇（后改为夏口厅）青龙巷。附录湖广总督官文奏略：自今春二月以来，……内地商人分赴湖南、湖北，购买茶叶等货物，动称洋商雇伙，抗不完纳厘金，惟有于汉口设关，明定章程，设立行栈，收票发票……”云云。

三、制茶工艺

中国是茶的故乡，尤以绿茶的历史最为久远。大体上，明代之前的中国茶均可称为绿茶，以蒸青方法（即蒸焙）制作。进入明代，蒸青制茶普遍改为炒青制茶，即在铁锅中翻炒茶叶，这为芽茶和叶茶的普及创造了前提。经过实践，炒青工艺成为包括杀青、摊凉、揉捻、焙干的完整制作过程。

明代除绿茶外，黑茶、熏花茶、乌龙茶、红茶等不同种类的茶叶亦开始出现。乌龙茶，又叫青茶，始自明代福建武夷山茶区生产的一种半发酵茶。清代湖北也有出产，“谷雨节前，摘取毛尖，制成白毫、乌龙，是谓青茶”[①]。据《明史》记载，黑茶在明初四川即已出现，后来因茶马贸易之需，到万历年间扩展到湖南。迨至清代，黑茶成为湖南安化县的特产。湖北蒲圻也产黑茶，“红茶摘后，将来年老叶用刀割下，炒半熟而揉之，谓之底子，即绿茶之粗者。其精细者分三种：撒面、二面、元巅也。炒揉一如底子，更有蒸（用甑）、捆（用小口袋）各手续，撒、二面并二次，元巅一次”[②]。晚清时期，红茶出口，黑茶内销。史载：湖南茶业“今所制，分红、黑两种。红茶叶细而嫩，西洋人喜食之。黑茶叶老而粗，素销中国西北各省，今俄人亦有购用者。每年春夏，晋、广、湘商人入山，茶约七八十号，其资本各有一二万乃至三四十万不

① 民国《蒲圻县乡土志》，蒲圻县教育局1923年版，第65页。

② 民国《蒲圻县乡土志》，蒲圻县教育局1923年版，第65页。

等”[①]。光绪《巴陵乡土志》所记物产既有“红茶”,(并注明“由湖北营销外洋”),又有“黑茶”。

红茶作为茶叶的新品种,始自明代。清代两湖地区广为种植,“道光二十三年与外洋通商后,广人每携重金来制红茶,土人颇享其利。日晒者色微红,故名红茶。昔之称兰芽、estimated青,用火焙者,统呼黑茶云”[②]。我国产茶之区甚多,所产多为绿茶,红茶产量不多。晚清时期,两湖红茶占全国红茶产量的大部分,其中又以湖南最多。红茶细如米粒,俗称“一把米”或“米红”。有关红茶的种植,兹有清光绪年间湖北襄阳府谷城县所颁《劝民兴种茶树示稿》一篇[③],言之甚详。当时,湖北牙厘总局候补道曹南英采访各茶商,将制办红茶之法开具清折,呈给湖广总督署。

曹氏所议不仅限生产,也涉及销售,全面而精详,难怪湖广总督张之洞将之抄发两湖产茶各州县,晓谕商民,实力讲求。方志所载,亦可参照。史载:“(谷)雨后采取嫩叶,曝以阳光,俟叶边微带红色,或于土盆或木柜上搓揉之,俾成线索,然后散布篾垫上,晒令半干,收贮深桶,以衣被紧闭之,使色变纯黑而气味芬新,是名红茶。”[④]

砖茶的类别与制作完全不同于红茶,详于后文。清代湖北最大茶区是羊楼洞。羊楼洞茶区的茶叶制作概分茶芽、粗茶、精茶 3 个阶段。

茶芽生产“以本来为米作农家的兼营形态的茶户来担当”,在此基础上,茶户也承担粗茶制作。这些茶户“系以农主工从的农家副业形态,为补助家计,来从事家内劳动的姿态而出现”。由于茶叶制作以补充家计生活为目的,以故茶户的经营规模不免狭小。清代,中国茶叶生

① 辜天佑编:《湖南乡土地理参考书》第 1 册,群益图书社 1910 年版,第 37 页。

② 同治《巴陵县志》卷十一《风土·土产》。

③ 张之洞:《札襄郧宜施各属查明地方土性、试种茶树是否相宜(附单)》(光绪十七年十二月十三日),《张之洞全集》卷一〇九《公牍二十四·咨札二十四》。按:本文所引《张之洞全集》,系指苑书义、孙华峰、李秉新主编:《张之洞全集》,河北人民出版社 1998 年版。

④ 民国《蒲圻县乡土志》,蒲圻县教育局 1923 年版,第 65 页。

产“几乎全是称为茶户及贩户的农家的副业的（实为兼业的）经营，并未实行大规模的茶园及有组织的栽培法，因而一户以极小的产出量各自独立地直接卖与市场，并不能有收得充分利益之能力，而又无如生产者的共同贩卖法一类的处理法，此间自不能不为中间商人所乘，以至利润之大部分为商人所剥削，生产者收入被大为减轻，而农家所生产之粗茶，由茶号及茶栈予以加工精制放进市场”。

粗茶制作又分为萎凋、搓揉、发酵、焙烘诸工序。从粗茶制作的繁复过程看，清末羊楼洞的茶叶生产工序已相当完备，不过其技术仍为手工劳作。有学者称："由农家以狭小规模所生产之原料茶（茶芽——引者），经同一农家之手实施粗茶加工，经过这个阶段，即离开农家而移于纯粹的企业经营"，后一阶段称之为精茶制作，其工序更显繁复。

清末羊楼洞精茶工厂，已达到“机械以前的工具与手工业劳动的大型制造业阶段”。然而，直到民国初年，羊楼洞制茶业并未出现机械化的近代工厂。当时的考察记录可以为证，即“职工在每次茶季，即自五月初旬，聚集此地，各制茶家雇用工人男女合计四五百人，制茶繁盛时季，达千余人之多。女工自其住宅或客栈中来从事专门撰茎工作，男人在制造所内起居，从事火干、分筛、搬运等工作，并有夜班。三等职工概属农人，过半自江西地方前来，薪银不论男女，日给百文乃至百六十文，男工供膳，女工则不供膳”。虽然规模有所扩大，但生产技术及组织“依然徘徊于工具与手工劳动的机械以前的阶段，向机械化转换的痕迹毫无”[①]。羊楼洞的情形似可视为清代两湖茶业生产技术水准的缩影，传统的手工业仍然是民族制茶业的主体形态。

不过，新生事物也在萌生。汉口首家中国商人创设的机器砖茶厂的生产设备及工艺颇值得注意。据日本人的调查资料，这家茶业公司创设

① （日）平濑己之吉：《近代支那经济史》引述明治四十二年山田繁平：《清国茶叶调查复命书》；安原美佐雄：《支那的工业与原料》。参见贾植芳：《近代中国经济社会》，辽宁教育出版社2003年版，第211—215页。

于光绪二十二年（1896年），业主是广东人黄云浩。[①]这种早期工业化阶段的生产车间和机器设备，虽然笨重、简陋，却开启了中国人用机器制茶的新时代，意义可谓深远。

第二节　万里茶道

茶道起点在湖北境内的羊楼洞，终点是俄国，中转站是汉口。早在唐宋时期的边茶销售中，就有两湖蒸青团茶（宋人称之为片茶）的身影。尤其是明清时期的茶马贸易，两湖茶（尤其是湖南茶，时称“湖茶”）占据着重要一席之地，与此同时，两湖茶也是内地茶叶输往西北边陲的主要货源之一。迨至晚清，两湖茶业在对外贸易的刺激下进入繁盛时期。[②]

一、汉口开埠及俄国茶商

汉口开埠后，直到民国初年，汉口茶叶市场一直是俄国商人处于独霸地位。由于俄国商人是清代汉口市场上购销茶叶的最大客户，因此由汉口通往俄国的茶叶商路便成为汉口市场商品流通体系中最引人注目的部分。通而观之，汉口茶叶销往俄国的商路包括水路和陆路，计有五条路线：

第一条，由汉口装船运抵天津，再由陆路经恰克图运至西伯利亚；

第二条，由汉口沿长江运至上海，再经海路运往海参崴；

---

① （日）平濑己之吉：《近代支那经济史》引述明治四十二年山田繁平：《清国茶叶调查复命书》之记载。参见贾植芳：《近代中国经济社会》，辽宁教育出版社2003年版，第216页。按，山田氏将“兴商”误记为“兴亚”，创设年代误记为“1900年代”。

② 参见杜七红：《清代汉口茶叶市场研究》，武汉大学历史学院专门史专业1999年硕士学位论文；杜七红：《清代两湖茶业研究》，武汉大学历史学院专门史专业2006年博士论文；严明清主编：《洞茶与中俄茶叶之路》，湖北人民出版社2014年版；宋亚平主编：《欧亚万里茶道及其源头》，崇文书局2015年版，等等。

第三条，由汉口溯汉水而上运抵樊城，在樊城起货后转装大车运往张家口，然后运抵恰克图；

第四条，由汉口装船，途经地中海运抵敖得萨；

第五条，由汉口经汉水运至老河口，卸船之后运往河南赊旗镇，再途经山西的潞安府、沁州、太原府直至大同之西南部，最后由归化厅分销于俄国。

由汉口运往俄国的茶叶，主要是砖茶。这是制作工艺独特的一个茶叶品种。据1890年汉口海关年度商务报告，汉口俄商砖茶厂生产的砖茶分为两种：第一种砖茶用茶末制成，专销俄国；第二种砖茶用茶叶、茶梗和茶末制成，另销他处。关于第一种砖茶的制作流程，该报告有如下表述：此种砖茶“用普通的茶末做成，并放在布袋里，用蒸气蒸一下后再压轧在一起。压轧是用手工，也就是把一定数量的茶末放在布袋里，蒸湿后倒在木模里，然后由一个工人挥动大槌子捶打，直到茶末黏结和发硬时为止。这种普通茶末的价格，是每磅1先令1/3便士至1先令1/2便士。制造费用、出口关税和包装费用等大概使出口价格高出一倍，故从这里装船出口时，价格约达每磅2先令3/4便士。每一个细竹编成的篓子，可以装300—400磅砖茶。每骆驼可以驮两篓。砖茶的体积约为普通茶叶的1/6”[①]。清光绪八年至十七年（1882—1891年）汉口海关十年商务报告的说法稍有不同，称“先放在布袋里蒸，然后倒在和制造泥砖大致相同的木模里，只是比较结实而没有那么深，把这个模子放在一个强力的榨板之下，压到所需要的密度为止。砖茶取出后，用普通白纸包装……”[②]另有文献称，砖茶分红、绿两种，“用红茶之粉末以造者为红砖茶，用绿茶之粗叶并用茎者为绿砖茶”[③]。红砖茶又称之为

① Commercial Reports，汉口，1890，pp.6—7. 参见姚贤镐编：《中国近代对外贸易史资料》第2册，中华书局1962年版，第1321页。

② Decennial Reports，汉口，1882—1891，pp.172—173. 参见姚贤镐编：《中国近代对外贸易史资料》第2册，中华书局1962年版，第1322页。

③ 民国《汉口小志》之《商业志》。

米砖，绿砖茶叫作青砖。

美国茶叶史专家威廉·乌克斯（William H.Ukers）在其《茶叶全书》（All about Tea）一书中的描述，可丰富人们对砖茶及其制作工艺的认识。他指出："约在1850年，俄商开始在汉口购茶，于是汉口成为中国最佳之红茶中心市场。俄人最初在此购买者为功夫茶，但不久即改购中国久已与蒙古贸易之砖茶。"这表明，砖茶系中国人而非俄国人所发明，历史悠久。乌克斯称，1861年汉口开埠后仅两年，俄国商人便在此设立砖茶厂，在制作工艺上作了重大改进，"彼等改良中国压制砖茶旧法，其后改用蒸气压力机，后于1878年使用水压机"。起初，砖茶原料为零碎茶末。随着砖茶贸易的扩展，俄商遂将"质量良好之茶叶，用机器磨成粉末以制砖茶。结果，在俄国家庭所用之砖茶质量日佳，而销售之数量亦远胜功夫茶或未经压实之茶叶"。后来，俄国在汉口市场大量进口印度、锡兰及爪哇茶末，以增加砖茶制造所需之原料。关于砖茶制作流程，乌克斯写道："在汉口及九江一带之俄销砖茶厂，制造砖茶之方法简单而有效。有一笨重之模型，上有精细花纹，放于水压机中。不论红茶或绿茶，经过平常制造过程后，再加蒸热而放入模型中。其程序为：先放一层上等茶，然后放一厚层之粗劣茶叶，再加一薄层上等茶于面上。俟复以模型后，再用水压重压之。旋去压力，取出模型，即得砖茶。经三星期之干燥，即告完成。砖茶每块重两磅半至四磅，依其大小而异。为便于运输，均包以纸，并装入竹篓中。每篓八十块，净重二百磅。"①

汉口俄商砖茶厂还生产一种质量上好的砖茶，称为小京砖茶，"它是最好的茶末用蒸汽机压制的，每块约用2.5磅的干茶末，不用蒸过便倒入汽缸上的一个钢模内，每块要经受两吨压力。小京砖茶的制造和包装必须非常细心，费用不可谓不大。茶末的价格每担为12至15两。小京砖茶从模子里取出后，先用锡箔、然后用纸包装，最后装入衬有铅皮

① 参见彭泽益编：《中国近代手工业史资料》第2卷，中华书局1962年版，第110—111页。

的箱子里，全部运往俄国”①。小京砖茶被称为“旅行家、边疆地区的居民和战地的军队的最好的和最便于饮用的茶叶”②。在华制造的小京砖茶除了供销俄国，还出口德国和法国。在俄国西伯利亚等地，砖茶既是食品，又是通货，极受欢迎。人们“把一块或半块砖茶放在像咖啡壶的铜制器皿里，和羊油牛油同煮，然后趁热把这种液态食品吃下去。在那寒冷的高原上，它必然是使人发暖的和营养丰富的”③。

客观而论，俄商在汉口的制茶厂是湖北最早的近代企业，它起到了开风气之先的作用。尤其是，这些近代工厂生产的砖茶刺激了汉口市场的繁荣，直接促成了晚清中国出现了一条由南而北的“万里茶道”。尽管这条水路与陆路相互交织的茶叶商路仅仅存在了四五十年，但其历史意义是巨大的，在中外交流史上具有独特的价值。

二、聚焦羊楼洞

羊楼洞产茶始自唐代，素有“洞茶”之盛名。汉口开埠前，羊楼洞已是声名远扬的边茶产区和红茶出口基地。

言及羊楼洞，就会谈到砖茶。史称：“洞市茶砖，为吾蒲商业特色，其制造之方法、运销之场所、产额之多寡、税则之重轻、本息之厚薄，内容极为繁复，鲜有能道其详者。”④最早的砖茶是元代及明代的帽盒茶，制作方法是将茶叶蒸热后踩压成形，然后装入茶盒，每盒的重量约为8斤。帽盒茶销往边疆及西伯利亚一带，这跟当时的边茶贸易直接相关。到了清代，羊楼洞产茶业进入快速发展阶段，帽盒茶产销两旺。

---

① Decennial Reports，汉口，1882—1891，pp.172—173. 参见姚贤镐编：《中国近代对外贸易史资料》第2册，中华书局1962年版，第1322页。

② Commercial Reports，九江，1892，p.4. 参见姚贤镐编：《中国近代对外贸易史资料》第2册，中华书局1962年版，第1322页。

③ Commercial Reports，汉口，1890，pp.6—7. 参见姚贤镐编：《中国近代对外贸易史资料》第2册，中华书局1962年版，第1321页。

④ 民国《蒲圻县乡土志》，蒲圻县教育局1923年版，第90页。

值得注意的是，经营帽盒茶的大商人并不是湖北本地商人，而是山西茶商，时称盒茶帮。他们每年谷雨之前进驻羊楼洞，秋收之后返回晋省。清乾隆年间，晋商大盛魁商号开设了“三玉川”“巨盛川”两大茶庄，它们在羊楼洞制作帽盒茶，用“川”字作为商业标志，年产量近 80 万斤，可见其销量之大、声誉之佳。同时，它们在湖北商业巨镇——汉口设有常驻机构，以与羊楼洞互通声气。

关于晋商制茶的技术环节，方志有所记述：“茶皆山西商客买于蒲邑之羊楼洞，延及邑西沙坪。其制：采粗叶入锅，用火炒，置布袋揉成，收者贮用竹篓；稍粗者，入甑蒸软，用稍细之叶洒面，压成茶砖，贮以竹箱。出西北口外卖之，名黑茶。”稍后，广东茶商也来到羊楼洞，但不是制作砖茶，而是采制专供出口的红茶。红茶的制作技术当然不同于砖茶，史称：“道光季年，粤商买茶。其制：采细叶暴日中，揉之，不用火炒；雨天用炭烘干。收者碎成末，贮以枫柳木作箱，内包锡皮，往外洋卖之，名红茶。箱皆用印锡，以嘉名。”[①] 清咸丰年间，羊楼洞经过技术改造，开始制作真正意义上的青砖茶。米砖茶是俄国茶商在汉口设立砖茶厂之后才出现的，比青砖茶稍晚。

清代羊楼洞的茶庄，因资本多寡、业务不同而有区别。例如，包茶庄大多系本地小本商人经营，专门从事茶叶的初级加工，它们将老青茶发酵、筛切，制成半成品，然后装入布袋，推销给砖茶制造商。砖茶庄的老板是资金雄厚的山西茶商，掌控着茶叶收购、制作、运销的全部流程。羊楼洞砖茶的集散中心是汉口，分为东口货和西口货。由汉口发往张家口者，叫东口货，以二七砖（每箱 27 块）、三八砖（每箱 38 块）为主，每箱重量约 90 余斤。由汉口发往包头者，叫西口货，以二四砖（每箱 24 块）、三九砖（每箱 39 块）为主，每箱重量约 100 余斤。清末民初京汉铁路通车，羊楼洞砖茶遂由人力独轮车推送到赵李桥，再装上火车运往张家口或包头，最后通过汽车或驼队运往蒙古等地。汉口运销

① 同治《崇阳县志》卷四《食货志·物产·货类·茶》。

俄国的砖茶，经过长途跋涉后，集中于俄蒙边境城市恰克图交易。[①]汉口制作的砖茶在装运方面有讲究，一般不用内衬铅皮的木箱，而使用填塞了纸张、树叶的竹篓，以便于北方地区的驼队运载。

羊楼洞的茶叶种植及制作，在清代竹枝词中留下了宛如影像般的场景。其曰："三月春风长嫩芽，村庄少妇解当家。残灯未掩黄粱熟，枕畔呼郎起采茶"；"茶乡生计即山农，压作方砖白纸封。别有红笺书小字，西商监制自芙蓉"。最后一句附有注释，云："每岁，西客于羊楼司、羊楼洞买茶。其砖茶用白纸缄封，外粘红纸，有'本号监制''仙山名茶'等语。芙蓉山，在西乡。"[②]从这些质朴而生动的描述里，我们似乎看到了那些茶农们青春洋溢的面容和辛勤劳作的身影。

另有文献记载："凡出茶者为园户，寓商者为茶行。邑茶引，旧四十八两。同治初，加六两零三分二厘五丝，茶非有加于旧也。自海客入山，城乡茶市牙侩日增，同郡、邻省相近州县各处贩客云集，舟车肩挑，水陆如织。木工、锡工、竹工、漆工、筛茶之男工、拣茶之女工，日夜歌笑市中，声如雷，汗成雨。食指既多，加以贩客搬运，茶来米去，以致市中百物一切昂贵，而居民坐困。至于乞丐无赖、奸民盗贼溷迹其中，为害益不可胜言矣。"[③]显而易见，羊楼洞茶区已经形成较为复杂的社会分工。既有以茶为生的劳动者（园户），又有从事营销的商贩（茶行）。

羊楼洞的茶商，以晋商和粤商为主。在茶叶生产及销售的管理方面，既有官方颁发的"茶引"，又有市场中介（牙人牙行），还有为数众

---

① 中国土产畜产进出口公司湖北省茶麻分公司编：《湖北茶叶贸易志》，1985 年，内部出版，第 18、28—32 页。另参赵李桥茶厂、华中师范大学历史系厂史编写组：《洞茶今昔》，湖北人民出版社 1980 年版，第 3—9 页。黄丽生：《由军事征掠到城市贸易：内蒙古归绥地区的社会经济变迁（14 世纪中至 20 世纪初）》，台湾师范大学历史研究所专刊第 25 辑，1995 年版，第 435—436、438、457 页。

② 同治《蒲圻县志》卷一《疆域·风俗》。

③ 同治《崇阳县志》卷四《食货志·物产·货类·茶》。

多的各类工匠，包括木工、锡工、竹工、漆工、筛茶工等等。尤其是这些掌握专门技术的劳动者，其精思巧技直接关系到羊楼洞茶叶的品质、销路及信誉。例如，茶箱的制作由木工、竹工、锡工等负责完成，“羊楼洞、羊楼司之砖茶，皆以箱盛之。除洋商运汉制造外，山西商则完全在本镇包装，岁需茶箱甚巨。其收篾自制者固多，来自柘坪及大小港者亦复不少”。茶箱的箱板由木工“以枫木分板为之，工厂则鄢发章、万春和为最著”。竹工制作簸盘，以备拣茶之需，“红茶行起样发拣，需用甚夥，制造皆本洞篾行及峡山人”。锡工也不可或缺，“红茶箱内层以薄铅皮裹之，名曰铅罐。罐重四斤。丙辰，铅价大涨，减为三斤七两。洞市彭松柏、邓永发实专其业”。筛茶的工具多用竹器，“红茶庄用最广，有一、二、三、四筛，及粗雨、中雨、小雨、芽雨、复芽雨、铁沙、生末、尘末等名目，制造者亦以峡山人为多”。砖茶机器所用的木材也出自木工之手，“其柱架及下压机皆以极大栗木为之。模器多用枫木（如匣斗之类），每副四百件，料费约需千五六百金”[①]。

茶行的出现，刺激了车行、船行的发展。史载：“羊楼洞、羊楼司并有茶行。茶箱陆运用车，故洞有车行。水运始张家嘴，至新店过载，故该二处有船行。”[②]就湖北而言，轮船在内河航运中出现较晚，以故茶叶的水上运输仍然依靠传统的木船。时人称：“蒲圻河道虽远，然水浅地狭，惟民船之小者可以运载货物，往来武汉、荆沙各处，而轮船不能行驶也。其通轮者，惟新店、汀泗、神山三道。”又说：“十里马蹄湖，十五里黄盖湖，三十里岛口出江，水道较深。本地艑子多为运载麻捆之用，其输送茶箱者，类皆外来之小驳鸦艄及满江红等船，然载重行缓，且时虞不测。洋商如阜昌、新泰、顺丰各家，皆制有飞鸿、飞电等小轮，以为拖运之用。”[③]

① 民国《蒲圻县乡土志》，蒲圻县教育局 1923 年版，第 75—78 页。

② 民国《蒲圻县乡土志》，蒲圻县教育局 1923 年版，第 87—88 页。

③ 民国《蒲圻县乡土志》，蒲圻县教育局 1923 年版，第 94 页。

关于羊楼洞鼎盛时期的砖茶情形，时人留下了非常详细的记述。在这些记述中，有关技术层面的材料尤为重要。我们得以知晓整个制茶流程：从采茶、买茶、发酵、筛拣、裁断、风扇、过秤、汽蒸，到使用模具施压、包裹完成，最终装箱运输。同时，我们也得以知晓制茶需要的主要工具，包括秤、筐、盘、模器、炉、蒸汽锅、水箱、木质下压器、蒸汽下压机等。关于制茶工具，时人强调："制粉红茶砖，宜用汽机施顽强压力。若砖茶，则考察销场习惯，不合用最强压力，使茶叶黏结不开，故仍以木机制作为适当。且木机全副约值银六千两，较汽机为易办。"[①] 这些言论均系经验之谈，也表明人们对制茶技术的重视。

为了使茶叶生产更上一层楼，羊楼洞曾设置茶业试验场，并创建茶业学堂，"招致附近园户子弟研究培植、制造各新法，并租地数亩，植茶无算，实行改良种制。置场长一人，会计、技士各一，工徒四名，岁支经费二千四百余串"[②]。由于各种原因，清代湖北的制茶业在生产方面一直存在技术性瓶颈，尽管汉口的俄商砖茶厂已开始使用近代机器。如今，走在羊楼洞古商道的清冷石板路上，虽不见运茶商队的踪影，但那些年复一年经车轮反复辗过而落下的凹痕，却勾起人们对往昔无限的遐思。

三、汉口茶馆写真

值得注意的是，在汉口茶市的兴盛过程中，汉口茶馆发展迅速，构成湖北茶文化的一道亮丽景观，亦是汉口商民生活的重要内容。[③]

---

① 民国《蒲圻县乡土志》，蒲圻县教育局 1923 年版，第 90 页。

② 民国《蒲圻县乡土志》，蒲圻县教育局 1923 年版，第 110 页。

③ 关于清代汉口商民生活，参见李琳琦：《徽商与汉口紫阳书院》，《清史研究》2002 年第 2 期；张小平：《汉口徽商与社会风俗》，《安徽史学》2005 年第 1 期；王振忠：《明清以来汉口的徽商与徽州人社区》，李孝悌编：《中国的城市生活》，新星出版社 2006 年版；张岩：《清嘉道年间汉口商人文化生态考释》，《深圳大学学报》2010 年第 2 期；陈锋：《清代湖广食盐的运销与汉口盐商》，《扬州大学学报》2018 年第 1 期，等等。

清代前期，汉口的茶馆颇多，诚如叶调元在竹枝词中所云："无数茶坊列市廛，早晨开店夜深关。"[①] 这些茶馆多集中在汉口后湖一带，时人所撰《后湖柳枝词》有"茶墙酒壁簇成村，长短枝交白板门"句[②]，即可为证。后湖即昔日襄河故址，北距黄陂、孝感三十里，东西数十里，景色宜人，是游春消夏之胜地，"土人沿缘设茶寮数十处，以待游客"[③]。

除了后湖一带茶馆云集之外，汉口其他地方也多有茶馆招牌。如范锴《汉口丛谈》卷二所记汉口居仁坊之西来庵，"内赁贾客，堆贮货物，外作茶肆"。另记汉口大智坊，"近有茶肆，题曰白宾洲"。该茶馆的墙壁上留有文人骚客题记，云："白宾洲者，茶社名也。主人王姓，迹类枝栖，名叨市隐。……爰有息肩热客，聊以涤烦；驻足劳人，于焉疗渴。主人则呼童涤器，命仆瀹泉。灶暖烟清，瓴香水活。……暖风人醉，会须茗炊三巡；寒夜客来，认取灯悬一点。……我非陆羽，到来性课《茶经》；君是王濛，供给勿嫌水厄。"不难看出，白宾洲茶馆的店主姓王，光顾茶馆者既有商人行旅，又有平民百姓。主仆服务态度良好，服务质量上乘，而且是二十四小时营业。

茶圣、名流，均是品茗者的谈资，颇有文化氛围。直至鸦片战争前夕，汉口茶馆业在叶调元的《汉口竹枝词》中依然是"茶庵直上通桥口，后市前街屋似鳞"的一派繁盛景象。颇有特色的汉口露天茶馆也未能游离叶氏敏锐的目光，被他写进了竹枝词，词云："米市都居米厂台，砌成白石净无埃。坛场数亩排茶桌，顽雀人来坐一回。"[④]

在清代前期汉口的人口构成中，以商人为主干的流动人口占绝对多

---

① （清）叶调元：《汉口竹枝词》卷一《市廛》第37首。引见徐明庭辑校：《武汉竹枝词》，湖北人民出版社1999年版，第39页。（以下仅注"引见徐明庭书"及页数）

② （清）范锴：《汉口丛谈》卷一。

③ （清）洪良品：《湖北通志志余》第3册，《汉阳府志余》。湖北省图书馆1985年印。

④ （清）叶调元：《汉口竹枝词》卷一《市廛》第5首、第41首。引见徐明庭书，第30、40页。

数。[①]大量的行商孤旅、平民百姓抬脚走进茶馆，品茗谈笑间暂时忘却生计之烦累、路途之劳顿，“鼎锅水沸白如波，三碰茶呼渭水河。更有下茶诸果品，提篮闲汉似穿梭”。民间戏曲也乘隙在茶馆扎下自己的根基，长袖短歌与茶香缭绕相谐成趣。“清茶寂寞殊无味，要听丝弦怕熟人”；“琵琶遮面秋波溜，郎自吃茶侬自歌”[②]，早期的汉剧和楚剧（黄孝花鼓戏）就这样在汉口找到了自己的市场价值和栖身之地。更有文人骚客相约成行，在茶馆吟诗唱和、风雅人生。以故汉口茶馆生意甚好，以茶入诗的风气颇为浓厚，几可成为汉口一大人文景观。

鸟瞰汉口茶馆，以后湖为最多。后湖茶馆中，以白楼最为著名。在时人眼里，“后湖茶肆，上路以白楼为最著。白楼者，白氏之故址也，在大观音阁后，百弓地辟，畚土坚墁，编槿为篱，积石成径。中构小楼，作东西两厢。轩窗豁达，槛曲廊回之内，皆设小座，以供茗坐。……逭暑者接踵而至，绨衣挂树，凉风袭人，七碗香生，适然歌咏。凭眺之胜，以斯楼为第一。”[③]白楼之外，后湖数十家茶馆中的佼佼者还有第五泉、涌金泉、翠香、惠芳、习习亭、丽春轩等处。清代前期，后湖不仅成为汉口茶馆业的代名词，而且成为众多咏茶诗的灵媒。[④]

上揭《汉口丛谈》出自在汉口经营盐业的商人兼文人范锴（浙江乌程人）之手。这部笔记体裁的作品辑录了清代前期（主要是嘉庆、道光年间）题咏茶茗的诗作（含作者自己的创作）多达23首，其中珠玑之

① 乾隆《汉阳府志》卷十六称：“又云汉口一镇，五方杂处，商贾辐辏，俱以贸易为业，不事耕种。”（清）叶调元：《汉口竹枝词》卷一《市廛》第5首亦云：“此地从来无土著，九分商贾一分民。”引见徐明庭书，第30页。

② （清）叶调元：《汉口竹枝词》卷三《后湖》第118首、第114首、第117首。引见徐明庭书，第64、65页。

③ （清）范锴：《汉口丛谈》卷一。另，前清人士吴格斋云：“汉口后湖茶社，以第五泉为最著名。”引见王葆心：《续汉口丛谈》卷四，今存录。

④ （清）范锴：《汉口丛谈》卷一云：“后湖一带，地平而旷远，春草生时，望无涯矣。加诸茶寮市列，争购名花，春兰秋菊，各擅其芳。以是骚人逸士，估客寓公，无不流连光景，呼茗曷留……”

句，令人赏玩不已。所辑友人诗作，有“晚烟敛尽银蟾出，独照幽人瀹茗时”；“浇残绿雪消清昼，割尽黄云剩翠莎”；“衣香帘影斜风里，半是茶烟半曲尘”；“一枕清凉消午梦，自烹活水试新茶”等佳句。范氏亦时常脱口成章，其诗云“野寮茶罢暮烟霏，缓踏晴沙软路归”；“几年同作江湖客，一半茶寮笑咏来”。其词云“风引处，月团扇小。凉透却，雪白衫轻。茶寮坐，沈枪试茗，活火迟烹……”据范锴自述，他喜欢与友人一起，“每于夕阳斜下，则相约白楼瀹茗，以遣客愁”。可见，范氏不仅熟谙计然之术，而且精通音韵辞章，遣怀歌吟之间竟为今人留下了研究汉口前清茶叶史的珍贵材料。

能够享受品茶之闲情者不局限于文人商旅们，清代前期汉口的女士们也是茶馆常客。其中既有青楼名妓，又有平民女子。后湖在清代前期是武汉地区的旅游胜地，“春时丛树扶疏，芳草鲜美，覆云在地，流霭接天，……于是士女出游，咸愒坐啜茗而留览焉”。在春光明媚的日子里，后湖茶馆“弦歌喧耳，士女杂坐，较上湖游人更盛”[①]。这些年轻女子一边品茶一边吃花生（“十数席中占一席，高抬纤足剥花生”），活脱脱的一幅适情写意的市井民俗图。值得注意的是，汉口女子逛茶馆在前清已是一种日常消费行为，“后湖时有妇女结伴闲步，倦即愒坐茶寮，唤烟呼茗，不以为嫌也”[②]。透过这种自由开放的商业氛围，不难发现茶叶的消费已经成为大众行为，“一碗粗茶嗑瓜子，布棚厂下看风筝”[③]。人们对茶馆的垂青带来了茶馆业的兴盛，这显然刺激了茶叶的商品流通量，因为汉口本地并不产茶。

茶馆的兴盛不仅仅刺激了茶叶的商品流通量，如果我们联想到一位美国学者对茶的论述，那么就应该重新评估汉口茶馆业生意兴旺对于汉口市场具有怎样的意义。珀金斯是美国哈佛大学研究中国农业史的专

---

① （清）范锴：《汉口丛谈》卷一。

② （清）范锴：《汉口丛谈》卷二。

③ （清）叶调元：《汉口竹枝词》卷三《后湖》第 112 首。引见徐明庭书，第 63 页。

家，他在论及清代农业时指出："茶叶，被人看作中国的民族性的饮料，大部分是由富人消费的。穷人常常连白开水也喝不成"。在谈到长距离贸易（省际贸易）时，又说："通过向地主缴纳地租，农业部门提供了大量的收入去支持省际的贸易，只有生产茶叶和丝绸之类商品的农民和手工业者才从这种贸易中取得他们所要消费的物品的一大部分。茶叶和丝茧生产给几百万农户提供了部分工作的或全日工作的机会。进一步说，如果没有全国范围的贸易网，那么这些活动中的生产和就业一定是很小的。"[①] 在珀氏的论述中，有两点值得注意：其一，茶叶是奢侈品而非生活必需品；其二，茶农必须出售茶叶才能换回基本的生产必需品，而这又依赖于茶叶的长距离贸易。

作为奢侈品的茶叶在清代前期已大量供给汉口茶馆，充足的货源是汉口茶馆业兴盛的重要保障。不唯如此，茶馆的繁荣正可映现汉口市民消费水平的提高，众多茶馆的充分竞争使得茶叶的市场价格趋于平稳，符合广大市民的消费欲求和实际购买力，茶叶甚至走进了贫寒百姓家。[②] 如果说，汉水改道是汉口崛起的不可或缺的先决条件，那么长距离贸易则可视为包括茶馆业在内的汉口市镇经济的生命线。诚如清初的文人骚客所咏叹的那样，"十里帆樯依市立，万家灯火彻宵明"[③]；"北货南珍

---

① （美）德·希·珀金斯著，宋海文等译：《中国农业的发展（1368—1968）》，上海译文出版社1984年版，第162—164页。

② 据同治七年（1868）所刻《续辑汉阳县志》，"熊翔，家本贫……夜闻母嗽，必起具茶汤"（卷二十《孝友》）。又，创建于乾隆二年（1737）的汉口普济堂，是一座贫民救济机构，有房屋六十九间，规模宏阔，其佣工之人亦多为贫民。据该堂规章，"每次祀神，即赏给在堂人等，无论人数多寡给银四钱"（嘉庆《湖北通志》卷十七《建置六·杂置·普济堂》原文为"……给银四次"——引者注），"按工给茶叶二钱，每工食盐五钱，每工食油一两……"通常情况下，"每日赴堂办事人，每工给柴一把半为炊，每把重二斤。每工给炭四两煎茶，冬时三个月给火炉二百斤"（卷十二《公署》）。可见，茶叶作为实物工资和日常消费品，已进入社会底层民众的生活。无独有偶，雍正十三年（1735）创建的汉口育婴堂，有这样一条堂规："……伺茶打扫一名，工价火食壹串伍百文"（卷十二《公署》）。

③ （清）范锴：《汉口丛谈》卷五。

藏作窟，吴商蜀客到如家”[①]。清人刘献廷（1648—1695年）亦云，“汉口之兴，利在清初”[②]；“商舶鳞集，阛阓外屏，则今之汉口”[③]。

毫无疑问，在轮船时代之前的帆船时代，茶叶正是出入汉口众码头的长距离贸易商品。[④]一笼笼的茶叶从远方剪水而来，起运上岸，走进茶馆、市廛、千家万户，成为人们听曲弈棋、谈天说地、洽谈生意、舞文弄墨、休闲览胜的必备生活道具。运茶船工的号子，贩茶商贾之间的作揖，茶馆跑堂的吆喝声，诗人们对茶的钟情，恰似铺陈开来的历史风俗长卷，其景可摹。若以每人每年饮茶半斤估算[⑤]，那么汉口200 000人

① （清）潘耒：《遂初堂集·汉口》。

② （清）刘献廷：《广阳杂记》卷四。

③ （清）刘献廷：《广阳杂记》卷五。

④ 汉口素有“船码头”之称。清人黄印云：“尝有徽州人言：汉口为船码头，镇江为银码头，无锡为布码头，言虽鄙俗，并不妄也。”见《锡金识小录》卷一，引自《湖北近代经济贸易史料选辑》第5辑第8页。另据乾隆《汉阳县志》：“汉口渡，一在宗三庙，一在五显庙，一在老官庙，一在沈家庙，一在接驾嘴，一在四官殿。……郭师口渡在汉口西外五里，平塘渡在汉口上十里，……蔡店渡，汉口上六十里。”（卷五《关津桥梁》）范锴认为，此九渡“皆汉口渡河过郡城之路也。今则处处有渡”。（《汉口丛谈》卷一）但未说明具体数字，稍后的同治《续辑汉阳县志》称：“汉口渡，自宗三庙至四官殿，渡口凡数十处。”（卷六《关津》）

⑤ 有学者称：鸦片战争前国内消费茶叶，“过去中外人士估计平均每人每年0.75斤至1斤以上，多属偏高。今按每人0.5斤计算”。参见许涤新、吴承明主编：《中国资本主义发展史》第1卷，人民出版社1985年版，第330页注①。

年消费茶叶量即为 100 000 斤[①]，诚为颇有市场潜力的大宗消费品。

令人玩味的是，现今蜚声中外的汉口汉正街，在清初已是商业闹市区，行栈、店铺、酒肆、茶楼令人目不暇给，楚江楼、小江园都是著名的茶馆。[②]当代声名远播的武汉市食品工业的奇葩——汪玉霞公司，创建于乾隆四年（1739 年），以茶叶生意起家，其店址就在汉正街灯笼巷，初期主要营销安徽茶叶。[③]据叶调元所著《汉口竹枝词》卷一《市廛》称，汪玉霞茶叶在清代前期是汉口市场茶品中的名牌产品，与叶开泰的丸药、狗肉巷的豆丝、祖师殿的汤圆等齐名，“皆俗所引重者”。汉正街昔日的风采，汪玉霞发迹的历史，为清代前期汉口市场茶叶消费的繁盛态势提供了不可多得的注释。

晚清汉口茶馆业较之前清有了更大发展，不仅数量增多，而且消

① 汉口人口统计在清代前期极为混乱。个中原因有三：一是由于清代汉口镇在建制上隶属于汉阳府汉阳县，人口统计按惯例以县为单位；二是汉口缘商业而兴，人口结构呈现外来性、流动性、隐蔽性，难于精确统计；三是流传至今的方志材料在汉口人口记载方面过于粗疏。据民国《夏口县志》称，乾隆三十七年（1772 年），汉口有 99 381 人，嘉庆十九年（1814 年）为 129 183 人。皮明庥主编的《近代武汉城市史》（中国社会科学出版社 1993 年版）称，汉口正式开埠前夕，即咸丰十年（1860 年），汉口人口约为 10 万（第 659 页）。另据清人范锴著作《汉口丛谈》，有多处提及汉口人口，其中有如下三处值得注意：其一，人口数万。道光元年（1821 年）的一首诗云：“绕堤岂止一万户，参差席片纷鱼鳞。”（陆飞蓀：《霖雨叹》）以一户四口估算，汉口人口最低亦有四万。其二，人口数十万。另有诗云：“始信湖湘美，山衔万井稠。”（赵柳江：《抵汉口》）古制八家一井，当为八万家，约三十二万人。嘉庆十五年（1810 年）四月二十日至二十二日，汉口循礼坊失火，延及大智坊，“户口十余万，两昼夜悉成灰烬”（卷一）。当时，汉口有四坊，仅循礼、大智二坊就有人口 10 万，若加上居仁、由义二坊，汉口人口应有 20 万。其三，人口数以百万计。有两首嘉庆初年（1796 年）的诗作，称“汉口人家百万户，幸免赤立膏霜刀”（蒋蒋村：《后湖感赋》）；“汉口人家百万户，高樯大艑集商贾”（范锴：《汉口水》）。数百万人口与数万人口均有失之偏颇之谬，数十万人口当为不虚。据《汉口丛谈》推算出的 20 万应在情理之中，此即汉口在前清的人口常数。乾隆十年（1745 年），湖北巡抚晏斯盛奏称：“（汉口）户口二十余万，五方杂处，百艺俱全，人类不一，日消米谷不下数千。”（贺长龄辑《清经世文编》卷四十《户政》）诚哉斯言！

② 李权时、皮明庥主编：《武汉通览》，武汉出版社 1988 年版，第 587 页。

③ 邵强：《汉口汪玉霞发展史》。参见《湖北近代经济贸易史料选辑》第 5 辑，第 42 页。

费方式也染上了西方色彩。清代前期汉口茶馆计有数十家，清末则达到数百家。清末民初，在西风东渐、生活节奏加快的商业文化氛围中，汉口出现了怡心楼、汉上第一楼等设有雅座、戏厅、弹子房、阅览室的高档茶馆，主营上乘毛尖类茶品，兼营刨冰、汽水等西式饮品，专供上流社会和西洋人士享用，汉语与外语交织，颇有阳春白雪、中西融合之特色。此外，在前清露天茶馆的基础上，进一步发展出近代风格的平台露天茶园，如维多利、德明饭店、天星花园、老圃花园、凌霄游艺场、扬子饭店、民众乐园、中南旅社、远东饭店、国强旅社等。[①] 由于茶叶的消费自清初以来便具有大众性，因此汉口也出现了一批具有民间乡土气息的大茶园，专供普通百姓在饮茶之际欣赏艺人们的弹唱、说书、杂技、戏曲等表演。当然，茶馆并非纤尘不染之方外世界，赌博、吸毒、嫖娼、贩枪等勾当均以茶馆为逍遥之所。茶馆甚至一度成为清末汉口青洪帮的活动阵地，用所谓“茶碗阵”来化解黑道帮派之间的恩怨情仇。以致后来流传一句俗语——不是光棍不开茶馆[②]，光棍系指青洪帮。

以茶馆视之，清代汉口风习之变表面上似有天壤之别，实质上却是一脉相承。清代前期，汉口已是“五方杂处，商贾辐辏，俱以贸易为业，故多盛服饰、侈饮食”[③]。清代后期，崇尚消费的商业习性依然如故，只是形式更加多样化而已，而且糅合了西方范式。据称：“汉镇自中外互市以来，习俗益靡。阛阓多仿西式，服饰、宴会多为豪侈，歌馆、舞台、茶寮、酒肆之间，冶游者车水马龙，尽夜无有止息。……盖俗之敝，未有若是之甚者。”[④] 茶依旧是茶，所不同的是茶叶的商业地位在攀升，流通速度在加快，从业人员在增多，消费档次在提高，经营风格在变化。社会风气的变迁自然包括人们的消费时尚，而茶馆业的持久繁荣正是我们了解清代汉口民风的特殊窗口。晚清汉口饮茶之风盛行，

① 皮明庥主编：《近代武汉城市史》，中国社会科学出版社 1993 年版，第 755 页。

② 李权时、皮明庥主编：《武汉通览》，武汉，武汉出版社 1988 年版，第 584 页。

③ 乾隆《汉阳县志》卷九《风俗》。

④ 民国《湖北通志》卷二十一《舆地志二十一 · 风俗》。

尤其是茶馆业趋新、趋洋、趋阔的经营模式，是与茶叶在汉口市场商品结构中位列第一的优势地位分不开的，汉口在时人眼中被视为“茶叶港”即为明证。[1]

通过对清代汉口茶馆的历史考察，可以得出如下结论：茶叶对清代汉口市场发挥了重要影响，是二百六十余年（1644—1911 年）漫长岁月里始终伴随、激活乃至最终主宰汉口商业贸易的大宗商品。茶叶兴则市场兴，茶叶市场是清代汉口市场发展史的真实写照，茶馆是清代汉口市场的商业标记。小小的茶馆折射出人生百态、历史风采，堪称研究汉口经济史、社会史、风俗史的绝佳素材。清代前期，汉口茶馆有数十家之多，商旅歇脚、文人唱和、士女出游，体现出传统服务业的繁盛态势。迨至清末民初，汉口茶馆业更上一层楼，计有数百家之多，西风东渐、推陈出新、雅俗共赏，颇有近代气息。

四、张之洞振兴茶务举要

19 世纪 70 年代之前，华茶在国际市场可谓一枝独秀，几乎没有竞争对手。主要原因在于，除了中国，其他国家种植茶树极少，而且茶叶极少出口。以故，中国成为国际市场茶叶的唯一货源地。这就不难理解，五口通商后丝茶成为中国对外贸易的两种最重要商品。19 世纪 70 年代末，印度等国茶叶在国际市场崛起，对华茶构成威胁。就两湖地区而言，80 年代伊始，汉口茶市开始受到国际市场的冲击，某种程度上导致两湖茶业式微。[2] 为此，湖广总督张之洞采取了一系列振兴茶务的措施。

在晚清督抚中，张之洞以重视商务著称，讲求西法、振兴实业之夙愿不改。身为湖广总督，张之洞对两湖商务非常关注，茶业尤为其所

---

① 皮明庥主编：《近代武汉城市史》，北京：中国社会科学出版社 1993 年版，第 145 页。

② 参见杜七红：《论茶叶对晚清汉口市场的影响》，《江汉论坛》1999 年第 6 期；《清代汉口茶叶市场研究》，载陈锋主编：《明清长江流域社会经济史论》，武汉大学出版社 2005 年版；《清代两湖茶业研究的回顾与展望》，《江汉论坛》2006 年第 3 期。

重视，声称“本部堂莅楚以来，专意培养两湖商民生计，熟察每年茶市情形，但患茶叶之不佳，不患销路之不畅”[1]。并对两湖茶业生产与销售的具体情形相当熟悉，称“查湖南北产茶州县约共二十三处”，包括“湖北兴国、鹤峰、蒲圻、通山、通城、崇阳、咸宁、嘉鱼等州县，湖南长沙、善化、益阳、湘乡、湘潭、浏阳、醴陵、安化、巴陵、临湘、平江、武陵、龙阳、桃源、沅陵等县”[2]。

又称“查茶叶为出口商货之大宗，湖南北两帮每年贸易价值约银一千数百万两。外洋各国多仿照种植，只以土性不宜，香味远逊中国，仍须向中国购买。湖南业此致富者实繁有徒，湖北如崇阳、通山等州县近年俱以种茶获利”[3]云云。在张之洞的公牍咨札中，多次出现“查中国商务，茶为大宗”之类的文字，表明他对茶叶贸易与自强新政的关系有深刻体认。尤其是，他对汉口作为近代中国最大的茶叶外贸市场的特殊地位有清醒认识，指出“照得茶叶一项为中国出口之大宗，汉口一镇又为各省茶市之枢纽”[4]；“照得中国出口土货，以茶叶为大宗，而汉口商务之盈绌，尤专视茶叶为盛衰”[5]。而且与政府税收大有干系，“窃照汉口茶务，最为两湖商务大宗，关系厘税巨款”[6]。

汉口茶叶市场的受挫引起了张之洞的忧虑，“红茶为土货大宗，关

① 张之洞：《劝谕茶商讲求采制各法示》，光绪十八年二月初六日，《张之洞全集》卷一六八《公牍八十三・谕示二》。

② 张之洞：《札两湖产茶各州县讲求制办红茶（附清折）》，光绪十七年六月初三日，《张之洞全集》卷一〇五《公牍二十・咨札二十》。

③ 张之洞：《札襄郧宜施各属查明地方土性、试种茶树是否相宜（附单）》，光绪十七年十二月十三日，《张之洞全集》卷一〇九《公牍二十四・咨札二十四》。

④ 张之洞：《札委税务司筹画种茶制茶良法、在汉集股设厂教导》，光绪二十三年十月十一日，《张之洞全集》卷一二八《公牍四十三・咨札四十三》。

⑤ 张之洞：《札江汉关道劝谕华商购机制茶》，光绪二十五年四月十四日，《张之洞全集》卷一三七《公牍五十二・咨札五十二》。

⑥ 张之洞：《购办红茶运俄试销折》，光绪二十年七月二十六日，《张之洞全集》卷三十五《奏议三十五》。

系两湖商民生计，年来出产渐少，折阅愈多。本部堂莅楚以来，博访周咨，颇知致弊之由，亟欲及时整顿，以维商务”①；“年来中国茶利逐渐衰落，各商累耗巨资，殊堪悯恻”②。他冷静地分析了两湖茶业衰落的内因和外因，认为“至近年茶商亏本之由，洋商掯价之故，实因茶庄过多，每思侥幸蒙混，制造粗率，烟熏水湿，气味不佳，兼以劣茶掺杂。由于资本不足，重息借贷，更有全无资本，俟茶卖出以偿借债者。洋商渐知其弊，于是买茶率多挑剔，故抑其价。茶商债期既迫，只求速销偿债，而成本之轻重，不能复计。一经亏折，相率倒闭。其资本充足者，势不能不随众贱售。茶务之坏，多由于此”③。可见，既有洋商借端挑剔、多方刁难的外在因素，所谓“湖北湖南两省茶商，为洋商多方抑勒，以致亏累颇多”④；但也有中国茶农及茶商自身的弊端，“惟洋商压磅割价，半由华商众心不齐，互相争竞，甚或掺杂作伪，致为洋人所乘，亦为茶市之害”⑤。

在某种程度上，茶农及茶商不思进取、因循守旧的陋习是导致两湖茶业疲敝的更为深层的根由。张之洞多次尖锐指出：“大抵山户之弊在于贪多偷懒，商贩之弊在于侥幸牟利”⑥，进而批评华商及主事官员，“查华商性情，但以袭故套、图小利为事，而惮于求精；官场积习，但

① 张之洞：《批六帮茶商禀恳整顿茶务积弊》，光绪十六年十月二十一日，《张之洞全集》卷一六一《公牍七十六·批牍七》。

② 张之洞：《札委税务司筹画种茶制茶良法、在汉集股设厂教导》，光绪二十三年十月十一日，《张之洞全集》卷一二八《公牍四十三·咨札四十三》。

③ 张之洞：《裁撤茶商捐助书院经费折》，光绪十八年闰六月二十六日，《张之洞全集》卷三十二《奏议三十二》。

④ 张之洞：《购办红茶运俄试销折》，光绪二十年七月二十六日，《张文襄公全集》卷三十五《奏议三十五》。

⑤ 张之洞：《批江汉关道详覆劝谕茶商购用机器制造合股为难、惟求仍照向章设立公栈公磅》，光绪二十五年十二月初一日，《张之洞全集》卷一六六《公牍八十一·批牍一十二》。

⑥ 张之洞：《劝谕茶商讲求采制各法示》，光绪十八年二月初六日，《张之洞全集》卷一六八《公牍八十三·谕示二》。

以因循省事搪塞上司为能，而懒于振作”[①]。为此，张之洞晓谕属下官员及众茶商“随时认真讲求培植茶树、制造茶叶之法，务使中国大利不致外溢，是为至要”[②]。他因地制宜，相继采取了一系列的整顿举措，可归纳为如下数端：

其一，提倡机器制茶。

众所周知，张之洞是近代中国早期工业化的奠基者之一，举凡钢铁、纺织、军工诸业莫不实力筹划之，茶业也不例外。他对引进外国机器更新生产工艺颇为热心，“近闻湖广总督张之洞在湖北集款八万金，置机制茶已肇端倪”[③]。他奏请清廷，声称“两湖商力甚薄，华商用机器造货，请缓加税，并货物免储关栈，以劝商业而裕民生”[④]。张之洞认为，采用机器制茶是扭转华茶式微的关键举措。他指出：“查中国茶种之佳地球无匹，徒以株守旧说，不知变通，栽种既未合法，焙制又复失宜，遂为洋商所厌弃。若不亟图变计，何以挽利源而维商本？惟是栽种必明化学，焙制又须机器，非合各富商之力纠股设厂，延请洋人督率教导，未克奏功。”[⑤]

清光绪二十三年（1897年），他札委江汉关税务司英人穆和德“筹画种茶、制茶之良法，在汉口或产茶地方设立厂所，延致洋人实力教导，俾中国茶市日有起色”。此人“于茶务目击情形，深明利弊，极愿为中国茶利谋补救之术”。张之洞授之以实权，但也有限制条件，“其如何访觅明白事理之富商商集股份，以及如何购机制茶以成佳茗，购地

① 张之洞：《札江汉关道劝谕华商购机制茶》，光绪二十五年四月十四日，《张之洞全集》卷一三七《公牍五十二·咨札五十二》。

② 张之洞：《批江汉关道详覆劝谕茶商购用机器制造合股为难、惟求仍照向章设立公栈公磅》，光绪二十五年十二月初一日，《张之洞全集》卷一六六《公牍八十一·批牍一十二》。

③ 肖文昭：《茶丝条陈》，1898年刊。参见汪敬虞：《中国近代茶叶的对外贸易和茶业的现代化问题》，《近代史研究》1987年第6期。

④ 《清德宗实录》卷四〇一，光绪二十三年二月己卯湖广总督张之洞奏。

⑤ 张之洞：《札委税务司筹画种茶制茶良法、在汉集股设厂教导》，光绪二十三年十月十一日，《张之洞全集》卷一二八《公牍四十三·咨札四十三》。

试种以期推广，并延请洋人，酌雇印度工人以资教授各事宜，统归该税司一人主持。惟不得招附洋股，倘经查有冒附，惟该税司是问。仍将办理情形，随时禀报本部堂察核”[①]。事情并不如张之洞想象的那么顺畅，机器制茶的吁求遭到华商及茶厘局官员的冷遇。

据悉，武昌府崇阳、蒲圻、通山、咸宁、兴国等产茶州县抵制机器制茶的理由是，机制茶“水味苦涩，香气不清，只宜英国，以外则不能畅销”，而且“机器价贵，成本难筹”。对此，张之洞批驳道：“若中国仍用旧法，洋商必借口人工不能停匀、制法不能干洁，极力传播煽惑，务使各国尽销洋茶而后已，恐各国销路日久皆将窒塞，岂独一英！我若改用机器，是制法与彼同，而茶质较彼胜，又何能与我争衡乎？查洋人饮茶，专取浓厚，既为消食，又防伤胃。先用铁锅熬成浓汁，将饮之时注于瓯内，必加入洋糖两块，再掺入牛乳一勺，已别成一种风味，即使清芬隽永如浙之龙井、苏之碧螺、闽之兰蕊，配以中冷、惠山之泉，一用西法煎熬调和，恐亦不能辨其为何味矣。西人所谓清香，岂中国诗人墨客品茶诸书所谓清香耶？况机器烘制，其经火成熟与人工同，而迅速停匀、无烟气、无霉气、无马粪气，则远胜之，何反至有损香味，尤不可信。若谓机器制茶，只销于英，尤为无稽妄说。汉口烟筒林立者，即俄商以机器制茶之屋也。数年来，俄人亦渐买印度茶，所买者即皆机器之所制也。近年温州机器制茶，味美价善，洋报盛称，该官、商等独未之闻耶？”

鉴于华商多个体商贩，本小利薄，在资金、技术及规模上难成气候，张之洞力主有身家殷实的华商合股设厂，集资经营，以杜绝华商之间的恶性竞争，维护茶市秩序。他指出：“至汉口茶商连年亏折，大抵皆因零星小贩太多，资本不足，重息假贷，减价争售，致坏市面。若各大商能集股购机制茶，小贩力薄，不能购机，势必不能与之争利，是小

① 张之洞：《札委税务司筹画种茶制茶良法、在汉集股设厂教导》，光绪二十三年十月十一日，《张之洞全集》卷一二八《公牍四十三·咨札四十三》。

贩不禁自绝。既无小贩，则华商不为洋商挟制，市面必日有起色矣。”据江汉关税务司穆和德禀呈，当时外国茶商多有在汉口设厂制茶的计划，但“华商皆畏葸裹足，不肯集股”。张之洞“闻之，殊为华商惋惜”。他感叹：“此事所需资本，并不甚巨，多则十万，少则六万，再少则三万亦可试办。以汉口茶商之盛，岂竟无一二有识有志之人为中国挽回利权耶？”为了改变华商对机器制茶风险的过分担忧，张之洞表示“再为传集各商，极力劝谕筹办”，强调“如须有官力维持保护之处，本部堂定必竭力扶持。倘商人集股不足，本部堂亦可酌筹官款若干相助，以期成此盛举”[①]。

其二，讲求采制各法。

在张之洞看来，国际市场上华茶不敌洋茶的一个重要原因，在于外国茶商讲求采制各法，称：“近年印度、欧美、东洋各处，种茶渐多，销流渐广，虽茶质远逊中国，而外国人究心培植、加工、烘制，洋茶货价日高一日，我茶出口年少一年，若不及早整顿，则必如他事终落人后，原有大利尽为外人夺去，岂不可痛可危！”[②]张之洞大声疾呼：“茶务不讲求种植制造已非探源之策，其余俱属末节矣。”[③]他要求两湖产茶州县“各就本处情形，询访办茶商人、种茶园户，筹议如何督劝稽察切实办法，及讲求制办红茶未尽事宜，迅速妥议，禀复核办”。

清光绪十七年（1891年），张之洞首肯湖北牙厘总局候补道曹南英关于制办红茶之法的条议，通饬“抄发湖南北产茶各州县，体察情形，斟酌照办。其有未尽事宜，及应如何督劝、如何稽察，能令商民切实遵行，即饬各该州县各就本处情形迅速妥筹，禀明办理。如各州县有能实

① 张之洞：《札江汉关道劝谕华商购机制茶》，光绪二十五年四月十四日，《张之洞全集》卷一三七《公牍五十二·咨札五十二》。

② 张之洞：《札江汉关道劝谕华商购机制茶》，光绪二一五年四月十四日，《张之洞全集》卷一三七《公牍五十二·咨札五十二》。

③ 张之洞：《批江汉关道详覆劝谕茶商购用机器制造合股为难、惟求仍照向章设立公栈公磅》，光绪二十五年十二月初一日，《张之洞全集》卷一六六《公牍八十一·批牍一十二》。

力讲求，以致价高销畅者，及有漠视民生、奉行不力、毫无成效者，必应分别劝惩。即饬北南布政司，明定章程，详候核办”[①]。翌年，张之洞颁布《劝谕茶商讲求采制各法示》[②]，全面讲述了两湖茶业亟待整顿的细节。在文中，张之洞从采茶、制茶、拣茶、售茶等方面详细阐明了如何讲求采制之法，对两湖茶户茶商寄予厚望。当时，有所谓六帮茶商禀陈湖广总督府，恳请整顿茶务积弊。张之洞振兴茶务的决心及举措，也符合广大茶商的切身利益。

在茶叶种植方面，张之洞也颇为留心，晓谕山区之民试种茶树。清光绪十六年（1890年），襄阳府谷城县知县瞿元灿“考校其土性，宜于植桑者固多，而宜于种茶者亦复不少”，派人赴岳州购买茶子，教民试种茶树，张之洞对此极为重视，专此札饬襄阳、郧阳、宜昌、施南府及荆门州所属当阳、远安等县“地方多山之各属”，令其“查明地方土性，如果宜茶，即应仿照，劝民种植，以兴地利而阜民财”。张之洞认为，这些地区“由于山多土瘠，专恃番薯、洋芋为生，一遇歉收，立形艰困。地方官果能讲求地利，察视土脉物性所宜，教民垦治种植，以补杂粮之不足，自可转贫为富，起敝为隆”。并将谷城县劝民兴种茶树的详细办法予以推介，通饬地方官实力劝谕兴办。鉴于湖南安化制办红茶成效显著，此与地方官留心整顿大有关系，张之洞声称将对安化县知县给予奖励。

其三，设立公栈公磅。

在汉口茶市，某些华商屡有欺诈行为，“实与中外商情均为未便”。对此，茶业同仁于清光绪十六年（1890年）“众谋佥同，创设公栈，既便查色样掺杂之弊，并可免风涛停泊之虞”。张之洞认为，此举“洵属扼要良图、维持商务至计，应即准行”。并称“惟建栈必需巨款，经理

---

① 张之洞:《札两湖产茶各州县讲求制办红茶（附清折）》，光绪十七年六月初三日，《张之洞全集》卷一〇五《公牍二十·咨札二十》。

② 张之洞:《劝谕茶商讲求采制各法示》，光绪十八年二月初六日，《张之洞全集》卷一六八《公牍八十三·谕示二》。

尤贵得人，仰江汉关道迅即选举六帮公正殷实绅首数人，以董其事”。其职责在于“筹垫建栈之款，及按箱酌抽经费，分年归还”。公栈主要处理落盘、过磅、转箱、交价等事宜。张之洞特别提醒“大约抽费不宜过多，年限不妨稍久，务使茶价不至骤贵，致碍市面”。如果“仓房司事、茶栈经纪人等，果有播弄勒索情事，准其随时禀官究惩，以儆刁侩”[①]。此前，为了杜绝汉口茶市出售样箱，茶业行帮已设立公磅。

清光绪二十五年（1899 年），张之洞再次批复江汉关道，强调设立公栈公磅，“定过磅、交价之期，使不能任意反复”，重申“创设公栈，以免争竞；严禁作伪，以杜借口，自亦属维持茶务之要举”[②]。公栈公磅的设立，对于整顿茶务、维护茶市秩序有积极作用。数年后，湖北咨议局所提振兴茶业议案中，仍将设立茶业公栈作为补救之良策。[③]

其四，理顺华洋关系。

如前所述，清代两湖茶业的突飞猛进是在汉口开埠之后。这意味着，茶叶外贸形势之于两湖茶业至关重要，妥善处理华商与洋商之间的商贸关系与利益纠纷也显得十分重要。诚如张之洞在批复六帮茶商禀陈整顿茶务章程时所言，“惟事关华商与洋商交涉，其间果否一无窒碍，必须筹度周详”[④]。既不能偏袒华商的欺蒙之弊，也不能助长洋商的嚣张之气。在此，列举三件案例以资说明。

---

① 张之洞：《批江汉关道详核议茶商整顿茶务章程》，光绪十六年十二月十七日，《张之洞全集》卷一六一《公牍七十六·批牍七》。

② 张之洞：《批江汉关道详覆劝谕茶商购用机器制造合股为难、惟求仍照向章设立公栈公磅》，光绪二十五年十二月初一日，《张之洞全集》卷一六六《公牍八十一·批牍一十二》。

③ 湖北咨议局：《兴茶叶以开利源案》（宣统元年十月十三日呈），内称“公司既难遽设，莫如暂设公栈，使鄂茶抵汉一律起存，依次递卖，不准凌躐。即或货本单薄、急求销售者，亦可按估茶本，由公栈挪垫三分之一，照日计息，庶免牵贱行情之弊，由劝业道会商茶业公所妥订办法”。参见吴剑杰主编：《湖北咨议局文献资料汇编》，武汉大学出版社 1991 年版，第 190—191 页。

④ 张之洞：《批六帮茶商禀恳整顿茶务积弊》，光绪十六年十月二十一日，《张之洞全集》卷一六一《公牍七十六·批牍七》。

清光绪十七年（1891 年），汉口俄商雇用民船装运制钱，前往江西义宁州买茶，被黄州牙厘局扣留。事发后，张之洞速与俄驻汉领事沟通，并指示属下“该洋商此次所运制钱，系往义宁州买茶之用，尚非贩运牟利，亦非运至九江通商口岸者可比，应准放行，以示体恤”。他要求“通省牙厘总局转饬樊口、武穴各局卡，一体遵照放行”，同时批复江汉关“嗣后如确系运往内地买茶之钱，随时知照该关道核给护照，经过各局卡查验盖戳放行。惟护照查验后，务令计限缴案核销，免致该船户人家假冒影射，以杜奸商而重圜法”[①]。

清光绪十九年（1893 年），汉口的俄国百昌茶行商人达尼罗夫委派人赴湖北羊楼洞茶区采办茶树，装船启程欲运汉口，却被当地乡民“作坝阻止、勒索重价”。甚至传出乡民将俄商采办茶树二百余箱全行毁坏、将茶树七百余株抛于河中之事。俄驻汉领事致函江汉关道，请求“赶紧究办”。为此，江汉关监督一月之内两度札饬通山县开导乡民，速将茶船放行，“竟无只字禀覆”。事情上报湖广总督署，张之洞极为重视，“案关洋务交涉，全赖消息灵通，上下应手，方能弭患无迹”。他指出，“查洋商详领单照，赴内地采办茶树，贩运出口，曾经总理衙门核准有案，各省通行已久。今俄商请照，赴通山羊楼洞采办茶树，通山县乡民何得抗照阻挠，妄行生事”。他批评地方官员“率意漠视，漫不经心，如何措办久不禀覆，致滋外人借口，大属不合”，严令“务将此案刻日妥速办结”[②]。

还是俄商达尼罗夫，于清光绪二十年（1894 年）前赴羊楼洞办茶，行至新店，被当地乡民掷石致伤，而且有人传布匿名揭帖，内有“中国

① 张之洞：《指江汉关禀嗣后洋商雇用民船装制钱运往内地办茶验照放行》，光绪十七年正月十八日；《批江汉关详阜昌商人运制钱买茶被黄州厘局扣留》，光绪十七年正月十八日，《张之洞全集》卷一六二《公牍七十七·批牍八》。

② 张之洞：《札通山县将俄商采办茶树被乡民作坝措阻情形禀覆》，光绪十九年八月初九日；《札李谦查办湖南临湘县民毁弃俄商茶树案》，光绪十九年八月初九日，《张之洞全集》卷一一六《公牍三十一·咨札三十一》。

茶务向来称盛，近因洋人来此以致亏累”等语，被张之洞斥为“实属误会讹传，愚谬已极”[①]。

茶叶外贸的确成为两湖茶农茶商的根本利益所在。当时，两湖茶叶的对外贸易主动权操于洋商之手，所谓“此项红茶，除洋商之外，别无销路”，因此“此事关系两湖商民生计”。如果不理顺华洋商贸关系，无故激化双方的敌对情绪，终致于事无补，甚或害人害己。张之洞特别重视妥善处理与俄国茶商的关系，是因为他深知俄商之于两湖茶务的影响非比寻常，“臣等查红茶销路，以俄商购办为最多”[②]。在近代中国经济日益融入国际市场之际，以务实精神振兴茶业，以和平交易拓展市场，方为明智之举。

其五，以商助学，以学促商。

创办新式学堂是张之洞“湖北新政”的重要内容之一，无奈诸事并举，经费难筹。张之洞在力所能及的范围内，想尽各种办法筹集资金，劝集茶捐即其一。创设两湖书院是张之洞文教兴革的重头戏，所需经费甚巨。据悉，“所有工费，加以购置书籍、制造器具、栽种树木，一切杂费合计当在十万内外”。张之洞会同江汉关道，仿效堡防捐，“每茶百斤酌减至一钱，以充书院常年经费”。在他看来，“此项商捐为惠而不费之举”。对此，“茶业各商均以事关兴贤育才，众情乐从，绝无勉强”。张之洞深为嘉许，特于两湖士子肄业课额外，增设商籍课额，以昭奖励。这样一来，就形成了以商助学、以学促商的良性互动关系。书院之设，“无非为地方培植人材起见”。劝集茶捐乃“集腋成裘，于茶务毫无所损，所出甚微，收效甚大，且楚弓楚得，受益者即仍在茶商”[③]。

① 张之洞：《晓谕产茶各处示》，光绪二十年五月初七日，《张之洞全集》卷一六八《公牍八十三·谕示二》。

② 张之洞：《购办红茶运俄试销折》，光绪二十年七月二十六日，《张之洞全集》卷三十五《奏议三十五》。

③ 张之洞：《札曹南英查覆两湖书院商捐》，光绪十七年四月初七日，《张之洞全集》卷一〇三《公牍十八·咨札十八》。

开办之初，两湖商籍学生共有 80 余人之多。后来，因湖南众茶商诉求，张之洞复将书院商捐予以裁撤。

在张之洞整顿茶务的过程中，有一篇奏折值得我们注意。清光绪二十年（1894 年）湖南巡抚吴大澂会同张之洞上奏清廷，恳请在汉口设立湘茶督销局，专营湘茶出口事务，以与外商抗衡，“万一英商仍有勒措之意，所议茶价不敷商本者，官为收买，分运香港、新加坡一带各口岸，照本出销”。遗憾的是，清廷借口驳回了奏议。[①] 张之洞并未放弃努力，他把目光转向俄国市场，“拟即由南北两省分筹官款，酌量购茶，运俄试销”。张之洞认为：“惟有自行运赴俄国销售，庶外洋茶市情形可以得其真际，不致多一转折，操纵由人。然茶商力量较薄，必须官为提倡，方能开此风气。”[②] 同年，他会同湖北巡抚谭继洵、湖南巡抚吴大澂筹措官款，饬令江汉关道恽祖翼将上等红茶 200 箱（湖南、湖北各 100 箱）搭附俄国商船运销敖得萨，同时致电出使俄国大臣许景澄负责照料。又委托顺丰洋行将 120 箱红茶（湖南、湖北各 60 箱）运销俄国，水运抵达莫斯科，陆运抵达恰克图。两次运俄试销，动用款项为洋例银 7 280 余两，折合库平银 6 842 余两，均由两湖茶厘项下借拨垫用。张之洞一度萌发“自造茶船，自立公司，于俄境自设行栈销售，收回利权，庶于商务、厘税不无裨益”[③] 的构想。尽管数年后自行外销红茶的尝试很快失效，其意义却非同小可。

应该说，张之洞整顿两湖茶务的举措皆从实际出发，极有针对性，绝非虚文。尽管由于民情窳惰、因循守旧、洋商掣肘等原因，这些举措

① 《德宗景皇帝实录》卷三三八，光绪二十年四月甲寅谕军机大臣等。内称根据总理衙门、户部会奏，“吴大徵所奏设局销茶，既据该衙门筹商，实无把握，其所请借拨出使经费及息借洋款各节，均著毋庸置疑，原折著抄给阅看，将此谕令知之”。

② 张之洞：《购办红茶运俄试销折》，光绪二十年七月二十六日，《张之洞全集》卷三十五《奏议三十五》。

③ 张之洞：《购茶运俄试销有效拟仍相机酌办折》，光绪二十三年正月十二日，《张之洞全集》卷四十五《奏议四十五》。

并未取得如期效果，但张之洞的诸种努力起到了开风气之先的作用，营造了良好的舆论氛围。当时出版之《湖北商务报》发表大量有分量的评论文章和茶商们的建策，一时间整顿茶务、除弊振新的呼声甚嚣汉皋。

第八章　信仰与隆祀

而明清时期的信仰，除了宗教信仰之外，还包括对儒家孝道伦理的遵奉。明清时期，隆重的祭祀活动是湖北人各种信仰的具体表现。鉴于湖北均州之武当山是天下闻名的道教圣地，其祭祀活动也异常兴盛，因而本章选取武当山与真武崇拜作为当时宗教信仰与隆重祭祀的代表。明代嘉靖皇帝出生于湖北，其父是就藩于安陆州的兴献王。嘉靖帝即位后，一方面在朝廷进行“大礼议”追尊其父为皇帝，另一方面大为扩建隆祀其父在湖北的陵墓——明显陵。嘉靖帝尊崇其父的行为，影响到了湖北乃至整个中国的历史，成为研究这位湖北籍帝王信仰的很好样本，亦为我们打开了一扇了解湖北信仰世界的窗子。

第一节　武当山与真武崇拜

武当山本名仙室山，又叫太岳山、太和山，位于湖北省西北部的汉江南岸，属于大巴山脉的东段分支。世所公认，武当山乃中国四大道教名山之首（另三大名山分别是龙虎山、齐云山、青城山），山峦起伏，气势非凡，有“七十二峰朝大顶、二十四涧水长流”之仙境。唐太宗敕建“五龙祠”，宋元之际号称“福地”，明代帝王崇奉道教，大兴土木（所谓“北修故宫、南建武当”），奠定了举世罕见的宏大格局。明嘉靖三十一年（1552 年），敕建“治世玄岳”牌坊。[①] 明清时期的武当山俨然道教圣地，前来祭拜者数以千万计。

一、武当山真武崇拜源流

从信仰角度讲，武当道教至高尊神是真武大帝，原称玄武大帝。

真武崇拜的延续和拓展，与政治需求密不可分。换言之，宋明时期，许多帝王青睐真武，认为真武对其权力宝座有庇护之功，因此大加提倡、竭力维护。传统中国虽然不是西方中世纪时代的那种政教合一的统治模式，但中国特色的“政治—伦理型”文化的一大功能，就在于政治权力的运作往往成为文化思想的驱动力，政治因素对文化思想的掣肘相当明显，尤其是帝王的政治偏好对一个王朝的文化走向有着根本性影响。这是我们在考察武当道教史之际，特别要注意的地方。问题在于，当政治力量强力介入文化思想的创造过程时，难免带来一些特异的效果：一方面，由于借助强有力的政治保护，文化思想的弘扬减少了诸多障碍，得以顺利地进行；另一方面，政治氛围的刻意烘托，往往消解了文化思想固有的锐气，使其不经意间成为政治附庸，甚至被改造成离开原本之旨的“新类型”。发生在武当道教身上的政治与文化的互动，在荆楚文化史乃至中国文化史上绝非孤例，值得人们深思。

宋真宗大中祥符五年（1012 年），因避讳宋圣祖赵玄朗之名，遂将玄武改为真武。也正是在宋代，经过道士们的阐发和官方的默认，武当山成为真武得道升天之所。

到了元代，帝王在武当山大修真武庙观、敕令刻碑记述真武祥瑞。据后人踏查，在武当山“玄帝启圣二殿”的近旁，“出山坎大林下，六

① 谈迁：《国榷》卷六十，癸丑嘉靖三十二年二月壬戌。按，该牌坊现为国家重点文物保护单位。关于武当山道教的学术研究概况，参见翁士洋：《明代武当山道教研究综述》，《汉江师范学院学报》2018 年第 2 期。关于武当山志的研究，参见张全晓：《明代武当山志研究》，华中师范大学历史文化学院历史文献学专业 2011 年博士学位论文；张全晓：《清代武当山志考略》，《湖南科技学院学报》2015 年第 6 期。

石碑在焉，皆元物也。一为崇封真武诰碑，一为揭徯斯所撰宫碑，一为揭徯斯所撰瑞应碑，二为戒臣下碑，碑尾书至元三年”[①]，足以说明元代君主对武当真武神的重视程度。

严格而论，以武当山为中心的真武信仰的大规模展开是在明代。这与明代帝王尊崇道教的历史背景密切相关。概言之，明代道教兴盛的一大原因，是龙虎山第42代天师张正常在朱元璋推翻元朝之际，曾向其呈献“符命”，昭示“天命在太祖”，遂得到器重。明朝建立之初，朱元璋赐封张正常“正一教主”及“护国阐祖通城崇道弘德大真人”名号，并赐银印，秩同二品。与之同时，朱元璋还召见了通山九宫山道士黄守逸，因为当年朱元璋进剿陈理（陈友谅之子）时，黄守逸曾恭迎大驾。朱元璋专门设置道录司（隶属礼部），掌管全国道教事务。

除了京师之外，明代道教地位最为隆盛者当推武当山：它倍受皇家重视，以至于成为帝王家庙。具体而言，明代开国皇帝朱元璋重视道教的政策导向，为真武信仰的流行创造了条件。为了突显武当道教的至尊地位，朱元璋登基称帝后，册封真武神为玄天大帝，重塑神像，改建庙宇，赐予“北极殿”之匾，致使明朝各代君主均虔诚地恭奉真武大帝为护国神祇，视其为皇权永继、国泰民康、世运亨通的天神。

不过，武当道教（尤其是真武崇拜）大盛却是在明成祖统治时期。个中缘由，是因为成祖还是燕王时，便崇奉真武大帝。毋庸置疑，明成祖朱棣对真武大帝的崇拜程度超过其父朱元璋。他将武当山改称“大岳太和山”，概如官方修订的《明史》所称，均州“南有武当山，永乐中，尊为太岳太和山”。在历史文献中，“大岳”“太岳”均指武当山。

号称“清君侧”的“靖难之役”颇有篡位之嫌，但此役能够夺取帝位，在朱棣看来是得到了真武大帝的辅弼。鉴于此，诸般附会之说、许多颂圣之辞，均应时而出。例如，明人引《卓异记》，称：“靖难兵起，南军遥见空中‘真武’二字旗帜，皆攻。后以北既正大统，遣使于武当

---

① （明）何镗编：《古今游名山记》卷九。

山，营元武宫殿，楣柱甃甓悉用黄金，一时天下金几尽。明成祖御制太和山碑：太和山神阴翊显佑，灵赫奕肆。建今玉虚宫，天柱之巅，冶铜为殿，饰以金泥。”①

另有明代文献称，时为燕王的朱棣起兵反叛之初，“成祖屡问姚广孝师期。姚屡言未可。至举兵先一日，曰：明日午有天兵应，可也。及期，众见空中兵甲，其帅玄帝像也。成祖即披发伏剑应之。论曰：天之所兴，人岂能御哉！……此岂非有鬼神佑骘其间，而天将启帝王万世之业乎？故人谋之踈，实天命之有在也。乃若我成祖靖难之举，亦诚有不得已哉！盖天命所在固不可逃，而人事之值亦诚有不容不然者”②。这样的一番说辞，异常明确地强调成祖夺得大位是天命所归，是玄天大帝辅助之结果。

由藩王（燕王）摇身一变成为一国之君（明成祖），朱棣自称是真武化身，其权力体系中的监、司、局、厂等官署均建有真武庙，供奉真武大帝神像。成祖一朝，真武崇拜可谓登峰造极！

对此，时人赞叹：“盖闻之天有五星，地有五岳，气之分也。临北者尊，居中者和，位之宜也。大荒之外，有神人焉，操坎离之真精，蹑龟蛇之灵状，是曰元武。中原之内有山焉，介翼轸之交躔，领均房之要会，是曰太和。苞荸所聚，神灵攸居，由来尚已。颇岱恒华衡，散见虞夏之纪；泰山崧岳，杂陈雅颂之篇。七十二家封禅之文，三皇五帝符图之箓，尝缺有间。秦汉而降，以山名郡县而不表其山；晋宋以来，以人官山土而不著其神。迄唐姚简祷雨祇，宠龙神之威名；元虏集作图迺，晋元武之徽号。洎乎明代，显有太宗，武振北方，功耀南国，高标异应，大造兹川。补秦皇汉武之遗，历朝帘有；张金阙琳宫之胜，亦寰宇所无，宜其万姓同钦、千龄永戴者也。山灵有待，抑遏始光，岂亦气数

① （清）姚之骃：《元明事类钞》卷十九《释道门・寺观・元武金殿》。

② （明）高岱：《鸿猷录》卷七《靖难师起》。

或使之然欤！”[①]

这表明，武当山成为道教名山的历史并不长，约始自唐代，到宋元之际逐渐奠定根基，朱明王朝建立之后，方才大放异彩，成为天下道教第一圣域。对此做出最大贡献者，无疑是明成祖朱棣。明人汪道昆《太和山记》云：“我国家尊太岳为帝畴帝铉君”[②]，诚为不虚之言！

二、武当山道教发展高峰

在武当道教的发展历程中，明代是辉煌时期：武当山被敕封“太岳”“治世玄岳”尊号，号称皇室家庙，成为国内最具影响力、宫观规模最大的道场（曾达2万余间），奠定道教第一名山的崇高地位。

据武当山明代碑文等文献，武当道教地位独尊，实际上不属于中央一级的道教管理部门（道录司）管辖，而是由皇帝直接派另外的专门人员处理武当山事务，包括敕遣湖广藩参（参政，从三品；参议，从四品）提调大岳、钦差宦官提督大岳、钦除提点管理教团等，使武当道教的管理机制别具一格。

作为提调武当道教事务的专职官员，藩参的职责主要包括：提督均州千户所军丁维修武当山道路、提督各宫观祀神、管理武当山佃户、协助国醮、领受朝廷御赐神像器皿、监管香钱收支等。至于明代帝王另派宦官插手武当事务，除了显示官方极为尊崇的姿态，也说明宦官势力对明代政治及文化的影响力。在职权方面，提督宦官主要负责如下事务：举办某些特殊斋醮（如御前密建的斋醮）、为宫廷采办武当仙品（土特产）、裁汰违禁官道、奉旨给散道士及工匠御药（可延年益寿的仙药）、主管香钱收支等。如此一来，明代武当道教便形成了双重管理机制，藩参与宦官既相互配合、又相互监督，以便更好地管理武当山这一有着皇家气息的特殊宗教圣地。

---

① 光绪《襄阳府志》卷二《舆地志二·山川》。

② 康熙《均州志》卷三《记》。

具体处理武当事务的人员，是分派到各宫观的提点。据悉，明代武当八宫（玄天玉虚宫、大岳太和宫、大圣南岩宫、太虚紫霄宫、兴圣五龙宫、遇真宫、迎恩宫、净乐宫），额定提点（一般为终身制，由皇帝任命，官秩正六品）人数为 21 人、禀食道士 389 人，实际不止此数，嘉靖万历之际各宫道士常有五六百之众。[①]

详言之，武当道教发展在明代有三大标识：

其一，在明代多位帝王的敕令下，大兴土木，致使武当山宫观形制臻于顶峰。

按照明代道士们的说法，明代开国帝王的征战及躲避兵燹，均得到真武大帝的庇佑。据明代御制碑所载："太祖平定天下，兵戈所向，阴佑为多。尝建庙南京，载在祀典。及太宗（成祖）入靖内难，以神有显相功，又于京城艮隅并武当山重建庙宇，两京岁时朔望，各遣官致祭；而武当山，又专官督视祀事。至我宪宗，尝范金为神像，屡遣内官陈喜安奉于武当山，盖亦承列圣崇奉之意，以祈神休耳。"[②]

相似的表述，亦见之于时人的书稿："再考国朝御制碑文，太祖高皇帝平定天下，兵戈所向，神阴佑为多。及定鼎金陵，乃于鸡鸣山建庙，以崇祀事，载在祀典。太宗文皇帝肃靖内难，以神有显相，又于京城艮隅并武当山各重建庙宇，而两京岁时春秋及京师每月朔望，各遣官致祭；武当山，则命内外官员专一在彼提督。列圣崇奉之意，可谓至矣。宪宗纯皇帝在位，尝范金为像，屡遣内官陈善齎往武当山安奉，盖亦不过承先志以祈神休耳。"[③]

如前所述，"靖难之役"爆发后，众道士为朱棣大造舆论，宣扬朱棣是真命天子，得到了真武的神佑。以故，朱棣践祚初期，便下令在两京（北京、南京）兴建真武庙，格外敬重祭祀之事。鉴于武当山乃真武

① 参见唐大潮、石衍丰：《明王朝与武当道教》，《宗教学研究》1996 年第 3 期；杨立志：《明代帝王与武当道教管理》，《世界宗教研究》1998 年第 1 期。

② （明）俞汝楫编：《礼部志稿》卷八十四《会议厘正神祀》。

③ （明）倪岳：《清溪漫稿》卷十一《奏议・北极佑圣真君》。

帝修道成仙的道场，成祖遂动用国家财力，对武当山的道教宫观进行前所未有的重新规划和历时十年的大规模营建。[①]

明代文人及官员，只要亲临武当山者，无不为其气势所震慑。在他们的笔下，武当道教因为有了皇室的鼎力扶持，其辉煌态势才能冠绝天下："今天下所最崇重者，太岳太和山真武及岱岳碧霞元君。当永乐中，建真武庙于太和，几尽天子之府库，设大珰及藩司守之；而二庙岁入香银，亦以万计。每至春时，中国焚香者倾动郡邑。"[②]这段材料提及"几尽天子之府库"，虽有夸大之嫌，但是朝廷动用巨大的人力物力倾心打造武当道教胜境，却符合历史事实。

明代的武当宫观气象宏大，时人的记述："曩昔闻客谈太和，山高且奇、宫观伟丽，皆天下所无有，窃疑未信。……四日，入山，将至遇真宫，则童冠羽人数十提香鸣乐、持旛旆来导。悠悠然度灌木溪桥之间，恍涉仙界。自是，凡过一宫观皆然。是日，宿玉虚。五日晓，循涧道往寻玉虚岩，凡三里始至。径险石益奇，灵草异木青葱，不类人境，平时人所不至也。宿紫霄。六日，乃登天柱峰，谒真武君金殿。历路门者四，皆金榜。石蹬曲折不可计，旁皆有石栏铁锁，人攀援以升；或惫，则引布推挽。凡数十憩，乃跻其巅。平台设真君殿，可三尺许，冶铜为质，鎏以黄金。栋柱、门屏、题甍并具，其像与四天兵皆铜精工逾。土木非竭天下之力不可作，诚尽胜矣哉！其上四望莽苍，凡山皆下莫见，唯北见华山隐隐耳。拜礼赞叹，徘徊良久，始下入南岩……凡宫殿，皆拟天庭帝座之崇严；虽行寮寄寓，皆费中人百家之产，莫状其胜。志云，聚南五省之财，用人二十一万，不知作之若干岁，信有之乎？按，真君其书所传，本清修得道士也，其后乃有大威力所显于宋元及圣朝如此。唯我文皇大圣首物、垂训作事，为天下法，非真君有大功

① 参见湖北省地方志编纂委员会：《湖北省志·宗教》，湖北人民出版社1996年版，第83—84页。

② （明）吴楚材辑：《疆识略》卷三十八《神仙部·真武》。

于国、大惠于民，报典奉祠乌能臻是哉！”①

其二，正一派得宠，广设斋醮（念咒、求福禳灾、驱魔降妖等），方术大行其道（看相、占卜、辟谷、炼气、制丹、房中术等）。

因明代开国帝王的偏好，正一教的势头盖过全真教。朱元璋曾说：“朕观释道之教，各有二徒。僧有禅、有教，道有正一、有全真。禅与全真务以修身养性，独为自己而已；教与正一专以超脱，特为孝子慈亲之设，益人伦、厚风俗，其功大矣哉！”②从这番话里，似乎可以看出明太祖偏喜正一派，但也没有完全否定全真派。否则，便很难理解朱明王朝格外注重原本颇有全真派色彩的武当道教。可以肯定的是，由于全真派与元代皇室关系密切，遂招致朱元璋的忌惮。

据统计，在明代四部武当山志（所谓“任志”“方志”“王志”“卢志”）中，记录下来的圣旨多达 258 道，可见明代皇室对武当道教的尊崇。正因为如此，明代武当山的重大斋醮活动甚多。

醮，是道教的一种祭典仪式，或称为建醮、造醮、打醮，亦叫斋醮。简言之，醮就是道士设坛念经、做法事。其类型很多，有酬谢神灵保佑的“清醮”（即“祈安醮”），有超度亡灵的“水醮”“火醮”，有庆贺神仙生日的“神诞醮”，有祝贺庙宇或建筑落成的“庆成醮”，有禳灾祛祸、祈福求贵的“斋醮”，等等。大体上，醮分为两大类：清醮（阳醮），多为庆贺、祝福之类；幽醮（阴醮），多为超度亡灵之类。

明代诸帝，登临大位之际均派钦差大臣前往武当山致祭，以故武当道教风光无限，重大斋醮不断。例如：

永乐二十二年（1424 年）七月，修建金箓报恩延禧普度罗天大醮 7 昼夜，地点在玉虚宫。

宣德三年（1428 年）三月，万寿圣节、千秋令节分别设醮诵经 7

① （明）顾璘：《游太和山前记》，《顾璘诗文全集》之《凭几集续编》卷二。

② （明）朱元璋：《御制玄教斋醮仪文序》（洪武七年一一月），（明）宋宗真等编：《大明玄教立成斋醮仪范》（明正统刻本）。

日、5 日。

成化年间，建醮 4 次，短则 3 昼夜，长则 7 昼夜，供设清醮 3 600 分位，地点位于玉虚宫、净乐宫、五龙宫；弘治年间，建醮 4 次，短则 7 昼夜，长则 49 昼夜，耗费银两近万两，动辄攒香数百斤、红烛数百对。

嘉靖年间，建醮 9 次，地点位于玉虚宫、净乐宫、玄天帝坛、治世玄岳坛，或 3 日，或 5 日，或 7 日。

这些帝王在武当山建醮的事由，包括宫观告竣、管送真武圣像、管钦降金彩妆木雕龙牌、管送皂织金纻丝幡及帐幔、赍捧香帛及银两、赍送钱粮、奉行斋事、帝王生辰等，场面盛大而庄严，极尽铺陈之能事。[①]从斋醮行为中，不难发现：明代朝廷钦降武当山的像器（神像、法器、供器、香帛等）源源不断，一再向世人昭示其皇家身份。

通过对比，在明代帝王中，嘉靖帝在武当山的斋醮活动最多。根据史籍记载，这位因武宗绝嗣而意外跻身大位的帝王，对道教的信奉达到了痴狂程度：他任用道士在朝中担任重要官职，服食丹药、荒废朝政，堪称唐玄宗、宋徽宗之后又一位著名的道君皇帝，甚至险些因此丧命于宫女之手。不过，客观而论，武当道教之所以在明代达至顶峰，实与两位帝王密切相关：一是明成祖，二是明世宗（嘉靖帝）。嘉靖帝敕封武当山为“治世玄岳”，大规模修葺武当宫观，强化朝廷对武当道教的管理职能及扶持力度，扩大武当道教在全国的影响力。[②]因此，考察武当道教的发展史，嘉靖帝是一个无法绕开的历史人物。

其三，道教的普及和不同流派共存，象征着武当道教进入繁盛期。

所谓道教的普及，是指道教的大众化，尤以各地民众朝山进香的人数规模达到鼎盛为特征。鉴于上巳节农历三月初三（消灾除厄之日）是真武大帝诞辰，数以千百计的善男信女们携带线香、纸钱、蜡烛、各类

① 张华、郑勇华：《武当山明代圣旨解读》，《郧阳师范高等专科学校学报》2010 年第 5 期。

② 张全晓、杨立志：《明代武当山志所见世宗崇道问题研究》，《世界宗教研究》2014 年第 3 期。

供品前往武当山祭拜，祈愿真武大帝保佑众生，替人们解困除难。

就全国而言，武当山的朝山进香活动最为隆盛，香客香会众多。[①]其他地方庆贺神诞日的活动也非常壮观、热闹无比。应该说，真武崇拜的兴盛是在明代，而且以武当山为中心舞台，成为明代道教发展的重要标志。在这种崇奉仙道的文化氛围中，武当山的玄帝殿自然是人们朝拜的圣地。论者称："武当道教是以武当山为中心，主张各道派大融合，以崇拜信仰真武神为主，既重内丹修炼，又重符箓斋教活动，强调忠孝伦理的道派。"[②]在皇权的大力护持下，武当山作为当时的道教中心，保持了200余年的繁盛局面。

与万千香客涌入武当相同时，武当道教流派纷呈，形成各自独立但共同护道的多元格局。迨至宋代，形成所谓"武当道"，其特征是以真武崇拜为核心，内丹修炼与斋醮符箓兼擅，吸纳儒家忠孝节义的伦理规范。南宋时，出现武当五龙派（即上清派）。该派信奉真武神、三茅真君，复兴武当五龙观。宋元交替之际，武当山迎来了北方全真派、南方清微派等。日后，太和真人张守清熔铸众家，创建武当清微派，子弟四千，声名远播。明初（洪武年间），张三丰来到武当修炼，创三丰派。

明永乐时，成祖朱棣敕令道录司在全国各地精选数百道士，进入

① 关于此课题，代表性成果当推梅莉：《明清时期武当山朝山进香研究》，华中师范大学出版社2007年版。另参见顾文璧：《明代武当山的兴盛和苏州人的大规模武当进香旅行》，《江汉考古》1989年第1期；John Lagerwey：The Pilgrimage to Wu—tang Shan，in Susan Naquin and Chun—fang Yu ed.，Pilgrims and Sacred Sites in China，University of California Press，1992；杨立志：《武当山朝山进香风俗浅谈》，《武当》1992年第2期；王光德、杨立志：《武当道教史略》，华文出版社1993年版；杨泽善、杨立志：《武当山"朝爷"风俗寻踪》，《中国道教》1994年第4期；湖北省地方志编纂委员会：《湖北省志·民俗方言》，湖北人民出版社1996年，第299—300页；《武当山的"朝山会"》，《武当学刊》1997年第1期；张伟然：《湖北历史文化地理研究》，湖北教育出版社2000年版；杨立志：《武当山进香习俗的地域分布刍议》，《湖北大学学报》2005年第1期，等等。

② 陶真典、范学锋：《武当山纪略》，《湖北文史资料》1997年第3期。

武当山发扬道教，其中担任提点、住持者多为正一派、清微派、上清派等高道。这些道士以武当为本山，崇奉真武大帝，以张三丰为祖师，属于宽泛意义上的武当道。成化、弘治年间，武当道派另有繁衍。清代以降，全真龙门派成为武当道教的主流，并存者尚有正一派、清微派、华山派、遇山派、静一派、玄武派、茅山派、白衣派等。[①]在相当长的历史时期，这些不同流派求同存异，相互探讨大道精义，共同推动武当道教的发展。

既然耗费了巨大的人力、物力、财力修建举世无双的道观群，足以说明朱明王朝不会就此罢手，而是着意将武当山打造成令天下信众为之倾倒的道教圣地。于是，加强宫观管理便是题中之意。

为此，明成祖于永乐十一年（1413 年）十月十八日特颁圣旨，内称“大岳太和山各宫观有修炼之士，怡神葆真，抱一守素，外远身形，屏绝人事，习静之功，顷刻无间。一应往来浮浪之人，并不许生事喧聒，扰其静功，妨其办道，违者治以重罪。至诚之士，慕蹑玄关，思超凡质，实心参真问道者，不在禁例。若道士有不务本教，生事害群，伤坏祖风者，轻则即时谴责，逐出下山；重则具奏来闻，治以重罪”[②]。

可见，对于武当道士之个人品格，朝廷极为重视，以免败坏皇家道场之名声。甚至重要宫观的住持，明成祖都要一一核实，唯恐有所差池。

他曾敕令正一嗣教真人张宇清：“武当，天下名山，真武成道灵应感化之地。元末宫观悉毁于兵，遂使羽人逸士、修炼学道者无所依仰。朕积诚于中，命创建宫观……然此名山胜境，必得高人羽士以住持看守。大圣南岩宫，已尝令右正一孙碧云为住持。外其三处，尔即选有道行者各二人为住持。别选至诚敬谨道士，每处各五十人看守。如一时选择不如数，随尔所选得若干人，就分派四处看守，精进修行，兴隆道

① 杨立志:《武当山道教文化》,《世界宗教研究》1994 年第 2 期。

② 佚名:《大明玄天上帝瑞应图录》，涵芬楼本。

教。”等张宇清提交候选名单后，成祖专门下了一道敕令给隆平侯张信、驸马都尉沐昕等人，让他们迅速掌握相关讯息：“正一嗣教真人张宇清举保道士分派各宫：道官任自垣、道士邵庆芳为玄天玉虚宫提点，高道周惟中兼提点，林子良为副宫；兴圣五龙宫，以李时中为住持，道士吴继祖为提点；太玄紫霄宫，以李幽岩、胡古崖为提点；大圣南岩宫，已命右正一孙碧云住持，以王一中为提点副之。各处宫名只依此敕为定用，报汝知之。”[①]

一个日理万机的帝王，连道观管理人员的名册都要亲自审定，这在中国道教史乃至中国宗教史上极为罕见。

彼时，武当山如同官方衙门：正六品道官26人，敕封五龙宫住持张三丰“真仙”名号，敕封其弟子丘玄清嘉议大夫、太常寺卿；道众3 000人，兵士5 000人。朝廷允许武当山的道士出售度牒，另赐予大量地产（号称八百里官山），享有免纳赋税特权。[②]

三、武当山真武文化

武当山真武崇拜不仅是一种带有政治色彩的宗教信仰，还是一种富有内涵的文化现象，寄托了古代人的内心愿望，丰富了世俗民众的日常生活。道教认为真武大帝能解水火之灾，具有统摄龟精蛇魂于脚下的神功，被元始天尊（道教最高神灵，与灵宝天尊、道德天尊合称“三清尊神”）封为玄天上帝。以故，明代宫廷内，建有多所真武庙，以避免水火之患。

值得注意的是，这位“周行六合、威慑万灵”的真武大帝，身为降

① 佚名：《大明玄天上帝瑞应图录》，涵芬楼本。

② 参见杨立志：《明帝与武当山宫观经济考述》，《宗教学研究》1998年第1期。按，这一优待政策延续到清代，所谓：“及有明永乐间，加封大岳，易名太和山，敕藩参典司岁祀。至我朝复加崇重，圣祖仁皇帝屡遣部员内臣致祭，锡额赐帑，辉煌神岳。我皇上特降谕旨，豁免山税，比于泰岱。其隆文徽号，俨与五岳争烈，称巨镇焉。而其效灵于军国民生，历著神异。”参见（清）王槩等纂修：《大岳太和山纪略》，卷首《序》。

妖伏魔的三大伏魔帝君（另两位是伏魔大帝关圣帝君、驱魔真君钟馗帝君）之一，还是一位受人崇敬的武神、战神。元明以降，真武大帝的形象被形塑为赤足仗剑、气度威严，能够保佑皇权帝制的王朝国家武运长久，来犯之敌望而却步，战之必胜，无坚不摧。因此，明代许多次将帅出征，都宣示得到真武大帝的护持。

在传统时代，中国人的神灵崇拜均有对应之物，或天象，或超人，或灵物，不一而足。关于真武大帝是哪一星宿的人格化，有多种说法。

一说是玄武七宿，原因是北方七宿的形状犹如一只神龟，而玄武原本就是龟。虽然玄武之神的祭拜由来已久，但被正式册封为玄武大帝却是在唐代。到明代，一足踏龟、一足踏蛇的真武大帝形象已深入人心，成为玄武七宿的图腾符号。

一说是北斗七星，以故真武大帝有手持七星宝剑的形象。相传真武大帝有三十六位天将护法，其中四大护法元帅地位最重要。根据明代辑录道教文献的大型丛书《道藏》（包括明英宗正统十年刊行的《正统道藏》、明神宗万历十五年刊行的《万历续道藏》），这四大护法元帅有不同的组合，例如：温、康、马、赵，温、岳、马、赵，温、康、王、马，等等。

列入护法的人物虚虚实实，其中有著名的历史人物，如岳元帅，讳飞，一代名将，追赠“鄂王”，谥“武穆”，世称“岳武穆王”；殷元帅，讳郊，是商纣王之子，封为“太岁大威至德元帅”。更多的是道教认同的诸多神灵，包括：温元帅，讳琼，东岳神部将之首，封为“佑侯元帅”；康元帅，讳广席，系龙马之精转世，封为“仁圣元帅”；马元帅，讳灵耀，封为“华光元帅”，是著名的护法神；赵元帅，讳朗，字公明，正一教“正一玄坛真君”，系武财神，具有呼风唤雨、赐予钱财之神力，颇受民众喜爱；李元帅，讳哪吒，封为“中坛元帅”，五营元帅之首，是老百姓耳熟能详的护法神；王元帅，讳善，封为“隆恩真君”，是镇守山门之神，雷部、火部天将；高元帅，讳员，封为“九天降生元帅”；周元帅，讳广泽，封为“风轮元帅”。除了哪吒，五营元帅另有东、南、西、北四营元帅，分别是：张元帅，讳自观，封为“法主真君”；萧元帅，讳法明，封为“辅天真君”；刘元帅，讳志达，封为“普照大师”；连元帅，讳光阳，封为“九天法主”。

除了这些赫赫有名的护法元帅，另有护法神兽。最著名的，当然是龟蛇二将。此外，相传真武大帝在武当山修行时，有灵鸦、黑虎侍卫。道教文献《玄天上帝启圣录》云：“玄帝登山，首于太子岩栖隐。帝修真时，有灵鸦报晓、黑虎卫岩，每食必饵之。至今二物通灵，皆证大神时隐时见。乌鸦喙赤，见之者昌；黑虎驱奸，逆之者殃。”并引述《武当福地总真集》，作进一步的阐释。

关于黑虎，“武当黑虎大神，乃北方天一之所化，护教守山之灵，正直威显，变化不一。或托相为人，金甲皂袍，若将军之状。或现真相，玄鬃黑色，如狮子之形。或大如纛，或小如豹。或雪里而现其迹，或泥中而显其踪。见之者不祥，梦之者获庆。夜巡廊庑，灵迹昭垂，不善之人立为屏斥。丹经云：虎向水中生，是也。有秘法传之于世，行焉。今天一真庆宫嘉庆阁下，有黑虎岩”。

关于灵鸦，“灵乌者，秉北方之黑色，为武当之灵神，预报吉凶、验其慈厉，靡不应者。且则群噪为之报晓，然物我相忘，略不惊避。晨夕二供，飞翔伺食。内一红喙者，或隐或现，见之者为嘉瑞云尔”。

鉴于此，黑虎将军成为武当山驱疫防疾、护山镇庙之神灵。一般的真武庙神桌下，都会奉祀黑虎将军。按照道教礼俗，黑虎将军的神诞日是农历六月初六日。

“磨杵成针”是著名的成语故事，一般都说成是唐代诗人李白儿时之事，语出明代陈仁锡编纂的《潜确类书》（即《潜确居类书》）。但道教文献却将此事与真武大帝联在一起，称：“玄帝修炼，未契玄元。一日，欲出山，行至一涧，忽见一老媪操铁杵磨石上。帝揖媪曰：磨杵何为？媪曰：为针耳。帝曰：不亦难乎？媪曰：功至自成。帝悟其言，即返岩，而精修至道。老媪者，乃圣师紫元君感而化焉。涧曰磨针，因斯而名云麓仙人磨针涧。诗曰：淬砺功多粗者精，圣师邀请上天京。我心匪石坚于石，小器成而大道成。”[①]

类似这样的仙迹传说，在武当道教文献中还有很多：一方面，它们通过渲染神灵故事的神秘性，进一步凸显道教的神圣性；另一方面，这些生动的传说容易让普通民众理解道教的精髓，使其被形形色色的神迹所吸引，心生崇拜之感。

据明代《道藏》记述，真武大帝的圣号多达百字。宋代以降，帝王们屡有加封，尤以明成祖最为倾心。例如，宋太宗封“佑圣玄武灵应真君”，宋真宗封“真武灵应真君”，宋钦宗封“佑圣助顺真武灵应真君”，元成宗封“元圣仁威玄天上帝”，明太祖封“玄天上帝”“真武荡魔天尊”，明成祖封“北极镇天真武玄天上帝”。帝王为真武加封圣号，极大地推动了“真武崇拜热”，增强了普通民众对真武的敬仰之情。

就在宋代敕封真武大帝圣号的同时，全国各地陆续兴建真武庙，专用于祭拜之需，通都大邑更是不可或缺，如宋代的建康（今南京）、临安（今杭州），明代的“两京”（南京、北京）。真武庙又叫玄天上帝庙、玉虚宫、玄天宫、北极殿、北帝庙等。武当山是道教众多洞天福地之一，是真武大帝修仙得道之所，因此武当山的真武庙堪称“祖庭”，是朝拜者心目中的圣地。珠江三角洲一带多有北帝庙，例如始于宋代、明清重修的佛山祖庙内供奉的就是北帝。

之所以将自然山川与神灵精怪相互穿凿附会，是因为现实政治及人生有特殊需求。宋元明三代，武当山成为道教传播的中心舞台，恰可为证。[②]玄武的神迹传说由来已久，迨到宋明之际与武当山如此紧密地结合在一起，由星宿而入凡间、由王子而升仙境，经过数不清的编撰与改写，最终归结为玄武（真武）在武当山修仙得道这一根本性的认识。

天下名山奇境如此之多，为何选择武当山作为玄武降生之地、修道

① 佚名：《玄天上帝启圣录》卷一《悟杵成针》。

② 周晓薇：《宋元明时期真武庙的地域分布中心及其历史因素》，《中国历史地理论丛》2004年第3辑。

升天之所？在诸多原因中，武当山的自然地形地貌是重要的一条，以至于人们感叹“非玄武不足以当之”，也就是说，只有将此山命名为“武当”，才能配得上玄武大帝的英名与功业，与它的形象、气度、神力相吻合。“武当”之“武”指玄武大帝，“当”指担当、承受、配享。

明成祖曾在《御制大岳太和山道宫之碑》（永乐十六年十二月初三日）中大肆渲染真武大帝的超凡绝俗、神奇法力，将其视为与天地共存、与日月同辉的一方神圣。明成祖将武当山与真武大帝牵扯在一起，指出只有此神才能与此山相匹配，从而以帝王的口吻肯定了道士们对真武降生于斯、得道于斯、飞升于斯的一整套话语体系的建构，赋予“非玄武不足以当之”的表述以合法性和权威性。

至于为何要动用国家财力大规模兴建武当道教建筑群，明成祖给出了两个答案：一是元末战争造成毁灭性破坏，必须予以重建，让万千信众有一个可以寄托自己心愿的正式场合，以期振兴道教、匡扶世道人心；二是父皇（朱元璋）及自己在登基过程中，均得到真武大帝的辅弼，只有大兴土木、兴修史无前例的宏伟道场，才能表达对真武大帝无比崇敬的心情。

身为一国之君，成祖表示不可轻慢或搪塞，而是亲自任命道士为提点，认真打理各宫事务，尽职尽责，供奉好真武大帝。如此一来，既可告慰受恩于真武神的皇父母在天之灵，又可为天下苍生营造一处空前绝后的祈愿幸福的道场，可谓责无旁贷。为表示敬重之意，明成祖为武当宫观敕赐名称，即玄天玉虚宫、太玄紫霄宫、大圣南岩宫、兴圣五龙宫。

历史上有关真武大帝的故事传说大都出自道教人士的“创造”，连同真武大帝的身世及形象，均系人们有意为之的“造神”行为。但这种脱离历史实际的文化创造，一则受到帝王的肯定，二则受到民众的追捧，显系符合皇权帝制时代的权力意志，也容易满足广大民众的精神需求。对包括真武大帝在内的释道诸神，人们不以为“虚”，反以为“实”，虔诚信奉、真心膜拜。或许，当时的人们宁愿虚实相兼，努力创造条件让天地诸般神灵融入人间，变成日常生活的导引，变成官方权力系统之外的另一种管理人间事务的精神权威。于是，在真武显灵的幻象及意识中，汲汲营营的普罗大众感到有了某种可以依靠的力量，感到生活似乎有了新的希望。在此意义上，明清时期的宗教信仰在很大程度上具有维持社会秩序的作用。

在真武崇拜的同时，帝王敕建武当的谕令圣旨也被奉为吉祥之物，专门建亭，以表敬重，史称“黄榜荣辉”。关于此事之细节，文献称：“国朝敕命隆平侯张信、驸马都尉沐昕统率军夫二十余万，敕建武当山宫观。圣谕详明，具载黄榜。永乐十年秋九月庚子之吉兴工，首以黄榜揭于玄天玉虚宫前通衢之上，覆以巍亭，护以雕栏，丹漆绚耀，照映山林，使凡官员、军民过于亭下，莫不肃敬。伏睹敕谕，则知兴建宫观之盛，发于皇上诚心，特以昭答神明显佑国家之惠。上荐太祖高皇帝、孝慈高皇后在天之灵，下为天下生灵祈福，岂不重且大哉！”

自从修建黄榜之亭后，武当山所在之均州“人民扶老携幼，骇而聚观，盈街塞途，传闻四方。虽深山穷谷之民以及道释，亦皆相率争睹。其长老莫不嗟叹，以为自有生以来所未尝见”[①]。由真武崇拜到圣旨瞻仰，神仙与皇权合二为一，“君权神授”成为毋庸置疑的真理。

明代武当山志书概有四部，分别是：任自垣编《敕建大岳太和山志》（宣德六年，1431年），编者时任大岳太和山提调官、钦差太常寺丞；方升编《大岳志略》（嘉靖十五年，1536年），编者时任湖广布政司右参议、武当山提调官；王佐、吕祥编《大岳太和山志》（嘉靖三十五年，1556年），编者时任武当山提督太监；卢重华编《大岳太和山志》（隆庆六年，1572年），编者时任均州学政。在这些山志中，颇多真武大帝故事，构成了武当道教文化的重要组成部分。

关于“非玄武不足以当之”的说法，常见于明人著述，如《西楼全集》《六岳登临志》《古今游名山记》《七修类稿》《大明一统志》《楚

① 佚名：《大明玄天上帝瑞应图录》，涵芬楼本。

纪》《广舆记》《山堂肆考》《太函集》《五岳游草》《广志绎》《海内奇观》《尺牍争奇》《图书编》《楚宝》等，清初顾炎武《肇域志》亦有记载，表明这已成为人们的共识。武当山之自然奇观与玄武崇拜之奇妙结合，堪称妙手神功。

真武崇拜成为武当道教之精神主旨，是由宋到明数百年间道教发展的一大思想成果。对这种将神灵赋予名山、以名山为信仰场域的杰出创造，明代官员顾璘在游历武当山后大发感慨[①]，他不仅仅指出将名山大川与神仙鬼怪牵扯在一起确有必要，更强调这种人为的创造的最终目的，是“礼乐政治之用”，是“达诸人事”。一言以蔽之，人们对神灵的形塑是为了自身的现实需要，包括政治、经济、军事、文化诸方面的利益需求，包括国家、族群、团体、家庭、个人诸层面的精神追求。

第二节　嘉靖帝与明显陵

明显陵，地处湖北省钟祥市东北纯德山，为明嘉靖帝朱厚熜的父母兴献王朱祐杬（后追尊为“睿宗献皇帝”）和蒋氏的合葬墓。兴献王是明宪宗之子，原本是就藩湖北钟祥地区的一位藩王。正德十四年（1519年），兴献王去世。正德十五年（1520年），兴献王以亲王规制葬于钟祥东北部松林山。后来其子朱厚熜即位为嘉靖帝，于嘉靖三年（1524年）将其父亲陵墓改称为显陵，并按照皇帝规格予以扩建。明显陵成为嘉靖帝隆祀其父的历史见证，亦成为反映当时信仰世界的纪念碑。

一、嘉靖皇帝的孝思

明显陵是嘉靖帝为其父安排的陵墓，为了了解陵墓背后的感情，必须从嘉靖皇帝的孝思谈起。对嘉靖帝本人，学界往往关注其即位后，作

① （明）顾璘：《游太岳后记》，《顾璘诗文全集》之《凭几集续编》卷二。

为最高统治者冷酷独裁的一面，[①]殊不知嘉靖帝也有与明代其他皇帝相比独特的一面——对父母极度的孝思。

朱厚熜生于正德二年（1507年），是兴献王朱祐杬唯一存活下来的儿子（兴献王长子朱厚熙出生五日而殇），兴献王朱祐杬"嗜诗书，绝珍玩，不畜女乐，非公宴不设牲醴"[②]。朱祐杬就藩湖广前后，就刻印两部个人诗文集——《恩纪诗集》《含春堂集》。朱祐杬对年幼朱厚熜的教育十分重视，不仅亲自为朱厚熜选择启蒙教科书，有时更是亲力亲为，亲自言传身教。[③]

正德八年（1513年），朱厚熜只有六岁，朱祐杬就已经开始选择《孝经》为其启蒙，并亲自予以讲解。朱厚熜的母亲蒋氏不仅有一定文化素养，且非常注重儿子的教育问题，亲自撰写《女训》一书，认为"性固天性，不能自明。人非生知，不可无教。盖大任胎教，故有文王之圣。孟母迁教，故有孟子之贤。凡生子者，有诸母之贤者，可择而求为子之师。无诸母之贤者，可自勉为子之教也"[④]。朱厚熜出生时，其父并非皇帝，除朱厚熜生母蒋氏外，只有一个侧妃。并且朱厚熜是朱祐杬唯一存活的儿子。因此皇宫内的政治斗争、尔虞我诈根本没有波及朱厚熜的童年，反而家庭的温情、父母的教育深深刻入其脑海中。

其实朱厚熜有许多爱好都是直接继承其父兴献王的。必如兴献王喜欢读书，"帝（兴献王）好学，特赐中秘书若干卷"[⑤]。兴献王还喜欢著书立说，编辑收集图书。而朱厚熜也喜欢读书，著名的《永乐大典》副本就是朱厚熜下令抄写的。再如兴献王崇奉道教，据《钟祥县志》记载

① 如蔡明伦：《嘉靖言官：戴着镣铐起舞》（《北方论丛》2006年第2期）一文论述嘉靖帝对言官的迫害。林延清：《壬寅宫变与嘉靖朝政的转变》（《辽宁大学学报》（哲学社会科学版）2010年第1期）一文对嘉靖皇帝专横暴躁的性格有所描述。

② （清）张廷玉：《明史》卷一一五《列传第三》。

③ 《睿庙圣政实录》卷三十八，天津图书馆藏本。

④ 《女训》，哈佛大学哈佛燕京图书馆藏明嘉靖九年内府经厂刊本。

⑤ 《明武宗实录》卷一七五，正德十四年六月己卯。

当年兴王府旁边有一座道观，兴献王与道观道士交往密切，并起道号为“兴国纯一道人”皈依道教。而朱厚熜崇拜道教更是为世人所熟知。因此兴献王、朱厚熜父子爱好的相同，其实是父子二人感情亲密，父亲以身作则，潜移默化的结果。

其实朱厚熜登基后，不顾群臣反对，一定要为父母争“名分”，很大程度上就是为了表达自己对父母的怀念和尊敬。后来朱厚熜南巡回到家乡，对家乡父老这样说道：

> 我的父母昔在孝宗皇帝时，封国在这里，积许大的德行，生我承受天位。我今为父母来到这里，你每也有旧老的，也有与我同后生的。但只是我全殁德行，父母都天上去了，这苦情你每也见么？我今事完回京，说与你每众百姓，各要为子的尽孝道，为父的教训子孙，长者抚那幼的，幼的敬那长的，勤生理，做好人。你每依我此言语，非我不能深文，以便那不知文理之人，教他便省的，你每可记着。仍赐父老从宗等百四十四名，人米四升，肉三斤，酒一瓶。①

朱厚熜说以上这些话语之时，已经贵为天子。他给家乡父老的通俗讲话中，说的“但只是我全殁德行，父母都天上去了，这苦情你每也见么？”恐怕只有真正失去父母双亲的人才能理解嘉靖帝当时的心情。他面对父老乡亲，已经抛却了面对朝中大臣的谨言慎行，反而表露了内心深处最想说的话语。朱厚熜希望家乡父老“各要为子的尽孝道，为父的教训子孙，长者抚那幼的，幼的敬那长的”，其实也是嘉靖帝内心深处对儒家孝亲敦睦思想的信仰表达。

史载：当朱厚熜双亲去世后“每遇时节祭辰，侍臣窃窥圣容惨怛，

① 李权：《钟祥金石考》卷二。

享献精虔，无不泣下者”[①]。也就是说深处皇宫中的朱厚熜每年遇到父母双亲的祭日，他都要表情凝重的精心祭奠父母，连皇帝身边的宦官都感动得流泪。作为儿子的朱厚熜对父母感情既然如此真挚，在不能孝养父母的情况下，为其父母在家乡修建一座宏伟陵墓是再自然不过的事情了。

二、显陵修建波折

明代藩王的坟墓规格再高，也不能超过皇帝。据《大明会典》记载永乐八年（1410 年）定亲王坟茔建筑配置“下天子一等”。要想光明正大的为父亲扩建坟墓，应该先追尊其父为皇帝。然而嘉靖帝刚刚即位时，朝中大臣非但不同意追尊兴献王，甚至不让嘉靖帝保持与兴献王的“父子关系”！

当时礼部尚书毛澄为兴献王称号问题去请教内阁大学士杨廷和，杨廷和以汉朝的定陶王、宋朝濮王的事例，作为依据，主张朱厚熜过继给孝宗做儿子，尊孝宗朱祐樘为皇父，尊自己的父亲兴献王朱祐杬为皇叔父，母亲为皇叔母。但这很不符合嘉靖帝的心意，嘉靖帝直接告诉杨廷和等人：“父母可移易乎？”[②]于是“大礼议”的序幕拉开，也为后期提升改建其父的陵寝埋下了伏笔。

按照帝制社会的伦理，以杨廷和为首的朝中大臣认为朱厚熜应过继给孝宗皇帝做儿子，嘉靖帝坚决不同意，为了自立体系，效仿朱元璋追尊四世先祖为皇帝的例子，追尊死去的父亲为皇帝。此举引起朝臣激烈反对，礼部尚书毛澄，大学士杨廷和等召集言官，60 多人联名上疏，极力反对。而以张璁为代表的大臣则支持嘉靖帝，提出“继统不继嗣”，双方引经据典展开了激烈争论。

直到嘉靖三年（1524 年）三月，嘉靖帝敕谕礼部“加称其父为本

---

① 谈迁：《国榷》卷六十四。

② 《明史纪事本末》卷五十。

生皇考恭穆献皇帝”，此举，遭到反对派的激烈反对，以杨廷和的儿子杨慎为首的群臣 200 多人，相继跪在左顺门。嘉靖帝数次命司礼监传其手谕，令群臣退去，可是群臣依然“伏地如故”，进行抗议。皇帝大怒，着锦衣卫将五品以下的在场大臣逮捕杖刑，并杖死其中 17 人，其余的人遭到入狱、夺俸、贬官、戍边等处罚，用武力捍卫了父亲的尊严。

“大礼议”事件，让朱厚熜变得日益成熟，也让他身心疲惫。我们可以试想，一个不到 17 岁的孩子承受了这么大的压力，怎么能不让他的性格变得执拗，刚愎自用。这些给他后来的宫廷生活和执政带来不少负面影响。本来即位之初，君臣曾有过非常和谐、共谋治国的阶段，但很快就陷入继位继统、大宗小宗之类的帝国家事当中，纠缠不休。彼此你来我往，既伤颜面，更伤感情，严重影响朝政的走向，影响了整个官僚系统的运作和官员心态的养成。

实际上，这个“礼议”之事仍然还没有结束。后来嘉靖帝又以“皇考”名分未正，命廷臣会议去掉“本生”二字，加封尊号为“皇考恭穆献皇帝”将其父的神主安放在观德殿，但不多久观德殿遭到火灾。嘉靖帝又新建了世庙，到嘉靖五年（1526 年）又将“恭穆献皇帝神主”供奉于新建的“世庙”。嘉靖七年（1528 年）加封尊号为“恭睿渊仁宽穆纯圣献皇帝”。嘉靖十七年（1538 年），追尊庙号为“睿宗”，又加封尊号为“知天守道洪德渊仁宽穆纯圣恭俭敬文献皇帝”17 个字，让其父享受了明朝最高封号的荣誉。到嘉靖二十四年（1545 年），兴献王神主供入“太庙”，位及武宗皇帝之上。至此，嘉靖帝才彻底完成了自己所想的昭穆体系，让皇室支系成为皇室正统。墓主的身份发生变化，陵寝建制理所当然地要与其身份相匹配。

当“大礼议”正在持续之时，又一难题摆在嘉靖帝面前：是否迁移父亲的陵墓？嘉靖初年，朝中有人提出了将兴献王迁往北京天寿山安葬的奏议。围绕“迁陵”事宜，朝廷大臣对其利弊又展开了长达十多年的争论。一部分善于揣摩圣意的人认为“迁陵”天寿山，可让嘉靖帝祭祀方便，减少思念之痛；而另一些人又非常反对“迁陵”，以工部尚书赵璜为代表，首先提出了不能“北迁”的三条理由：“先皇体魄所安，不可轻犯，一也；山川灵秀所萃，不可轻泄，二也；国家根本所在，不可轻动，三也。昔高皇帝定鼎南京而仁祖之陵远在凤阳，文皇帝迁都北京而孝陵远在钟山，皆不敢迁改，陛下之视显陵，犹太祖之视仁祖，太宗之视孝陵也。”[①] 两方说法，都有道理，那么嘉靖帝如何取舍呢？

嘉靖三年（1524 年）九月初三日，锦衣卫已被革职的百户随全和光禄寺已被革职的钱子勋是最先向朱厚熜奏请将“献皇帝梓宫宜改葬天寿山”。此议一出，嘉靖帝立即下旨“命礼部召集廷臣商议迁陵之事”。礼部尚书席书认为：“显陵乃先帝体魄所藏，事体至重。昔高皇帝不迁祖陵，太宗不迁孝陵，盖其慎也。臣等博询众论，咸谓：显陵形胜，真帝王幽宅，先帝封藏已久，不宜轻动。随全、钱子勋谄谀小人，妄议山陵，宜下法司按问。”[②]

嘉靖帝还是拿不定主意：“先帝陵寝远在安陆，朕朝夕瞻望，不胜哀痛。命再会群臣熟计以闻。”席书再次召集众人商议，大家都强烈地表示不可轻易“迁陵”。嘉靖帝为此咨询了生母的意见，而母亲也慈训：“陵寝乃根本重地，不可轻动。”[③] 这样嘉靖帝暂且停止“议陵”之事。

但是到嘉靖六年（1527 年）十月，前任御史虞守随，虽然罢官在家，还是撰述了《皇陵正议》数千言呈进。此时，嘉靖帝已停止商议“迁陵”的事，但还是于心不安，便与大学士张璁说：“守随奏进《皇陵正议》，盖此举非常，前已下廷臣及内阁两议，皆云不可；彼意盖恐帝后各处，乃朕失孝，是亦忠意；而朕所未信者，恐一有差误，其为孝也不孝也？夫古者，君去国，迁庙主而行。主者，阳也，先人之精魂，故谓神主。墓者，藏先人之体魄，乃阴也，是为玄宫。地道尚静，体魄贵安，岂有宜静举？我皇考葬已八年，一旦亡动，岂胜震恐。若于万年之

① 嘉靖《兴都志》卷二。

② 《明世宗实录》卷三十四，嘉靖三年九月丁亥。

③ 嘉靖《兴都志》卷二。

后，奉护慈宫以祔陵室，何不善也。”[①] 并让张璁与桂萼密议，怎样才是最佳的选择？

这时的张璁与桂萼因支持朱厚熜“尊礼”之事，成了朱厚熜身边最信任的人。但张璁权衡了“迁陵”之事的轻重，认为明朝自太祖时起，就没有“迁陵”事例，况且认为“迁陵”是要耗费巨大的人力、物力和财力的，还不如扩建显陵为圣明。于是张璁说：“廷臣之议，谓太祖不迁皇陵，太宗不迁孝陵，皆正论也……圣慈万岁之后，奉祔显陵，在情理，为俱尽矣！惟圣明无贰焉。”嘉靖帝采纳了张璁的意见，特命工部营建显陵“如天寿山七陵之制”，并亲自为其父撰写了“功德碑文”，并派当时南京礼部右侍郎严嵩送至显陵陈设，同时代表自己祭祀显陵。

嘉靖十七年（1538 年）十二月初四日，嘉靖帝生母章圣皇太后蒋氏经过三年的疮毒折磨，不治驾崩。蒋氏的病逝和如何安葬成为国家大事，嘉靖帝重新面临抉择。但这位太后在弥留之际，留下了遗诰，主要有三点：一是死后从祀献皇帝左右；二是让诸王室及文武百官要竭力辅佐皇帝；三是丧事从俭。为尊重母亲遗愿，嘉靖帝又多次与朝中大臣商议，武定侯郭勋、大学士夏言等商量给出的建议是“奉迁显陵于大峪山”。但嘉靖帝又思虑其父梓棺“奉藏体魄将二旬岁，忍启露于风尘之间，摇撼于途路之远。朕心既不安宁，我皇考亦必不宁，我圣母又大不宁也”[②]。嘉靖帝处在两难之中。

为了解决难题，嘉靖帝委派朝中大臣去钟祥查看显陵。但他得知启视地宫时发现地宫渗有水，痛心疾首，决定“躬至显陵，亲临调度”，亲自到钟祥看陵。次年三月，也就是嘉靖十八年（1539 年）二月十六日，嘉靖帝便御驾南巡，率内阁首辅夏言、礼部尚书严嵩、锦衣卫指挥使陆炳等文武大臣和护驾官兵近 2 万人，可谓“六军万乘，车徒众盛”，浩浩荡荡从京师出发，于次月十二日抵达承天府，当晚下榻旧府邸，在

① 《明世宗实录》卷八十一，嘉靖六年十月丙辰。

② 嘉靖《承天府志》卷二。

钟祥总共待了13天，这也是他在位45年，唯一回钟祥的一次。13天里他祭拜家庙，谒父陵园，招见安陆百姓，亲定显陵、世子府、元佑宫等建制，并且在显陵举行盛大的祭祀活动。同时，也享受了荣归故里至高无上的荣耀。

在到达后第二天，嘉靖帝便拜谒显陵，决定重新建造后玄宫及宝城，并亲定了新玄宫图式，最终决定将母亲南祔显陵。三月十九日，显陵新玄宫随即开工兴建，并命工部左侍郎顾璘与内官监太监袁享督理显陵及兴都府（加建世子府）、元佑宫（兴王府旁边的道观）三大工程事务。一切安排妥当，嘉靖帝于三月二十四日起驾回京。

嘉靖南巡返京后，随即在四月乙丑视察大峪山，同显陵地理形势相比较，正式宣布："峪地空凄，岂如纯德山完美；决用前议，奉慈驾南祔。"[①]最终确定将蒋氏灵柩南祔，五月便遣派京山侯崔元等护送蒋氏灵柩南祔显陵，同年闰七月二十五日，与献皇帝朱祐杬合葬于显陵新玄宫。"迁陵"不成，当然要更加完善显陵建制。南巡承天时，便与风水大师廖文政商议了显陵的建制，不仅增建了新的玄宫和宝城，同时增建了庞大的外罗城及新红门等。

由于没有确定父母的最终安葬地点，嘉靖帝曾经谕命北京大峪山地宫："刻期五月初以玄宫工竣，事务如法，坚致完美。"[②]当安葬地点决定之后，北京墓地也被空置。一个一天也没有做过皇帝而被追尊的皇帝，病故后为他建造两座陵寝，在明朝实属绝无仅有。

经过"大礼议"和迁葬讨论，嘉靖帝父母安葬湖北钟祥显陵最终成为定局。如果说"大礼议"显示了嘉靖帝为父正名的决绝，那么迁葬疑虑则显示了嘉靖帝的犹豫。前者是嘉靖帝基于父子感情，儒家伦理的政治表达，后者则是嘉靖帝困于道教风水而做出的谨慎选择。同是隆祀父母，但却显示了嘉靖帝两种精神信仰。

---

① 《明世宗实录》卷二二三，嘉靖十八年四月乙丑。

② 《明世宗实录》卷二二二，嘉靖十八年三月丙子。

三、隆祀显陵

基于对父母的孝思和道教风水的信仰，嘉靖帝终其一生都在修建显陵。嘉靖二年（1523 年）四月，兴献王坟原覆黑瓦换为黄琉璃瓦，并修筑神路桥。嘉靖三年（1524 年）“显陵司香太监杨保言：陵殿门墙规模狭小，乞照天寿山诸陵制更造”①，但工部尚书赵璜认为：“宜添设明楼石碑，及改司香衙门为神宫监，设置护卫曰显陵卫。其余未备房屋应创新者，另为添造，应仍旧者，止加修饬，不必大为改作。”②工部尚书赵璜的提议得到嘉靖皇帝认同，只对显陵开始小修小补。但是嘉靖六年（1527 年），嘉靖皇帝“命修显陵如天寿山七陵之制”③。从此，明朝政府开始对显陵建筑进行大规模扩建，此次修建亦成为嘉靖朝大修显陵第一个高潮。

嘉靖十七年（1538 年），嘉靖帝母亲蒋太后去世。嘉靖帝反复比较考察后，决定将母亲遗体迁往钟祥显陵，于是又对显陵进行扩建，是为嘉靖修陵第二个高潮。最后于嘉靖十八年（1539 年）“二圣梓宫合葬于显陵新寝”④。按理说父母都已安葬，显陵工程应该停止了，但嘉靖帝仍不满足。嘉靖二十一年（1542 年），嘉靖帝“命修显陵祾恩殿”⑤。此次修造之后，几乎每隔一段时间明朝廷就要对显陵进行改建修筑。一直到嘉靖帝在世的最后一年——嘉靖四十五年（1567 年）还在修显陵：此年九月“遣工部左侍郎张守直，往承天府修理显陵祾恩等殿，更建龙飞殿。诏川广两省抚按官，各采大木”⑥。

可以这样说，显陵的修筑贯穿嘉靖皇帝在位之始终。如此长时间的修筑，使得显陵成为明代单体面积最大的皇陵。明太祖朱元璋之孝陵占

---

① 《明世宗实录》卷四十二，嘉靖三年八月丙午。

② 《明世宗实录》卷四十二，嘉靖三年八月丙午。

③ 《明世宗实录》卷八十三，嘉靖六年十二月丁未。

④ 《明世宗实录》卷二二七，嘉靖十八年闰七月庚申。

⑤ 《明世宗实录》卷二六六，嘉靖二十一年九月甲寅。

⑥ 《明世宗实录》卷五六二，嘉靖四十五年九月丙申。

地面积170余万平方米，而显陵达180余万平方米，相比而言明代在位时间较长的成祖之长陵占地约12万平方米、神宗之定陵占地约18万平方米。由于明末李自成“攻显陵，焚享殿”[①]，明显陵地面建筑遭到极大破坏，现在已经无法一睹显陵的壮丽。但仅从修建时间之长，占地面积之大，就可看出嘉靖帝对父母陵墓的关心与照顾。

嘉靖帝为什么终其一生一直都在为父母修陵？其实从嘉靖帝临终时的一句话可以看出端倪。嘉靖帝弥留之时对内阁首辅说道：“朕修理龙飞等殿，一视之心乃安。”[②]嘉靖帝临死之前，想看一看自己为父母修建的陵墓，“心乃安”。其实每一次修陵，都是一次隆重的祭祀，都是一次“心乃安”的过程。生命不止，内心深处的孝思一刻不止，修陵也不停止。

除了修陵，嘉靖帝对显陵的礼仪规制也异常重视。根据统计，嘉靖一朝遣官送至承天府旧邸家庙及显陵供奉器物的数量，不亚于天寿山前七陵的陈设。朱厚熜即位之后，随着“议礼”不断激烈，尊号不断变更，他多次派大臣前往显陵为上“皇考”尊号而送祭器，行祀礼。从嘉靖元年开始，四年、七年、十七年及十九年，先后5次遣官送至显陵的冕服、冠服、皮弁服、神床、龙椅、黄织锦等祭器及藏经超过3 000件（套）。

嘉靖元年（1522年）三月，嘉靖帝以上“兴献帝”尊号名义，遣官奉送“兴献帝”御容龙匣、玉册龙匣、玉宝龙匣至显陵陈设，并于祭告。给兴献帝上尊号，也属册立的一种，有册和宝。同时送来的还有137件（套）冕服、冠服、神床、御座等陈设器物，均陈设于显陵享殿。

此后，嘉靖二年（1523年），朱厚熜又令家庙乐用八佾。三年（1524年），令工部造祭器乐器服送家庙供祀。四年（1525年），朱厚熜

① （明）谈迁：《国榷》卷九十八。

② （明）谈迁：《国榷》卷六十四。

又遣官赍送许多礼器至显陵。七年（1528年），令兵仗等局造送乐器。八年（1529年），令锦衣卫选拔校尉30名送用。嘉靖十八年（1539年），嘉靖帝派大臣送其母献皇后梓棺回安陆州，与其父献皇帝合葬于显陵后玄宫后，由皇亲蒋荣督代行祭礼。

由于显陵远在湖北，每遇时节，嘉靖帝不能展谒，“每念于此，心实不安”，只能营造丰富祭器，遣官陈设致祭，亦如先皇诸陵，以表达孝思！特别是嘉靖十七年（1538年）夏，因嘉靖帝喜得贵子，命顾璘到承天府祷告于纯德山。当天大享礼结束，便诏示天下，即刻遣官赍送神位及大量珍贵祭品至显陵。[①]

这次所送供物与之前所送物品不太一样，公开是喜得贵子告慰于父亲，实则是让父亲以“帝王身份”而配享祭物。祭品规格极高，数量众多，共近千件（套）。从此可看出嘉靖帝真是一位“大孝尊亲”之人，而以上物品仅是嘉靖皇帝的一次祭品而已。

显陵祭祀最为隆重的一次，要数嘉靖十八年（1539年）三月嘉靖帝南巡，亲自参与显陵祭祀大典。三月十七日，嘉靖帝谒显陵。在显陵举行了隆重的祭告礼仪，礼部尚书夏言从行时曾作《扈驾谒显陵》一诗：“九重法驾出长安，圣主威仪陋汉官。今日园陵修俎豆，一时陪从肃衣冠。彝章赖有三朝典，盛事须令万代看。独荷宠灵欣扈跸，每依玉辇据雕鞍。”夏言的诗句提供了一个重要的讯息，道出了嘉靖南巡的车驾之威仪显赫，服饰之讲究，及显陵的营造规模和典礼之盛。

祭祀之前，嘉靖帝致斋三日。前一日，礼部令太常寺到显陵按照规制陈设好祭案、祭品。鸿胪寺官设册、宝案于享殿中、左、右。册、宝至，由中门进至享殿前。导引官引遣官由右门入，至丹墀入内。再至享殿前就拜位，捧册、宝官于舆内捧册、宝由殿中门入，至神御前，左、右北向立。

① 嘉靖《承天大志》卷三十九。

子时（夜 11 时—1 时），吉时已到，内赞官恭导引嘉靖帝及文武陪祭官从祾恩门左（东）门入殿，西向立。典仪官唱："执事官各司其事。"内赞官唱："就位。"所有陪祭官在内赞官的引导下站到自己要站的位子。同时内赞官也就位。内赞官唱："上香。"嘉靖帝在内赞官的引导下至香案前，同时执事官捧香盒至香案前，由嘉靖帝三上香，完毕。内赞官唱："行四拜礼。"嘉靖帝行四拜叩头之礼，同时所有陪祭官也行四拜叩头礼。内赞官唱："奠帛。"执事官捧帛至御案前，然后跪奉给嘉靖帝，嘉靖帝接帛献于御案。内赞官唱："行初献礼。"嘉靖帝再行叩拜礼，同时所有陪祭官也行叩拜礼。内赞官唱："读祝。"由读祝官跪读祝文，嘉靖帝及陪祭官都跪。

读完，内赞官唱："俯、伏、兴、平身。"嘉靖帝及所有陪祭官都行此大礼。然后，再行亚献礼、终献礼同初献礼，但不奠帛、不读祝。三献礼完毕。内赞官唱："四拜。"嘉靖帝及众官又行四拜叩头之礼。拜毕。典仪官唱："读祝官捧祝、进帛。"读祝官捧祝，执事官捧帛，从大殿中门出，至燎炉焚烧。至此，祭仪完毕。册、宝收贮于享殿。

这些烦琐的礼仪过程，既庄重又严肃，不仅是为了缅怀和纪念，也是借此祈求先祖对国家及后嗣子孙的荫护，体现了中国帝制时代对灵魂的信仰和最高等级的祭祀礼仪文化。

从以上祭礼仪程来看，神御物是由祾恩门的中门进入，而左门是皇帝进出之门，右门为大臣进出之门，符合陵寝建制"尚左"的讲究，因显陵是典型的中国传统建筑格局，注重庄严气度，强调主次配置，追求礼仪、纪念效果，刻意制造了强烈的等级观念和空间对比变换中产生的意境——崇敬感，处处显露着非同一般的皇家祭祀建筑超凡的气势。

除了嘉靖帝亲自祭祀之外，明王朝规定："湖广镇巡及三司等官有事地方者，至日即拜谒陵庙。"[①] 也就是说，所有经过显陵附近的湖广官

① 《明世宗实录》卷一一二，嘉靖九年四月庚申。

员都要来祭祀显陵。因此即使嘉靖帝逝世，明代显陵的祭祀也不会冷清下来。显陵亦成为嘉靖帝对父母孝思的纪念碑。

明王朝烦琐的祭祀和显陵大部分宏伟建筑现如今已经难觅踪迹，然而就在它们曾经存在过的地方——钟祥，形成了以明显陵为中心的庙会活动。每年三月三，九月九，钟祥人民会从四面八方聚集到显陵烧香祈福，形成颇具规模的民俗活动。

第九章　流风与遗俗

明清时期的湖北，有着丰富多彩的社会民俗，凸显了多样化的民情民性。在此，婚姻习俗、岁时习俗、民间语言等内容，将会进入研究者的视野；丧葬习俗，尤其是少数民族地区的跳丧习俗格外引人注目，这些都是考察荆楚历史风貌的重要内容。此外，民以食为天。食材以鱼为主，烹饪技法以蒸见长的楚菜亦是本章的主要内容。

第一节　日常生活

千百年来，过上安定踏实的生活，是中国社会基层民众的基本追求。换言之，能够拥有一种大体温饱的日常生活，便能够填满寻常人家的基本欲望，这就是老百姓简简单单的生活逻辑。与此相联系的，包括身体康健、成家立业、儿孙满堂、家庭和睦等，是最实在的生活伦理。至于出人头地、富贵显赫、建功立业、光宗耀祖乃至名垂青史，恐怕是许多人深埋心底但不抱多少希望的幻象。正是这种满足于日常秩序的人生理念，培育了人们共同遵循的社会习俗。其中，婚俗、岁时、方言等构成了习俗之要目。

一、男婚女嫁

明清时期的湖北，普通民众对男女婚姻之事相当重视，由此衍生出丰富的婚俗文化。大体上，人们自觉按照《朱子家礼》，“婚姻之道，古有六礼。邑俗依文公《家礼》，务崇俭约”；“启用金装，文本《家礼》”；“一遵《家礼》，丰约视其贫富，而六礼鲜备举者，故有笑亲之说，但凭媒妁之言，不用庚书”；“婚姻多遵《家礼》，但有亲迎、不亲迎者”。

然而《朱子家礼》内容太过于烦琐，有些礼节在民间具体实施的过程中有所简化：“初亦仿古纳采、问名礼，具币请庚，然从简略者恒多，亲迎礼亦不多见”；“婚礼有六，今才三：纳采、请期、奠雁耳”。甚至“六礼”仅具其二，“古有纳采、问名、纳吉、纳币、请期、亲迎六礼，今止用纳采、纳币”。[①]

对于“六礼”，士绅之家的态度也不一样，既有“昏礼六，士大夫家行之”，也有“士绅遗形相与、六礼俱厥，径行亲迎者，其初为高雅脱俗，其后则俚啬小人借之以自文，甚不可也”。[②]这说明民间并未完全照搬礼制的繁文缛节，而是大体上不背离基本规程，但在实施过程中有一定的灵活性。

以“奠雁”为例，“初婚时，富厚之家有行奠雁礼者，以鹅代”，[③]关键不在于是否用雁或鹅，而是要有一种仪式感，以示尊重礼制。也有省略“奠雁”这一礼节者，“款宴毕，保姆掖女，幛面盛饰出房。婿迎向揖，名曰见面。保姆掖女，同婿拜谒祖先，旋拜父母族戚，此女家受授之始也，第简奠雁一节耳”[④]。

清代安陆县的文献特别记述“里俗婚仪，有袭古而戾古者”[⑤]。清代婚俗与“三礼”强调的规范已有偏差，人们习以为常，并没有悖礼越制之类的道德自责。即使在那些保留古制较彻底的地方，也有更易。如

① 同治《石首县志》卷三《民政志·风俗》；光绪《蕲州志》卷三《地理志下·风俗》；同治《大冶县志》卷一《疆域志·风俗》；同治《通山县志》卷二《风土志·风俗》；同治《松滋县志》卷一《舆地志·风俗》；光绪《孝感县志》卷五《风土志·习俗》；民国《英山县志》卷一《地理志·风土·婚礼》。

② 同治《长阳县志》卷一《地理志·风俗·昏冠》；康熙《公安县志》所记婚俗。引见赵世良、丁放主编：《中国地方志民俗资料汇编·中南卷》（上），北京图书馆出版社 1991 年版，第 404 页。

③ 同治《黄陂县志》卷一《天文志·风俗》。

④ 同治《通城县志》卷六《风俗》。

⑤ 同治《安陆县志补正》卷下《风俗》。

通城县，“夫传庚即纳采也，定聘即纳征也，媒传诹日即请期也，信日即纳吉也，亲迎，六礼备其五，只简问名一仪。男往女家，亲迎也，简奠雁、先归二事，较之夫不亲迎者远矣。次旦拜堂，庙见也；果铒馈献，馈贽也，虽未逮三月、未及三朝，较之全不谒祖馈茶者远矣。是通之婚礼，盖犹有古道存焉”①。

通城的事实提醒人们，制度性的详细规章在社会实践层面往往会出现不同程度的改变。这种改变不是完全违背制度宗旨，恰恰相反，因时因地或因人因事而做出的更动，是为了适应人们的生存境况及现实需求。恰如时人所说：“虽六礼之成未必尽遵古制，然大端民家于婚嫁为甚郑重，即臧获之贱、山野之僻，男女必先以媒妁、遗以聘资，无婚不以正者。”② 因此，社会习俗不是一成不变的，而是富有弹性的，是伴随时空转换而自我更新的。

附带提及，安陆县有“闹房”（即闹洞房）的习俗：亲迎，谓三日内无尊卑大小，一概准入新妇房闼，喧哗戏谑，无所不至，名曰闹房。③这在其他地方亦可见到，如通山，“喧阗房内三日夜，谓之闹新房”；宜都，“戚中年少捉新郎，求见妇，必设果肴于房。新妇提壶行酒，尽欢始散，谓之闹房”；咸宁，“惟俗名闹房，三日不分大小，竞入新房，新妇行茶，语言杂聒，博笑腾欢，俗最可鄙，知礼者宜力斥之”。④亲朋好友闹洞房，本可以增添喜庆气氛，但是肆意妄为、甚至侮辱新婚夫妻，却不可取。

通常情况下，媒人必不可少，所谓“父母之命、媒妁之言”，成为

---

① 同治《通城县志》卷六《风俗》。

② 光绪《蕲州志》卷三《地理志下·风俗》。

③ 同治《安陆县志补正》卷下《风俗》。

④ 同治《通山县志》卷二《风土志·风俗》；同治《宜都县志》卷三下《政教志·风俗·婚礼》；光绪《续辑咸宁县志》卷一《疆域·风俗·嫁娶》。按，有的地方没有“闹房”习俗，如长阳县“有请见新妇者，一拜便出，无外间闹房恶习”。参见同治《长阳县志》卷一《地理志·风俗·昏冠》。

人们必须遵守的规矩。在“男女授受不亲”的时代，媒人是成就一桩婚姻的关键因素。这便是文献常见的“求配，先通以媒妁”[①]之由来。通常情况下，媒人的身影穿梭于婚礼的全过程，在劳碌的同时，也享受宴请之酬谢。即使在民国初年颇受西方文化浸染的通商口岸，也大体如是。民国四年（1915年）刊行的《汉口小志》指出：“结婚时，必待父母之命、媒妁之言，自由结婚者甚少。近世文明发达，间亦有之。”文明开通如汉口者尚且如此，其他内陆地区可想而知。

男女双方无论家境如何，都要准备相应的聘礼或妆奁。诚如文献所称：“男女两姓通媒妁合婚……富者具币帛、首饰，佐以酒醴、羊豕、鹅雁、鱼果，谓之送聘，并宴媒妁。寒素之家不能备礼物，薄银钗珥同庚书致送，谓之压庚。”[②]这是云梦县的婚俗，对比应城县的做法，大体相当：“将娶，男家具彩币、牲牢，曰报期。纳币，曰过礼。”[③]黄安县的婚礼在行堂见礼时要：“拜天地、祖先、尊长，出奁物，分送家人。”[④]咸宁县也不例外：“媒氏说合订聘。过庚帖，男家用钗钏等物押庚，女家亦有回答，古纳采遗意也。将婚，男家请期，谓之报日；纳征，谓之过礼。女家备妆奁、器物，谓之赔（陪）嫁。”[⑤]远安县娶妇“初聘用钗镯、酒果之仪，继行纳币礼”[⑥]。如此等等，不一而足。

湖北婚俗的不同，往往体现在细节上。例如，随州“女子将嫁，宗党治酒食燕女。于归之夕，以青绸帕覆女首，胸背悬以小镜，系以红带，所以辟不祥也。外袭旧衣，谓之闰衣，取有余也。父母戒女而遣之。妇女不亲送，惟伯叔父及兄弟送至婿家”。又如，宜城县“昏之前

---

① 光绪《蕲州志》卷三《地理志下·风俗》。

② 道光《云梦县志略》卷一《舆地·风俗·婚》。

③ 赵世良、丁放主编：《中国地方志民俗资料汇编·中南卷》，北京图书馆出版社1991年版，第344页。

④ 同治《黄安县志》卷一《地理志·风俗·婚礼》。

⑤ 光绪《续辑咸宁县志》卷一《疆域·风俗·嫁娶》。

⑥ 同治《远安县志》卷四《风俗》。

夕，男家具盛馔，父醮子于堂中，以未冠童男陪，皆盛服，厅燕宾客，谓之暖男酒；女家则母醮女，延知礼女宾为女梳笄，余仪如男家，谓之梳头酒”。①

门当户对是普遍的择偶原则，所谓“其在婚姻，不必六礼俱全，却就门阅高下相伉俪”；“重门楣。始通媒妁，问名有仪”；“议婚，率以门楣为重”；“蕲俗婚嫁，各因门第”；“择门第、辈行相当者”，总之“取门相对者结姻”是也。②在长乐县，大户之间互相通婚，“设县初，惟张、唐、田、向四姓为土著，合覃、王、史、李为八大姓。继有十大姓之称，向、李、曾、杨、郭、王、皮、邓、田、庹是也。惟此十数姓互相联姻，今则不拘”③。

必须承认，婚礼存在贫富差别。例如，结婚当天，“主人治筵款男女二家客，曰吃下马饭。有力者是日便席，次日正席，有汤点。无力及省穑（啬）者，即以下马饭为正席，俗称一下马、饭二席”；“后里聘妇，富者必用骡马，谓之拴骡系马；贫者亦用牛或豕”。④

婚俗的若干细节，在城乡之间、士庶之间亦有差异。例如，江夏县，“娶必备礼亲迎。新妇舆至门，鸣金，云避白虎凶神，以方士禳之，曰遣百虎，城中无之。市居用彩轿，曰百子轿”。另如，东湖县，议婚成功、互换庚帖之后数日，“婿至女家，及三党咸拜焉，名曰谢允，又曰过门，在乡曰过路”；“亲迎之日，盛设鼓乐灯彩，庶人亦乘舆贽雁，并以彩帛饰女轿；士大夫家子弟则用公服，备仪仗，即古人盛摄

---

① 同治《随州志》卷十二《风俗》；同治《宜城县志》卷一《方舆志·风俗·昏礼》。

② 乾隆《武昌县志》卷一《方舆志·风俗》；光绪《黄冈县志》卷二《地理志·风俗·婚礼》；光绪《蕲水县志》卷二《地理志·风俗》；光绪《蕲州志》卷三《地理志下·风俗》；光绪《黄梅县志》卷六《地理志·风俗》；光绪《黄梅县志》民国《麻城县志前编》卷一《疆域志·风俗》。

③ 光绪《长乐县志》卷十二《风俗·冠婚》。

④ 同治《长阳县志》卷一《地理志·风俗·昏冠》；同治《巴东县志》卷十《风土志·冠婚丧祭·婚礼》。

之遗”。[①]

清代，为了有效管控地方，朝廷将八旗精锐派驻全国若干战略要地。当时，湖北荆州是长江沿岸的军事冲要，设有驻防八旗。这些驻防八旗官兵及其家眷生活于“满城”内，与汉族民众区隔开来。在习俗方面，满汉有别。兹摘录婚俗方面的内容如下——

荆州汉人婚俗：“荆俗娶妇，初聘用钗镯、酒果之仪，继行纳币礼。亲迎先一日，设筵邀宾，即父醮子遗意。合卺次日，谒祖先，贽见舅姑，以次及其家众。十日，女父母家来饷食，谓之十朝饭。至一月，女偕婿归宁父母，谓之回门。”

荆州驻防婚俗：“驻防婚娶，初聘延媒妁，踵女家通言。议允，始择良辰，用钗镯、酒果之属，谓之行礼。及岁，由原媒踵女家，索庚选吉。先一日，送奁具。设筵邀亲友，行礼合卺。次日，谒祖先，执贽见舅姑及戚友，名曰识大小。逾夕，女归宁。”[②]

从这两则材料看，不得不承认：虽然满汉婚俗确有不尽相同之处，但满人之惯习颇似汉人。如果联想到这些记述出自晚清时期的方志，则容易理解从清初到光绪年间的数百年间，满汉文化相互影响，至少荆州驻防八旗的婚姻习俗已没有多少满族色彩，基本上已实现汉化。

在某些县域，流行“上头”习俗。史载：“先亲迎期，具髻珥、衣饰、羊、豕、鱼、酒、果盒，曰催妆，俗名上头。”[③]有的地方“上头”专指女子结婚前后发式的变化，“嫁娶前一日，女家为女束发命笺，曰上头，又曰开脸”；“女子于归前一日，择族戚有德行妇人为之刷眉，以线勒去鬓边短发，曰开脸，亦曰上头。盖为女时，发分梳，曰分头。此时始挽成高髻，曰满头”。[④]另有“坐十弟兄”“坐十姊妹”的习俗，“亲迎前日，婿家设席，为子命字、告祖，安座宾朋陪饮，曰坐十弟兄。

① 同治《江夏县志》卷五《风俗志十·昏丧》；乾隆《东湖县志》卷五《疆域志下·风俗》。

② 光绪《荆州府志》卷五《地理志五·风俗》。

③ 乾隆《天门县志》卷一《地理志·风俗》。

④ 同治《长阳县志》卷一《地理志·风俗·昏冠》；光绪《长乐县志》卷十二《风俗·冠婚》。

女家亦为女加笄、告祖，安座女宾陪饮，曰坐十姊妹”[①]。此习俗，流行于天门、宜都、长乐、长阳、兴山、巴东、宣恩、咸丰等地域。

或曰：这种“坐十姊妹”的习俗实际上是一种哭嫁习俗，是鄂西地区独特的婚姻模式。此一论断不尽符合实情。女儿出嫁，喜忧参半，哭诉乃常见之情形，但不能与哭嫁画等号。“坐十姊妹”是指新娘与9位未婚女子绕席而坐，通宵咏唱，在某种程度上也有哭嫁的色彩。哭嫁的歌词内容，多为表达离别的哀伤之情，以及感谢父母养育之恩、思念兄弟姐妹手足之情、难舍故土乡邦等，既有代代相传的词曲，也有触景生情的即兴创作。

一般情形下，哭嫁要哭数日，也有哭十余天者。哭嫁者如泣如诉、真情流露，闻见者无不动容。史载：“十姊妹、十弟兄，长阳、宜都皆然。惟宁乡有《十姊妹歌》。彭秋潭《竹枝词》：十姊妹歌歌太悲，别娘顿足泪沾衣。宁乡地近巫山峡，犹似巴娘唱《竹枝》。自注：宁乡地近容美，巴东民杂蛮苗。其嫁女上头日，择女儿九人，与女共十人为一席。是日，父母兄嫂、诸姑伯姊及九女，执手牵衣，以次而歌，女亦以次酬之。其词曰：长大成人要别离，别娘一去几时归。别娘纵有归来日，能得归来住几时。妹妹去，哥也伤心嫂伤心。门前一道清江水，妹来看娘莫怕深。四川下来十八滩，滩滩望见峨眉山。峨眉山上般般有，只少芍药对牡丹。歌为曼声，甚哀，泪随声下，是《竹枝》遗意。”[②]

这段材料表明，哭嫁习俗并非广为流行，仅出现于鄂西个别地区，尤其是与四川邻近的三峡地区。论者称，恩施州苗族与汉族、土家族杂居，在生活习性上多有相通之处，但仍然保留了自己族群的历史文化风貌，例如“苗族姑娘出嫁时不哭嫁，以免不吉利”[③]。

虽然婚姻论财，但明清时期的荆楚民众在许多时候似乎并不将物质

① 乾隆《天门县志》卷一《地理志·风俗》。

② 同治《长阳县志》卷一《地理志·风俗·昏冠》。

③ 湖北省政协文史和学习委员会、湖北省荆楚文化研究会、《恩施文化简史》编撰委员会：《恩施文化简史》，湖北人民出版社2018年版，第385页。

条件放在首位。于是，我们在文献中经常看见这样的文字——“婚姻之礼，士大夫之家初不论财，定庚惟请媒妁，男先于女，无所谓聘金者。已定后，岁时婿家或馈簪服于聘媳，女答以履袜、时物。亲迎、纳采，称其家之有无，女之妆奁亦如之。独小户贫家始有财礼之说，然亦以代衣饰，为数无多”；“至于聘资、妆奁，贫富各从其便”。[①]

当然，也有讲求财物、风气奢靡的现象，“甚有粥（鬻）产饰观，逾分备仪者，则惟士夫家能力正之耳”；“娶妇之家具首饰、礼物必丰，女家奁具美备，动费千金，乡里小民从而效之，亦敝俗也”。[②]

有的地方，则经历了由俭到奢的转变，宜都县“县小而朴，婚嫁皆从俭。乾嘉时，男子罕衣裘，妇女鲜用黄白饰耇，故虽处瘠土，无巨富，亦无极贫。近则师旅屡兴，输将恐后，民力稍绌矣，而俗转靡。婚嫁之事，豪者辄费中人数家之产，窭人亦尤而效焉。至于寻常宴会，友朋征逐，动夸水陆珍奇。弹丸城，膳宰日十数人效役不息，殊可慨也”[③]。

也有一些脱离常规的婚俗。例如，“田野细民有弟娶孀嫂、兄娶弟妻者，谓之就婚。遗俗相沿日久，有干例禁，宜谕止之。近郡县有此者多矣。贤守令每岁出示劝化乡愚，使不入禽兽之路，亦美政也”。又如，“里俗婚嫁有不信阴阳避忌之说者，率以二月十五花朝及嘉平腊八日，谓之老例，用之无疑。然其中往往有值月食、临凶星，暗受谴祸而不知者”；“新妇至，三日不避客，敝俗当禁”。[④]

从时人的用语看，这类婚俗被列入否定之范畴。其中，也有古今

---

① 同治《枝江县志》卷八《学校上·风俗》；同治《房县志》卷十一《风俗》；同治《钟祥县志》卷二《风俗》；同治《广济县志》卷一《地理志·风俗》；光绪《黄冈县志》卷二《地理志·风俗·婚礼》；光绪《蕲水县志》卷二《地理志·风俗》；民国《麻城县志前编》卷一《疆域志·风俗》。

② 乾隆《天门县志》卷一《地理志·风俗》；光绪《武昌县志》卷三《风俗》。

③ 同治《宜都县志》卷三《政教志·风俗·婚礼》。

④ 同治《江夏县志》卷五《风俗志十·昏丧》；同治《安陆县志补正》卷下《风俗》。

变通之处。例如，女婿“倒插门”，“有赘入妇家、期月而归者，曰卷帐”；“赘媳（婿），俗曰住家，古者耻之，今则以从俭为快，士大夫家亦不免也”；“抑或偶有入赘，礼亦大同小异。至以婿作子、异姓乱宗、不明大义，近日此风业已寝息”。这种“入赘”多半系因家贫、困窘所致，“亦有家贫而出赘者”；“又前后里中，或孀妇子幼，招他姓男入室，谓之抚子承差；老年丧子，有遗媳招他姓入赘，谓之陪儿。此二事，虽出于万不得已，究为风之最陋者也”。①

此外，湖北人讲究童婚，即男女年幼便托媒议婚，“《湖北通志》载，男女幼时便议婚姻，谓之放话。聘定后，每于年节必多备酒盒，遍送女家族戚，谓之朝年”；“男女结配，多属童婚”；“婚姻纳聘，古礼也。邑男女在襁褓中，即有戚友为之议婚，从不索聘。议定，以单红帖书女庚章，付媒妁送男家，即婚即定，一诺千金，绰有古风焉”；“凡男子十岁以上、女子十岁而下，门第、年龄相匹，即为定盟”。②

童婚之外，另有童养媳之婚俗，“亦有不用庚书，凭媒仅馈鸡米，于女生月内抱养至家为媳者”；“邑无论贫富，多童养媳以供服役。及长，婚配时，为酒食，以召外姻、媒妁以及乡党朋友。合卺诸节，亦如迎新妇者然”。③举凡此类婚俗，均受到史家鞭笞，“第或嫁娶不俟释服，庙见不俟成妇，又或婿入赘而承祀乱宗，妇童养而六礼不备，固习俗之非，亦有由贫窭所致者”④。

在传统时代，男女结婚多选择黄昏时分。清代学者考证云：“婚姻者，何谓也？婚者，昏时行礼，故曰婚。《释名·释亲》云：妇之父曰

① 同治《江夏县志》卷五《风俗志十·昏丧》；光绪《孝感县志》卷五《风土志·习俗》；同治《郧县志》卷二《舆地志·风俗》；同治《监利县志》卷八《风土志·风俗》；同治《巴东县志》卷十《风土志·冠婚丧祭·婚礼》。

② 光绪《长乐县志》卷十二《风俗·冠婚》；光绪《续辑咸宁县志》卷一《疆域·风俗·嫁娶》；同治《公安县志》卷三《民政志下·风俗》；同治《石首县志》卷三《民政志·风俗》。

③ 同治《通城县志》卷六《风俗》；光绪《长乐县志》卷十二《风俗·冠婚》。

④ 同治《宜城县志》卷一《方舆志·风俗·昏礼》。

婚，言婿亲迎用昏，又恒以昏夜行礼也。《说文·女部》：婚，妇家也，礼娶女皆以昏时。妇人，阴也，故曰昏。从女从昏。昏亦声。姻者，妇人因夫而成，故曰姻。《诗》云：不惟旧因，谓夫也。又曰，燕尔新婚，谓妇也。《说文·女部》：姻，婿家也。女之所因，故曰姻。从女从因。因亦声。《释名·释亲》：婿之父曰姻，姻，因也，女往因媒也。所引《诗·小雅》我行其野，抑风谷风文也。今《诗》作：不思旧姻。所以，昏时行礼。何示？阳下，阴也；昏亦阴阳交时也。”①

可见，这是自古以来的婚俗，因此民间有“上午接亲、晚上拜堂”的说法。结婚定在傍晚，或与古代抢婚风俗有关，不赘述。这意味着，如果选择白天迎娶花轿，则有悖礼制。然而，仍有少数为了炫耀而改在白天举办婚礼者，“但婚礼用昏，俗以日时拘牵，或欲夸富侈，多白昼行礼。且婚不举乐，俗多以鼓乐筵宾，喧阗屡日，士大夫家往往随俗”；“但礼用昏，而俗以侈靡耀观，多用白昼。礼不举乐，而俗鼓吹喧阗，或累日夕”。②附带提及，冠礼（成人）、婚礼（成家）是古代重要礼仪，迨至明清，两者逐渐合而为一，湖北亦不例外。

二、岁时节序

明清时期的湖北，文化教育事业较之往昔有了较大发展，方志编纂卓有成效，为我们探讨历史时期的岁时习俗奠定了较为厚实的文献基础。兹以蕲州为例，摘录相关文字如下，以窥全豹。县志记载，蕲州一年之中分别要过立春、元旦、二月十五花朝节、三月清明、四月八浴佛节、五月五端午节、六月伏日、七月七乞巧节、七月十五中元节、八月十五中秋节、九月九日重阳节、十月朔日秦岁首、十一月仲冬、腊八、除夕等。③

尽管各地在细节上略有不同，但一些重要节日则大体相当，如元

① （清）陈立：《白虎通疏证》卷十《嫁娶》。

② 乾隆《东湖县志》卷五《疆域志下·风俗》；乾隆《天门县志》卷一《地理志·风俗》。

③ 光绪《蕲州志》卷三《地理志下·风俗》。

旦、清明、端午、中元、七夕、中秋、冬至、春节（除夕）等，均为一年四季的重要时点。过节的食物基本相同，如汤圆、粽子、菖蒲雄黄酒、月饼、腊八粥等，一一对应着不同的节日，积累起世代相传的生活常识，唤醒人们对时间和生命的特殊记忆。最热闹的当推过春节，换桃符，贴门神、对联，阖家围坐一桌吃团年饭，守夜，燃放鞭炮……这些场景，历历在目，千百年来一直是中国人最常见的新年气象。

正月，除了元旦，人们尤其重视上元节（正月十五日）。这一天，又称为元宵节，各地均有灯市，人们张灯结彩过新年。入夜时分，家家户户悬灯高照，人们提着各式灯具走亲访友，或结伴闲逛，颇有节日的情趣。然而，也有不法之徒趁机捣乱，为害一方。史载："上元，演造龙灯，钲鼓喧阗，亦古乡傩逐疫遗意。近来风俗不善，莫甚于此。每正月十一至十五日，乡村恶少醵钱造灯，纠其同类多人，腰悬小鼓，手执兵械，白昼跳跃，名曰跑龙。偶值邻村龙灯于路，无不寻衅滋事，迨酿成巨祸。其仇择肥而噬，良懦受累，而凶徒或幸逃法外。现与端午龙舟、花鼓淫戏一律示禁，地方始靖。但恐日久禁弛，故习复萌，惟赖后之贤父母谆切化导耳。"[①] 仅靠取缔绝非良策，对于民俗之陋习，应以引导、监督为主。

除了上述各地，湖北其他地方的节庆活动实际上都相当丰富多彩。端午节赛龙舟是民众喜闻乐见的一项活动。在大冶县，"五月五日，插蒲与艾，观竞渡之戏。旧志：龙舟甚雄，因嘉靖庚申有斗溺之变，禁罢。今惟一二小艇点缀，吊屈之意而已。……十八日，为龙舟之会。自四月即染纸造龙舟，长丈余，中像三闾大夫，冠服、器用、绮绣、银锡，余亦尽饰。先期一日，罗列珍玩，远人来观，比屋餰饮，欢呼达旦。东西二舟，靡费各百余金。至期，迎至青龙堤火之，谓为送瘟云。闻古缚茅为船，如送穷之制，故谓之茅船。后易以纸，寻以缯，侈矣。

① 光绪《应城县志》所记岁时民俗。引见赵世良、丁放主编：《中国地方志民俗资料汇编·中南卷》（上），北京图书馆出版社 1991 年版，第 345 页。

且傅会五日投渊事，浼香洁之性，而坐以止疫，可乎？得毋阴生于午，毒月郁蒸，藉斯涤荡，亦所以节宣阴气欤”[①]。在云梦县，每逢端午，“四城以五采绫绢作龙舟迎赛，设层楼飞阁于其脊中，塑忠臣屈原、孝女曹娥及瘟神、水神各像，傍列水手十余，装束整齐，金鼓、箫板、旗帜导龙而游，曰迎船。好事者取传奇中古事，扮肖人物，极其诡丽。数日后，以茶米、楮币实舱中，如前仪，导送河干，焚之，曰送船。前此守土者以为有伤民财、易滋事端，每禁之，卒不能止”[②]。这两则材料在展示端午热闹气氛的同时，均提及寻衅滋事的负面情况。在集体性的庆贺活动中，这类不良事件如能避免，则可谓皆大欢喜。

传统时代，中国人的年节时令均以农事为中心，因此大众的时间观完全依循农业生产的节奏。例如，“立春”对于乡村社会是非常重要的节气，也是隆重庆贺的节日，因为它预示大地回暖、万物复苏，人们又要投身于农业生产了。这一天，“邑令迎春于东郊，各行户装故事。先一日，演于市，奏于公堂，谓之点春。本日，谓之打春，盖鞭土牛至碎也。连日，老幼聚观竞，以麻、麦、米、豆抛打春牛及诸故事。邑令别以小牛、彩鞭馈乡达。俗以牛颜色占岁丰歉、水旱。黄主谷，黑主水，红主旱，白主兵，然不过取立春日支干，纳音为之，不足据也。俗又以芒神与牛所立前后，次定农之闲忙。又以著鞋为忙、提鞋为闲，故俗名芒神为拗貌，言其闲忙相反也”[③]。在一县之域，上至知县（邑令）、下至行户及平民百姓，能有如此大的动静，足见人们对于立春的重视程度，因为这是新生活的开端。

实际上，一年四季的每个月份，都与农业生产相关，都有需要劳作的事项。从农人们忙碌的身影中，我们可以理解传统时代农业生产的周期性及其重要性。在许多时候，农业的丰歉不仅关乎基层民众的生活水

① 同治《大冶县志》卷一《疆域志·风俗·岁时》。

② 道光《云梦县志略》卷一《舆地·风俗·端午》。

③ 光绪《孝感县志》卷五《风土志·习俗·节序》。

平，而且关乎江山社稷的稳定与繁荣。有的地方，对农事之事项格外重视，如蕲水县，“十月十一月，农民自田及佃田者，皆挑粮米上仓，曰完火米。完仓后，则呼同侪沽饮欢醉，而歌祝之。又，佃田者以银完田主，曰尽银。两事毕，则一家安乐，预备春耕矣”[①]。

至于二月份的社日，因与农事关系密切，则大都视为重要节日，“二月社日，乡各为社会，以祀社，曰祈谷。先祭社，然后飨其胙。按，今俗家各立土地庙，农民祀神聚饮。初二日为会者，多不定用社日”；“二月社日，乡民各祭本境社神。祭毕，饮馔分胙。是日，浸早稻，谓之社种”；“二月赛社，十数家共一社，筑室树木。其日，首事偕众祀神于社。祭毕，群饮其家，极欢而散。至秋社，另一首事仪亦如之，即古春祈秋报也”。[②]

岁时节序的习俗，既满足现世人们的精神需求和生活欲望，也对逝去的亲人表达一份尊敬及哀思。主要有两个日子以祭亡灵：一是清明节，“三月清明，各家祀先扫墓，旛标冢上”；“无论贵贱，俱拜坟祭扫，挂纸钱于上”；[③]二是七月十五日的中元节，俗称“鬼节”“七月半”，佛教称为“盂兰盆节”。

对此，文献多有记载：“（七月）十四五日，祀祖，焚纸钱，浮屠为盂兰会。儿童焚纸钱于山林墟墓间，曰放野钱”；“（七月）十五，中元节。先三日，家各列筵几，迎祖先，朝夕供饮馔，如事先礼。先一夕，焚楮钱送之，新亡者则先二夕。寺僧作盂兰会，夜然（燃）膏炬，曰放焰口”。当阳县格外注重此节，史称“七月十五日中元，最重。家家设庶馐，焚袱钱，以祭其先。已嫁女，老幼悉归宁，谓之过月半”。[④]

① 光绪《蕲水县志》卷二《地理志·风俗》。

② 光绪《续辑咸宁县志》卷一《疆域·节序》；同治《通城县志》卷六《风俗》；民国《英山县志》卷一《地理志·风土》。

③ 乾隆《荆门州志》卷十一《风俗》；光绪《京山县志》卷一《舆地志·风俗》。

④ 光绪《武昌县志》卷三《风俗》；同治《崇阳县志》卷一《疆域志·风土》；同治《当阳县志》卷二《方舆志下·风俗》。

此外，七夕（又称乞巧节）、冬至，在有的地方均有祭祀先辈的活动，“俗又于是夕祭祖祢，谓之迓亡，连享七日，焚楮荐之，曰送亡。新死者则于是月朔迓祭，于此夕奠送”；“冬至日，合祭祖先于祠堂，士大夫交相拜庆，庶民不与焉”；“十一月冬至日，农功告竣。家家设酒馔供祖先。绅士家必聚族于祠堂中，虔祭祖先，悉遵《家礼》仪节”。个别县份在八月、十月，也有祭奠事宜，“八月中秋至寒露，复祭扫先茔，如清明礼”；“扫墓奠祭如清明礼，且烧化纸服，谓之送寒衣”。①

值得注意的是，专门有针对女性的节日，可称为“女儿节”：

一是二月“花朝”，即百花生日，俗称花神节。因各地气候不同，因此花朝的时间也不相同，或二月初二，或二月十二日，或二月十五日……恰如枣阳方志家所述：“花朝，《翰墨记》：洛阳风俗，以二月二日为花朝。《诚斋诗话》：东京，二月十二日花朝。《月令辑要》：二月十二日，百花生日。《风土记》：二月十五日为花朝。枣俗，多于二月二日，女郎穿耳，及纳采、问名。”湖北各地颇为讲究，“二月十五日谓花朝大期，男女多于此时婚配。亦有谓十二月二十四为大期者，而在二月为多。至士族、客户，则必择吉”。田泰斗《竹枝词》：“婚期犹学古桃夭，一夜春风驾鹊桥。借问深闺小儿女，最销魂可是花朝”；“花朝日，女郎穿耳。年十二三以上者留发，及纳采、问名多以是日为吉”。②

二是七月“乞巧节”，也是典型的女儿节，源于汉代。农历七月七日的夜晚，少女们向天上的织女星祈祷，乞求心灵手巧，故称“乞巧”，多以穿针引线、剪纸刺绣作为检验的手段。征之于湖北文献，似有不同手法。史载：“七月七夕为牛女会银河之期。前期，人家幼女用豌豆浸水中，令芽长数寸，以红笺束之，名曰巧芽。至是夕，妇女、幼稚焚香

① 光绪《荆州府志》卷五《地理志五·风俗》；同治《松滋县志》卷一《舆地志·风俗·岁时琐节》；同治《郧县志》卷二《舆地志·风俗》；嘉靖《罗田县志》卷一《地理志·风俗·岁时》；乾隆《东湖县志》卷五《疆域志下·风俗·岁时》。

② 民国《枣阳县志》卷五《舆地志·风俗》；光绪《长乐县志》卷十二《风俗·岁时》；同治《随州志》卷十二《风俗》。

于庭，献瓜果，祷天孙，以乞巧。用瓷碗盛水，取芽投之，复于月光下照之，影如彩针、花瓣，或似鱼龙游戏，谓之得巧”；“七夕，妇女为乞巧会。先以豆入竹筒，生芽长尺许。缚草为织女，描画眉目，妆饰如生，祀以果瓜、香花。姊妹行严妆咒拜，置水于盆，捻豆芽映之，其影成花钗、云朵者为得巧。或男子潜窥，则有怪风，为织女暴云”。[①]这一天是牛郎织女相会的日子，某种意义上可视为中国传统的“情人节”。

由于地理环境、社会人文等因素的不同，造成不同地方形成若干独特的岁时民俗。

例如，远安县，在四月八日这一天，“释迦佛生，俗以此日嫁毛虫。用红纸二条，作十字样，上书‘佛生四月八，毛虫今日嫁。嫁向山中去，永远不归家’，粘壁上”[②]。枝江县亦有此俗，“四月八日浴佛，寺刹作龙华会。俗有以红签书‘嫁毛娘’语者，仿《周官》除虫意也”[③]。

通山县，“八月十五为中秋节，设酒果玩月。儿童访初孕少妇，以彩绂瓜，鼓吹送诸其室，曰宜男瓜。二十七日，先师圣诞，都人士衣冠入庙，行释菜礼，乡里间亦设位以祭”[④]。江夏县，“中秋夜，团饧为饼，比户皆然。群于瓜畦探之，曰摸秋。得瓜者，男祥；得葫芦，女祥也。城中滋阳桥石龙首，少妇争往抚之，以为禖祷，不知所起。有艰于嗣者，群设彩亭贮瓜，鼓吹舁送其门，置床上、各卧榻，出吉语征兆，盖取绵绵瓜瓞之义也。又，是夜，小儿各执荷盘，然（燃）烛于上，周行坊市，传为吊贺文忠也，亦角黍投江之遗意云。又，是夜，作宝塔会。始自小儿，以石块砌塔，于内然（燃）烛。里人沿之，聚瓦堆砌，高者丈余，烛影灯光玲珑有致。月上时，群具衣冠拜其下。鼓吹喧阗，

① 同治《郧县志》卷二《舆地志·风俗》；同治《房县志》卷十一《风俗·岁时》。

② 同治《远安县志》卷四《风俗》。

③ 同治《枝江县志》卷八《学校上·风俗》。

④ 同治《通山县志》卷二《风土志·风俗》。

饮酒欢呼，自宵达旦”[①]。

江陵县，有斗蟋蟀赌博的习俗，“（七月）乡镇少年斗蟋蟀，谓之开圈，起处暑，迄寒露，胜负动至千金，亦弊俗也”[②]。同样在七月，东湖县的七夕与众不同，“七月七夕，取荷叶，插蒲烛，灌以油，立高竿，竖门前，名曰荷灯。故老传言，秦白起欲烧彝陵，望火而止，因沿至今”[③]。

又如黄梅县，史家称：“他如傩礼，朱衣执旗鸣金，口诵消沴祈福语；村落报赛敛钱，宰牲饮福，与他邑都无殊。惟三月初三日，为大医禅师诞辰；十月二十二日，大满禅师诞辰，万众进香，纷繁杂还。又，五月二十八日，城隍大会。先期，扫除街道，排列仪仗，拥神出巡。八月二十二日，宋昭德侯神会亦然。至西乡，村俗建坛设额，诵经演剧，更为动众，俗云报功，靡然繁费矣。”[④]

黄梅文献提到了“傩”，湖北许多地方均有此俗。如黄冈，“人朱衣、花冠、雉尾，执旗鸣锣，俗名急脚子。比户致祝，大抵祛沴祈福之语”；蕲州，在元旦这一天，“各携具，祭奠先墓。又迎傩赛，民家有世沿为例者”。[⑤]关于“傩”，清代学者、黄冈蕲春人顾景星也有专门论述：“楚俗尚鬼，而傩尤甚。蕲有七十二家，有清潭保、中潭保、张王、万春等名神……迎神之家，男女罗拜，蚕桑、疾病皆祈问焉。其徒数十，列幢歌舞，非诗非词，长短成句，一唱众和，呜咽哀婉。”[⑥]

傩，有傩舞、傩戏等称呼，源自远古时代的祭礼，寄托着初民驱除疫鬼的愿望。傩文化对荆楚民俗有深刻影响，是楚人崇巫信神的文化标识之一。

---

① 同治《江夏县志》卷五《风俗志十·岁时》。

② 光绪《续修江陵县志》卷二十一《风土志·风俗·岁时》。

③ 乾隆《东湖县志》卷五《疆域志下·风俗·岁时》。

④ 光绪《黄梅县志》卷六《地理志·风俗》。

⑤ 光绪《黄冈县志》卷二《地理志·风俗·傩》；光绪《蕲州志》卷三《地理志下·风俗》。

⑥（清）顾景星：《白茅堂集》卷三十一《民风总论·岁时服饰昏丧·傩》。

三、方言俗语

中国自古以来，号称地大物博、人口众多，形成了各具特色的区域文化。文化的地域性差异，有一个极为明显的特征，即人们的吐字发音多不相同。在某种程度上，方言俗语体现了中国文化的多元性，是我们考察社会民俗的重要方面。大体上，如同传统时代存在地域性的婚姻圈、信仰圈、社交圈一样，全国各地也存在大大小小的方言圈。

明清时期的湖北，存在数以百计的州县，各地方言呈现诸多区别。诚如史家在谈论长阳方言时所说："荆湖地中天下，五方杂处，音语不齐，长阳尤甚。南乡，局若吉，须若兮；西乡，二若日，上若常；北乡，夫若乎，肥若回；东乡，玉若裕，畜若酬。此类皆俗语递传，古音通转，一成之见，十里不同也。"①

另如巴东县的方言，其发声念字有其特点："巴东虽僻处深山，而语言朗彻，颇似中原雅音。四声中，独无入声。其呼入声者，皆平声也。如呼屋为吴，呼沃为讹之类，平上去三声。惟庚、青、蒸、梗、迥、敬、径等七韵，呼为根、亲、珍、頣、厙、覲，余八十二韵悉如本音。后四里去县较远，间有吐音重拙，转入别韵，如呼黄为环，呼谭为唐，呼放为范者。又有两字互易，如呼府为虎，呼虎为府；呼富为互，呼互为富者。又有齿舌之间出字不真，如呼提为奇，呼帝为计者。故后里，媳妇谓之奇互，盖媳读如乞，乞转为奇，而妇读如互。诸如此类，乃前里所无也。……又，后里在前代多为蛮音，清江南北各为一种，桃符口人又一种，总谓之草语。虽本县世籍遭其觌面相诟，若无闻焉。自西山诸寇之乱，县民尽赴枝（江）、宜（都）寄住，十余年始归，蛮音遂变，与前里无大差别矣。"②

在称谓上，各地千差万别：黄陂县，"呼父为爷，或呼为爹，亦有呼父者。呼母为二，亦有呼妈者。呼姐为大，亦有呼姐者。呼祖为爹

① 同治《长阳县志》卷一《地理志·风俗·方言》。

② 同治《巴东县志》卷十《风土志·方言》。

爹，呼祖母为婆婆。呼木匠为博士”[①]。

黄安县，“声音中和，类黄冈；泰仙类麻城，滠源类黄陂。土语呼父曰爷，亦曰爹。呼母曰大，亦曰二。呼祖曰爹爹，祖母曰奶奶，作平声。呼外祖曰家公，外祖母曰家婆。呼小儿曰伢，亦曰乜”[②]。

长阳县，“曾祖曰太公（见《史记》），外祖曰家公（见《列子》），父曰爹（见《南史》），母曰妈（俗字，本一音，而异文与姆、姥同），兄曰哥（见《韵会》），姊曰姐（见《说文》），痛儿曰孬（见《扬子》），骂儿曰崽（见《水经注》，爱儿晚生必名曰幺（豕名），使儿易育多名曰狗（犬名），凡慧洁者曰宁馨（见《晋书》不必膠训），凡粗横者曰鲁莽（见《庄子》）”[③]。

再如巴东县，“其他称谓，若祖父母、父母、伯叔父母、姑姊兄嫂，及外亲之舅舅母、姨姊、妹夫、妻舅等，大约与燕赵中州人不甚相远。惟祖谓之老爹，母谓之妈（平声），姑夫姨夫谓之姑爹姨爹，及外祖外祖母谓之家公家母，或谓之家家（以上家读如噶，平声），似江汉间语。而前里又称父谓之阿包，母谓之阿姐。后里又称祖谓之阿他，祖母谓之阿木乌，父谓之阿巴，母谓之阿呀，伯父谓之阿非，叔父谓之阿必么。盖田野中俗称如此，而士夫家罕言之”[④]。

汉口方言也颇有特色，“家庭称谓各有不同。大半呼祖父为爹爹、祖母为婆婆，又有呼之为太者。呼母为妈，呼父为爹，又呼为爷爷。亦呼女叔为爷爷，呼伯父为伯伯，呼叔父为叔叔，呼伯母为伯娘、叔母为婶娘。呼小孩为毛头，又小孩多名搭毛、转运者。小孩不清吉者，多投寺，记名以和尚、道人呼之”；“妇女均呼奶奶，年尊者即呼太婆。现在无论何人，均呼太太、老太太矣”。[⑤]

---

① 同治《黄陂县志》卷一《天文志·风俗》。

② 同治《黄安县志》卷一《地理志·风俗》。

③ 同治《长阳县志》卷一《地理志·风俗·方言》。

④ 同治《巴东县志》卷十《风土志·方言》。

⑤ 民国《汉口小志·风俗志》。

方言必然包含农谚。例如，麻城俗语中，就有许多这样的农谚，所谓“农家耕作占验语，亦多应者”——一年两回春，粮食贵如金；初二初三不见月，不雨就阴半个月；秋前北风秋后雨，秋后北风干得见鬼；蚯蚓唱歌，有雨不多；若宜麦，见三白（谓冬时下雪三次，则此年必熟麦也）等。[①]

再如长阳县的民谚，既有农事方面的经验总结，又有气象、季节等方面的警句名言——杨柳青，放风筝。杨柳活，打得落。杨柳黄，放响网。杨柳死，踢毽子。早晨烧霞，等水烧茶。晚上烧霞，干死蛤蟆。久晴西风雨，久雨西风晴。久雨逢庚晴，久晴逢庚雨（久雨逢庚，必单日乃晴。久晴逢庚，必双日乃雨）等。[②]这些谚语，朗朗上口，简明扼要，易于记诵，是劳动人民智慧的结晶。

此外，还有很多生活用语各地也大不相同，即使同为楚地之人，也不甚明了。如长阳县，“指物曰东西（宜从吴瑭说），作事曰生活（见《孟子》），惊羡声曰伙颐（《史记》，原解似泥），反诘声曰怎样（见《集韵》，本双声），吝财曰守钱（见《晋书》），求食曰打瓦（即《孟子》毁瓦意），迷惑曰见猫儿（见《隋书》），癫狂曰发马风（见医书），出嚏曰人道我（出郑笺），诈词曰予给若（见《列子》）。此类音岂无偏？语皆有本。又所谓风不忘旧，传则众咻也”。[③]

对于普通民众而言，无论身居何处，抑或寄寓他乡、浪迹天涯，历经世事沧桑，唯有那浓厚的乡音，才能勾起对家国故土的深厚情愫，才能唤醒那份独特的身份认同和历史记忆。

四、《汉口丛谈》所见商人品位

明清时期，商品经济进入了空前繁荣阶段，市场力量的扩张不仅促进了生产与流通，而且给人们的社会生活带来了很大的冲击与改变。其

① 民国《麻城县志前编》卷一《疆域志·风俗》。
② 同治《长阳县志》卷一《地理志·风俗·俗谚》。
③ 同治《长阳县志》卷医院《地理志·风俗·方言》。

中，商人群体的兴起是一个不容忽视的现象，中国传统的“十大商帮”便诞生于此时。对湖北而言，汉口作为天下名镇的崛起具有非常重要的意义。时人所撰《汉口丛谈》记录了当时汉口商人的社会交际，为今人探究明清商人的生活趣味提供了难得的一手材料。

令人玩味的是，这部重要的笔记体著作出自一位商人之手。此人姓范，名锴，字声山，号白舫，浙江乌程人，贡生。史载：“锴有隽才，工诗善词，留心掌故。客蜀，著《蜀产吟》；寓鄂，著《汉口丛谈》，皆不愧作家。”可见，范锴是一位有文采的商人，喜游历，好交友，快意人生，“范君为人如闲云孤鹤，翛然尘壒之外。生平足迹半天下。荆门、巫峡、三湘、九疑，登山临水，感物怀人，皆以自写其襟抱。诗古体，以质健胜；今体，以明炼胜，言所欲言而已”。其才名为时侪所推重，誉为“一代雅才”。[①] 在某种程度上，《汉口丛谈》所见商人社会生活，实为士商合一的范氏个体生活史之放大，亦是清代商人审美情趣之体现。

《汉口丛谈》成书于清嘉道年间，作者范锴是寓居汉口的盐商，其乐于交游者也大多是盐商。在清代汉口的经济结构中，素有“八大行”之称，而盐行居于首位，说明盐商对于汉口社会经济的运行至关重要。当时，汉口是淮盐行销长江中游地区的重要口岸，几占淮盐总销量的一半。由此观之，汉口盐商的一举一动均关系到汉口社会的大格局。这就

---

① （清）潘衍桐：《两浙輶轩续录》卷二十七《范锴》。按，关于《汉口丛谈》及清代汉口商人的相关研究成果，参见胡锦贤：《范锴及其〈汉口丛谈〉》，《江汉论坛》1989年第5期；张岩：《近代前夜汉口商人的文化生活：1800—1840——以〈汉口丛谈〉为中心的考察》，冯天瑜、陈锋主编：《武汉现代化进程研究》，武汉大学出版社2002年版；张小平：《汉口徽商与社会风尚——以〈汉口丛谈〉为例》，《安徽史学》2005年第1期；刘富道：《天下第一街：武汉汉正街》，崇文书局2007年版；张岩：《清嘉道年间汉口商人文化生态考释》，《深圳大学学报》2010年第2期；宋传银：《笔记体作品与城市史研究——以〈汉口丛谈〉的人物资料为例》，《江汉大学学报》2012年第1期；刘富道：《汉口徽商》，武汉出版社2015年版；陈锋：《清代湖广食盐的运销与汉口盐商》，《扬州大学学报》2018年第1期；孙莹莹：《〈汉口丛谈〉叙述下的汉口城》，《文物鉴定与鉴赏》2018年第13期；等等。

不难理解，汉口社区有“淮盐巷”“新安街”等重要街道，有新安码头、新安会馆等气派不凡的建筑，盐商们在汉口这个商业大舞台长袖善舞、风生水起。

尤其是，他们是一群有文化品位的经商者。据范锴回忆，经营盐业的徽商黄心盦曾数次游历汉口，“皆有题襟之会。尝语及昔年汉上盐鹾盛时，竞重风雅，四方往来名士无不流连文酒。并筑梵宫琳宇，上下五六处，为公燕所。镜槛品窗，洞房杳窱，咸具竹石花药之胜。且半临后湖，可舒远眺。白云漾空，绿阴如幄，斜阳返映，影动于琉璃屏户间，宛若身在画中。每当雅集，相与覃研诗词，品论书画。时或舞扇歌裙，浅斟低唱，大有觞咏升平之乐。前辈风流，犹可想见”[①]。这位风雅出众的黄姓徽商，曾著有《汉口漫志》21卷，可惜亡佚。

像黄氏这样的寓汉商人还有许多。例如，九江商人何卓斋“久客汉皋，鱼盐混迹，曾预甲辰诗会”。这个诗会非同寻常，是为了纪念乾隆帝践祚50年而举办，时间是乾隆四十九年（1784年）。清廷专门在乾清宫举办千叟宴，参加者近四千人，后编有《钦定千叟宴诗》。

又如，盐商巴莲舫“好学多艺，工隶书，兼善技勇。业鹾汉上，爱才好客，四方著名之士道经汉口者，无不相推侨札之好。一时题襟雅集，仿之天津查氏、邗江马氏”。又称其“风雅好交，为汉上盐鹾中第一，著有《蝉藻阁集》，不及一见，令人企想。仅记《春柳》四首句云：翠眉画入张郎笔，青眼窥来卫玠车；最销魂处丝丝雨，聊遣愁时淡淡风；娇泪滴干疏雨后，清词唱罢晓风前，皆婉约可诵”。

巴莲舫常常是商人集会、作诗歌咏的召集人。据悉，有一年“修禊于红薇山馆，为巴莲舫、彭堇门主集。山馆，堇门之寓斋也。同会者，为吴澹止、元白门、汪艾塘、何卓斋、江春甸（在川）昆季、江杲楼、汪心冶、许楠屏、胡城东、程浩亭、家鹿峰，及余伯兄冰渔、仲弟赤城。即席以唐常建《三月寻李九庄》诗分韵。记楠屏得‘人’字，有

① （清）范锴：《汉口丛谈》卷六。

‘座中今旧雨，画里浅深春’之句，足称探骊得珠”。吟诗之际，还有美味佳肴、戏班演剧，“是日，南烹北馔、京档吴伶，复有老清客周仲昭、陶天龄辈兼十番法部，皆极一时之选。自辰迄亥，文酒笙歌，尽欢而罢”。对此，范锴大发感叹：“鹾务中如此风雅领袖，借以歌咏太平，真是不可多觏。盖汉上鹾业，乃淮商舟运岁额，分售于湖之南北。司其事者，半皆《史记》所谓张汤与贾人田甲、钱通注，亦《汉书》罗裒为平陵石氏持钱者也。”

关键在于，这些盐商不仅是经营能手，而且热衷社会公益，“昔风淳厚，事寓仁慈。以此例分，桑梓更益。条单所有，恤贫周急，惠及穷黎寒畯正复不少。加诸赈歉援灾，争先首举，东南财赋亦得借以栽培，绝无毁炭雪中、积花锦上之念存于方寸。是以世享丰腴，代传书礼；天心善善，十倍于人。其报施之厚，自丝缕不爽也”。盐商巴树蕃，“尤能急人之急，以故有小孟尝之目”。另一盐商姚小山“为人尚谊气，重然诺，柔不茹，刚不吐。有以患难告者，必拯之；有以困苦告者，必赒之，虽巨金不吝”。[①]这样的义举善行自然赢得了人们的赞许，也提升了商人的社会名望。

盐商财大气粗，各有自己的馆舍，成为吟诵唱和、歌舞酒酣之所。例如巴莲舫的蟫藻阁、彭堇门的红薇山馆。盐商洪旃林，“字少弓，业鹾汉上阅世矣，遂著邑籍。近移家居仁坊，新筑亭馆，轩窗窈窕，楼阁深沉，颇饶花木之趣，主人名之曰谁园，盖寓达观意也。辛巳春初，积雪乍霁，折柬相邀，同程浩亭、常芝仙登问青阁赏雪。璚霙璐霰，纷飞于梅香竹影间，酿玉弦丝，歌郎一曲，迨夜分始散。芝仙赋诗，余与旃林和之。余诗云：访戴谁园路，同云望杳漫。雪深迷径曲，梅瘦傲春寒。灯影明高阁，歌声绕画栏。胜游良不易，莫却酒杯宽”。

不可遗漏的，还有“怡园”，号称有十二景，乃盐商包祥高的构置。此人“高才博学，工诗善书，业鹾汉口，风雅爱客。尝慕顾玉山之风，

① （清）范锴：《汉口丛谈》卷五。

得朱氏旧圃，扩而新之，题曰怡园。湖山石峭，花竹径纡，泉瀑交流，松桂夹道，亭馆池沼，结构都非尘境。绿波山房最为疏敞，图书、彝鼎错陈其间，为汉上胜地。一时往来士大夫，莫不乐与订交”，计有黄陂吴畲恬、黄梅喻公甫，黄梅陈秋舫、大云澐昆季，歙县徐韫斋、周菊存，南州裘慎甫、长洲詹湘亭、路庄南华、海宁陈景华，汉阳叶东卿、汪均之、常芝仙、黄谷原，高朋满座，“文酒流连，皆有唱和之作”。

与此同时，怡园的常客还有众多盐商，“至若春秋佳日，时时宴赏于怡园中者，则与歙县洪旃林檀、巴菊农树蕃、汉阳姚小山必选、绛州傅华堂枞、钱塘黄芳谷至棠诸君为多。诸君亦同业鹾务，英俊豪迈，文采风流，与包山更倡迭和，照耀坛坫，题襟之雅重见于兹”。当然少不了范锴，“余庚辰重客汉上，与包山一见如平生欢，不时招饮怡园，赠答篇什，率盈箧笥，几忘羁旅在异乡云”[①]，真是快意人生！

每当宴集之时，不仅有博通诗文的商人，而且有才学满腹的士人。士人元焕枢，“淹雅多能，为楚材冠冕。授经于巴莲舫寓斋，以诗文书画相雄长”。仪征文士林琴庵，“饬躬端穆，物我无忤，和蔼春风之气溢于眉宇。极嗜吟咏，爱才若渴。至于风月江山，登临觞会，兴益佳”。范锴与林氏“往来甚密，酬倡亦夥”。

当然，这些富商也不是白丁浅俗之流。盐商巴树蕃，字硕民，一字鞠农，徽州歙县人，“理禺筴，客汉久，广交游，自缙绅以及闾巷，无不知其名者……涉猎书史，耽诗，遇人诗中有佳句，则低回讽诵，一往情深”。据记载，与范锴交往的安徽歙县人方岩夫，是诸生，“以先业在汉，时来寓馆，虽处嚣尘中，闭户操觚，吟声不辍”，此处虽未点明他经营何种商业，但其属于秀才型的商人无疑。

此人不同于一般的只会忙于经营的商人，“品高神雅，学博文工，家有藏书……师友渊源，家庭授受，与世俗迥别。而爱才心切，善与人

---

① （清）范锴：《汉口丛谈》卷五。按，包祥高，《汉口丛谈》记为“包山司马祥高”或直呼“包山”，是汉口盐商包遐裕的胞侄。

交，大有庇寒广厦之风”，是一位古道热肠的君子。他与范锴结识后，“相与考研经史，讨论往还，无十日违也”。

据称，某一年的冬天，“天严寒，君寝未兴，闻窗外雪声大作，惊曰：‘范叔得无寒乎？’急遣人贻以羊裘”。又有一次，范锴为儿子结婚之事操心，“赁屋维艰，君闻之，指所居后宅，修饰毕具，招留栖止岁余。时君业已债，犹眷注于友朋如此”。[①]当时，在汉口经商者多有徽州人，换言之，徽商是汉口盐商之主体，也是《汉口丛谈》重点描写的人物。

除了聚会吟诗、广交友朋，清代汉口商人的兴趣之一是喜爱收藏。范锴声称：自己“于书画又有癖好，家贫无力购藏，然遇价少减者，虽典衣负贷不吝。半生浪迹江湖间，闻有擅书画诗文能事之士，不揣弇陋，必为倾心交识。石农先生言曩在都中琉璃厂，得古宣纸一幅，暇画山水，差可人意。惜帧首破损，庋置箧笥久矣。余闻请阅，半晌检出，苍老浑厚中复具秀润之趣，干湿笔都有法，盖仿麓台而得其神者。余见之，惊喜欲狂，揖而乞之，急付装潢，什袭藏弆为墨宝云”。

盐商包祥高对碑帖情有独钟，“包山善书法，购藏碑帖甚多。尝得颜平原（颜真卿——引者）手书三表稿墨迹：一为《谢晋王曹王侍读赠华州刺史表》，一为《谢兼御史大夫表》，一为《年宪部尚书表》”；又购得岳飞手书前后《出师表》，俱为精品。他甚至将书法家延请到自己的府第，“长洲吴雪锋国宝书法鲁公，善双钩，精镂碑版。己巳冬，侨寓武昌，包山延至怡园，勾勒成册”。

与范氏、包氏收藏书画不同，盐商鲍氏收藏砚台，“鲍筠庄兆瑞，字辑玉，歙人。以鹾业客汉，雅好诗咏。每于春季花时，必高会吟朋，觞歌竟日。尝得铜雀瓦研（砚台——引者），邀同人赋诗，余作长歌以纪”[②]。

① （清）范锴：《汉口丛谈》卷五。

② （清）范锴：《汉口丛谈》卷五。

关于砚台，有一则趣闻记述于此。徽州盐商吴美堂在汉口经商，尝得一砚，十分珍爱。一次落水，被人救起，手中紧握宝砚不放。另有西北商人安阿三，闻知此砚，出高价欲购之，遭婉拒。安阿三仍不死心，乃借口观砚，得以目睹。不料见到实物后，更加激发了安阿三购买的欲望，遂加价，吴氏依然不肯。安阿三“乃张盛筵，出六美姬，指一殊色善琴者求换。吴佯曰：君明当出研，俟余赋诗与别可也。安大悦。吴归，觅一健者从。及研出，故为唏嘘。抚摩间，遽授健者持走，安追之不及，因大笑，掉臂去”。

黄冈文人吴德芝有感于此，赋诗一首《研不换妾行》：“莫笑鸲眼石，不换蛾眉人。我石患难曾同身，蛾眉虽好来方新，得新捐故何辜恩。九宾设次险一掷，谁知赵璧竟不失。君仍巫山寻雨云，我自南宫拜袍笏。高人嗜好各癖痴，一事风流两得之。”另一文人王栎门亦赋诗：“一片石，共生死。以妾换，资笑耳。美色悦君无十年，研寿文学绵万千。”序云：“绿肪，饮牛主人所珍砚也。恐以风波不弃，悦以丽人不移，视南宫之癖，真有过无不及也。”[①] 在重金、美女面前皆不动心，可见吴氏爱砚之深！

虽然传统中国素有“重农抑商”之论，同时有士农工商之阶层排序，轻商贱商的心态亦浸染社会风气。然而，明清时期商业繁兴成为社会前进的动力，商人在经济领域乃至社会生活中相当活跃，这从“三言”“二拍”的小说叙事中足可验证。在这种世风转变的时代格局中，商人与士人（含身为官员的士大夫）的交游成为普遍现象，反映了文化演绎的新态势。

当时，这种集会雅聚相当频繁，成为社会文化一大景观，“黄赤城承煜客汉日久，曾与巴氏吟宴之集”；“曹问林侍墀，字曙阶，歙贡生，性纯和，好学嗜诗，为岩夫外舅。尝馆于鲍筠庄（盐商——引者）汉上寓斋，宾主倡酬，殆无虚日。新雨联吟、落枝唱和之集，两翁皆与

① （清）范锴：《汉口丛谈》卷四。

诗会，兴不少衰”；“嘉庆丁卯，有新雨联吟之集。自春迄冬，凡四十集。倡酬前后，凡二十余人。虽无珍错之筵、管弦之盛，亦极一时风雅也”。[①]

客观而论，来自全国各地的商人既是清代汉口市场运作的主角之一，也是清代汉口文化的主创之一。概如《汉口漫志》所载这些商人：“上以佐鼓吹休明之盛，下以乐礼教富庶之风。汉上人文，自当蔚然兴起矣。”[②]

第二节　事死如事生

葬礼的实质是一种社会仪式，旨在通过程序化处置尸体的过程，传达生者对死者的安慰及敬意，寄托哀悼之情。由于死者的永久离开导致社会关系被扰乱，所以举办葬礼可以修复被破坏的社会秩序，增强特定范围内人们的凝聚力，使人们珍视包括亲情在内的各种人间至情。

一、丧葬活动

明清时期湖北的丧葬活动，安全承袭了传统范式。自古以来，中国传统葬礼以白色为基调，故称帛事或白事，与红色为标识的喜事（结婚、生子等）相对应。根据死者的社会地位、家庭状况、个人信仰等情形，在丧葬之际，死者家属时常延请和尚、道士、风水师、吹鼓手、号丧者等人到场从事相关活动。大体上，整个丧葬过程包括如下若干环节：

小验：为死者清洁身体，穿上寿衣。

报丧：以书面或口头形式，将死讯、下葬时间及地点等通知亲朋好友。

① （清）范锴：《汉口丛谈》卷五。

② （清）范锴：《汉口丛谈》卷五。

奔丧：亲朋好友携带礼品、挽联、花圈等，前来参加葬礼。

停灵（暂厝）：将死者安放在灵堂数日，一则防止死者昏厥而“假死”，二则等候人们吊唁。灵堂内，摆设死者遗像、悼念花圈条幅、香烛等。

守灵：未下葬之前，亲朋好友（尤其是死者晚辈）轮流守护遗体，接受他人吊唁。

丧服：死者晚辈（孝子孝女）身穿白色粗麻衣裳，头上戴白，腰间系草绳或麻绳，脚穿草鞋，俗称“披麻戴孝”。

大殓：当着众亲友的面，将死者入棺，钉上铁钉。

出殡：将棺材抬至墓地下葬，由专人手举“引魂幡”或手捧“灵牌”，沿途吹吹打打、散发纸钱。

烧七：死者下葬后，亲友每七天到墓地悼念，焚烧纸钱，共计七次，49天。伴有招魂、超度等仪式，名曰“做七”；最后一天称为“断七”，表明丧葬活动全部结束。其中，“头七”由儿子、孙子主祭，“二七”为小七，“三七”由出嫁女儿、女婿、外孙子女主祭，“四七”是小七，“五七”由出嫁孙女、孙女婿主祭，“六七”是小七，“七七”（又叫“满七”“圆七”“断七”）由儿子、孙子主祭，显示有始有终、轮回有序、功德无量。

古人讲“守孝”。按礼制，孝子服孝三期，每期9个月，共27个月。实际上，多以百日为限。守孝期间，孝子不能剃头、修面、饮酒、外出，夫妻禁房事，年节不得庆贺。此外，每年清明节、重阳节，亲友自觉前往墓地进行扫墓和祭拜。

翻检明清文献，可以发现湖北地区的民众基本上按照上述仪式进行丧葬活动。

同治《大冶县志》关于丧礼的表述是：“因《家礼》而损益之，惟殡用乐。客问丧、拜棺、成服，凡三至。主人稽颡。成服，分孝布、孝巾，为有服者制白袷。戚友以牲牢、诔章致吊，主人谢孝，衰杖稽颡于各门外，礼也。七七、百日、期年，例延巫释祷幽，与温公不作佛事不合。有爵者间用私谥，近且滥及小民。至丧日，值凶辰，或止哭泣，待吉举丧，则悖礼实甚。葬多拘忌阴阳，迁就风水。或扮扎故事送殡，去古愈远。”这里所说的《家礼》，系指宋代儒学大师朱熹编纂的《朱子家礼》，全书有5卷，分别是通礼、冠礼、昏（婚）礼、丧礼、祭礼，将儒家“孝”文化发扬光大，借助祠堂、丧服、土葬、忌日等强化孝道，对“孝”伦理的普及产生了巨大作用，推动了宋代士大夫将礼仪大众化的社会实践。明清时期，官方将《朱子家礼》加以宣扬，深刻影响了平民百姓的日常生活。

大冶地区的情形，在湖北其他地区不同程度地存在。例如孝感地区，（孝感县）“含复及三日大殓、并宝玉殉葬之事皆不行，盖金玉等物终当出土。近棺钉亦不用铁。受吊仅三五日，致素缣布于所亲，曰送孝。书素旐、题木主，必邀贵显。下葬，必卜地、卜日。不禁浮屠、黄冠。方相明器以巧为能，亭綵旛帐以多为贵。人死至七日，为头七；递数之，以至七七或十七。俗云：每七日过一阎罗。请僧道诵经焚楮，又以竹为箱形，糊以纸，而实寓钱其中，谓之簣，小者曰菴儿簣。不经之甚，然莫之或易也”[①]。

（云梦县）“始死之日或次日，用阴阳家言，择时与亡命及孝子命无冲克，即行大验。附身附棺者，称家为丰约。有官职者，殓以命服。子妇衣履皆以麻，诸孙亦如之。常服用白布，惟子妇下缝不齐，余皆齐。择期成服。亲邻皆往吊，礼以冥资。孝子备牲醴致祭，亲戚亦有设奠者，葬礼亦如之。届期，舁柩于门外，祖祭然后行。士宦家饰棺用毡，若幔，曰棺罩，一曰笼棺。执绋者，素衣冠相送。庶民寒士无力者，数人舁棺至茔地，浅埋而已。无久厝不葬者，此与古丧礼尚觉相似。惟守夜作七，间有僧道忏罪破狱，则不经甚矣”[②]。

可见，葬礼的繁简程度与各户人家的具体条件相关，不可一概而

① 光绪《孝感县志》卷五《风土志·习俗·丧礼》。

② 道光《云梦县志略》卷一《舆地·风俗·丧》。

论。不过，讲风水、重超度，则是普遍情形。各地丧葬规程或有不同，皆因时因地而异，不足为奇。仪式固然重要，但最关键的还是致丧者是否正心诚意、量力而为，做到让逝者入土为安。

在举办丧葬的活动中，难免有不合礼制之处，每每遭到时人的谴责。例如安陆县，“邑丧仪，自嘉庆朝来，多有不称家有无，舍哀戚，尚浮华。有仿赛会而为之者，仪仗、镫綵、鼓乐将之，必迎代拜，宾数员章衮从事，变凶而吉，他郡无是也。其乐工、优伶，名曰响房，刁难讹索，倨侮把持，最为恶习。并有丧主家直向其匍伏稽谢、不为耻者”。

在吃肉饮酒、歌舞嫁娶方面，也有毫不节制，屡屡犯禁者。时人抨击世风日下：“今之士大夫居丧，食肉饮酒无异平日。又相从宴集，靦然无愧，人亦恬不为怪。礼俗之坏，习以为常，悲夫！其居丧听乐及嫁娶者，国有例禁，此不复论。朱子详明载于《小学》中，俾人童而习之，知勉知戒，意深切矣。迄于今，吾未见其人也，吾未闻其语也，噫！”[①]

通城士人也对乡邑之间的丧葬越制进行了尖锐批评，指出：“丧礼称家之有无者，又须遵循礼制。古称钱帛助丧曰赙，未闻窭户受赙为鬻亲者。丧，阴事，鼓乐嫌于阳矣。服以表哀，自服丧巾赴奠，礼也。乃必丧家备帛布，加吊者首，名曰散帛，是吊者不哀，而丧家代为之表也。子食于有丧者之侧，则未尝饱，盖体恤人子飦粥之哀，不忍恣食也。顾反盛陈馔乐、饮湑茹粱，悖礼忘哀，贼教伤化莫大焉。甚至畏讥勉效，破产不顾，则不惟有戾丧称有无之礼，毋亦大伤死者之心乎？安得讲礼植教之儒起而正之！吊奠务遵礼赙，酬款不御酒肉，一惟精洁酱品侑餐飦粥。孝帛，务令吊者自备，不许丧家散给。一惟丧礼是遵，庶颓风可渐挽与！”[②]

鉴于明清时期湖北居民成分复杂，除了汉族，还有其他少数民族。

① 同治《安陆县志补正》卷下《风俗》。

② 同治《通城县志》卷六《风俗》。

因此，在丧葬礼仪方面，遂出现诸多带有民族特色的做法。

二、土家族跳丧习俗

汉语所称打丧鼓或跳丧，因在跳丧的唱词中经常出现“撒叶儿嗬”这一衬词，故又称“撒叶儿嗬”，语速快时，便成“撒尔嗬”。撒叶儿嗬是指流行于清江中游地区的丧葬习俗，集歌、舞、乐于一体。由于方言的差别，在跳丧流行的不同县市乃至不同乡镇村落，关于跳丧的称呼亦有不同，有“撒叶儿嗬”“撒尔嗬”“跳丧舞”“散忧活”“丧鼓子”“打丧鼓”等十多种说法，学者们在其文章中也各有不同的称呼。

2006 年，“土家族撒叶儿嗬”成功进入全国第一批非物质文化遗产名录，此后学界遂普遍采用此名称，间或用“撒尔嗬”“跳丧”。为方便起见，当它作为丧俗时统称之为“跳丧”，作为舞台表演形式则统称为“撒叶儿嗬”。

跳丧主要分布在清江中游两岸巴东、长阳两县的大部分地区，五峰、鹤峰、建始、恩施等县市的部分地区。大概以“四关”为边界，北至巴东野三关，东到五峰渔阳关，南至鹤峰邬阳关，西到建始景阳关。而且不同乡镇的跳丧也具有不同特点，有或大或小的差别。清江上游、下游地区以及湘西北的酉水、娄水流域的土家人则只兴坐丧或者转丧。[①]歌师和着乐鼓，只唱孝歌而不跳，称为“坐丧”，坐丧受到儒家文化影响更为明显，“孝”成为主题观念，与撒叶儿嗬诙谐幽默大不相同[②]。转丧又称“绕丧”，民间多称为“打绕棺”、“串花”或“穿花”。

在清江中游一带的山乡村寨，每当有老人去世，随着落气鞭的响起，邻居便会从四面八方赶来，为亡人跳两夜撒叶儿嗬，所谓“人死众家丧，一打丧鼓二帮忙”。孝家在灵堂前收拾出一片空地以供大家跳

---

① 关于跳丧、坐丧和转丧的分布以及区别，已有学者进行论述。详见董珞著：《巴风土韵：土家文化源流探析》，武汉大学出版社 1999 年版，第 188—196 页；田万振：《土家族生死观绝唱——撒尔嗬》，中央民族大学出版社 1999 年，第 191 页。

② 田万振：《土家族生死观绝唱——撒尔嗬》，中央民族大学出版社 1999 年版，第 191—195 页。

丧。跳丧开始后，由一位有威望且是跳丧能手的长者执鼓领唱，众人两人一组或四人一起，轮番上场，应和掌鼓之人，踩着升子底，来回穿梭，又唱又跳。执鼓人用鼓点来指挥舞蹈节奏，改换调子。跳丧的人在跳时需屈膝半蹲、稍向前倾，主要靠大腿和脚部的力量，跳丧的舞姿以“曲”“颤”“顺”“悠”“靠”“转”而独具一格。

除了“待师”（或称为“四大步”“升子底”）等基本套路之外，跳丧舞蹈中多模仿鱼虫灵怪、各种人物、飞禽走兽的动作，模仿动物动作的有“牛擦痒”“犀牛望月”“猛虎下山”“虎抱头”“凤凰展翅”“猴子爬岩”“狗撒尿”“狗连裆”“燕儿衔泥”等。歌词随着曲牌变幻无常，既有固定句式，也多现场随机编唱，歌词内容多为歌颂亡者生平、追溯祖先功绩、反映劳动生活、教育后人、祈愿家庭兴旺繁盛、解字猜谜，以及表达情爱等，但也有插科打诨、即兴创作之语，亦庄亦谐，音乐高亢欢快，少有悲切之调。

跳丧只能是老人去世后才能跳，对于夭折的人（当地人称为“化生子”），在外惨死的人，则不能跳丧，因为是惨事，并不值得庆贺。但若是正常死亡，虽然死者父母仍然健在，只要自己有子女“抱灵牌儿”，则也可以跳丧。还有的老人想目睹自己死后打丧鼓的热闹场面，也可以在自己寿辰那天组织跳丧活动。除了这些情况，其他时间跳丧哪怕是只唱不跳都是被严厉禁止的。

对于历史上的土家丧葬文化，学界尚未能给出一个比较清晰的演变脉络。主要有以下原因：首先，可供研究土家族丧葬文化的资料，无论是文献材料还是考古资料，目前都十分缺乏；其次，现土家族居住的湘、鄂、渝、黔交界地带，历史上曾居住生存过许多不同族群的人们，加上土家族的族源尚未得出一致的结论，因此很难确认哪一种丧葬形式是属于土家族先民的，哪一种丧葬形式是受到其他文化影响后而形成的。故学者们通常将土家丧俗文化暂且分为三个阶段：古代时期，明朝至“改土归流”时期，“改土”以后时期。[①] 并认为历史时期的土家丧葬大概有火葬，拾骨葬，岩墓葬、悬棺葬，土葬等几种形式。[②]

虽然对历史上土家丧俗的丧葬形式难获得明确的认识，但是关于土家跳丧的记载，则隐约存在于一些历史文献之中。土家族族源的主体是古代巴人是目前在学界比较公认的说法[③]，而跳丧起源于古代巴文化的说法也得到了普遍的认可。

范晔的《后汉书·南蛮西南夷列传》载：“巴郡南郡蛮，本有五姓：巴氏、樊氏、瞫氏、相氏、郑氏，皆出于武落钟离山……未有君长，俱事鬼神，廪君死，魂魄世为白虎。巴氏以虎饮人血，遂以人祠焉。”[④] 这段史料不仅说明了古代巴人的主流之一廪君部落的起源和发展壮大的过程，也可以从中看出廪君部落的巴人在廪君死后形成了崇白虎的习俗，这种习俗一直延续到今天，撒叶儿嗬的歌词里面以及舞蹈动作中多含有崇白虎的内容，据此部分学者认为这也可以看作是跳丧的最初源头。[⑤]《后汉书》是在东晋时期写作完成的，它关于巴人的记录可能是参照写作之时的廪君蛮的社会状况以及其他一些记载和见闻，很大程度上可能反映的是魏晋时期的巴人后裔的状况。

同时期的常璩也在其《华阳国志·巴志》中记载：“周武王伐纣，

① 宋仕平：《土家族古代社会制度文化研究》，民族出版社 2007 年版，第 201 页。

② 关于这四种形式的具体情况，宋仕平在其著作《土家族古代社会制度文化研究》中有比较详细的介绍，他分别从火葬，岩墓葬及悬棺葬，土葬及船棺葬，拾骨葬四个层面出发，引用相关史料进行了探究。详见宋仕平：《土家族古代社会制度文化研究》，民族出版社 2007 年版，第 201—223 页。

③ 土家族简史编写组：《土家族简史》（修订本），民族出版社 2009 年版，第 11—12 页。

④ 《后汉书》卷八十六《南蛮西南夷列传》。

⑤ 譬如张世炯在其介绍土家跳丧舞的文章即称“撒叶儿嗬”中的最精彩部分“猛虎下山”这一动作“大概与相传廪君在西迁途中于白虎垄化为白虎有关，起初这一小节可能是专为祖先廪君之死而跳的，其子孙相沿，就在土家族中传承下来”。详见张世炯：《土家人的祭祀歌舞—跳丧舞（“撒尔嗬”）》，中国人民政治协商会议湖北省委员会文史资料委员会编：《湖北文史集粹》第 5 册，湖北人民出版社 1999 年版，第 421—422 页。

实得巴蜀之师，著乎《尚书》，巴师勇锐，歌舞以凌殷人，前徒倒戈，故世称之曰‘武王伐纣，前戈后舞’也。”[①]有歌又有舞，因此不少学者认为土家跳丧至少在商周时期已具备雏形，很可能就是来源于巴人的这种军前舞。但这几段材料描述并非巴人丧俗，只能隐约看到跳丧的源头，除了歌、舞和崇白虎的习俗，并不能看出明显和跳丧仪式相关联的其他内容。

但到了隋唐时期，魏征等人编撰的《隋书》和樊绰撰的《蛮书》对清江流域的丧仪习俗有了一定记载。《隋书·地理志》在记录位于今清江流域的蛮人的丧俗时谈道：“其左人[②]则又不同，无衰服，不复魄，始死，置尸馆舍，邻里少年各持弓箭，绕尸而歌，以箭扣弓为节，其歌词说平生乐事，以至终卒，大抵亦犹今之挽歌，歌数十阕……”[③]在这里，绕尸而歌，歌词说平身乐事等形式与现今清江中游的土家跳丧的形式和歌词内容有类似之处。

而晚唐时期樊绰的《蛮书》卷十一引《夔府图经》的记载：“初丧，鼓以道哀，其歌必号，其众必跳，此乃盘弧白虎之勇也。”又云：“父母死，打鼓踏歌，亲属舞戏一月余日。”[④]这些记载中的鼓、歌、跳与现今土家集歌、舞、乐于一体的跳丧仪式尤其相似。鼓这一土家丧仪中不可缺少的载体在历史记载中也正式出现。从这些片段材料可以推断，至晚在隋唐时期，土家先民已经形成了比较独特的丧葬习俗了，跳丧的内容和形式也基本定型。

---

① （东晋）常璩撰，任乃强校注：《华阳国志校补图注》，上海古籍出版社 1987 年版，第 4 页。

② 对于此处的“左人”到底是不是指清江流域土家人的先民，许多论者多认为是的，但也有学者不赞同这一说法，如董珞通过对“左人”进行解释，并仔细区分跳丧与文中“绕尸而歌”，认为“左人”在这里应该指湘西地区有跳牌习俗的土家族，而不是清江流域盛行跳丧的土家族。详见董珞：《巴风土韵：土家文化源流解析》，武汉大学出版社 1999 年版，第 215—217 页。

③ 《隋书》卷三十一《地理志下》。

④ （唐）樊绰撰，向达校注：《蛮书》卷十《南蛮疆界接连诸藩夷国名》，中华书局 1962 年版，第 260 页。

明清以来，各地修纂地方志已蔚然成风。清朝道光、同治年间新修的一些今鄂西南地区各府县的地方志里，对当地丧葬文化的记载比较详细。[①]尤其以同治时期编纂的《巴东县志》、《长阳县志》和《长乐县志》最为细致，不仅比较详细地记录了丧葬仪式的过程，并对每一步骤都有解释，还提及了一些丧葬禁忌或讲究，对跳丧舞也有一定的记载，此外，还比较了几种不同风格的葬俗。

从明清县志的相关记载来看，跳丧在明清时期已经十分成熟，在内容形式上与现今的跳丧已无太大区别。明嘉靖《巴东县志》记载："……又民渐归于淳，士类知学，信鬼尚巫，伐鼓以祭祀，叫啸以兴哀……"[②]说明至晚在明代中期，跳丧这种习俗在巴东地区已经很普遍。

清乾隆年间，长阳土家族诗人彭秋潭在《长阳竹枝词》中咏叹道："家礼亲丧儒士称，僧巫法不到书生。谁家开路添新鬼，一夜丧歌唱到明。"[③]道光《施南府志》记载："丧葬前夕，绕棺歌唱，谓之打丧鼓，即挽歌之遗。"[④]道光《长阳县志》卷三《二俗·丧俗》亦记载：临葬夜，众客群挤开丧次，一人擂大鼓，互唱俚歌，名曰"唱丧鼓"，又曰"打丧鼓"。资丘桃山《田氏族谱》卷首记载：元末，"我始祖落籍桃山，

① 总的来说，这些材料有以下几个方面的价值：首先，有助于研究者明确明清时期清江流域的土家族丧葬文化的具体内容，还可以了解县志编纂者对这些丧葬形式的认识与态度；其次，为研究土家族丧葬文化的源流与传承提供了材料支撑，详细的记录可以用来与今天的具体情况相对比，看出其中的变与不变；最后，这些记录还可以用来横向比较，将县志中有关土家族丧葬的材料与汉文化地区的丧葬进行对比分析，可以探寻出土家族丧葬在哪些方面受到了汉文化的影响，不同地区受到影响的深度如何以及在受到儒家文化熏染的士人眼里，土家族丧葬是一种什么样的存在。等等。

② 嘉靖《巴东县志》卷二《风俗》。

③ 湖北省长阳土家族自治县地方志编委会编：《长阳土家族自治县志》，方志出版社 2010 年版，第 639—640 页。

④ 道光《施南府志》卷十《典礼志》，转引自鄂西土家族苗族自治州民族事务委员会：《鄂西少数民族史料辑录》，1986 年，内部出版，第 366 页。

地虽偏僻，风却古朴。如巴里郢腔，即十姊妹歌与打丧鼓歌等……”[①]这些记载表明清代前期、中期，鄂西南地区的跳丧和转丧已经非常普遍。

而晚清时期新修的鄂西南各县的县志之中，关于这一习俗的记录更多，如同治《巴东县志》记载：“殁之日，其家置酒食，邀亲友，鸣金伐鼓，歌舞达旦，或一夕，或三五夕，谓之‘暖丧’。”[②]同治《长阳县志》记载为：“村俗则夕奠后吊奠无人，诸客来观者群挤丧次，擂大鼓唱曲，或一唱众和，或问答今古，皆稗官演义语。谓之‘打丧鼓’，唱‘丧歌’，儒家不贵也。”[③]光绪《长乐县志》记载为：“家有亲丧，乡邻来吊，至夜不去，曰‘伴亡’，于柩旁击鼓，曰‘丧鼓’，互唱俚语哀词，曰‘丧鼓歌’。丧家酬以酒馔。盖有守灵之遗意，而变之无节者也。”[④]

这些比较详细的记载说明了跳丧的组成要素歌、舞、乐在清代已完全具备，歌唱内容“问古答今”“稗官演义语”“俚语哀词”，与现今也无太大区别；乡邻来吊，而且歌舞往往至夜不去、通宵达旦，更是与现今的“打一夜丧鼓陪亡人”“闹大夜”“正夜”相同，“伴亡”与“暖丧”之称，则表明了土家人对死者的尊重和重视。总之，从这些记载也可看出跳丧作为一种丧仪习俗，在明清时期已经广泛流传在清江中游两岸的各县境内。

当然，从中也可以看出各县志的编纂者多秉持儒家“礼、义、孝”的观念来看待“打丧鼓”，因此“打一夜丧鼓陪亡人”的行为在一些编纂者看来便是“变之无节”的“村俗”“蛮俗”而“儒家不贵”了；民国以降则又成为外人眼中的封建迷信、旧风俗、旧文化被打压甚至严厉

---

① 湖北省长阳土家族自治县地方志编委会编：《长阳土家族自治县志》，方志出版社 2010 年版，第 640 页。

② 同治《巴东县志》卷十《风土志·冠婚丧祭·丧礼》。

③ 同治《长阳县志》卷一《风俗·丧祭》。

④ 光绪《长乐县志》卷十二《风俗志·丧祭》。

禁止；改革开放以后，传统跳丧舞“撒叶儿嗬”又被塑造成为优秀古朴的民族文化习俗，受到诸多关注、研究，并收录到国家非物质文化遗产名录。可是无论外界的看法如何变化，土家人始终坚守着这一习俗，这也说明了跳丧仪式具有顽强的生命力。

跳丧为何能延续千年之久而不衰，主要有两个原因：一是相对稳定的社会文化环境，二是跳丧本身所具备的吸引力及民众自身选择。跳丧流行的清江中游地区，位于崇山峻岭之中。这些地方在唐宋前，一直被视为蛮夷之地，是各寨峒酋豪世守之地。元代时，朝廷规定“土蛮不许出境，汉人不许入峒”。元、明两代与清代前期，鄂西南地区分布着实力各异、大小不等的土司，这里是容美、玉江、麻栗及施都等土司的管辖区。[①] 在封闭的历史环境和自然环境中，加上各峒寨互不统属，土司分疆而治，民间交往往往受到限制，因而跳丧习俗也很少受到外来文化的影响。

八百里清江东西贯穿了整个鄂西南山区，它在元明清三代，似乎扮演了一个分界线和过渡地带的角色。从南北方向来看，至晚从三国时代开始，历朝历代的中央政府或地方割据势力都会在清江流域以北的峡江地带设立郡、县进行控制，东西交通要道也多分布在峡江两岸。清江以南的娄水、酉水流域，因为山高路远，历代朝廷或进行羁縻统治，或是实行土司制度，清江流域正处于“双重边缘区”。

东西方向来看，清江上游和下游因分别与巴蜀、荆湖地区相邻，且地形相对平坦，因而较早就与外界有了经济、文化上的联系，清江中游则因地势起伏大、多高山深谷，直到明清时期仍然相对闭锁，因此，清江中游长期远离政治、经济和文化中心，这也使跳丧能够不受冲击而保持比较原始的特色。

从交通条件上看，明洪武年间，施州设军民指挥使司，始统境内各土司，成为鄂西州境政治中心，通恩施道路格局乃定。迄清代州境遍

---

① 田万振:《土家族生死观绝唱——撒尔嗬》，中央民族大学出版社 1999 年版，第 103 页。

设递铺，道路得以整饬，并逐步形成驿传网络，是鄂西州境道路修治兴盛时期。[①]同时，驿运渐入内地，“改土归流”之后，从江夏至施南府至各县及县与县之间主要大道沿线普设递铺。驿道网络的形成，便利了兽力驮运与人力背挑，客观上促进了该区域与外界经济、文化的交流。但是，从清代驿道网络上也可以看出，清江中游地区除了边缘地域以外，核心地域的驿道、递铺几乎为空白，而这一片地域又恰好是跳丧习俗分布的核心区域。清代该地域交通条件尚且如此，此前各朝代的情况可以想见。这样的交通状况下，该地区与外界的交流虽然有，但显然也不能达到足以影响乃至改变跳丧习俗的程度。

此外，跳丧习俗本身所具备的吸引力与民众的选择也是不可忽略的因素。从大的方面来说，跳丧习俗是当地土家族先民在长期历史实践中形成的，是土家族先民祖先崇拜的产物，也是他们表达自己豁达的生死观、重视族群繁衍的生命意识的载体，是他们传授民族文化和生活知识、教育后代、凝聚亲族乃至狂欢娱乐的重要形式。[②]无论从信仰传统还是现实生活需要来看，跳丧习俗都紧紧萦绕在土家族人的日常生活之中。

具体来说，跳丧仪式上的唱词含祖先创业、劝人为善、情爱风流、农业知识、时政、历史典故等多种内容；舞步多模仿当地人所熟知的各种飞禽、动物的动作以及平时的生活场景，舞姿古朴而形象，而且撒叶儿嗬曲调、舞步灵活多变，随意性和参与性强，易于学习领会，土家男子只要愿意，都可上场展示自己的本领。

撒叶儿嗬既含有丰富知识，又贴近生活，因此深受土家人的青睐。从其本身功能来看，它除了具备深切悼念死者、寄托哀思的基本作用外，还具有娱乐、交际、情感宣泄等功能。

---

① 鄂西土家族苗族自治州公路史志编审委员会：《鄂西公路史》，武汉出版社 1996 年版，第 11—12 页。

② 田万振：《土家族生死观绝唱——撒尔嗬》，中央民族大学出版社 1999 年版，第 2—3 页。

每逢丧事，附近村落的民众都集聚在丧家，除了助丧，也是为了打或看一夜丧鼓，以跳丧仪式为中心，跳丧的人二人一组、四人乃至八人上场，自能通过鼓点唱词舞步来表达对死者的悼念、对孝家的安慰、对本身情感的宣泄，在跳丧过程中潜移默化地表达出习俗中蕴含的深刻内涵，如唱词中有歌颂亡者生平的内容、又有哭丧一节，教育人们不要忘记父母的养育之恩。

历代《巴东县志》的作者都禁不住感叹："后四里本土蛮之余，故其饮宴交际，多杂彝俗，而哭友（光绪《巴东县志》中'友'为'丧'，意义相同）一节，可谓独得缔交之至情，虽古人雅道，不是过矣……（旧志）"。[①] 群挤丧次的乡邻则里里外外围绕着歌师们，除了欣赏歌舞，也加以品评，或与歌师唱和、调侃，或各自交谈，丧家整整一夜都欢笑声不断、热闹非凡，乡邻的团聚与熙攘淡化了丧家原本沉闷、哀伤的气氛，逝者在众人陪伴下度过在人间的最后一夜，孝男孝女们的心灵也得到宽慰。在这一刻，人们可以抚平忧伤、坦然面对生死，乡邻之间的感情加深，人性之美在这一刻淋漓地展现。据当地人讲，还有一些年轻男女因为一夜丧鼓而情定终身，女子欣赏男子娴熟的丧鼓技艺，并从丧鼓中看到男子的性情，因而一见倾心。这也可见跳丧具有很强的交际功能。

历史时期，在因物质文化贫乏、生活条件落后、交通不便，团聚机会较少、娱乐方式相对有限的土家族聚居区，具有这样特点的习俗自然深受欢迎，因而能长盛不衰。况且，由于长期处于相对封闭、稳定的生存环境中，当地土家族人的生活方式没有太大改变，思想观念也无重大变化，那么蕴含在跳丧中的文化意涵自然也适用于千百年来各个时代的土家族人，跳丧也终于历时千年而流传到现在。

---

① 同治《巴东县志》卷十《风土志·服食》。

第三节 特色鲜明的楚菜

湖北素称“鱼米之乡”，自远古以来，生活在这里的人们为了生存需要，发挥聪明才智，巧妙地利用自然赐予的各类食材，制作内容丰富的菜肴和小吃，形成了独具一格的饮食文化。明清时期，楚菜大体形成较为固定的风格，成为荆楚文化发展历程中颇为诱人的味觉的历史。

一、以鱼类为主的楚菜

楚菜号称中国十大菜系之一，其源头可以上溯到有文字记载的商周时期。在漫长的岁月中，生活在荆楚大地上的民众学会了煎、烤、烹、煮等方法，制作了各种酸甜苦辣、软硬干湿的食物。这些食物因季节变化而变化，因年龄、性别、地域、信仰等因素而不同。食物取材对象相当广泛，上至飞禽，下至走兽，还有诸多水产、家畜、植物，可谓各取所需、各尽其才。

仅从战国、秦汉楚地发掘的精美酒器、食具来看，便可知晓荆楚先民不仅热爱生活，而且享受生活。迨至明清时期，随着社会经济的发展，荆楚民众的生活兴趣日益广泛，在饮食方面有了更多的追求，楚菜系列逐渐成熟。大体上，明清以降，楚菜形成了武汉、荆宜、襄郧、鄂东南四大菜系。[①]

某种程度上，武汉菜可以说是楚菜的代表，这与明清时期武昌作为湖北政治中心的地位密不可分。因为，传统时代的中国，作为政治中心的城市往往也是某一地区的经济中心和文化中心，具有吸引外来人口、商品、信息及各类资源的能力，容易形成融合本地、外地不同风格文化因子的社会机制，创造出新奇而有活力的新事物。在饮食业方面，也不例外。

---

① 湖北省地方志编纂委员会:《湖北省志·贸易》“饮食服务业”，湖北人民出版社 1992 年版，第 572—573 页。

武汉菜，大体吸收了武昌、汉阳、黄陂、孝感、沔阳等地的菜谱制作方法，结合本地的食材及技艺，推出了楚菜中的“名牌”系列，计有清蒸武昌鱼、汆鮰鱼、八卦汤、沔阳三蒸、黄陂三合、茄汁鳜鱼、全家福等。

相比之下，武汉菜是综合各地所长而独具风格，荆宜菜则是楚菜正宗，包括荆州、宜昌、沙市等地的菜肴，以烹调鱼类见长，如荆沙鱼糕、橘瓣鱼圆、鸡茸笔架鱼肚、清炖全甲鱼等，另有蟠龙菜、千张网、万寿羹、冬瓜鳖裙羹等，也闻名遐迩，是楚菜的“文化名片”。属于楚菜北味系列的，是襄郧菜，包括岘山槎头鳊鱼、汉江白鱼、武当猴头、房县木耳、神龙熊掌等。鄂东北菜系的代表是黄州菜，为人称道者计有东坡肉、时珍药膳、田镇鲥鱼、西塞山鳜鱼、银鱼烩干贝、蜜汁甜藕、春鱼松蛋等。

饮食专家指出：“湖北菜制作精细，侧重‘蒸’‘煨’‘炸’‘烧’‘炒’。菜肴大都是汁浓、芡稠、口重、味纯，具有朴实的民间特色。它的范围一般是指武汉、荆沙和黄州三种地方风味。武汉菜吸取了本省和外地一些地方风味的长处，善于变化改革，花色品种较多，注重刀工火候，讲究配色造型，尤其是煨汤技术有独到之处。荆沙菜以烹制淡水鱼鲜见长，更以各种蒸菜（如‘沔阳三蒸’）最具特色，用芡薄，味清纯，善于保持原味。黄州菜擅长烧、炒，用油稍宽，火功恰当，汁浓口重，味道偏咸，富有乡村风味。”①

不难看出，楚菜以鱼类烹调为主，反映了湖北大江大湖四通八达、河汉港湾星罗棋布的地理环境特征。正因为是“千湖之省”，所以楚菜必然以水产为主，各类鱼品构成了千百年来荆楚人民的主要食物来源。《汉书・地理志》记载：“楚有江汉川泽山林之饶。江南地广，或火耕水耨。民食鱼稻，以渔猎山伐为业。果蓏蠃蛤，食物常足，故呰窳偷生而

① 《中国菜谱》编写组：《中国菜谱》（湖北），中国财政经济出版社 1978 年版，“概述”第 1 页。

亡积聚。饮食还给，不忧冻饿，亦亡千金之家。”这一记载，相当清晰地描述了荆楚经济地理的情形，突显了楚人物质生活的实态。其中“民食鱼稻”四字，可谓点睛之笔。

明清湖北数十部地方志，在“物产”项下大多有“鳞之属”，所记鱼类甚多，包括鲤、鲢、鲩、鲂、鲥、鳜、鲫、鳟、鳝、鳅、虾等，出产极多。丰富的水资源，发达的农业经济，生产与生活的协调共济，鱼米之乡的民情风俗，加上自由宽松、兼收并蓄的文化气度，共同造就了明清以降楚菜以鱼类为主、风味齐全的饮食特色。

诚如论者所述：“大品种上，它以淡水鱼鲜见长，山珍海味兼备。在口味上，它的清蒸、清炖、清炒菜甚多，注重突出名贵食物原料的本味。如清蒸武昌鱼、汆鮰鱼等，讲究热、嫩、清、鲜——厨师们称之为‘滚、烂、淡’。而它的烧、焖、卤、酱之类佳肴，则十分注重复合味的醇厚浓郁，如千张肉、风菜扣野鸭等等。从总体上看，湖北菜的味型是咸甜适中、兼南北味之所长，较适合来‘九省通衢’的四方客人的口味。”①

因《水调歌头·游泳》“才饮长沙水，又食武昌鱼”而闻名天下的武昌鱼，不是现在才有的一道名菜，而是荆楚历史上脍炙人口的佳肴。这种膏脂丰腴、味道鲜美的武昌鱼，俗名鳊鱼，产自鄂城樊口一带的水域。历史上，湖北鄂城（今鄂州）与黄州隔江相视，西邻武汉地区。殷商时，为鄂国；三国吴时，设置武昌县，是正宗武昌鱼的产地。清代文献称：“有鲂，即鳊鱼，名缩项。鳊产樊口者甲天下，是处水势回旋，深潭无底，渔人置罾捕得之，止此一罾，味肥美，余亦较胜别地。今县

① 湖北省地方志编纂委员会：《湖北省志·贸易》“饮食服务业”，湖北人民出版社1992年版，第573页。并参萧放：《荆山楚水的民俗与旅游》，旅游教育出版社1995年版；谢定源主编：《新概念中华名菜谱·湖北名菜》，中国轻工业出版社1999年版；徐吉军、姚伟钧：《二十世纪中国饮食史研究概述》，《中国史研究动态》2000年第8期；姚伟钧：《荆楚饮食文化论略》，《湖北经济学院学报》2004年第2期；姚伟钧：《武汉徽馆与大中华酒楼》，《武汉文史资料》2011年第5期。

前有一家市之，鳞白而腹内无黑膜者真。”[①]这种鱼每年秋季潜入长江河槽深处越冬，以故人们往往在梁子湖入江处的樊口捕捞，使之变为美味佳肴。后有生物学家在樊口梁子湖考察，认定真正的“武昌鱼”是梁子湖特产的团头鲂。武昌鱼的制作，以清蒸为最佳，也可红烧、油焖，入口滑嫩，味道鲜美。时至今日，武昌鱼堪称是最具盛名的楚菜之一，用武昌鱼作为主料的菜品多达几十种。

清代，鱼杂、鱼肉丸子、鳝鱼、鳊鱼、鳜鱼、鮰鱼、虾子等都是汉口居民喜爱的菜肴，鲥鱼甚至成为送礼佳品。[②]清末，日本对华调查报告指出：“汉口鲜鱼最多，其产额足充该市终年之需用。特于十一月、十二月间最多额鲜鱼上市之时，住户者一般以酒、酱汁等渍鲤鱼、鲭鱼等而贮之，于正月以餐客。”对照清人《汉口竹枝词》“仲冬天气肃风霜，腊肉腌鱼尽出缸。生怕咸潮收不尽，天天高挂晒台旁”[③]，一幅充满生活情趣的场景立即跃上眼帘。有意思的是，今日的武汉市民仍然保留着制作咸鱼以备年节之风俗。

除了作为正餐的菜肴，湖北在明清以降还有各类名点（特色小吃），

---

① 光绪《武昌县志》卷三《物产・鳞之属》。

② 叶调元：《汉口竹枝词》卷一《市廛》，总第48首写道：“汉皋热酒百余坊，解渴人来靠柜旁。鱼杂猪肠兼辣酱，别人闻臭彼闻香。”卷一《市廛》，总第57首称：“三天过早异平常，一顿狼餐饭可忘。切面豆丝干线粉，鱼氽圆子滚鸡汤。”卷二《时令》，总第71首云：“艾糕箬粽庆端阳，鳝血倾街秽莫当。”原注：后街及堤上各店就街刺鳝，血污满地。卷二《时令》，总第90首有“不须考究食单方，冬月人家食品良。米酒归元消夜好，鳊鱼肥美菜苔香”之句。卷五《杂记》，总第250、255、256首均有汉口镇居民喜食鱼类的记载，所谓“菜蔬鱼肉总肩挑，食物殷繁快楚饕。过早过中兼两饭，留心还把夜来消”；“鱼虾日日出江新，鳊鳜鮰斑味绝伦。独有鳗鲡人不吃，佳肴让与下江人”；“鲜鳞如玉刮刀棤，汁和葱姜得味深。要向宾筵夸手段，鱼氽做出是空心”。原注：空心鱼圆，盖以猪膏为贻也。再次证明，食鱼是汉口镇居民的日常饮食习惯。卷二《时令》，总第70首提及鲥鱼，云‘鲥鱼四月出江新，提盒装来竞送人。辗转相贻鱼已烂，脚钱合算几千文”。参见徐明庭辑校：《武汉竹枝词》，湖北人民出版社1999年版，第42、45、50、56、107、109、49页。

③ 叶调元：《汉口竹枝词》卷二《时令》，总第91首。参见徐明庭辑校：《武汉竹枝词》，武汉，湖北人民出版社1999年版，第57页。

包括东坡饼、三鲜豆皮、热干面、炸米窝、孝感糊汤米酒、黄州烧梅、江陵九黄饼、清水粽子、洗沙糍粑、散烩八宝等，[1] 成为广大民众想吃爱吃的食物，既丰富了荆楚文化的内涵，又增添了日常生活的乐趣。

二、江汉平原的蒸菜文化

江汉平原西起鄂西北，东到省城武汉，其北可以延伸辐射到荆襄地区，其南则与湖南洞庭湖区相接，是荆楚大地的重要组成部分。在湖北历史发展的长河中，江汉平原的居民扮演了重要角色。在饮食文化上，江汉平原的蒸菜文化更是楚菜体系的重要支柱之一。江汉平原境内江河湖泊水网密集，自古以来就是“饭稻羹鱼”。湖北人民在长期的生产实践中形成了自己独特的蒸菜文化。

据笔者采访生于二十世纪三四十年代的老人，平原居民之所以选择蒸食，首要目的并非为了追求饮食的美味，而是出于节约方便的目的。用水蒸气将食物蒸熟，可以利用空气受热上升的原理，一次性使多个蒸笼内的大量食物蒸熟，从而便利生活。而蒸菜所使用的食用油数量也要远远低于炒、煎、烤、炸等烹饪方法。基于此，再加上蒸菜确有自己独特的风味，所以一直被劳动人民流传至今，遍布湖北全省。江汉平原的蒸菜多种被列入湖北省非物质文化遗产：

表 9—1 湖北非物质文化遗产（江汉平原蒸菜）

地区	名称	特点
荆州	荆州鱼糕	鱼肉猪肉搭配制成，鱼有肉味，肉有鱼香，被评为湖北省第二批非物质文化遗产。
钟祥	蟠龙菜	将鱼肉、猪肉制作成龙形，吃肉不见肉。被评为湖北省第三批非物质文化遗产。
仙桃	沔阳三蒸	种类极其繁多，工艺复杂，善用米粉蒸菜，被评为湖北省第三批非物质文化遗产。

① 袁洪业主编：《中国小吃集萃》，安徽科学技术出版社 1986 年版，第 519—529 页。

续表

地区	名称	特点
天门	天门蒸菜	取材广泛，形成复杂的蒸菜技艺——天门九蒸：粉蒸、清蒸、炮蒸、扣蒸、包蒸、酿蒸、花样造型蒸、封蒸、干蒸。被评为湖北省第三批非物质文化遗产。

除被列入湖北省非物质文化遗产的蒸菜之外，湖北武汉市黄陂区的“黄陂三鲜”（鱼圆、肉圆、肉糕）、麻城肉糕、赤壁肉糕也被当地居民所喜爱。当然并不是说以上菜肴完全靠蒸，没有其他烹饪方式，更不能说楚菜只有蒸菜特色，而是说蒸这种烹饪方式与楚菜紧密联系，创造了独特的区域文化。

其实用水汽将食物蒸熟的技法，湖北居民早在先秦时期就已经掌握，湖北地区大量出土的先秦时期的甗与甑就可以证明。所谓甑，就是底部有许多透蒸汽的孔洞的器皿。而甗就是上半部为甑，下半部为锅的蒸食器皿。甗与甑实物器具的出土，与这两个字的使用可以表明用水汽蒸食在先秦时期就已经存在。关于蒸食，先秦文献《楚辞》亦可佐证。《楚辞·东皇太一》有“蕙肴蒸兮兰藉”，这种祭祀类食品就是用蕙草包裹的肉类放入底下铺着兰草的器皿中蒸熟。由此可见“蒸”这种烹饪方式与湖北文化一直相伴随。

当然蒸并不是湖北独有的烹饪技法，其与湖北文化的独特关系主要体现在菜肴背后的文化传说中。比如湖北地区蒸鱼糕肉糕传说，就与楚国息息相关。江汉平原地区居民传说，春秋战国时期，楚国有一家鱼店，老板因大量鱼肉卖不出去，为了促销而发明鱼糕。后来，楚庄王游览到此，品尝鱼糕，大为满意，于是将其带入宫中，成为宫廷菜。又一种传说认为，春秋战国时期，一位楚王喜好吃鱼，但又嫌弃鱼刺卡喉。一位厨师将分离鱼刺的鱼肉与猪肉混合剁碎，配上作料蒸熟，从而获得楚王欢心，该厨师的发明也流传到民间，传承至今。

其实鱼糕肉糕的确是江汉平原常可见到的美味食品，其肉味馨香早就随着冲天蒸汽映入许多湖北老者的珍贵儿时回忆当中。

而湖北天门蒸菜系统则更加纷繁复杂，几乎所有的常见荤素菜肴都可以蒸，而蒸又分为粉蒸、清蒸、炮蒸、扣蒸、包蒸、酿蒸、花样造型蒸、封蒸、干蒸九种方法。不同的蒸菜技法配以不同的食材就会变化出千差万别的口味。当地酒会宴席之中，完全可以做到所有的菜肴均是蒸菜，当地人也喜食蒸菜，简直是无菜不蒸、无宴不蒸、无户不蒸。当地也有“三蒸九扣十大碗，不是蒸菜不入席”，“三蒸九扣十大碗，不是蒸笼不请客”的说法。如此丰富的烹饪技法，很有可能是天门多位名厨，历代居民长期生产实践的结果。然而当地居民却将自己喜欢的蒸菜文化又寄托在了新莽时期的农民起义领袖王匡、王凤身上。传说，王匡、王凤转战到了天门地区，战士补给一度非常艰难。于是王匡、王凤军队将有限的大米磨成粉末，与当时江汉平原随处可见的野菜、鲜鱼一起蒸熟当作军粮，此举大大改善了军队伙食，天门当地居民也学习过来，流传至今，因而天门蒸菜又叫“绿林菜”“匡凤菜”。这则故事是真是假，我们不得而知。就算是真实的，天门居民完全可以记住菜肴的烹饪方法，而忘记王匡、王凤。事实却并不是这样，天门居民在传承了美食的同时，亦将农民军领袖的事迹流传后人。笔者认为天门蒸菜传说可以看作当地居民对农民军领袖的一种善意怀念。

像这样的情况，在江汉平原地区并不鲜见。以粉蒸肉、粉蒸鱼、粉蒸青菜见长的沔阳三蒸以其风味悠长，又保留食物原始清香，并且荤素合理搭配，符合现代健康饮食标准而早就传遍全国，驰名中外，甚至获得新中国国家领导人多次赞誉。就是这样的名菜，沔阳人将其发明者归功于陈友谅夫妇。

江汉平原地区的蒸菜并不都与农民起义领袖有关，还有与最高统治者——皇帝联系在一起的。请看钟祥蟠龙菜的例子。蟠龙菜，又名盘龙菜，又叫卷切或者剁菜，是湖北钟祥的代表性名菜。当地酒席有“一龙二凤三炒四熬五煮六汤七碎八蒸九鱼十圆”之说，其中龙就是指蟠龙菜。

提到蟠龙菜，人们势必联想到其委婉曲折的传说，蟠龙菜的传说至少有三种：

第一，明武宗死后无子嗣继承皇位，按照兄终弟及之说，北京张太后要三位藩王（就藩湖北安陆州的兴王，就藩湖北德安的寿王，就藩河南卫辉的汝王）入京，先到为君，后到为臣。大臣向兴王朱厚熜献计，要朱厚熜扮成囚犯，坐囚车赶到北京。一来可以轻车简从火速赶到，二来可以乔装打扮防人暗害。但是兴王朱厚熜受不了囚犯的饮食，因此要王府厨师制作出一种吃肉不见肉的食品。而王府厨师受到红薯的启发，将猪肉、鱼肉和以调料再包裹以红薯皮蒸熟，创作出一种新式食品。于是，兴王朱厚熜拿着“红薯”，最先赶到北京继承皇位。后回忆自己“真龙天子”盘坐囚车入继大统的经历，因将此菜赐名为“蟠龙菜”。

第二，明武宗正德皇帝属猪，曾经禁止全国老百姓食用猪肉。而安陆州兴王喜爱吃猪肉，为了不违背皇帝的旨意，而又不断肉食，于是发明了“看肉不见肉”的食品——“蟠龙菜”，从而流传后世。

第三，嘉靖皇帝以藩王入继大统，在赴京即位前（也有说是即位后南巡），朱厚熜来到老师家拜访，老师为了庆贺学生“龙飞九五”，因此用肉加以各种辅料制成肉馅，外用鸡蛋皮包裹，蒸熟后摆成龙形，放到朱厚熜面前。朱厚熜随着热气腾腾的蒸汽仿佛真的看到真龙腾云驾雾，飞向九天。老师的这一创意让朱厚熜非常高兴，赐名“蟠龙菜”，并带入宫中。

经过考证发现，关于蟠龙菜的前两种传说，并不是历史事实。而第三种传说，则可能是事实，但有些细节仍值得怀疑。如果将蟠龙菜的制作工艺放入饮食文化史中看，则会发现蟠龙菜在本质上其实就是蒸鱼糕和肉糕。

古代钟祥人民如何烹饪蟠龙菜已经不可考，但从流传下来的蟠龙菜技艺来看，就是用鱼肉、猪肉剁成肉蓉状，配上各种调料，裹上鸡蛋皮蒸熟，达到“吃肉不见肉，吃鱼不见鱼”的效果。

我们不能完全否认民间传说的真实性，特别是蟠龙菜的第三种传说更是无法全盘否定。但是蒸肉糕鱼糕，这种烹饪技术与菜肴制作方法并非只是某一位著名人物发明出来的，而是许多平凡人经过多年实验摸索，不断创新改良而传播开来的，但并不能排除某一著名人物也许的确与蒸肉糕有过一定的因缘机遇，被后人留存至今。湖北众多关于蒸菜的传说，其实可以看作各地区将自己本区域的历史文化附着于某一普通物品的体现。钟祥蟠龙菜，抛开其龙的形状（何况今天钟祥地区居民食用的蟠龙菜并没有龙形），其实就是一种非常普通的蒸肉糕。钟祥蟠龙菜的传说流传过程其实是将钟祥地区的历史文化附着于湖北地区广泛食用的肉糕上的过程。

关于蟠龙菜的传说究竟始于何时？由于资料过于局限，实在无从查考。但民国文献说道："蟠龙菜系钟祥特品，其质取猪肉之精者，和板油与鱼剁成肉泥，和以绿豆粉、鸡蛋清，后用鸡蛋皮裹之。皮间附以银朱。蒸熟后，切成薄片，蟠于碗中。红黄相间，宛如龙形，相传明兴邸所创。俗名卷切，又曰粘剁。又有四盘两碗，及蒸笼格之，名称则随便待客也。"[①] 因此蟠龙菜及其与明兴王的传说至少在1937年前就已经流传开来。

而钟祥的竹枝词也透露出关于蟠龙菜的一些历史信息："山珍海味不须供，富水春香酒味浓。满座宾客呼上菜，装成卷切号蟠龙。"[②] 这首简单的竹枝词中的"卷切"正是钟祥方言蟠龙菜的称呼，竹枝词中说将"卷切"这种菜肴称呼为蟠龙菜，虽没有透露出蟠龙菜与嘉靖皇帝的关系，但至少可以表明竹枝词的作者生存的年代，蟠龙菜就已经存在了。

按照收录此竹枝词的《钟祥诗征》记载，这首竹枝词是樊国楷《郢中竹枝词十二首》中的一首。《钟祥诗征》说樊国楷属于清代人，[③] 而没有做其他的说明。在乾隆《钟祥县志》、同治《钟祥县志》中并未发现

① 民国《钟祥县志》卷十三,《方言下·钟祥语·言饮食》。

② 民国《钟祥诗征》卷二，1937年铅印本，第47页。

③ 民国《钟祥诗征》卷一，1937年铅印本，第4页。

此人，因此樊国楷可能是晚清人。因此，钟祥蟠龙菜及其传说绝不是商业炒作和现代人随意附会的结果，钟祥蟠龙菜传说至少在民国时期就已经存在了，而蟠龙菜这一菜肴从文字记载来看，也可以上溯到清代。

囿于篇幅我们不可能将江汉平原所有的蒸菜都一一介绍，但从以上的介绍中我们可以看出江汉平原蒸菜文化具有以下特点：第一，江汉平原蒸菜是属于平民老百姓的美味佳肴，他们就近利用食材，采取较为方便的烹饪方式，丰富了楚菜文化。江汉平原蒸菜的食材与烹饪方法比不上中国宫廷菜的珍贵与烦琐，但却一次又一次给予普通百姓，特别是古代百姓，味觉上的欣喜与满足。第二，江汉平原蒸菜往往成为湖北居民对辉煌过去或英雄人物的情感寄托。往日的辉煌已经一去不返，家乡的英雄事迹也已模糊不清，但承载着地方文化与历史记忆的美好食物却一代又一代流传下来。蒸菜并不是湖北所独有的，但寄托着湖北人民感情的蒸菜却是值得我们珍视的非物质文化遗产。

参考文献

一、历史资料

《史记》
《汉书》
《后汉书》
《三国志》
《隋书》
《唐律疏议》
《宋史》
《文献通考》
《大明一统志》
《明史》
万历《大明会典》
《续文献通考》
《明会要》
《明实录》
《清史稿》
《清史列传》
《清朝通典》
《清朝文献通考》
《清实录》
乾隆《大清会典则例》
光绪《大清会典事例》

（北魏）贾思勰：《齐民要术》
（东晋）常璩撰，任乃强校注：《华阳国志校补图注》。
（汉）王逸章句、（宋）洪兴祖补注：《楚辞》
（汉）郑玄注、（唐）贾公彦疏：《周礼疏》
（唐）樊绰撰，向达校注：《蛮书》。
（宋）朱熹：《晦菴集》
（宋）佚名：《元始天尊说北方真武妙经》
（宋）陈伀集疏：《太上说玄天大圣真武本传神咒妙经》
（宋）张端义：《贵耳集》
（宋）陈师文：《太平惠民和剂局方》
（宋）吕太古：《道门通教必用集》
（宋）谢维新：《事类备要》
（元）徐世隆：《玄天上帝启圣灵异录》
（元）王桢：《农书》
（明）陈继儒：《佘山诗话》
（明）陈士元：《江汉丛谈》
（明）陈士元：《论语类考》
（明）陈士元：《孟子杂记》
（明）陈士元：《数象解》
（明）陈士元：《易象钩解》
（明）陈献章：《白沙子》
（明）陈子龙等：《皇明经世文编》
（明）范景文：《昭瓦武功编》
（明）高岱：《鸿猷录》
（明）高儒：《百川书志》
（明）耿定向：《耿天台先生文集》
（明）过庭训：《本朝分省人物考》
（明）郝敬：《春秋非左》

（明）郝敬：《尚书辨解》
（明）郝敬：《易领》
（明）蒋一葵：《尧山堂外纪》
（明）焦竑：《玉堂丛语》
（明）倪岳：《清溪漫稿》
（明）郎瑛：《七修类稿》
（明）雷礼：《皇明大政纪》
（明）娄性：《皇明政要》
（明）李绍文：《皇明世说新语》
（明）李时珍：《本草纲目》
（明）李诩：《戒庵老人漫笔》
（明）李贽：《李温陵集》
（明）李贽：《藏书》
（明）李贽：《焚书》
（明）李贽：《续焚书》
（明）李承箕：《大厓李先生文集》
（明）吕天成：《曲品》
（明）廖道南：《楚纪》
（明）张自烈：《正字通》
（明）刘侗：《帝京景物略》
（明）刘惟谦等：《大明律》
（明）邓原岳：《西楼全集》
（明）陆应阳：《广舆记》
（明）彭大翼：《山堂肆考》
（明）司守谦著，石荣暲校：《训蒙骈句》
（明）汪道昆：《太函集》
（明）王士性：《五岳游草》
（明）杨尔曾：《海内奇观》

（明）尹守衡：《皇明史窃》
（明）查继佐：《罪惟录》
（明）张一中：《尺牍争奇》
（明）章潢：《图书编》
（明）周圣楷：《楚宝》
（明）马欻：《下雉纂》
（明）茅元仪：《督师纪略》
（明）裴应章、彭遵古：《郧台志》
（明）钱春：《湖湘五略》
（明）龚黄编：《六岳登临志》
（明）钱希言：《辽邸纪闻》。
（明）丘濬：《大学衍义补》
（明）宋宗真等编：《大明玄教立成斋醮仪范》
（明）任自垣：《敕建大岳太和山志》
（明）沈德符：《万历野获编》
（明）史玄：《旧京遗事》
（明）谈迁：《国榷》
（明）谭元春：《谭友夏合集》
（明）谭元春：《谭元春集》
（明）陶晋英：《楚书》
（明）万全：《痘疹世医心法》
（明）万全：《万氏家传养生四要》
（明）万全：《万氏女科》
（明）万全：《幼科发挥》
（明）王士性：《广志绎》
（明）王世贞：《嘉靖以来首辅传》
（明）王世贞：《弇州山人四部续稿》
（明）王世贞：《弇州四部稿》

（明）王世贞：《弇州山人续稿》
（明）王世贞：《弇州史料》
（明）吴楚材辑：《疆识略》
（明）顾璘：《顾璘诗文全集》
（明）王鏊：《震泽集》
（明）王守仁：《阳明全集》
（明）王兆云：《皇明词林人物考》
（明）杨嗣昌：《杨嗣昌集》
（明）何镗编：《古今游名山记》
（明）余象斗等编：《四游记》
（明）袁宏道：《袁中郎全集》
（明）袁中道：《珂雪斋集》
（明）袁中道：《珂雪斋近集》
（明）袁宗道：《白苏斋类集》
（明）张居正：《张太岳先生文集》
（明）张宇初等：《道藏》。
（明）钟惺：《隐秀轩集》
（明）朱吾弼：《皇明留台奏议》
（明）宗臣：《宗子相集》
（明）俞汝楫编：《礼部志稿》
（清）百一居士：《壶天录》
（清）毕沅：《夏小正考注》
（清）蔡新：《缉斋文集》
（清）乾隆《御选明臣奏议》
（清）曾国藩：《曾国藩全集》
（清）陈大章：《玉照亭诗钞》
（清）陈诗：《湖北旧闻录》
（清）陈田：《明诗纪事》

（清）程大中：《四书逸笺》
（清）程大中：《在山堂集》
（清）顾景星：《白茅堂集》
（清）黄叔璥：《国朝御史题名》
（清）姚之骃：《元明事类钞》
（清）丁宿章：《湖北诗征传略》
（清）多隆阿：《毛诗多识》
（清）孔继涵：《杂体文稿》
（清）法式善：《清秘述闻》
（清）法式善：《槐厅载笔》
（清）范锴：《汉口丛谈》
（清）龚自珍著、王佩诤校：《龚自珍全集》
（清）谷应泰：《明史纪事本末》
（清）顾炎武：《日知录》
（清）顾炎武：《天下郡国利病书》
（清）顾祖禹：《读史方舆纪要》
（清）贺长龄辑：《清经世文编》
（清）洪良品：《湖北通志志余》
（清）胡承珙：《毛诗后笺》
（清）胡承诺：《绎志》
（清）胡林翼：《胡林翼集》
（清）黄本骥：《三长物斋文略》
（清）黄六鸿：《福惠全书》
（清）黄叔璥辑：《南台旧闻》
（清）黄印：《锡金识小录》
（清）黄燮清：《国朝词综续编》
（清）黄宗羲：《明儒学案》
（清）黄宗羲编：《明文海》

（清）焦循：《毛诗草木鸟兽虫鱼释》
（清）焦循：《孟子正义》
（清）郎廷槐：《师友诗传录》
（清）李潢：《九章算术细草图说》
（清）李有棻：《桑麻水利族学汇存》
（清）李有棻：《武郡保甲事宜摘要》
（清）李元度：《国朝先正事略》
（清）李佐贤：《石泉书屋类稿》
（清）李祖陶：《国朝文录》
（清）梁维枢：《玉剑尊闻》
（清）梁章钜：《退庵随笔》
（清）梁章钜：《制义丛话》
（清）刘献廷：《广阳杂记》
（清）刘绎：《存吾春斋诗文钞》
（清）倪文蔚：《荆州万城堤志》
（清）陆陇其：《三鱼堂文集》
（清）陆以湉：《冷庐杂识》
（清）罗正钧：《左文襄公年谱》
（清）毛德琦：《白鹿书院志》
（清）潘存辑、杨守敬编：《楷法溯源》
（清）潘耒：《遂初堂集》
（清）潘世恩：《正学编》
（清）潘衍桐：《两浙輶轩续录》
（清）彭端淑：《国朝诗话补》
（清）彭崧毓：《求是斋诗存》
（清）彭玉麟：《彭刚直公奏稿》
（清）钱林：《文献征存录》
（清）钱谦益：《牧斋有学集》

（清）钱谦益编：《国初群雄事略》
（清）钱谦益辑：《列朝诗集》
（清）钱仪吉：《碑传集》
（清）秦笃辉：《经学质疑录》
（清）秦蕙田：《五礼通考》
（清）秦瀛：《小岘山人集》
（清）全士潮等：《驳案新编》
（清）阮元：《畴人传》
（清）阮元：《儒林传稿》
（清）沈粹芬等辑：《国朝文汇》
（清）沈德潜、周准：《明诗别裁集》
（清）沈德潜：《清诗别裁集》
（清）盛康辑：《皇朝经世文续编》
（清）宋荦：《西陂类稿》
（清）素尔讷：《学政全书》
（清）唐鉴：《学案小识》
（清）陶澍、万年淳：《洞庭湖志》
（清）王柏心：《百柱堂全集》
（清）汪士铎：《胡文忠公抚鄂记》
（清）汪志伊：《稼门诗钞》
（清）王邦玺：《贞石山房奏议》
（清）王昶：《湖海诗传》
（清）王槩等纂修：《大岳太和山纪略》
（清）王家相：《清秘述闻续》
（清）王宏翰：《古今医史》
（清）王世祯：《师友诗传续录》
（清）魏源：《古微堂集》
（清）魏之琇：《续名医类案》

（清）吴敏树：《柈湖文集》
（清）吴肃公：《明语林》
（清）吴省钦：《白华前稿》
（清）谢章铤：《赌棋山庄词话》
（清）熊宾：《三邑治略》
（清）熊伯龙：《无何集》
（清）熊赐履：《经义斋集》
（清）熊赐履：《闲道录》
（清）熊赐履：《学辨》
（清）熊赐履：《学统》
（清）朱一新：《无邪堂答问》
（清）徐栋：《保甲书》
（清）杨守敬：《激素飞清阁评碑记》
（清）严虞惇：《严太仆先生集》
（清）阎镇珩：《六典通考》
（清）姚春木辑：《国朝文录》
（清）佚名：《湖南省例成案》
（清）永瑢等：《四库全书总目》
（清）英汇修：《科场条例》
（清）余锡椿：《黄梅兵事考》
（清）恽敬：《大云山房文稿》
（清）恽祖翼：《鄂游偶识》
（清）张行简：《汉阳府保甲录》
（清）张维屏辑：《国朝诗人征略》
（清）张之洞：《张文襄公奏议》
（清）章学诚：《湖北通志检存稿》
（清）赵尚辅辑：《湖北丛书》
（清）周中孚：《郑堂读书记》

（清）朱孙诒：《团练事宜》
（清）朱彝尊：《道传录序》
（清）朱彝尊：《曝书亭集》
（清）朱彝尊编：《明诗综》
（清）崇彝：《道咸以来朝野杂记》
（清）左宗棠：《左文襄公奏疏》
（清）罗正钧：《魏源师友记》
（清）辜天佑编：《湖南乡土地理参考书》
光绪《汉阳府保甲录》
晚清《湖北全省财政说明书》
晚清《湖南财政说明书》
民国《湖北先正遗书》
民国《钟祥诗征》
徐珂编撰：《清稗类钞》
闵尔昌：《碑传集补》
徐世昌：《清儒学案》
徐世昌：《晚清簃诗汇》
支伟成：《清代朴学大师列传》
佚名：《清代学人列传》

弘治《黄州府志》
弘治《夷陵州志》
正德《光化县志》
嘉靖《巴东县志》
嘉靖《大冶县志》
嘉靖《汉阳府志》
嘉靖《湖广图经志书》
嘉靖《黄陂县志》

嘉靖《罗田县志》
嘉靖《沔阳州志》
嘉靖《应山县志》
隆庆《岳州府志》
万历《湖广总志》
万历《承天府志》
万历《汉阳府志》
万历《襄阳府志》
万历《新修南昌府志》
顺治《黄梅县志》
顺治《江陵志余》
康熙《安陆府志》
康熙《德安安陆郡县志》
康熙《湖广武昌府志》
康熙《湖广通志》
康熙《麻城县志》
康熙《通山县志》
康熙《宜都县志》
康熙《均州志》
康熙《畿辅通志》
雍正《湖广通志》
雍正《应城县志》
乾隆《曹州府志》
乾隆《当阳县志》
乾隆《东湖县志》
乾隆《重修嘉鱼县志》
乾隆《汉阳县志》
乾隆《鹤峰州志》

乾隆《湖北下荆南道志》
乾隆《黄州府志》
乾隆《黄冈县志》
乾隆《黄梅县志》
乾隆《荆州府志》
乾隆《江陵县志》
乾隆《天门县志》
乾隆《枣阳县志》
乾隆《襄阳府志》
乾隆《长阳县志》
乾隆《武昌县志》
嘉庆《巴陵县志》
嘉庆《归州志》
嘉庆《湖北通志》
嘉庆《纳溪县志》
嘉庆《孝感县志》
嘉庆《郧阳志》
嘉庆《重修大清一统志》
道光《鹤峰州志》
道光《建始县志》
道光《蒲圻县志》
道光《施南府志》
道光《云梦县志略》
咸丰《云阳县志》
同治《安陆县志补正》
同治《巴东县志》
同治《崇阳县志》
同治《重修嘉鱼县志》

同治《大冶县志》
同治《当阳县志》
同治《东湖县志》
同治《恩施县志》
同治《房县志》
同治《公安县志》
同治《谷城县志》
同治《广济县志》
同治《桂阳直隶州志》
同治《汉川县志》
同治《汉阳县志》
同治《黄陂县志》
同治《建始县志》
同治《荆门直隶州志》
同治《江夏县志》
同治《钟祥县志》
同治《监利县志》
同治《来凤县志》
同治《利川县志》
同治《利川县志稿》
同治《蒲圻县志》
同治《黔阳县志》
同治《清江县志》
同治《石首县志》
同治《松滋县志》
同治《通城县志》
同治《通山县志》
同治《咸丰县志》

同治《咸宁县志》
同治《续辑汉阳县志》
同治《宣恩县志》
同治《宜昌府志》
同治《宜城县志》
同治《宜都县志》
同治《续修鹤峰州志》
同治《益阳县志》
同治《远安县志》
同治《郧西县志》
同治《随州志》
同治《郧县志》
同治《郧阳志》
同治《枝江县志》
同治《增修施南府志》
同治《长沙县志》
同治《长阳县志》
同治《竹山县志》
同治《竹溪县志》
光绪《巴陵县志》
光绪《当阳县补续志》
光绪《德安府志》
光绪《光化县志》
光绪《湖南通志》
光绪《黄安县志》
光绪《黄冈县志》
光绪《黄梅县志》
光绪《黄州府志》

光绪《荆州府志》
光绪《京山县志》
光绪《罗田县志》
光绪《麻城县志》
光绪《蕲水县志》
光绪《蕲州志》
光绪《善化县志》
光绪《施南府志续编》
光绪《松滋县志》
光绪《巫山县志》
光绪《武昌县志》
光绪《咸宁县志》
光绪《湘阴县图志》
光绪《襄阳府志》
光绪《孝感县志》
光绪《兴国州志》
光绪《兴山县志》
光绪《兴文县志》
光绪《续辑均州志》
光绪《续辑咸宁县志》
光绪《续修鹤峰州志》
光绪《续修嘉鱼堤志》
光绪《续修江陵县志》
光绪《永明县志》
光绪《长乐县志》
民国《达县志》
民国《当涂县志》
民国《光化县志》

民国《汉口小志》
民国《汉源县志》
民国《杭州府志》
民国《湖北通志》
民国《京山新志》
民国《英山县志》
民国《枣阳县志》
民国《麻城县志前编》
民国《麻城县志续编》
民国《名山县新志》
民国《南漳县志》
民国《蒲圻县乡土志》
民国《沙市志略》
民国《夏口县志》
民国《溆浦县志》
民国《钟祥县志》
民国《资中县续修资州志》
王葆心:《续汉口丛谈》
舒鼎渭、曾凡军、陈宗海等编纂:《蒲圻县文艺志》,蒲圻县文化局1986年版。
新洲县志编纂委员会:《新洲县志》,武汉出版社1992年版。
湖北省地方志编纂委员会:《湖北省志·宗教》,湖北人民出版社1996年版。
湖北省地方志编纂委员会:《湖北省志·民俗方言》,湖北人民出版社1996年。
《三店镇志》编写组:《三店镇志》,内部资料,2000年。
湖北省长阳土家族自治县地方志编委会编:《长阳土家族自治县志》,方志出版社2010年版。

黄冈《丁氏宗谱》，清代抄本。

黄梅《程氏宗谱》，光绪丙申年，安定郡刊本。

黄梅《程氏宗谱》，光绪丙申年，以安堂刊本。

黄梅《民间案卷》，清代抄本。

罗田《彭氏族谱》，光绪甲午年三修，宗寿堂刊本。

平江《叶氏族谱》，光绪三十三年，南阳堂刊本。

大冶《明氏大成宗谱》，清代刊本。

黄冈《郭氏宗谱》，民国二十二年四修，活字本。

黄冈《孔子世家支谱》，民国十六年，忠恕堂刊本。

黄冈《刘氏宗谱》，民国丙戌年，藜照堂刊本。

黄冈《罗氏宗谱》，民国丙戌年，柏林堂刊本。

黄冈《彭氏宗谱》，民国戊子年，述古堂刊本。

黄冈《苏氏宗谱》，民国丁丑年，敦伦堂刊本。

黄冈《谢氏宗谱》，民国戊午年，大祠藏板。

黄冈《许氏宗谱》，民国乙卯年，敦睦堂刊本。

罗田《义水赵氏宗谱》，同治癸亥年，琴鹤堂刊本。

罗田《东安王氏庚申宗谱》，民国十九年，金钩祠铅印本。

民国《湖南新化长塘李氏家史》，民国二十三年铅印本。

程氏籍梅志编纂领导小组编:《程氏籍梅志》，内部资料，1998年7月。

上海图书馆编，周秋芳、王宏整理:《中国家谱资料选编·家规族约卷》，上海古籍出版社2013年版。

姚贤镐编:《中国近代对外贸易史资料》第2册，中华书局1962年版。

彭泽益编:《中国近代手工业史资料》第2卷，中华书局1962年版。

萧铮主编:《民国二十年代中国大陆土地问题资料》，成文出版社有限公司、美国中文资料中心 1977 年版。

梁方仲编著:《中国历代户口、田地、田赋统计》，上海人民出版社 1980 年版。

赵李桥茶厂、华中师范大学历史系厂史编写组:《洞茶今昔》，湖北人民出版社 1980 年版。

中国土产畜产进出口公司湖北省茶麻分公司编:《湖北茶叶贸易志》，1985 年，内部出版。

鄂西土家族苗族自治州民族事务委员会:《鄂西少数民族史料辑录》，1986 年，内部出版。

曾兆祥主编:《湖北近代经济贸易史料选辑》第 5 辑，1987 年，内部出版。

张德信、毛佩琦主编:《洪武御制全书》，黄山书社 1995 年版。

马建石、杨育裳主编:《大清律例通考校注》，中国政法大学出版社 1992 年版。

徐明庭辑校:《武汉竹枝词》，湖北人民出版社 1999 年版。

吴剑杰主编:《湖北咨议局文献资料汇编》，武汉大学出版社 1991 年版。

湖北省人民政府文史研究馆、湖北省博物馆编:《湖北文征》，湖北人民出版社 2000 年版。

前南京国民政府司法行政部编，胡旭晟、夏新华、李交发点校:《民事习惯调查报告录》，中国政法大学出版社 2000 年版。

李实:《辛亥革命的乡居记闻》，《湖北文史资料》2004 年第 4 期。

朱祖延、郭康松主编:《清实录类纂（科学技术卷）》，武汉出版社 2005 年版。

陈振汉、熊正文、萧国亮编:《〈清实录〉经济史资料》，北京大学出版社 2012 年版。

陈树平主编:《明清农业史资料（1368—1911）》，社会科学文献出版社 2013 年版。

山西省政协文史和学习委员会编:《明清山西商人会馆史料》，中国文史出版社 2016 年版。

二、今人论著（按著者姓氏拼音排序）

白晓萍:《撒尔嗬：清江土家跳丧》，湖北美术出版社 2006 年版。

蔡明伦:《嘉靖言官：戴着镣铐起舞》,《北方论丛》2006 年第 2 期。

蔡少卿主编:《民国时期的土匪》，中国人民大学出版社 1993 年版。

常建华:《明代宗族祠庙祭祖礼制及其演变》,《南开学报》2001 年第 3 期。

陈锋:《清代湖广食盐的运销与汉口盐商》,《扬州大学学报》2018 年第 1 期。

陈国成:《Michael Szonyi. Practicing Kinship：Lineage and Descent in Late Imperial China 评介》,《历史人类学学刊》第 1 卷第 2 期，2003 年 10 月。

陈钧、任放:《经济伦理与社会变迁》，武汉出版社 1996 年版。

陈钧、任放:《张之洞经济伦理思想探真》,《历史研究》1993 年第 4 期。

陈钧、任放:《张之洞经济思想散论》,《历史研究》1991 年第 5 期。

陈志勇:《徽班汉伶第一人——米应先》,《文史知识》2006 年第 1 期。

陈志勇:《徽班汉伶米应先生平及家世考——兼论米应先对京剧形成的贡献》,《戏曲艺术》2007 年第 2 期。

答振益:《湖北回族源流初探》,《宁夏社会科学》1986 年第 1 期。

董家遵:《中国收继婚之史的研究》，岭南大学西南社会经济研究所 1950 版。

董珞:《巴风土韵:土家文化源流解析》,武汉大学出版社 1999 年版。

窦瑜彬、翟戈、谢敏君:《汉绣的发展历程分析与展望》,《大众文艺》2014 年第 16 期。

杜七红:《论茶叶对晚清汉口市场的影响》,《江汉论坛》1999 年第 6 期。

杜七红:《清代汉口茶叶市场研究》,载陈锋主编:《明清长江流域社会经济史论》,武汉大学出版社 2005 年版。

杜七红:《清代两湖茶业研究》,武汉大学历史学院专门史专业 2006 年博士论文。

杜七红:《清代两湖茶业研究的回顾与展望》,《江汉论坛》2006 年第 3 期。

杜七红:《清代汉口茶叶市场研究》,武汉大学历史学院专门史专业 1999 年硕士学位论文。

杜雁:《明代武当山风景名胜理法研究》,北京林业大学园林学院城市规划与设计专业 2015 年博士学位论文。

鄂西土家族苗族自治州公路史志编审委员会:《鄂西公路史》,武汉出版社 1996 年版。

冯天瑜、杨华、任放编著:《中国文化史》,高等教育出版社 2005 年版。

冯泽民:《荆楚汉绣》,武汉出版社 2012 年版。

高寿仙:《明代农业经济与农村社会》,黄山书社 2006 年版。

高学敏、张德芹、张建军主编:《实月本草纲目彩色图鉴》(全 4 卷),外文出版社 2006 年版。

葛剑雄:《中国历史上的移民发源地之一:麻城孝感乡》,《寻根》1997 年第 1 期。

葛英颖、杨田甜:《从历史发展的角度论土家织锦“西兰卡普”的民族性与时代性特征》,《东华大学学报》2018 年第 3 期。

龚胜生:《清代两湖农业地理》，华中师范大学出版社 1995 年版。

顾颉刚编著:《孟姜女故事研究集》，上海古籍出版社 1984 年版。

顾文璧:《明代武当山的兴盛和苏州人的大规模武当进香旅行》，《江汉考古》1989 年第 1 期。

郭红、靳润成:《中国行政区划通史·明代卷》，复旦大学出版社 2007 年版。

郭松义:《伦理与生活——清代的婚姻关系》，商务印书馆 2000 年版。

后德俊:《湖北科学技术史稿》，湖北科学技术出版社 1991 年版。

湖北省地方志编纂委员会:《湖北省志·贸易》，湖北人民出版社 1992 年版。

湖北省政协文史和学习委员会、湖北省荆楚文化研究会、《恩施文化简史》编撰委员会:《恩施文化简史》，湖北人民出版社 2018 年版。

胡吉勋:《明嘉靖中天地分祀及明堂配享争议关系之考察》，《中国文化研究所学报》第 44 期，2004 年 12 月。

胡锦贤:《范锴及其〈汉口丛谈〉》，《江汉论坛》1989 年第 5 期。

华立:《清代保甲制度简论》，《清史研究集》第 6 辑，光明日报出版社 1988 年版。

华林甫:《论杨守敬考证〈隋书·地理志〉的成就与不足》，《江汉论坛》2012 年第 7 期。

黄红英:《从汉绣的历史沿革试论非物质文化遗产的传承》，《艺术科技》2016 年第 6 期。

黄惠贤、陈锋主编:《中国俸禄制度史》，武汉大学出版社 1996 年版。

黄丽生:《由军事征掠到城市贸易：内蒙古归绥地区的社会经济变迁（14 世纪中至 20 世纪初）》，台湾师范大学历史研究所专刊第 25 辑，1995 年版。

冀朝鼎著、朱诗鳌译:《中国历史上的基本经济区》，商务印书馆

2014 年版。

贾植芳:《近代中国经济社会》，辽宁教育出版社 2003 年版。

兰婷婷、孙蕊洁:《荆楚传统工艺美术的传承与应用研究——以汉绣为例》,《大众文艺》2013 年第 24 期。

雷炳炎:《明代宗藩犯罪问题研究》，中华书局 2014 年版。

雷梦水、潘超、孙忠铨、钟山编:《中华竹枝词》第 4 册《鲁豫鄂湘粤桂琼》，北京古籍出版社 1996 年版。

李慧:《武当山道教宫观环境空间研究》，北京林业大学园林学院城市规划与设计专业 2014 年博士学位论文。

李琳琦:《徽商与汉口紫阳书院》,《清史研究》2002 年第 2 期。

李权时、皮明庥主编:《武汉通览》，武汉出版社 1988 年版。

李洵:《明武宗与猪禁》,《史学集刊》1993 年第 2 期。

梁启超:《中国近三百年学术史》，中华书局 1941 年版。

梁莹莹:《鄂西南兴山县薅草锣鼓艺术特点探析——以〈中国民歌集成〉（湖北卷）1032、1035、1038、1040、1047 首为例》,《福建论坛》（人文社会科学版）2009 年专刊。

廖奔、刘彦君:《中国戏曲史》第 4 卷，山西教育出版社 2000 年版。

林济:《长江中游宗族社会及其变迁——黄州个案研究（明清—1949）》，中国社会科学出版社 1999 年版。

林延清:《壬寅宫变与嘉靖朝政的转变》,《辽宁大学学报》2010 年第 1 期。

刘富道:《天下第一街：武汉汉正街》，崇文书局 2007 年版。

刘富道:《汉口徽商》，武汉出版社 2015 年版。

刘寒:《西兰卡普的色彩解析——基于湖北恩施来凤县的田野调查》，湖北美术学院设计学专业 2016 年硕士学位论文。

刘飙:《清代鄂东状元刘子壮家世考述》,《江汉大学学报》2013 年第 4 期。

刘玉堂等:《中国地域文化通览·湖北卷》,中华书局 2013 年版。

刘征:《汉绣与吴氏家族》,《湖北档案》2003 年第 10 期。

刘志伟:《地域社会与文化的结构过程——珠江三角洲研究的历史学与人类学对话》,《历史研究》2003 年第 1 期。

刘志伟:《祖先谱系的重构及其意义——珠江三角洲一个宗族的个案分析》,《中国社会经济史研究》1992 年第 4 期。

龙柯:《传统手工艺类非物质文化遗产保护路径研究——以土家族西兰卡普织锦为例》,《民族论坛》2015 年第 7 期。

卢嘉锡总主编,杜石然主编:《中国科学技术史·通史卷》,科学出版社 2003 年版。

卢嘉锡总主编,金秋鹏主编:《中国科学技术史·人物卷》,科学出版社 1998 年版。

卢嘉锡总主编,廖育群、傅芳、郑金生著:《中国科学技术史·医学卷》,科学出版社 1998 年版。

卢嘉锡总主编,席泽宗主编:《中国科学技术史·科学思想卷》,科学出版社 2001 年版。

鲁潇:《皇权、神话与空间的同构——明代武当山布局研究》,华中科技大学建筑与城市规划学院建筑学专业 2016 年硕士学位论文。

罗常培:《中国人与中国文》,开明书店 1945 年版。

罗福惠:《湖北近三百年学术文化》,武汉出版社 1994 年版。

罗福惠:《值得重视的〈楚纪〉及其撰者——兼考〈同胡参六祭熊芝冈年兄文〉非廖道南所作》,《江汉论坛》2007 年第 10 期。

罗新:《湖北历代书院考》,《江汉论坛》1988 年第 10 期。

罗媛:《“仙山琼阁”里的装饰艺术——武当山道教建筑装饰纹样研究》,湖北工业大学艺术设计学院设计艺术学专业 2014 年硕士学位论文。

梅莉:《明清湖北茶叶及其生产分布》,《湖北大学学报》1994 年第 2 期。

梅莉:《明清时期武当山朝山进香研究》，华中师范大学出版社 2007 年版。

彭永庆、李兴平:《西兰卡普文化的本源与保护》,《民族论坛》2007 年第 6 期。

彭志:《新补〈全清词·顺康卷〉22 家 52 首》,《天中学刊》2015 年第 1 期。

皮明庥、吴勇主编:《汉口五百年——新编汉口丛谈》，湖北教育出版社 1999 年版。

皮明庥主编:《近代武汉城市史》，中国社会科学出版社 1993 年版。

钱利平:《鄂州家谱研究》，华中师范大学历史文化学院历史文献学专业 2015 年硕士学位论文。

钱穆:《中国学术思想史论丛·清儒学案序》，安徽教育出版社 2004 年版。

钱穆:《国史大纲》，商务印书馆 2010 年版。

钱钟书:《谈艺录》(补订本)，中华书局 1984 年版。

邱亚:《廖道南〈楚纪〉研究》，华中师范大学历史文化学院历史文献学专业 2014 年硕士学位论文。

瞿同祖著，范忠信、晏锋译:《清代地方政府》，法律出版社 2003 年版。

任放:《竹枝词所见清末民初汉口城市空间与功能的扩张》，张建民主编:《10 世纪以来长江中游环境、经济与社会变迁》，武汉大学出版社 2008 年版。

冉红芳、田敏:《“西兰卡普”：从传统走向现代——土家织锦文化遗产发展中的理性思考》,《中南民族大学学报》2015 年第 5 期。

石金汉口叙、饶咬成整理:《武当山的“朝山会”》,《武当学刊》1997 年第 1 期。

石泉、张国雄:《江汉平原的垸田兴起于何时》,《中国历史地理论丛》1988 年第 1 期。

史红玲:《西兰卡普多元价值评价与保护传承研究》，华中师范大学国家文化产业研究中心公共管理专业 2017 年博士学位论文。

宋传银:《笔记体作品与城市史研究——以〈汉口丛谈〉的人物资料为例》,《江汉大学学报》2012 年第 1 期。

宋仕平:《土家族古代社会制度文化研究》，民族出版社 2007 年版。

宋亚平主编:《欧亚万里茶道及其源头》，崇文书局 2015 年版。

苏英杰:《湖北清戏——湖北第一个曲牌大剧种》,《戏剧之家》2009 年第 2 期。

孙晓芬主编:《麻城祖籍寻根谱牒姓氏研究》，四川大学出版社 2008 年版。

孙莹莹:《〈汉口丛谈〉叙述下的汉口城》,《文物鉴定与鉴赏》2018 年第 13 期。

唐大潮、石衍丰:《明王朝与武当道教》,《宗教学研究》1996 年第 3 期。

唐明邦:《李时珍评传》，南京大学出版社 1991 年版。

陶飞亚编:《性别与历史：近代中国妇女与基督教》，上海人民出版社 2006 年版。

陶真典、范学锋:《武当山纪略》,《湖北文史资料》1997 年第 3 期。

田澍:《嘉靖革新研究》，中国社会科学出版社 2002 年版。

田澍:《正德十六年：大礼议与嘉隆万改革》，人民出版社 2013 年版。

田万振:《土家族生死观绝唱——撒尔嗬》，中央民族大学出版社 1999 年。

土家族简史编写组:《土家族简史》(修订本)，民族出版社 2009 年版。

万绳楠、庄华峰、陈梁舟：《中国长江流域开发史》，黄山书社 1997 年版。

汪红亮：《略论江西万寿宫文化》，《江西广播电视大学学报》2016 年第 3 期。

汪敬虞：《中国近代茶叶的对外贸易和茶业的现代化问题》，《近代史研究》1987 年第 6 期。

王柏中：《明嘉靖年间的庙制改革问题试探》，《社会科学战线》2001 年第 2 期。

王光德、杨立志：《武当道教史略》，华文出版社 1993 年版。

王铭铭：《闽台三村五论：村落视野中的文化与权力》，生活·读书·新知三联书店 1997 年版。

王珊珊：《一条绣花街 几世汉绣情》，《纺织科学研究》2012 年第 3 期。

王毓铨：《莱芜集》，中华书局 1983 年版。

王易、李彦衡、何静波：《荆楚汉绣研究综述》，《大众文艺》2015 年第 11 期。

王跃生：《清代中期婚姻行为分析——立足于 1781—1791 年的考察》，《历史研究》2000 年第 6 期。

王跃生：《清代中期童养婚的个案分析》，《清史研究》1999 年第 3 期。

王跃生：《清代中期妇女再婚的个案分析》，《中国社会经济史研究》1999 年第 1 期。

王振忠：《明清以来汉口的徽商与徽州人社区》，李孝悌编：《中国的城市生活》，新星出版社 2006 年版。

闻钧天：《中国保甲制度》，商务印书馆 1935 年版。

翁士洋：《明代武当山道教研究综述》，《汉江师范学院学报》2018 年第 2 期。

巫仁恕：《民间信仰与集体抗争：万历承天府民变与岳飞信仰》，

《江海学刊》2005 年第 1 期。

吴成国、吴攸:《明清移民运动中的万寿宫信仰》,“首届万寿宫庙会文化研讨会”(2016 年 10 月 15—17 日,南昌)论文集。

吴琦、赵秀丽:《明代“问题皇帝”研究》,中国社会科学出版社 2015 年版。

夏路:《荆楚汉绣的沿革和艺术特色》,《艺术教育》2014 年第 10 期。

肖志华、严昌洪主编:《武汉掌故》,武汉出版社 1994 年版。

萧放:《荆山楚水的民俗与旅游》,旅游教育出版社 1995 年版。

萧志华主编:《湖北社会大观》,上海书店出版社 2000 年版。

谢定源主编:《新概念中华名菜谱·湖北名菜》,中国轻工业出版社 1999 年版。

谢运思:《论西兰卡普的土家文化与图形纹样》,《现代装饰》2014 年第 3 期。

谢宁静:《明代辽藩的供应与生计》,中山大学历史系中国史专业 2016 年硕士学位论文。

徐斌:《由涣散到整合:国家、地方及宗族之内——以黄冈县郭氏宗族的形成与发展为例》,《中国社会历史评论》第 7 卷,2006 年。

徐吉军、姚伟钧:《二十世纪中国饮食史研究概述》,《中国史研究动态》2000 年第 8 期。

徐建生:《近代中国婚姻家庭变革思潮述论》,《近代史研究》1991 年第 3 期。

许涤新、吴承明主编:《中国资本主义发展史》第 1 卷,人民出版社 1985 年版。

严昌洪:《武汉历史文化风貌概览》,武汉出版社 2017 年版。

严明清主编:《洞茶与中俄茶叶之路》,湖北人民出版社 2014 年版。

杨国安:《救生船局与清代两湖水上救生事业》,《武汉大学学报》

2006 年第 1 期。

杨国安:《明清两湖地区基层组织与乡村社会研究》, 武汉大学出版社 2004 年版。

杨立志:《武当山朝山进香风俗浅谈》,《武当》1992 年第 2 期。

杨立志:《武当山道教文化》,《世界宗教研究》1994 年第 2 期。

杨立志:《明帝与武当山宫观经济考述》,《宗教学研究》1998 年第 1 期

杨立志:《明代帝王与武当道教管理》,《世界宗教研究》1998 年第 1 期。

杨立志:《武当山进香习俗的地域分布刍议》,《湖北大学学报》2005 年第 1 期。

杨向奎:《清儒学案新编》, 齐鲁书社 1985 年版。

杨奕青:《咸丰初年的湘乡团练及其对湘军崛起的影响》,《求索》1987 年第 1 期。

杨泽善、杨立志:《武当山“朝爷”风俗寻踪》,《中国道教》1994 年第 4 期。

杨正泰:《明代驿站考·附寰宇通衢、一统路程图记、士商类要》, 上海古籍出版社 2006 年版。

姚伟钧:《荆楚饮食文化论略》,《湖北经济学院学报》2004 年第 2 期。

姚伟钧:《武汉徽馆与大中华酒楼》,《武汉文史资料》2011 年第 5 期。

姚伟钧、刘朴兵、鞠明库:《中国饮食典籍史》, 上海古籍出版社 2011 年版。

叶依子、叶云:《汉绣流考》,《艺术与设计》2007 年第 8 期。

尹发艳:《鄂西土家族织锦西兰卡普的审美特征》,《戏剧之家》2013 年第 11 期。

尹选波:《明代督学制度述论》,《学习与探索》1999 年第 5 期。

尤淑君：《名分礼秩与皇权重塑——大礼议与明嘉靖朝政治文化》，台湾政治大学历史学部2005年硕士学位论文。

于志嘉：《明代军户世袭制度》，台湾学生书局1987年版。

于志嘉：《明清时代军户的家族关系——卫所军户与原籍军户之间》，《中央研究院历史语言所集刊》第74本第1分，2003年3月。

袁洪业主编：《中国小吃集萃》，安徽科学技术出版社1986年版。

岳占君、彭玮：《楚韵悠悠——试述汉绣的文化渊源》，《大众文艺》2011年第13期。

詹一虹、史红玲：《土家族西兰卡普研究：现状与展望》，《湖北大学学报》2017年第1期。

张国雄：《江汉平原垸田的特征及其在明清时期的发展演变》，《农业考古》1989年第1期。

张国雄：《江汉平原垸田的特征及其在明清时期的发展（续）》，《农业考古》1989年第2期。

张国雄：《清代江汉平原水旱灾害的变化与垸田生产的关系》，《中国农史》1990年第3期。

张华、郑勇华：《武当山明代圣旨解读》，《郧阳师范高等专科学校学报》2010年第5期。

张建民：《湖北通史·明清卷》，华中师范大学出版社1999年版。

张建民：《明清时期的洪涝灾害与江汉平原农村生活》，复旦大学历史地理研究中心主编：《自然灾害与中国社会历史结构》，复旦大学出版社2001年版。

张建民：《明代两湖地区的宗藩与地方社会》，《江汉论坛》2002年第10期。

张建民：《明清长江中游农村社会经济研究》，商务印书馆2010年版。

张琏：《明代嘉靖朝宗庙礼制变革与思想冲突之讨论》，第十一届国际明史研究会论文，兰州，2005年8月。

张琏：《天地分合：明代嘉靖朝郊祀礼议论之考察》，《汉学研究》第 23 卷第 2 期，2005 年 12 月。

张全晓：《明代武当山志研究》，华中师范大学历史文化学院历史文献学专业 2011 年博士学位论文。

张全晓、杨立志：《明代武当山志所见世宗崇道问题研究》，《世界宗教研究》2014 年第 3 期。

张全晓：《清代武当山志考略》，《湖南科技学院学报》2015 年第 6 期。

张蕊、王晨星：《恩施百福司土家族西兰卡普的传承探索研究》，《中国民族博览》2017 年第 12 期。

张世炯：《土家人的祭祀歌舞—跳丧舞（“撒尔嗬”）》，中国人民政治协商会议湖北省委员会文史资料委员会编：《湖北文史集粹》第 5 册，湖北人民出版社 1999 年版。

张伟然：《湖北历史文化地理研究》，湖北教育出版社 2000 年版。

张小平：《汉口徽商与社会风俗》，《安徽史学》2005 年第 1 期。

张晓虹：《汉水流域传统音乐文化形成的历史地理背景》，《黄钟：武汉音乐学院学报》2016 年第 1 期。

张岩：《近代前夜汉口商人的文化生活：1800—1840——以〈汉口丛谈〉为中心的考察》，冯天瑜、陈锋主编：《武汉现代化进程研究》，武汉大学出版社 2002 年版。

张岩：《清嘉道年间汉口商人文化生态考释》，《深圳大学学报》2010 年第 2 期。

张瑗、黎德扬、黄劭邦：《熊伯龙与〈无何集〉》，湖北人民出版社 1986 年版。

张泽远：《宜都跳丧舞》，中国人民政治协商会议湖北省委员会文史资料委员会编：《湖北文史集粹》第 5 册，湖北人民出版社 1999 年版。

赵冰等编著：《武当山景域营造：中华空间营造的巅峰之作》，湖北美术出版社 2015 年版。

赵静:《民间艺术汉绣的荆楚文化特质刍议》,《纺织导报》2018 年第 4 期。

赵克生:《明朝嘉靖时期国家祭礼改制》, 社会科学文献出版社 2006 年版。

赵李桥茶厂、华中师范大学历史系厂史编写组:《洞茶今昔》, 湖北人民出版社 1980 年版。

赵世良、丁放主编:《中国地方志民俗资料汇编·中南卷》, 北京图书馆出版社 1991 年版。

中国大百科全书总编辑委员会《中国地理》编辑委员会、中国大百科全书出版社编辑部编:《中国大百科全书·中国地理》, 中国大百科全书出版社 1993 年版。

中国土产畜产进出口公司湖北省茶麻分公司编:《湖北茶叶贸易志》, 1985 年, 内部出版。

中国戏曲志编辑委员会、《中国戏曲志·湖北卷》编辑委员会:《中国戏曲志·湖北卷》, 文化艺术出版社 1993 年版。

钟世武、李朝仁主编:《麻城祖籍寻根姓氏地名录》, 湖北省麻城市地方志办公室刊印(内部出版), 出版年不详。

钟世武主编:《麻城祖籍寻根: 谱牒序言与始祖研究》, 湖北人民出版社 2015 年版。

钟世武主编:《中国八大移民集散地比较研究》, 湖北省麻城市地方志办公室刊印(内部出版), 出版年不详。

周积明主编:《湖北文化史》, 湖北教育出版社 2006 年版。

周晓薇:《宋元明时期真武庙的地域分布中心及其历史因素》,《中国历史地理论丛》2004 年第 3 辑。

朱世学:《土家族西兰卡普的源流、特点及功能》,《民族论坛》1994 年第 4 期。

(德)马克斯·韦伯著、林荣远译:《经济与社会》, 商务印书馆

1997 年版。

（韩）吴金城著、（日）渡昌弘泽：《明代社会经济史研究——绅士层的形成及其社会经济作用》，汲古书院 1990 年版。

（美）爱德华·麦科德著、周秋光译：《清末湖南的团练和地方军事化》，《湖南师范大学学报》1989 年第 3 期。

（美）德·希·珀金斯著，宋海文等译：《中国农业的发展（1368—1968）》，上海译文出版社 1984 年版。

（美）柯文著、林同奇译：《在中国发现历史——中国中心观在美国的兴起》（增订本），中华书局 2002 年版。

（美）孔飞力著，谢亮生、杨品泉、谢思炜译：《中华帝国晚期的叛乱及其敌人》，中国社会科学出版社 2002 年版。

（美）罗斯著，公茂虹、张皓译：《变化中的中国人》，时事出版社 1998 年版。

（美）穆黛安著、刘平译：《华南海盗（1790—1810）》，中国社会科学出版社 1997 年版。

（美）裴宜理著，池子华、刘平译：《华北的叛乱者与革命者（1845—1945）》，商务印书馆 2007 年版。

（美）芮玛丽著、房德龄等译：《同治中兴：中国保守主义的最后抵抗》，中国社会科学出版社 2002 年版。

（美）萧凤霞：《文化活动与区域社会经济的发展——关于小榄菊花会的考察》，叶显恩主编：《清代区域社会经济研究》，中华书局 1992 年版。

（日）重田德：《乡绅支配体系的成立与结构》，刘俊文主编，高明士、邱添生、夏日新等译：《日本学者研究中国史论著选译》第 2 卷《专论》，中华书局 1993 年版。

（日）森正夫、野口铁郎、滨岛敦俊、岸本美绪、佐竹靖彦编，周绍泉等译：《明清时代史的基本问题》，商务印务馆 2013 年版。

（英）李约瑟著，王铃协助，袁翰青、王冰、于佳译：《中国科学技术史》第 1 卷《导论》，科学出版社、上海古籍出版社 1990 年版。

John Lagerwey, The Pilgrimage to Wu—tang Shan, in Susan Naquin and Chun—fang Yu ed., Pilgrims and Sacred Sites in China, University of California Press, 1992.

Kung—Chuan Hsiao, Rural China：Imperial Control in the Nineteenth Century, University of Washington Press, 1960.

William T. Rowe, Crimson Rain：Seven Centuries of Violence in a Chinese County, Stanford University Press, 2007.

后记（一）

近三四年来，本卷各位同仁精诚团结、通力合作，以严谨扎实的学术态度撰写相关内容，完成了预定目标，拿出了有分量的成果。作为分卷主编，本人感到欣慰。在此，谨向参与本卷写作的各位同道表示衷心感谢！

本卷的分工及撰写情况，依章节顺序详示如下——

绪　论：任　放

第一章：任　放　杨国安　刘　峰　张骏杰

第二章：任　放　徐　斌

第三章：任　放　刘　峰

第四章：任　放　张晓纪　刘　峰

第五章：任　放　杜七红

第六章：任　放

第七章：杜七红

第八章：任　放　张骏杰　周红梅

第九章：任　放　张骏杰　田宝中

任放负责全卷统稿工作，兼及"参考文献"编排。

在本卷写作过程中，得到湖北省荆楚文化研究会众多老领导、老专家（王生铁、武清海、李佑才、李德华、陈昆满、张武、杜建国等）的大力支持，著名学者刘玉堂、陈锋、张建民、潘洪钢、王雪华等教授提出了宝贵意见，吴成国教授主动提供自己撰写的论著以备参照……在此，一并表示衷心感谢！

荆楚文化源远流长、异彩纷呈，是中华文明具有开创性的重要组成部分。珍惜这份宝贵的文化遗产，是当今学人的历史使命！

任　放

2019年初夏　于珞珈山

补　记

此书原本经任放教授及其同仁多年努力，初稿全部完成，正拟进一步修改、完善并即将付梓之际，天不假年，任放教授于 2019 年 9 月 16 日因病溘然长逝，此书竟成绝笔！

任放教授生于四川南充，长于湖北武汉，兼楚蜀之才气，爱珞珈之山水。其为学厚重精深，为人温和谦逊。其研究时段从明清延伸至近代，研究领域从经济史拓展到文化史，尤其致力于明清以来长江中游区域社会经济史及地域文化史的研究，成果丰硕。因长期在湖北生活、学习和工作，任放教授出于历史学家的责任和对家乡文化的热爱，受荆楚文化研究会的委托，承当了《荆楚文化史》（明清卷）的主编工作。他组织学术团队、制定写作提纲，亲自撰写了其中大部分章节内容，并对全书进行了统稿和审校工作。任放教授对于此书的完成付出了巨大的心血，为荆楚文化的传承做出了重要的贡献。

在此书杀青之后，荆楚文化研究会组织专家进行了多次审校，并送呈中国社会科学院近代史研究所张海鹏先生审读。大家在充分肯定此书价值和成就的同时，亦从精益求精的角度提出了一些局部的修改建议。受荆楚文化研究会及湖北省社会科学院刘玉堂先生的委托，作为任放教授的师弟，本人受命承担了此书稿后续的修改与完善工作。

根据诸位专家学者的建议，在原书稿各位撰写者的努力下，对于原稿做了如下修订：一是调整了部分章节的顺序，精练了部分章节内容；二是适当删节过长引文；三是修正部分讹误之处。此外，明显陵管理处周红梅老师、湖北省社会科学院文史所张骏杰老师为相关章节的完善做出了贡献。当然，整本书修订所遵循的原则是尽量尊重任放教授的原作和原意，基本保持原书的主体风貌，也算是对任放教授的缅怀和铭记。

谨以此书纪念已故的任放教授!

杨国安

2020 年中秋,于武汉大学振华楼

后记（二）

组织撰写《荆楚文化史》是湖北省荆楚文化研究会近十年来最重要的工作之一。研究会自成立以来，一直致力于荆楚文化的研究、宣传和普及工作，每年召开学术年会和青年学者论坛，先后出版了“荆楚八个一百”、《楚文化概要》等荆楚文化普及丛书、学术专著和一大批研讨会论文集，并且与中央新影集团联合拍摄《凤舞神州》电视纪录片（十集），纪录片经中央电视台播出后在国内外产生良好反响。在此基础上，有些专家建议应当撰写一部全面阐述荆楚文化的专著。时任省九届政协主席、省荆楚文化研究会名誉会长王生铁同志高度重视这一建议，在同荆州博物馆原馆长滕壬生等几位资深专家进行深入讨论后，考虑到湖北发现年代最早的新石器时代文化——宜都城背溪文化距今八千年左右，故暂定书名为《荆楚文化八千年》。

王生铁同志一贯关心、支持荆楚文化的研究与普及工作。他在任荆州地委书记时紧抓不放建成了以楚文化藏品为镇馆之宝而闻名的荆州博物馆，并在全省成立了第一个荆楚文化研究所；他任省委常委、副省长、省委副书记和省九届政协主席时，依然将考古发掘、遗址保护等荆楚文化工作时刻挂在心头，并经常关心和请益于张正明、魏昌等一批楚文化研究专家。2010 年 3 月 23 日，他与时任会长武清海同志研究工作时，正式提出研究会要尽快组织专家学者撰写《荆楚文化八千年》，并强调，本书的写作原则是“无据不入书”，其核心要义是为中华文化“充实内容，填补空白，纠正误差，还原真实”，要在对长江文明集中梳理研究的基础上，充分展现荆楚大地辉煌灿烂的历史文化。武清海会长在随后的会长办公会上要求秘书处对此展开调查研究和意见征询。经过一年多的筹备，2012 年 1 月 11 日，会长办公会正式确定，将成立写作班子和拟定写作提纲列入研究会的主要工作日程。此后武清海会长多次召开调研会反复讨论，密切关注工作进展。

2014 年 2 月 22 日，我会将本书列为第三届理事会工作的重中之重，并于同年 3 月 8 日召开了《荆楚文化八千年》项目启动会，武清海会长代表研究会作了动员讲话，围绕“提高认识、统一思想，把握原则、深入发掘，广集史料、科学利用，明确体例、严格要求，组织专班、精心运作”五个方面提出了具体要求。会议确定由张硕、尹弘兵、叶植、吴成国、任放、严昌洪、袁北星等 7 位专家担任分卷主编，组织各分卷撰写团队，拟定写作提纲和安排写作进度，《荆楚文化八千年》一书的撰写工作正式拉开帷幕。工作一段时间后，张硕研究员因任务分工、严昌洪教授因健康原因辞去分卷主编一职，并推荐宋海超副教授、张继才教授分别担任史前卷、近代卷主编，继续编撰工作。

为争取有关方面的重视和支持，武清海会长率相关同志两次向省委宣传部主要领导汇报《荆楚文化八千年》的工作进度，并积极争取省新闻出版局的支持。2014 年 11 月，本书被湖北省社科工作领导小组列入湖北省社科基金重点项目。为加快写作进度和提高书稿质量，研究会确定由七位时任副会长陈昆满、柳菊兴、刘玉堂、邱久钦、李德华、张武、杜建国分别担任七个分卷的联系人，以利工作推进。

在中共中央组织部作出有关离退休领导干部在群团任职一般不得超过 70 岁的规定以后，王生铁同志和武清海同志先后辞去了名誉会长和会长职务。2017 年 9 月 23 日，研究会召开三届三次理事会，选举省十届政协常务副主席李佑才同志为会长。李佑才会长强调要一以贯之地继续抓好《荆楚文化八千年》的编撰工作，并聘请了一批热衷于荆楚文化研究的老领导和老专家担任研究会的特邀研究员，按原定计划不断推进《荆楚文化八千年》的编撰工作。

为更好地开展相关工作，研究会成立《荆楚文化八千年》编辑出版委员会，王生铁同志担任主任，武清海、李佑才同志担任副主任；聘请省社科院原副院长、知名荆楚文化研究专家刘玉堂研究员担任主编，省委宣传部原常务副部长李德华、省社科联原党组书记陈昆满、原省文化厅厅长杜建国担任副主编。

为保证书稿质量，编委会聘请省内相关领域的知名学者担任各分卷一审、二审的评审专家，并且委托有相当理论素养和工作经验的武清海、李德华、陈昆满3位特邀研究员再次对各分卷进行详细审读。

2018年8月，研究会在《荆楚文化八千年》申请湖北省学术著作出版专项资金资助项目过程中，经编辑出版委员会研究，决定将本书更名为《荆楚文化史》，并成功申报2018年省级和2019年国家级出版基金资助项目。2018年11月19日省委办公厅、省政府办公厅印发《关于传承发展中华优秀传统文化的实施意见》（鄂办发［2018］44号文）确定《荆楚文化史》为湖北传承发展优秀传统文化重点项目中的优秀传统文化出版项目，由省委宣传部牵头负责。

为切实提高《荆楚文化史》一书的质量，根据王生铁同志的提议，2019年6月，研究会副会长兼秘书长杜建国、主编刘玉堂及特邀研究员陈昆满代表编委会专程赴京，聘请中国社会科学院荣誉学部委员、中国历史学会原会长张海鹏教授担任北京专家审稿组组长，邀请北京大学、中国社科院等单位的知名专家分别对各卷进行终审。

在多方力量的支持下，7个分卷写作团队的专家们废寝忘食、呕心沥血地开展工作。经过数载披阅增删，各卷初审稿、二审稿、终审稿次第送审，最后由主编刘玉堂研究员精心修改、定稿并撰写总序。惜在明清卷即将定稿之际，该卷主编任放教授不幸英年早逝。经武汉大学陈锋教授推荐，武汉大学历史学院杨国安教授不顾工作任务繁重，毅然承担了明清卷的修改完善工作。

近十年来，王生铁、武清海、李佑才等几位老领导高度重视《荆楚文化史》的编撰出版工作，先后17次带领相关专家学者前往省内外进行考察调研，搜集第一手材料；前后20余次主持召开编撰工作会议，从确定写作提纲、选定分卷主编、召集全体写作人员进行动员，到了解各阶段研究进展情况、解决所遇到的各类难题，以及参与每卷的多次审稿会，每个环节都浸透着他们的心血。

此外，还有一大批领导、专家、工作人员密切关注着书稿的进展。如：研究会特邀研究员胡嘉猷，时任副秘书长古红英、刘胜瑜，荆楚文化研究中心原主任劳志强、副主任张艳鸽和工作人员陈波、肖幼琴、吴胡珂曜、段帅等，都为本书的出版做了大量具体工作。

在本书撰写、修改和审定过程中，还得到了省委宣传部、省政协办公厅、省政协文史和学习委员会、省财政厅、省新闻出版局、省社科联、省社科院、湖北教育出版社等单位的大力支持和帮助，在此，谨一并表示衷心感谢！

由于研究团队水平所限，本书不足之处在所难免，敬请读者批评指正。

湖北省荆楚文化研究会

2021 年 11 月 8 日